SENSACJE XX WIEKU

BOGUSŁAW WOŁOSZAŃSKI

SENSACJE XX WIEKU

PO II WOJNIE ŚWIATOWEJ

WARSZAWA 1997

Projekt okładki
i opracowanie graficzne
KRZYSZTOF FINDZIŃSKI

Zdjęcie autora na okładce
ADAM HAYDER

Redaktor
EWA BOROWIECKA

Wydawca
Wydawnictwo **MAGNUM** Sp. z o.o
02–536 Warszawa ul. Narbutta 25 a
tel/fax 48-55-05

Skład i diapozytywy
Studio komputerowe RADIUS
Warszawa ul. Nowogrodzka 31, tel. 621-39-20

Druk i oprawa
DRUKARNIA WYDAWNICTW NAUKOWYCH S.A.
Łódź, ul. Żwirki 2

ISBN 83-85852-14-X

SPIS TREŚCI

NARODZINY SIŁY

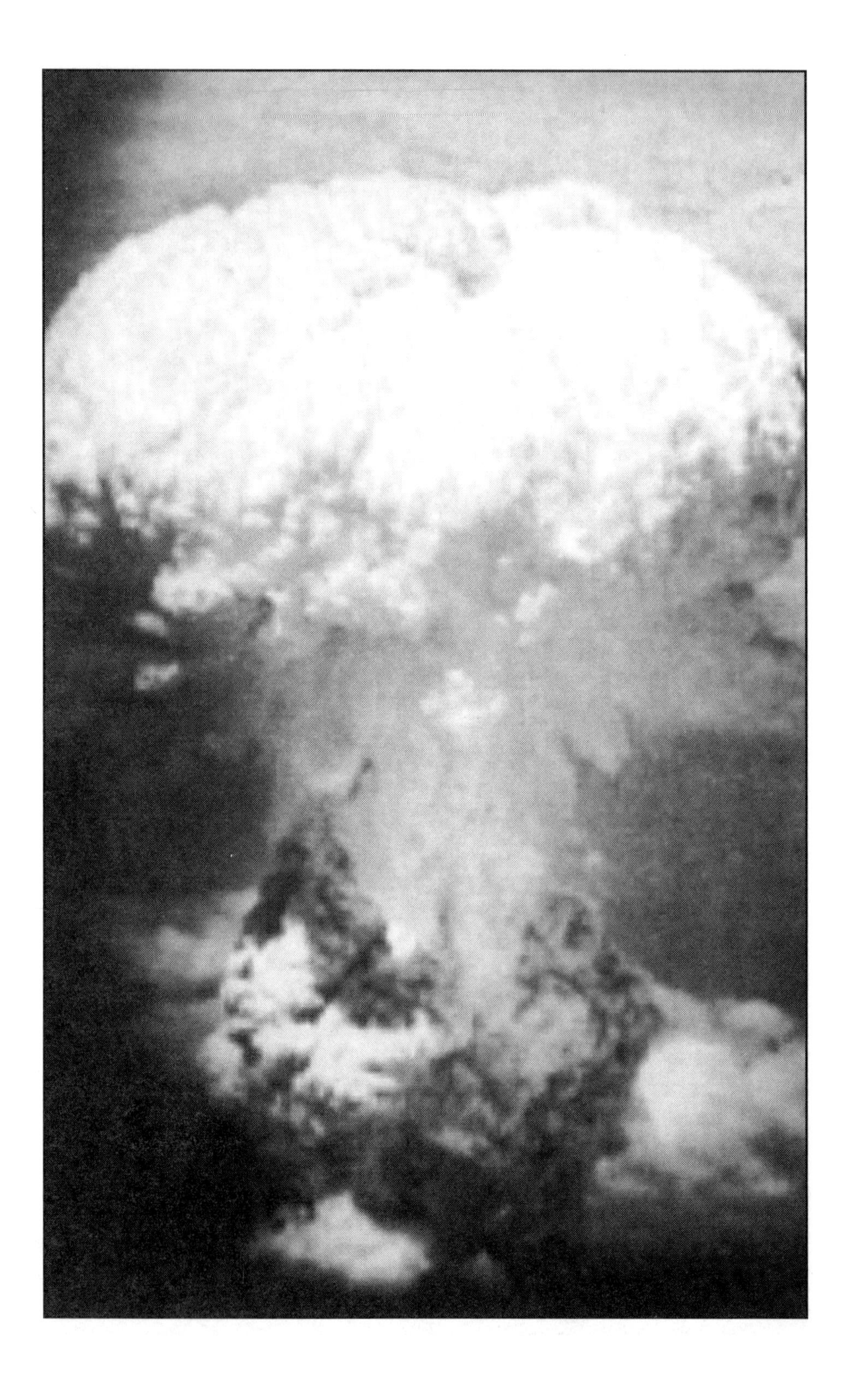

WIERNY IDEI

Mężczyzna w czarnym płaszczu stojący na przystanku autobusowym na tyłach domu towarowego Selfridge's zachowywał się dziwnie. Co chwilę przecierał okulary, rozkładał i składał gazetę albo wychodził na jezdnię i nerwowo wypatrywał autobusu. Sprawiał wrażenie człowieka o rozstrojonych nerwach i dlatego parę osób stojących na przystanku spoglądało na niego z niepokojem, gotowych odsunąć się, gdyby tylko wykonał jakiś gwałtowny gest.

Na widok nadjeżdżającego autobusu nerwus złożył gazetę i wsunął ją do kieszeni płaszcza. Szybko wspiął się krętymi schodami na piętro i usiadł z przodu pomostu.

– Czy następny przystanek to Marble Arch? – Wysoki, szpakowaty mężczyzna pochylił się nad nim. Mówił z obcym akcentem.

– Tak, jestem tego pewien. – Człowiek w czarnym płaszczu rozejrzał się dookoła i szybko dodał: – Dobrze, że pan jest. Trochę się denerwowałem.

Pytający o przystanek usiadł na fotelu obok i również rozejrzał się. Na górnym pomoście było zaledwie parę osób. Żadna z nich nie wzbudzała niepokoju.

– Nazywajcie mnie Aleksander – powiedział półgłosem i gestem dał znać, że porozmawiają po opuszczeniu pojazdu.

Autobus skręcił w Oxford Street i po chwili zatrzymał się.

– Towarzysz Kuczynski opisał was, doktorze Fuchs – odezwał się Aleksander, gdy obaj minęli bramę parku. – Nie miałem żadnych trudności z rozpoznaniem was. Nazywajcie mnie Aleksander, ale – jak się domyślacie – to pseudonim. I dla was, i dla mnie będzie lepiej, jeżeli nie poznacie mojego prawdziwego nazwiska.

– Tak, tak – skwapliwie przystał na to Fuchs, ciągle jeszcze wyraźnie speszony i podenerwowany sytuacją, w jakiej się znalazł.

– Usiądźmy gdzieś – zaproponował Aleksander.

Stanowił wyraźne przeciwieństwo Fuchsa: spokojny, opanowany, zmierzał równym krokiem w stronę ławki, którą zapewne już wcześniej upatrzył sobie jako miejsce odpowiednie do przeprowadzenia ważnej rozmowy.

Jego prawdziwe nazwisko brzmiało Simon Kremer. Był sekretarzem attaché wojskowego ambasady radzieckiej w Londynie. Wywiad wojskowy GRU zlecił mu utrzymywanie kontaktów z komunistami działającymi w brytyjskich wyższych uczelniach i instytutach, gdzie mogły być prowadzone prace o charakterze wojskowym.

Na początku lipca 1941 roku Jürgen Kuczynski – sekretarz Niemieckiej Partii Komunistycznej, działającej nielegalnie na emigracji w Wielkiej Brytanii – poinformował go, że młody i bardzo zdolny fizyk pracujący z profesorem Rudolfem Peierlsem na uniwersytecie w Birmingham nad rozszczepieniem jądra atomu chce nawiązać współpracę z ambasadą radziecką. Kremer zebrał wszystkie wiadomości o kandydacie na szpiega i uznał, że może od niego uzyskać wiele informacji interesujących centralę wywiadu wojskowego w Moskwie.

Klaus Fuchs – Niemiec – podczas studiów w Hamburgu bardzo aktywnie działał w oddziale partii komunistycznej. Był Żydem i po dojściu Hitlera do władzy musiał wyemigrować do Paryża, skąd przeniósł się do Londynu. Nie uniknął jednak zemsty nazistów, którzy starali się nie tracić z oczu uchodźców. Niemiecki konsul w Londynie powiadomił brytyjską policję, że Fuchs jest komunistą. Informacja ta nie zrobiła wszakże na angielskich urzędnikach z Home Office (Ministerstwo Spraw Wewnętrznych) większego wrażenia; ostatecznie chodziło o 22–letniego studenta, który niczym nie wyróżniał się z tłumu imigrantów politycznych, a żydowska rodzina, która ściągnęła go do Anglii, wystawiła mu jak najlepszą opinię.

W 1937 roku Fuchs ukończył studia na wydziale fizyki w Bristolu, a znakomite wyniki, jakie osiągnął, sprawiły, że otrzymał stypendium uniwersytetu w Edynburgu, gdzie natychmiast udał się, aby pracować pod kierunkiem znanego naukowca profesora Maxa Borna.

17 lipca 1939 roku wystąpił o przyznanie obywatelstwa brytyjskiego, jednakże zanim otrzymał odpowiedź, wybuchła wojna i Fuchsa, podobnie jak tysiące innych Niemców zamieszkujących Brytanię, wywieziono do obozu internowanych na Isle of Man, a potem do Sherbrook w Quebec, w Kanadzie. Pozostawił jednak w Brytanii wielu przyjaciół, a wśród nich profesora Borna, którzy zaczęli energicznie i systematycznie zabiegać o jego zwolnienie.

W styczniu 1941 roku Fuchs powrócił na uniwersytet w Edynburgu, ale nie na długo. Znakomite wyniki pracy młodego naukowca sprawiły, że zwrócił na niego uwagę profesor Rudolf Peierls z uniwersytetu w Birmingham i zaproponował zdolnemu fizykowi tak wyśmienite warunki, że już w maju 1941 roku Fuchs przeniósł się do nowej placówki, gdzie z pełnym oddaniem włączył się do pracy nad skonstruowaniem bomby atomowej, co w Wielkiej Brytanii oznaczono kryptonimem ''Tube Alloys''.

Kontrwywiad brytyjski MI5 bardzo dokładnie sprawdził dane dotyczące Niemca, jednakże z nieznanych powodów nie odnaleziono donosu napisanego przez niemieckiego konsula. Nie odkryto również, że angielscy Żydzi, którzy w 1934 roku zaprosili Fuchsa i umożliwili mu zadomowienie się w Anglii, byli zagorzałymi komunistami; przed wojną kilkakrotnie przebywali w Związku Radzieckim i prawdopodobnie pozostawali na usługach sowieckiego wywiadu. MI5 nie zwrócił również uwagi na aktywną działalność Fuchsa w brytyjskim Towarzystwie Współpracy Kulturalnej ze Związkiem Radzieckim.

– Czy nikt za panem nie szedł, gdy wysiadł pan na na dworcu w Londynie? – Aleksander doprowadził Fuchsa do ławki nad jeziorkiem. W pobliżu nie było drzew ani zarośli, w których mógłby się ukryć ktoś pragnący podsłuchać rozmowę.

– Wie pan... – Fuchs wydawał się zaskoczony pytaniem. – Nie zwracałem uwagi.

– Nie zauważył pan nikogo, kto był na stacji w Birmingham albo w pociągu?

– Nie... chyba nie.

– No, dobrze. – Aleksander zrezygnował z dalszej indagacji. – W przyszłości proszę jednak zwracać na to uwagę. Od tego może zależeć pana bezpieczeństwo.

– Tak, będę się starał. – Fuchs powoli oswajał się z sytuacją. Przestał się niepewnie rozglądać i skupił uwagę na słowach nowego znajomego.

– Spotkania będziemy odbywać w Londynie – kontynuował Aleksander. – Jak często może pan tu przyjeżdżać bez wzbudzania podejrzeń?

– Co dwa tygodnie lub nawet częściej.

– Wystarczy raz w miesiącu. W każdą ostatnią sobotę będę na pana oczekiwał na dworcu Paddington. Proszę, aby miał pan w prawej ręce trzy książki, przewiązane sznurkiem. Jeżeli będzie pan tę paczkę trzymał trzema palcami, to będzie dla mnie znak, że wszystko jest w porządku. Dwa palce lub paczka w lewej ręce oznaczać będzie sygnał ostrzegawczy i wówczas nie podejdę do pana. Zapamiętał pan?

Fuchs kiwnął głową.

– Fizyka rozwija pamięć. Ale w jakiej sytuacji mam nadać ten sygnał ostrzegawczy?

– Na przykład, jeżeli zauważy pan, że ktoś pana śledzi – odpowiedział Aleksander. – Lub widząc mnie na dworcu dojdzie pan do wniosku, że to mnie ktoś obserwuje.

– Przepraszam, że tak o wszystko wypytuję, ale nigdy nie byłem szpiegiem...

– I nie będziecie szpiegiem, towarzyszu Fuchs – zdecydowanie stwierdził Aleksander. – Pracujemy dla wielkiej sprawy. Pierwszy okres poświęcimy na przeszkolenie. Musicie poznać pewne metody działania kontrwywiadu i parę podstawowych zasad bezpieczeństwa.

– Nie rozumiem – zaniepokoił się Fuchs. – Przecież nie będziecie chyba żądać ode mnie, żebym włamywał się do sejfów?

Aleksander roześmiał się.

– Od tego mamy innych ludzi. Jednakże pan, zatrudniony w tajnych laboratoriach, będzie pod ścisłą obserwacją brytyjskiego kontrwywiadu. Nie może pan działać nierozważnie.

– Co mam więc robić?

– Spokojnie, wszystkiego pan się dowie. Proszę jednak pamiętać o podstawowej zasadzie działania. – Aleksander starannie unikał słowa "szpiegostwo", obawiając się, że może ono zrazić nowego agenta. – Na przykład przyjeżdżając do Londynu, aby spotkać się ze mną, musi pan mieć inny, jak najbardziej wiarygodny powód, np.: wizyta w bibliotece, gdzie rzeczywiście będzie miał pan przygotowane książki potrzebne do pracy; spotkanie z przyjacielem, który naprawdę będzie na pana czekał i tym podobnie. Niech pan się nie denerwuje, to nie takie trudne.

– Jak mam przekazać materiały, które teraz przywiozłem?

Fuchs sięgnął pod podszewkę marynarki, gdzie ukrył kartki zawierające szczegółowy raport na temat prac prowadzonych w Birmingham.

– Proszę włożyć kartki do gazety.

Fuchs sprawnie wsunął kartki do ''Timesa'', którego trzymał w kieszeni.

– Zrobiłem to.

– Proszę więc położyć gazetę na ławce. Ja położę obok moją, a rozstając się zamienimy się gazetami.

– Dlaczego mam brać pańską gazetę? – zdziwił się Fuchs.

– Przygotowałem zwrot kosztów podróży – uśmiechnął się Aleksander.

Fuchs poczerwieniał.

– Ależ nie! – zaprotestował tak gwałtownie, że Aleksander rozejrzał się wokół, czy okrzyk nie zwrócił czyjejś uwagi. – Żadnych pieniędzy! Nie jestem szpiegiem i przekazuję panu te informacje nie dla zysku!

– Oczywiście. – Aleksander zorientował się, że popełnił błąd. – Przecież ja mówiłem tylko o zwrocie kosztów podróży, towarzyszu Klaus. Jeżeli jednak nie chcecie, to nie ma o czym mówić.

Fuchs przetarł okulary. Słońce świeciło mocno, więc zdjął płaszcz i wydobył gazetę z kieszeni. Położył ją na ławce.

– No to do zobaczenia. – Aleksander wstał i prawie niepostrzeżenie schował do kieszeni gazetę Fuchsa. – Pociąg z Birmingham przychodzi o 11.15. Będę na was czekał na dworcu Paddington w ostatnią sobotę czerwca.

– A gdybym miał coś bardzo ważnego, nie cierpiącego zwłoki? – rzucił za nim Fuchs pytanie.

– W naszej działalności sprawy nie cierpiące zwłoki zawsze są wynikiem prowokacji kontrwywiadu. – Aleksander machnął ręką na pożegnanie i szybko oddalił się w stronę bramy, a Fuchs rozsiadł się wygodnie na ławce. Zdjął okulary i wystawił twarz do słońca.

Był zadowolony. Uważał, że jego obowiązkiem komunisty jest poinformowanie towarzyszy radzieckich o badaniach prowadzonych przez Anglików nad skonstruowaniem bomby o nieznanej dotąd sile niszczącej. Raport, który przekazał Aleksandrowi, powinien pomóc radzieckim naukowcom w zorientowaniu się w zakresie i poziomie brytyjskich odkryć.

Ulice Londynu podczas wojny

PRZEŁOMOWY ROK

– Co jeszcze? – Stalin odsunął na bok plik papierów, które podawał mu jego osobisty sekretarz, Aleksandr Poskriebyszow.

– List z Woroneża. Zastanawiałem się, towarzyszu Stalin, czy zajmować nim waszą uwagę, ale sprawdziłem, że autor listu, Gieorgij Florow, miał przed wojną pewne osiągnięcia naukowe...

– Do rzeczy, o co mu chodzi? – Stalin wstał zza biurka.

Późnym popołudniem był już wyraźnie zmęczony, jednakże zdecydował się wysłuchać nietypowej sprawy. Miał pełne zaufanie do wyczucia swojego sekretarza. Zawsze, gdy ten przychodził z jakimś pomysłem, okazywało się, że wart był on zainteresowania.

Podszedł do okna i odsunął firankę. Prószył drobny śnieg, ale przez dziury w chmurach przebijały się promienie słońca, co sprawiało, że kremlowskie gmachy skrzyły się żywymi barwami. Był to jeden z nielicznych listopadowych dni, które zachęcały do zaczerpnięcia powietrza pełną piersią, ale Stalin nigdy nie otwierał okien w swoim gabinecie, gdyż obawiał się, że ktoś może rzucić bombę albo strzelić z dachu pobliskiego budynku.

– Ten Florow zwraca waszą uwagę, towarzyszu Stalin, na dziwne zjawisko w imperialistycznej prasie fachowej. Jak pisze... – Poskriebyszow wyciągnął list z teczki i przez chwilę szukał wzrokiem odpowiedniego fragmentu. –

(...) od 1940 roku zniknęły artykuły z dziedziny fizyki nuklearnej, co może oznaczać, że utajniono je w obawie przed wykorzystaniem przez Niemców. Równie dobrze może to jednak znaczyć, że na Zachodzie rozpoczęto prace nad bombą i dlatego wstrzymano wszelkie publikacje. Na końcu dodaje: *Niezwłocznie trzeba przystąpić do konstruowania bomby uranowej.*

– Ciekawe spostrzeżenie. – Stalin odwrócił się powoli i ruszył w stronę biurka. – A co wiecie o tym... jak mu ... Florowie? – Zadając to pytanie wiedział doskonale, że Poskriebyszow zebrał już wszelkie informacje. I nie mylił się.

– Bardzo zdolny fizyk. Członek Towarzystwa Uranowego, założonego w kwietniu 1940 roku przez Wszechzwiązkową Akademię Nauk. W tymże roku razem z Pietrzakiem przeprowadzili w tunelu moskiewskiego metra doświadczenie, w wyniku którego odkryli zjawisko samorzutnego rozszczepienia uranu...

Poskriebyszow, który miał fenomenalną pamięć, udzielając informacji o fizyku musiał jednak zerkać do swych notatek.

– Doświadczenie to przeprowadzono pod kierunkiem Igora Kurczatowa – mówił dalej. – W lipcu 1941 roku Florow, jako nie związany z badaniami dla potrzeb wojska, został zmobilizowany i wysłany do jednostki lotniczej w Woroneżu. To wszystko, towarzyszu Stalin.

– Ciekawe spostrzeżenie – powtórzył Stalin.

Już od pewnego czasu docierały do niego informacje, że naukowcy w innych państwach pracują nad skonstruowaniem nowej broni. W październiku 1941 roku szef NKWD, Ławrentij Beria, dostarczył raport wywiadowczy z Londynu informujący o próbach z uranem 235, prowadzonych przez naukowców brytyjskich i amerykańskich. Dwa miesiące później Beria przyniósł znalezione przy jednym z niemieckich jeńców dokumenty, z których wynikało, że podobne działania podjęli Niemcy. To było bardzo prawdopodobne. Już 19 września 1939 roku Adolf Hitler przemawiając w Dworze Artusa w Gdańsku powiedział: *Może szybko nadejść moment, gdy użyjemy broni, po której nikt nas już nie zaatakuje.*

– Warto byłoby się zapoznać z opinią towarzyszy naukowców – powiedział Stalin. – Zwróćcie się do towarzysza Kaftanowa, aby zorganizował naradę u mnie w gabinecie. Trzeba to spokojnie rozważyć.

Stalin udał się niewielkiego pokoju, gdzie zwykł wypoczywać, gdy zmęczenie dawało mu się we znaki.

W Związku Radzieckim od lat dwudziestych pięć instytutów naukowych, w Leningradzie, Moskwie i Charkowie, zajmowało się badaniami jądrowymi. W końcu lat trzydziestych radzieccy naukowcy: Kurczatow, Florow, Pietrzak, Frenkel, Kapica i Joffe mieli już bardzo poważne osiągnięcia w badaniu atomu.

W październiku 1940 roku trzej naukowcy z charkowskiego Instytutu Fizyki i Techniki: Wiktor Masłow, Fritz Lange i Władimir Szpieniel złożyli do Wydziału Wynalazczości Ludowego Komisariatu Obrony ZSRR wniosek o przyznanie patentu na *wykorzystanie uranu w charakterze środka wybuchowego i trującego.* W końcu stycznia 1941 roku projekt został odrzucony bez merytorycznego uzasadnienia.

Naukowcy walczyli dalej. Zgłosili się do Biura Wynalazczości Gosplanu (Komisji Planowania), ale tam też nikt nie odważył się podjąć decyzji. Zdesperowany Masłow napisał list do komisarza obrony. Wydawało się już, że jest o krok od sukcesu, gdyż szef wojska uznał, iż warto zasięgnąć opinii innych naukowców. Nie wiadomo, jak dalej potoczyłaby się cała sprawa, gdyby nie wybuch wojny niemiecko-radzieckiej.

Masłowa wysłano na front, gdzie zginął; Lange jako Niemiec z pochodzenia nie był godzien zaufania, a Szpieniela skierowano do Ałma Aty, aby pracował nad zagadnieniami nie związanymi z fizyką jądrową. Podobny był los większości radzieckich uczonych, którzy nie pracowali dla bieżących potrzeb wojska.

W listopadzie 1942 roku, gdy Poskriebyszow przedstawił list Florowa, sytuacja była już inna. Stalin mógł spokojniej myśleć o losie wojny. Wprawdzie Niemcy stanowili jeszcze wielką siłę, ale nie udało im się zrealizować żadnego ze strategicznych celów: nie doszli do źródeł ropy naftowej i nie zniszczyli sowieckiego przemysłu. Rosjanie zdołali przerzucić 600 głównych zakładów poza rejon walk i w początkach 1942 roku uruchomić ponownie ich produkcję. Już po kilku miesiącach widoczna była wyraźna przewaga radzieckiej gospodarki: zakłady czołgowe dostarczyły 24 660 maszyn wszystkich typów, gdy niemieckie zakłady zdołały przesłać na front pięciokrotnie mniej: 4 436 czołgów.

Stalin zdawał sobie sprawę, że naród niemiecki nie udźwignie przez dłuższy okres obciążenia, jakim dla jego siły biologicznej była rozdęta do monstrualnych rozmiarów armia: państwo liczące 80 milionów ludzi wystawiło do boju 10–11 milionów żołnierzy, tyle samo co Związek Radziecki, dysponujący dwukrotnie większą liczbą ludności. W rezultacie liczba mężczyzn zatrudnionych w zakładach przemysłowych Trzeciej Rzeszy stale spadała: z 24,5 miliona w 1939 roku do 16,9 miliona w roku 1942. Co prawda liczba robotników przymusowych wzrosła w tym czasie z 300 tysięcy w 1939 roku do 4 milionów w roku 1942, ale niewolnikami nie można było zastąpić tych, których wysłano na front.

Alianci zwierali szyki i nie było żadnych wątpliwości, że ich zwycięstwo jest tylko sprawą czasu. Prezydent Roosevelt odsunął doradców, którzy namawiali go do zaangażowania głównych sił w wojnie z Japonią i gotów był posłać swoje armie do Europy, aby uderzyły na niemieckie linie obronne we Francji. Churchill studził jego zapały i usiłował skierować amerykańskich chłopców do ataku na Włochy i Grecję.

Dla Stalina był to oczywisty dowód, że rozpoczęła się walka już nie o zwycięstwo nad Trzecią Rzeszą, lecz o podział świata po wojnie. A w tej grze mogły się liczyć tylko państwa dysponujące bronią o niezwykłej mocy.

Józef Stalin

STALIN SPÓŹNIA SIĘ

Siergiej Kaftanow, odpowiedzialny za współpracę z uczonymi, wezwał na Kreml czterech najważniejszych:

Piotra Kapicę – dyrektora Instytutu Problemów Fizycznych Akademii Nauk ZSRR, Władimira Wiernadskiego – specjalistę od substancji radioaktywnych, Abrama Joffego, który pracował jako asystent Roentgena, a później stworzył radziecką szkołę fizyków, Igora Kurczatowa – dyrektora laboratorium fizyki jądrowej Politechniki Leningradzkiej.

Uczeni czekali długo. Godzinę, potem drugą i trzecią, a Stalin nie przychodził.

– Towarzysza Stalina zatrzymują ważne sprawy państwowe – powiedział Kaftanow, nie zdając sobie sprawy, że to oznajmienie pozbawione jest sensu. Nie wychodził z sali, nie mógł zatem wiedzieć więcej niż goście.

– Rozumiecie, towarzysze, jest wojna... – Chciał usprawiedliwić nieobecność gospodarza, ale chyba w tym momencie zdał sobie wreszcie sprawę, że nie powinien wygłaszać frazesów wobec najwybitniejszych naukowców w kraju, i szybko wrócił na swoje miejsce.

– Tak, towarzysz Stalin spóźnia się – skwitował Abram Joffe rozglądając się dookoła. – Czy któryś z was ma papierosy? Nie przewidywałem, że to tak długo potrwa i nie wziąłem zapasu.

Odpowiedziała mu cisza. Papierosy były zbyt cennym artykułem w czasie wojny, aby dzielić się nimi.

– Proszę! – Kaftanow uniósł się ponownie z krzesła i podał paczkę Joffemu, który bez żenady wyciągnął kilka papierosów i schował je do kieszeni marynarki.

– Towarzysz ma zapewne służbowe – uzasadnił swój gest. – Zaciągnął się głęboko i rozsiadł wygodnie w fotelu.

Kurczatow drzemał podpierając głowę rękami.

Kapica krążył po gabinecie i widać było, że jest wyraźnie poruszony lekceważeniem, jakie okazał Stalin spóźniając się o trzy godziny. Nie odważył się jednak okazać niezadowolenia. Nie wiedział jeszcze, że przyjdzie im czekać przez całą noc.

Stalin przybył bowiem dopiero następnego ranka o 8.30. Zwykle o tej porze rozpoczynał pracę w swoim kremlowskim gabinecie. Gdy wszedł do sali, w której oczekiwali naukowcy, ani słowem nie wyjaśnił spóźnienia. Tuż za nim postępował Ławrentij Beria – komisarz spraw wewnętrznych (NKWD). Jego obecność wydawała się oczywista, jeśli zważyć, że był człowiekiem koordynującym działalność wywiadu, a informacje o postępach naukowców w Niemczech i Stanach Zjednoczonych w pracach nad bombą mogły mieć istotne znaczenie dla podjęcia ostatecznej decyzji w sprawie zaproponowanej przez Florowa.

– Głos ma towarzysz Kaftanow – powiedział Stalin, uznając, że wszyscy wiedzą, o co chodzi.

Kaftanow jasno i zwięźle przedstawił wszystkie argumenty przemawiające za podjęciem prac nad skonstruowaniem bomby uranowej – jak nazwał nową broń.

Potem wypowiadał się Abram Joffe. On również uważał, że należy jak najszybciej uruchomić program atomowy.

Naukowcy kolejno przekonywali Stalina, że stworzenie broni atomowej jest możliwe i należy przystąpić do tego bezzwłocznie, gdyż istnieje realne niebezpieczeństwo, że Niemcy i Amerykanie mogą to zrobić szybciej.

– Ile będzie nas kosztować skonstruowanie nowej broni? – zapytał Stalin.

Zapadła cisza. Dotychczas nikt nie pytał naukowców, jaki będzie koszt skonstruowania czołgu czy samolotu. Rozumieli jednak, że dyktatorowi nie chodzi o pieniądze, lecz o koszty społeczne i gospodarcze przedsięwzięcia.

– Tyle, ile dotychczas kosztowała nas wojna – odezwał się Abram Joffe.

Stalin popatrzył na niego bez słowa. Koszt wojny był gigantyczny. Europejska część Związku Radzieckiego była zrujnowana, setki miast leżało w gruzach, tysiące wsi i kołchozów zostało zrównanych z ziemią, na terenach zajętych przez Niemców pozostało 70 milionów obywateli, z dymem poszło 13 milionów ton zboża. A jakich nakładów wymagało przerzucenie za Ural 600 zakładów przemysłowych? Czy Joffe zdawał sobie sprawę z tego, co kryje się za jego stwierdzeniem? Jak cenę badań i eksperymentów naukowych można porównać z rocznym wysiłkiem wojennym wielkiego państwa? Jednakże pewność, z jaką naukowiec wypowiedział swoją opinię, nakazywała Stalinowi przyjąć tę ocenę.

– Kto waszym zdaniem powinien stanąć na czele zespołu, na którym ciążyć będzie tak wielka odpowiedzialność? – zapytał po chwili milczenia.

Wszystko przemawiało za tym, by stanowisko objął Piotr Kapica, ale ta kandydatura nie odpowiadała Stalinowi. Kapica, który w latach 1921–1932 pracował w Cavendish Laboratory w Cambridge, a następnie w tamtejszym Royal Society Mond, miał wielu wpływowych przyjaciół na Zachodzie, co nie było najlepszą rekomendacją. Trudno byłoby poza tym odseparować go nagle od świata i zamknąć w tajnym ośrodku badawczym na Syberii.

– Proponuję Igora Wasiliewicza – znowu odezwał się Joffe.

Czy wcześniej ustalono, że wysunie kandydaturę Kurczatowa? Być może zadbał o to Poskriebyszow.

39–letni Igor Wasiliewicz Kurczatow miał już ogromne doświadczenie i osiągnięcia naukowe, i wiadomo było, że z właściwą sobie energią zabierze się do realizacji karkołomnego zadania.

Stalin zaaprobował Kurczatowa.

Ławrentij Beria nie odzywał się w czasie narady. Cały czas zapisywał coś tylko w czarnym notesie. Pochylony nad stołem, z rzadka podnosił głowę, aby zza okularów przyjrzeć się mówcy. Podobny był wówczas do drapieżnego ptaka. Jego obecność nie dziwiła naukowców, choć w zauważalny sposób zaznaczała się na zachowaniu zebranych; wydawało się, że są spięci i ostrożni w wypowiadaniu ocen.

Było dla nich oczywiste, że wszelkie prace nad skonstruowaniem nowej broni muszą być objęte jak największą tajemnicą, a Beria to gwarantował. Ponadto mógł on naukowcom dostarczyć wiadomości, których zebranie na własną rękę zajęłoby im wiele lat.

Beria doskonale zrozumiał słowa Stalina, który przemawiając na XVIII Zjeździe WKP(b) w 1939 roku powiedział: *Nasza armia, organy ścigania i wywiad nie muszą już kierować swojego ostrza przeciwko wrogom wewnątrz kraju, lecz przeciwko zewnętrznym wrogom.*

Ludowy Komisariat Spraw Wewnętrznych, w latach 30. zajęty wielką czystką w partii i wojsku, rzeczywiście nie przykładał należytej wagi do rozbudowy wywiadu zagranicznego. Beria, ponaglony przez Stalina, z całą bezwzględnością przystąpił do systematycznego organizowania wielkiej sieci szpiegowskiej, która miała opleść świat.

Zaczął od werbowania ludzi, którzy mogli stać się dobrymi agentami. Wszystkie rejonowe urzędy NKWD otrzymały polecenie wytypowania kandydatów na szpiegów. Według zaleceń dołączonych do tego tajnego rozkazu powinni to być ludzie znający obce języki, homoseksualiści, kobiety i mężczyźni o urodzie robiącej wrażenie, naukowcy i ludzie dysponujący dużą wiedzą na temat spraw wojskowych oraz polityki.

Jednocześnie Beria zajął się organizowaniem szkół szpiegowskich, z których pierwsza powstała pod Moskwą, a do końca 1939 roku uruchomiono cztery inne podobne ośrodki. Szkolenie w nich trwało od sześciu miesięcy do dwóch lat i było niesłychanie intensywne. W ciągu pierwszych trzech miesięcy kursanci nie mieli prawa opuszczania budynku, a nauka trwała od rana do wieczora przez cały tydzień. Nieliczne godziny bez wykładów i treningów przeznaczano na podnoszenie świadomości politycznej szkolonych.

Zajęcia obejmowały sztukę fotografowania, włamywania się do mieszkań i sejfów, obsługiwania radiostacji, jak również szyfrowania meldunków radiowych. Co ciekawe, prawie w ogóle nie uczono zabijania. Beria był temu przeciwny. Uważał, że zbrodnia jest najmniej wskazanym działaniem szpiega, ale gdyby taka konieczność pojawiła się, można było szybko wysłać z Moskwy wytrenowanych zabójców z Wydziału Specjalnego NKWD.

Szczególną wagę przykładano do umiejętności werbowania nowych agentów i związanej z tym umiejętności szantażu, niezwykle pomocnej w budowie siatki szpiegowskiej i gromadzeniu informacji.

Beria osobiście opracował schemat funkcjonowania sieci wywiadowczej, który w następnych latach doskonale zdał egzamin.

Cała struktura oparta została na radzieckich placówkach dyplomatycznych i handlowych działających w obcych państwach. Skierowano tam agentów wyszkolonych w ośrodkach NKWD. Oni to koordynowali działalność szpiegów werbowanych wśród ludzi mających dostęp do spraw państwowych, gospodarczych i wojskowych, które mogły być interesujące dla Związku Radzieckiego. Rzadko kontaktowali się osobiście ze szpiegami.

To zadanie wykonywali specjalni agenci, którzy również werbowali nowych szpiegów, przekazywali pieniądze, polecenia z centrali i odbierali materiały. Podstawowa komórka szpiegowska liczyła 3–4 osoby, które zazwyczaj znały się i wspomagały w działaniu.

Informacje, wyselekcjonowane i wstępnie sprawdzone przez agentów w placówkach, przekazywane były do centrali w Moskwie za pośrednictwem kanałów dyplomatycznych: kurierów (uważanych za najbezpieczniejszy środek przekazywania tajnych wiadomości), w bagażu podróżujących dyplomatów lub w zaszyfrowanych depeszach wysyłanych z ambasady.

Oprócz tej siatki, nazywanej często legalną, gdyż organizowali ją i prowadzili pracownicy dyplomatyczni legalnie przebywający na terenie obcego państwa, istniała jeszcze sieć nielegalna, organizowana przez rezydentów, którymi byli z reguły ludzie zwerbowani przez ''legalnych''. Tworzyli oni siatki szpiegowskie werbując współpracowników z najbliższego otoczenia. Informacje do Moskwy przesyłali za pośrednictwem radiostacji, które obsługiwali sami lub przy pomocy odpowiednio przygotowanych radiooperatorów.

Poza tymi strukturami pozostawali agenci ''uśpieni'' przez kilka lub nawet kilkanaście lat. Nie wolno im było wówczas prowadzić żadnej działalności szpiegowskiej. Dopiero gdy po wybuchu wojny Związek Radziecki ewakuowałby ambasadę i inne placówki, uśpieni agenci „ożyliby'' i nawiązali kontakt z rezydentami oraz grupami szpiegów prowadzonych dotąd przez ambasady.

Gdy zebranie dobiegło końca i naukowcy podnieśli się z krzeseł, Beria podszedł do Kurczatowa.

– Towarzyszu Kurczatow, słóweczko... – Wziął go pod rękę i odciągnął na bok, w stronę okna. Jednakże nie rozpoczął rozmowy, dopóki Stalin nie wyszedł z pokoju. Do tego czasu Beria przytrzymując rękę Kurczatowa wpatrywał się w Stalina, obserwując, czy nie wezwie go skinieniem głowy.

– Czeka nas ścisła współpraca – oświadczył, gdy tylko pozostali sami. – Tutaj, na Kremlu, w specjalnym pokoju, będę przekazywał wam poufne informacje na temat postępów w badaniach nad atomem w Anglii, Ameryce i w Niemczech. Chciałbym wam powiedzieć, że już 14 czerwca tego roku wysłałem do naszych pracowników w Berlinie, Nowym Jorku i Londynie taki rozkaz... – Beria pochylił się, z teczki wyciągnął kartkę i podał ją rozmówcy.

Jesteście zobowiązani do zbierania informacji na temat teoretycznych i praktycznych aspektów budowy bomby atomowej, programu nuklearnego, składników paliwa nuklearnego, mechanizmu zapalnikowego, różnych metod otrzymywania izotopów uranu, a także polityki rządu i rządowych organizacji powoływanych w tym celu.

– Tak, to ważne – mruknął Kurczatow oddając kartkę.

– A w ogóle, to gratuluję wam stanowiska. Oczywiście rozumiecie, że przestaliście istnieć dla świata?... – Beria patrzył uczonemu prosto w oczy.

– Jak to?! – obruszył się Kurczatow. – Jak to rozumiecie, towarzyszu komisarzu?

– Żadnych publikacji, żadnych zdjęć, żadnych wywiadów, żadnej wymiany informacji z naukowcami z zagranicy. Będziecie cały czas pod opieką moich ludzi, którzy będą wiedzieli o was wszystko. Wszystko! – Ostatnie słowa zabrzmiały jak groźba. – Zresztą będziemy jeszcze mieli czas na dokładne omówienie środków bezpieczeństwa. Bomba uranowa to zbyt wielkie przedsięwzięcie, aby pozostawić je tylko naukowcom. – Beria odwrócił się i szybko ruszył w stronę drzwi, za którymi zniknął Stalin.

Kurczatow stał jeszcze przez chwilę bez ruchu. Cała ta sytuacja – nocne oczekiwanie na Stalina, przebieg zebrania, wybór na przewodniczącego zespołu budującego bombę atomową i wreszcie rozmowa z Berią – oszołomiła go. Powoli docierała do niego świadomość, że od tej chwili jego kariera naukowa, a może nawet i życie stały się własnością Berii...

Igor Kurczatow

NOWA MISJA FUCHSA

– Dzisiaj wieczorem w Norfolk zacumował statek z Wielkiej Brytanii. – John Doe, którego prawdziwe nazwisko brzmiało Jakowlew, usiadł na ławce obok krępego mężczyzny w szarym płaszczu.

Jakowlew był bardzo doświadczonym agentem sowieckim. Kierował wydziałem skandynawskim NKWD, potem szefował drugiemu departamentowi wywiadu NKWD, któremu podlegali radzieccy szpiedzy na całym świecie. W uznaniu ogromnych zasług i zdolności Jakowlewa sam Beria wysłał go do Stanów Zjednoczonych, aby kierował tamtejszą siatką szpiegowską. 20 maja 1943 roku Jakowlew przyjechał do Nowego Jorku, by podjąć pracę w ambasadzie radzieckiej. W listopadzie otrzymał od kolegów z Londynu informację, że Klaus Fuchs przybędzie 3 grudnia do Stanów Zjednoczonych na pokładzie brytyjskiego statku *Andes*. Natychmiast wyznaczył spotkanie Harry'emu Goldowi, bardzo operatywnemu agentowi, który pracował dla NKWD od roku 1936. Umówili się w Central Parku.

– Zapamiętaj to nazwisko: Klaus Fuchs – mówił dalej Jakowlew. – Nawiążesz z nim kontakt. Wszystko zostało ustalone wcześniej w Londynie.

Rzeczywiście Fuchs przed wyjazdem z Londynu otrzymał od prowadzącego go oficera (Aleksander w 1942 roku powrócił do Moskwy, a jego miejsce zajęła agentka o pseudonimie Sonia – siostra Jürgena Kuczynskiego) informację, że 3 stycznia 1944 roku o ustalonej godzinie ma czekać na agenta przed północnym wyjściem ze stacji metra na 53 ulicy.

Punktualnie o 16.00 Fuchs stawił się w wyznaczonym miejscu. W prawej ręce trzymał piłkę tenisową i wypatrywał wśród tłumu łącznika. Po kilku minutach pojawił się krępy, śniady mężczyzna w szarym garniturze. W prawej dłoni niósł rękawiczki, a łokciem lewej ręki przyciskał do tułowia książkę w zielonej okładce.

Fuchs ruszył w jego stronę. Ten dostrzegłszy piłkę tenisową uścisnął dłoń Fuchsa, po czym obaj skierowali się do pobliskiej kawiarni.

– Nazywam się Raymond. – Gold podał swój pseudonim. – Będziemy się teraz często kontaktować.

– Wkrótce wyjadę do Los Alamos. Nie wiem, jak będziemy mogli się spotykać...

– Przygotowałem to. – Gold wyciągnął z kieszeni mapę. Rozejrzał się szybko dookoła, ale o tej porze kawiarnia była pusta i nikt nie zwracał na nich uwagi. – To jest mapa Santa Fe. W tym miejscu, na przedmieściu, będę czekał na pana w żółtym *fordzie*, w terminie, który ustalimy. Wolałbym, żebyśmy już teraz określili, kiedy się spotkamy. Sądzę, że w Los Alamos mogą podsłuchiwać rozmowy telefoniczne i sprawdzać korespondencję.

Gold nie mylił się. Ludzie z kontrwywiadu G–2 roztoczyli bardzo dyskretną, ale niezmiernie ścisłą kontrolę nad naukowcami, którzy mieli dostęp do tajemnic bomby atomowej; podsłuchiwali również rozmowy telefoniczne i czytali listy.

– Potrzebuję trochę czasu, aby tam się rozejrzeć. – Fuchs nie mógł się zdecydować, jaki termin podać.

– Wiem, że zajmie to panu parę miesięcy. Sądzę, że z pół roku wystarczy. Będę więc czekał na pana za pięć miesięcy: 2 czerwca o godzinie 16.00. Nikogo nie zdziwi, że wybrał się pan o tej porze do Santa Fe.

Fuchs spojrzał jeszcze raz na mapę, aby zapamiętać nazwę ulicy.

– A jeżeli coś się nie uda? – zapytał wstając.

– Proszę się nie obawiać, wiem, jak pana znaleźć – uśmiechnął się Gold. Nie mógł zdradzić, że Fuchs nie jest jedynym szpiegiem zatrudnionym w Los Alamos.

Kilka dni później Fuchs dotarł do ośrodka, który stanowił cel jego wyprawy. Autobus pokryty pustynnym kurzem minął bramę z drutów kolczastych i zatrzymał się na niewielkim placyku przed portiernią, gdzie żołnierze z MP sprawdzali przepustki wchodzących i wychodzących z ośrodka.

– Generał Leslie Groves. Nazywają mnie ''Ge–Ge'', oczywiście za moimi plecami, więc informuję pana od razu, że nie lubię tego przezwiska. – Wysoki, tęgi mężczyzna w przepoconym mundurze podszedł do Fuchsa, który zszedłszy po stopniach autobusu stanął niezdecydowany na placyku. – Jak minęła podróż?

Fuchs uśmiechnął się. Ten człowiek wydał mu się bardzo sympatyczny, aczkolwiek zdawał sobie sprawę, że wojskowy szef projektu, odpowiadający również za zachowanie tajemnicy, będzie jego największym wrogiem.

– Jestem trochę zmęczony...

– Kwatera już czeka. Zaraz żołnierz zabierze pańskie rzeczy i zaprowadzi pana na miejsce. Wieczorem zapraszam na kolację. Będziemy mogli porozmawiać o pracy. Oczywiście przyjdzie i Oppenheimer. – Groves skinieniem dłoni przywołał żołnierza, który wziął walizkę z ręki Fuchsa i przeprowadził go przez bramę.

Groves wrócił do budynku, gdzie mieściło się jego biuro. W sekretariacie czekał już pułkownik Borys Pash, zastępca szefa wydziału G–2, kontrwywiadu wojskowego.

– Powitałem właśnie Fuchsa – wyjaśnił swe spóźnienie Groves.

– Ciągle starasz się być ojcem tej gromady genialnych dzieci – zaśmiał się Pash.

– Genialnych dzieci? – Groves zatrzymał się w drzwiach. – To banda nieobliczalnych wariatów. I ty dobrze o tym wiesz. Co w sprawie Fuchsa?

Weszli do gabinetu i Groves starannie zamknął drzwi.

– Nic szczególnego. Sprawdziłem dokumenty przesłane z Anglii. Jest czysty. Żadnych podejrzeń, żadnych kontaktów z komunistami. – Pash położył na biurku teczkę opatrzoną tylko numerem.

– Przejrzę to, a co z Oppiem? – Groves pytał o Roberta Oppenheimera.

Dyrektor laboratoriów w Los Alamos, gdzie powstawała bomba atomowa,

Los Alamos

Trinity – baza najbliższa miejsca próbnych eksplozji atomowych

miał bardzo zaszargane konto. Kontrwywiad znał jego lewicowe sympatie, finansowe wspieranie partii komunistycznej w latach trzydziestych oraz niepokojący władze bezpieczeństwa romans z Jean Tatlock – żarliwą komunistką. Co prawda Oppenheimer po ślubie z Katarzyną Puening w listopadzie 1940 roku zerwał wszelkie stosunki z Jean i jej przyjaciółmi, ale w połowie roku 1943 agenci kontrwywiadu znów zameldowali o jego spotkaniach z Jean. Z tego też powodu w lipcu nie zatwierdzono kandydatury wybitnego fizyka na stanowisko dyrektora laboratoriów Los Alamos.

Groves wezwał Oppenheimera, który podczas burzliwej rozmowy stwierdził, że całkowicie zerwał z komunistami. Generał uwierzył mu i 20 lipca wysłał do Waszyngtonu telegram:

(...) Proszę o niezwłoczne wyrażenie zgody na zatrudnienie J. Roberta Oppenheimera, bez względu na informacje, jakie posiadacie. Jest on absolutnie niezbędny dla realizacji projektu. Podpisano: L.R. Groves, generał brygady.

To posunięcie zjednało generałowi wdzięczność naukowca, dla którego kierowanie zespołem ludzi tworzących nową broń było wyzwaniem życiowym. Jednakże pracownicy kontrwywiadu nie uwierzyli w pełną lojalność Oppenheimera.

Groves otworzył teczkę Fuchsa i dokładnie przestudiował wszystkie dokumenty. W Wielkiej Brytanii Fuchsem zajmował się Henry Arnold, były oficer RAF, działający w wywiadzie od I wojny światowej. Od 1939 roku dowodził Specjalnym Wydziałem Śledczym brytyjskich sił powietrznych. Groves współpracował z nim wielokrotnie i miał bardzo wysokie mniemanie o fachowości Anglika. Gdy więc zobaczył jego nazwisko pod raportem na temat Fuchsa, zamknął teczkę i schował do szafy pancernej.

Doktor Klaus Fuchs został przyjęty do najtajniejszego miejsca na świecie i uzyskał dostęp do największych tajemnic.

KANADYJSKI ŁĄCZNIK

Ciemnozielona *dakota,* z radzieckimi gwiazdami na skrzydłach i kadłubie, wylądowała na trawie lotniska wojskowego pod Ottawą. Zatoczyła szeroki łuk wokół baraku dowództwa i potoczyła się na miejsce, które wskazywał żołnierz kierujący ruchem.

Z baraku wyszli dwaj mężczyźni i ruszyli w stronę samolotu. Jeden z nich był ubrany w ciemnoszary garnitur i niósł przerzucony przez rękę czarny płaszcz, drugi zaś miał na sobie mundur armii kanadyjskiej.

Z *dakoty* zszedł po drabince umundurowany oficer. Był to Nikołaj Zabotin, nowy pracownik ambasady radzieckiej.

– Witamy, towarzyszu Zabotin, na gościnnej kanadyjskiej ziemi. – Mężczyzna w garniturze wyciągnął rękę na powitanie. – Jestem Kudriacew, pierwszy sekretarz ambasady. A to przedstawiciel kanadyjskiego ministerstwa, pułkownik Thomas.

Kanadyjczyk wypowiedział parę słów na powitanie, zaprosił nowo przybyłego attaché na przyjęcie, wydawane z okazji jego przybycia i szybko oddalił się w stronę samochodu.

– A małżonka gdzie? – zapytał Kudriacew, gdy zostali sami.

– Przyleci później. Wspólne podróżowanie w czasie wojny nie jest bezpieczne. Moglibyśmy osierocić dzieci.

Załoga samolotu wyładowała walizki, które szybko przerzucono do bagażnika wielkiego czarnego *buicka.*

Gdy tylko Rosjanie zajęli miejsca na tylnym siedzeniu, Kudriacew uruchomił mechanizm podnoszący szybę, która oddzieliła kierowcę od pasażerów. Zabotin spojrzał zdumiony.

– Czyżby kierowca nie był zaufanym towarzyszem? – spytał.

– Jest. Wołodia walczył przeciwko białym w wojnie domowej, ale ostrożność nigdy nie zaszkodzi, zwłaszcza na wrogim terenie. Przywieźliście dla mnie materiały z centrali?

– Tak. – Zabotin otworzył teczkę, którą dotychczas trzymał pod pachą i wydobył z niej zalakowaną kopertę. – Znajdziecie tam rozkaz przekazania mi waszych dotychczasowych obowiązków.

– Wiem. – Kudriacew skinął głową. – Informowano mnie. Ale jesteście zapewne zmęczeni i musicie trochę odpocząć po podróży. Będziemy mieli czas na omówienie wszystkiego.

Zabotin spojrzał przez okno. Wjeżdżali na przedmieścia Ottawy.

Rosjanie wprowadzili swoich szpiegów do Kanady już w 1924 roku.

Trzy lata później na czele powstającej siatki szpiegowskiej stanął Sam Carr, którego prawdziwe nazwisko brzmiało Szmil Kogan. Był to 21-letni Żyd urodzony na Ukrainie. Tuż po wybuchu I wojny wyemigrował z rodzicami do Kanady. W 1929 roku wyjechał do Moskwy na studia w Instytucie Lenina, a przy okazji przeszedł przeszkolenie w ośrodku szpiegowskim. Po powrocie do Toronto zajął się zakładaniem nielegalnych komórek partii komunistycznej i werbowaniem szpiegów.

W 1930 roku w Moskwie przeszkolono innego kanadyjskiego komunistę, Freda Rose'a, z pochodzenia Polaka, o prawdziwym nazwisku Rosenberg. Urodził się pod Lublinem, a do Kanady przybył tuż po I wojnie. On też przystąpił do zakładania siatki szpiegowskiej, która miała funkcjonować niezależnie od siatki Carra.

Zalegalizowanie partii komunistycznej ułatwiło im obu zadanie, jednakże w roku 1939, gdy wybuchła wojna, władze kanadyjskie przystąpiły do energicznego tropienia szpiegów i Carr oraz Rose musieli zejść do podziemia, co praktycznie sparaliżowało ich działalność. Powstała wszakże nowa szansa na rozbudowę sieci szpiegowskiej: w 1942 roku Związek Radziecki i Kanada nawiązały stosunki dyplomatyczne i w Ottawie założono ambasadę, a w innych miastach placówki konsularne i handlowe.

Radziecki wywiad wojskowy GRU przysłał do Montrealu majora Sokołowa, który rozpoczął pracę w Biurze Radcy Handlowego, a NKWD wysłało do Ottawy Siergieja Kudriacewa – na pierwszego sekretarza ambasady. Zadaniem tej dwójki było stworzenie siatki.

W tym samym czasie Carr i Rose, zapewne na rozkaz Moskwy, zgłosili się na policję zapewniając, że chcą walczyć przeciwko Hitlerowi i nie mają zamiaru kontynuować działalności politycznej. W październiku 1942 roku zostali zwolnieni z aresztu i... przystąpili do aktywnej pracy szpiegowskiej. Stali się najcenniejszymi pomocnikami Sokołowa i Kudriacewa przekazując im swe kontakty i werbując nowych współpracowników. Jednakże nie udawało im się odnieść większych sukcesów. Beria uznał więc, że należy posłać do Kanady bardziej energicznego agenta. I tak w czerwcu 1943 roku na lotnisku w Ottawie wylądował pułkownik Zabotin.

– Wypoczęliście? – Kudriacew podniósł się zza biurka na widok Zabotina, który wszedł do jego gabinetu.

– Nie bardzo. – Pułkownik miał zaczerwienione oczy i widać było, że nie czuje się najlepiej. – Podróż nie przebiegała spokojnie i dokucza mi też zmiana czasu. Nigdy w życiu nie jadłem śniadania w środku nocy...

Usiedli przy okrągłym stoliku pod ścianą, na której wisiał ogromnych rozmiarów obraz przedstawiający strajk robotników w Sankt Petersburgu.

– ... ale nie czas na odpoczynek – mówił dalej Zabotin rozglądając się z zaciekawieniem po gabinecie. – Tutaj pracujecie?

– Tak. – Kudriacew skinął głową. – Możemy tu spokojnie porozmawiać.

– Tak sądzicie? – Zabotin patrzył na szeroko rozsunięte zasłony w oknie i na drzwi nie obite dźwiękoszczelną masą.

– Możecie się nie obawiać. – Kudriacew podążył za jego wzrokiem. – Za oknem jest ogród, a pod drzwiami nikt nie podsłuchuje.

– Centralę interesują szczególnie badania nad atomem. – Zabotin dość nieoczekiwanie zmienił temat.

– Badania takie prowadzone są w laboratoriach w Montrealu i w Chalk River. Niestety, nie udało nam się dotrzeć do tych ośrodków. To już będzie wasze zadanie – odpowiedział Kudriacew z ledwo dostrzegalnym uśmiechem.

Zabotin zabrał się do pracy z ogromną energią. W lewym skrzydle budynku ambasady przy Charlotte Street nr 285 założył swoją kwaterę główną, którą od reszty pomieszczeń odgradzały podwójne stalowe drzwi, a wszystkie okna zostały zakratowane. Nikt z zewnątrz nie mógłby dostać się do tajnych pokoi pułkownika.

Rozmyślając nad jak najszybszą rozbudową siatki szpiegowskiej, wpadł na pomysł, że najlepiej będzie rekrutować mieszkańców Kanady, imigrantów z Rosji lub Związku Radzieckiego, którzy nie otrzymali jeszcze obywatelstwa kanadyjskiego. Ci ludzie pozostawili w kraju rodzinnym krewnych i łatwo było zmusić ich do współpracy groźbą represji wobec bliskich. Zabotin kazał zamieścić w prasie kanadyjskiej ogłoszenia, że obywatele pochodzenia rosyjskiego, ukraińskiego lub białoruskiego powinni zgłaszać się do ambasady i zarejestrować w wydziale konsularnym. Ci, którzy odpowiedzieli na apel, stali się radzieckimi szpiegami.

Nikołaj Zabotin

ALEK INFORMUJE

Późnym popołudniem w kwietniu 1945 roku do gabinetu Zabotina wszedł młody szyfrant Igor Guzenko.

– Pilna wiadomość z Moskwy, towarzyszu pułkowniku. – Położył na biurku karkę. – Chodzi o Aleka.

Zabotin przebiegł wzrokiem treść depeszy.

Do Granta (pseudonim pułkownika Zabotina). *W sprawie 218. (...) Spróbujcie otrzymać od niego przed powrotem szczegółowe informacje na temat postępów w pracach nad uranem.*

Centrala określała numerem 218 wszystkie sprawy związane z brytyjskim naukowcem pracującym w kanadyjskich laboratoriach, doktorem Nunnem Mayem, który wkrótce miał powrócić do Anglii.

Pułkownik podniósł głowę.

– Siadaj – powiedział do Guzenki, który wciąż stał przed biurkiem. – W twojej sprawie coś przysłali?

– Nie. – Chłopak pokręcił głową. – We wrześniu zacznę się pakować.

W 1944 roku centrala odwołała Guzenkę do Moskwy, ale Zabotin zaprotestował. Potrzebny był mu ten młody człowiek doskonale znający angielski, a zarazem świetny szyfrant. Z zadziwiającą łatwością centrala zgodziła się pozostawić Guzenkę jeszcze na rok. Termin upływał we wrześniu.

– Spróbujemy znowu interweniować – obiecał Zabotin. – Przyślij mi Angełowa i niech zabierze ze sobą akta Aleka.

Guzenko wrócił do pokoju szyfrów. Otworzył stojącą w rogu kasę pancerną i przez chwilę przeglądał teczki, aż trafił na właściwą. Przy biurku zaczął czytać zapiski na temat szpiega doktora Allana Nunna Maya.

Był on członkiem zespołu pracującego w Wielkiej Brytanii nad skonstruowaniem bomby atomowej. Na początku 1944 roku zdecydował się powiadomić Rosjan o badaniach prowadzonych w brytyjskich laboratoriach. Zrobił to z powodów ideologicznych, gdyż jako komunista uważał, że Związek Radziecki powinien mieć broń, nad jaką pracowali naukowcy amerykańscy i brytyjscy. Mogło to gwarantować „stabilność światowej polityki i ochronić ojczyznę światowego komunizmu przed atomowymn szantażem ze strony mocarstw imperialistycznych''.

Doktor May nawiązał kontakt z ambasadą radziecką w Londynie. Wybrał sobie pseudonim Alek, przeszedł krótkie przeszkolenie podczas spotkań w londyńskich restauracjach z prowadzącym go agentem, po czym zaczął regularnie dostarczać materiały o brytyjskich sukcesach i problemach w badaniach nad atomem.

W lipcu 1944 roku przyjechał do Kanady, gdzie dołączył do zespołu profesora Johna Cockrofta, koordynującego prace badawcze w tutejszych laboratoriach.

Powierzono mu kierowanie laboratorium w Montrealu. Przez wiele miesięcy Zabotin nie odzywał się do doktora Maya, dając mu czas na zagospodarowanie się w Kanadzie i nawiązanie kontaktów z tutejszymi naukowcami. Ponadto centrala w Moskwie zakładała, że po przyjeździe doktor będzie pod szczególną opieką kontrwywiadu, a nie chciano stwarzać jakiejkolwiek sytuacji, która wzmogłaby czujność władz kanadyjskich. Dopiero w kwietniu 1945 roku nadszedł rozkaz odnowienia kontaktu.

– Szef cię wzywa. – Guzenko zatelefonował do Angełowa. – Zanim tam pójdziesz, to wpadnij do mnie po akta.

Pawieł Angełow otrzymał polecenie ponownego nawiązania kontaktu z Mayem. Odnalazł jego adres w książce telefonicznej i przez kilkanaście dni obserwował go, zanim zdecydował się wejść do mieszkania, wypowiadając hasło używane przez agentów kontaktujących się z Mayem w Anglii.

Był późny wieczór, gdy podszedł do drzwi, na których widniała mosiężna wizytówka z napisem „Dr Allen Nunn May''. Pociągnął za rączkę dzwonka i odczekał parę chwil, zanim drzwi uchyliły się lekko.

– Najlepsze pozdrowienia od Mikela – powiedział zniżając głos. Mówił z wyraźnym akcentem rosyjskim.

Mężczyzna stojący za drzwiami gwałtownie otworzył je na całą szerokość, chwycił przybysza za rękę i wciągnął go do wnętrza. Szybko przemierzyli przedpokój i weszli do dużego, gustownie umeblowanego salonu. May podbiegł do okna, przez chwilę wyglądał na ulicę, spuścił rolety i odwrócił się do swego gościa.

– Już z Anglii przekazywałem wiadomość, że podejrzewają mnie o współpracę z wami. Tutaj, w Kanadzie, zauważyłem, że śledzą mnie. Proszę zrozumieć, nie mogę już pracować dla was.

Angełow usiadł wygodnie w fotelu, obok którego postawił teczkę i bez pytania otworzył pudełko z cygarami stojące na stoliku.

– Doktorze May – powiedział wolno. – Nie wierzę panu. Powiem więcej: nie mówi pan prawdy. Zanim tu przyszedłem, śledziłem pana przez wiele dni. Nikt inny pana nie obserwował. Mają do pana całkowite zaufanie...

Odgryzł koniec cygara i wypluł na podłogę. Zapalił je i wypuścił kłąb dymu w stronę Maya, który wyraźnie zdenerwowany stał naprzeciw fotela.

– Niech pan siada. Oczywiście może pan odmówić dalszej współpracy, ale wówczas będziemy musieli podjąć odpowiednie kroki.

May usiadł na brzegu fotela. Widać było, że opuszcza go zdecydowanie, z jakim gotów był przeciwstawić się próbom ponownego wciągnięcia do szpiegowskiej roboty. Wiedział, co oznaczają słowa „odpowiednie kroki''. Nie miał cienia wątpliwości, że gdy stanowczo odmówi współpracy, wówczas Rosjanie poinformują władze kanadyjskie i brytyjskie o jego zdradzie.

– Co mam robić? – zapytał zrezygnowany.

– No, to lubimy. Nazywajcie mnie Baxter. – Rosjanin sięgnął do teczki i wyjął butelkę owiniętą w papier.

May patrzył zdziwiony, jak Baxter odwija papier i wtedy dopiero spostrzegł, że w butelce nie ma alkoholu, lecz pieniądze.

– Pięćset dolarów – wyjaśnił Baxter wstając z fotela. – To zaliczka na poczet przyszłych wpłat za informacje na temat badań nad atomem w Kanadzie i Stanach Zjednoczonych. Jak najwięcej i jak najszybciej. Następne spotkanie na rogu ulicy. Będę czekał na pana w samochodzie.

Baxter wyszedł do przedpokoju i po chwili dało się słyszeć trzaśnięcie drzwiami. May wziął ze stołu butelkę i udał się do kuchni. Nad koszem do śmieci rozbił ją i wyjął zwitek banknotów. To była duża suma.

Fragment kanadyjskiego ośrodka nuklearnego nad rzeką Ottawą

PRZEDSMAK PIEKŁA

Żółty *ford* przemknął główną ulicą Santa Fe i skręcił w Virginia Street. Siedzący za kierownicą Harry Gold zwolnił i zaczął wypatrywać sklepu papierniczego, przed którym miał spotkać się z Fuchsem. Minął niewielki drewniany kościół i dostrzegł po drugiej stronie ulicy sklep, którego właściciel otwierał okiennice po południowej sjeście.

Gold zatrzymał się w cieniu ogromnego platana i wyłączył silnik. Spojrzał na zegarek; do umówionego spotkania pozostało kilkanaście minut. Rozmyślnie przyjechał wcześniej, aby zbadać teren. Rano, gdy udając turystę obszedł całą okolicę, nie zauważył niczego niepokojącego, choć zwracał baczną uwagę na okna pobliskich domów i zaparkowane przy krawężniku samochody ciężarowe, w których mogliby ukryć się agenci kontrwywiadu z aparatami fotograficznymi i mikrofonami. Uspokojony, powrócił do hotelu.

Siedząc teraz w samochodzie dostrzegł Klausa, który – zapewne wiedziony tą samą co Gold intencją zlustrowania okolicy – wcześniej przyszedł na spotkanie. Szedł pochylony, ale z daleka można było dostrzec, że znad okularów rzuca wokół badawcze spojrzenia, zatrzymuje się przed wystawami sklepów lub nagle ogląda się sprawdzając, czy nikt go nie śledzi.

– Ma szczęście, że nie idą za nim – mruknął do siebie Gold, wyraźnie niezadowolony z zachowania amatora. Zauważył, że Fuchs dostrzegł jego *forda*. Wysiadł więc z samochodu i ruszył do sklepu.

– Proszę atrament – powiedział do sprzedawcy starając się wybrać towar znajdujący się wysoko na półce. Obok stanął Fuchs. Sprzedawca odwrócił się, aby sięgnąć po buteleczkę. – I może jeszcze papier listowy – dodał Gold, by przedłużyć moment, w którym nikt nie zwracał uwagi na niego i Fuchsa.

Fuchs szybko przesunął po ladzie kopertę wypchaną papierami. Gold z kolei położył przed nim kartkę, na której widniały tylko dwa słowa: "bez zmian", co oznaczało, że następne spotkanie odbędzie się w umówionym wcześniej terminie. Fuchs skinął głową, a Gold zmiął kartkę i schował ją do kieszeni.

Sprzedawca przyniósł zamówione przedmioty. Gold zapłacił i bez słowa wyszedł ze sklepu. Wsiadł do samochodu i szybko odjechał. Przez kilka kilometrów zerkał w lusterko sprawdzając, czy nikt go nie śledzi. Nie zauważył jednak niczego, co mogłoby dawać powody do niepokoju. Gdy minął ostatnie domy przedmieścia Santa Fe, skręcił w stronę pustyni i zatrzymał wóz. Jeszcze raz rozejrzał się bacznie, po czym wyciągnął z kieszeni zmiętą kartkę, którą wcześniej pokazał Fuchsowi, i spalił ją. Potem sięgnął do otrzymanej koperty i starannie przejrzał jej zawartość. Było tam wiele opisów i rysunków, których nie rozumiał, ale uznał, że muszą być ważne. Na końcu znalazł kartkę z informacją.

16 lipca – próba – odczytał pierwsze słowa. Zrozumiał, co to znaczy: 16 lipca odbędzie się pierwszy próbny wybuch nuklearny.

– Amator, ale wie dużo – mruknął. Ostrzem scyzoryka podważył materiał podsufitki. W szparę wsunął kopertę Fuchsa i starannie zakleił otwór. – Szkoda, że nie będę mógł tego zobaczyć – powiedział do siebie zawracając samochodem na kamienistej drodze. Myślał o pierwszym wybuchu nuklearnym.

Od 12 lipca 1945 roku na terenie ośrodka w Los Alamos zapanował wzmożony ruch. Rozpoczęła się ostatnia, najważniejsza faza dwutygodniowych przygotowań do próbnej eksplozji.

Od świtu konwoje ciężarówek ze skrzyniami starannie okrytymi plandekami przemierzały drogę prowadzącą do opustoszałej wsi Oscuro. Leżała niemal w centrum wielkiego poligonu lotniczego, nad którym załogi bombowców *B-29* trenowały atakowanie naziemnych celów. Wyodrębniono tu obszar o wymiarach 29 na 38,5 kilometra, na którym miał być przeprowadzony eksperyment.

Próbny ładunek nuklearny, zamknięty w stalowym walcu, miał być umieszczony na szczycie wieży, jednakże zdecydowano się, że nastąpi to bezpośrednio przed próbą, gdyż nad pustynią często przechodziły burze i uderzenie pioruna w wieżę z bombą mogło wywołać straszliwe konsekwencje.

Wybuch wyznaczono na godzinę 2.00 nad ranem, jednak ze względu na niekorzystne warunki atmosferyczne przesunięto termin o trzy i pół godziny.

Było ciemno, a od pustyni niosło przejmującym chłodem, gdy naukowcy zaczęli wysiadać z autobusów pomalowanych w maskujące łaty. Wczesna pora, a może i świadomość udziału w czymś niezwykłym sprawiła, że niemal wszyscy zachowywali milczenie, a próby nawiązania rozmowy szybko zamierały.

Oppenheimer był już od dawna na miejscu. W białej koszuli, na którą narzucił marynarkę, w kapeluszu zsuniętym na czoło i z fajką w zębach nadzorował montowanie walca na szczycie wieży. Nie udało się go utrzymać z dala od niebezpiecznego urządzenia, choć takie polecenie otrzymał Kenneth T. Bainbridge, dyrektor przedsięwzięcia na pustynnym poligonie. Dopiero po godzinie 5.00 Oppenheimer przeniósł się do punktu kontrolnego, oddalonego od wieży o 9,2 kilometra. Dziesięć minut później jego zastępca, Saul K. Allison, rozpoczął nadawanie sygnałów czasu.

Naukowcy zgromadzeni w tzw. obozie głównym, oddalonym od wieży o 15,5 kilometra, nałożyli ciemne okulary, które miały chronić oczy przed jaskrawym błyskiem, jaki musiał towarzyszyć wybuchowi. Prawie żaden z nich nie potrafił prawidłowo ocenić siły eksplozji. Mówili o mocy dorównującej wybuchowi 500–2000 ton TNT*). Jedynie Oppenheimer nieśmiało wspomniał o 20 tysiącach ton, ale nikt mu nie uwierzył. Przecież największe bomby używane w czasie wojny ważyły 10 ton, a ich wybuch powodował lokalne trzęsienia ziemi...

Minutę przed wschodem słońca oślepiający biały błysk rozlał się po niebie. Na moment oświetlił okoliczne góry i zgasł, a w miejscu wieży pojawiła się ognista

*) materiał wybuchowy podobny do trotylu

Transport bomby na miejsce próbnego wybuchu

Instalowanie bomby w punkcie zero

kula, która gwałtownie zwiększała swoją objętość i zaczęła pędzić do góry pociągając za sobą dym i pył pustynny, które uformowały kształt grzyba siegającego bardzo wysoko.

Po 30 sekundach do miejsca, gdzie przebywali naukowcy, dotarło silne uderzenie wiatru. Był to skutek wygasającej fali podmuchowej, która w odległości kilometra od centrum wybuchu wyrwała z betonowego fundamentu stalowe rusztowanie dźwigające cylinder o wadze 220 ton.

W miejscu, gdzie stała wieża z bombą, powstał lej o średnicy 400 metrów. Po stalowej kratownicy nie pozostał najmniejszy nawet ślad. Wskutek straszliwej temperatury wieża po prostu wyparowała.

Przyrządy pomiarowe ustawione zbyt blisko – jak się okazało – punktu zerowego przestały działać. Te, które funkcjonowały, pozwoliły oszacować niewiarygodne następstwa wybuchu nuklearnego: siła wybuchu równa była 17–20 tysiącom ton TNT, temperatura trzykrotnie wyższa niż na powierzchni Słońca, w promieniu 1600 metrów wyginęło wszelkie życie biologiczne, wrzący piasek utworzył wokół miejsca, gdzie stało rusztowanie szklistą płytę. Dalsze badania wykazały, że były to efekty reakcji łańcuchowej, jaka zaszła w zaledwie kilogramie uranu, gdyż pozostałe 37 kilogramów ładunku nuklearnego zostało zniszczone, zanim rozpoczęła się tam reakcja.

Wcześniej, 26 czerwca, generał Groves, Oppenheimer i kapitan William S. Parson ustalili zasady przeprowadzenia operacji "Bronx", czyli przewiezienia części bomby atomowej do bazy na wyspie Tinian, z której miał wystarować samolot do ataku nuklearnego na Japonię. Planowano, że korpus bomby zostanie dowieziony 25 lipca na pokładzie okrętu wojennego do portu na wyspie, ładunek nuklearny zaś dostarczyłyby w trzy dni później trzy samoloty *C-54.*

16 lipca o godzinie 19.30 przebywający na konferencji pokojowej w Poczdamie prezydent Truman otrzymał telegram:

Operowany dziś rano. Diagnoza jeszcze niepełna, ale rezultaty wydają się zadowalające i już przekraczają oczekiwania.

Truman podyktował odpowiedź:

Najserdeczniejsze gratulacje dla lekarza i jego pacjenta.

Następnego dnia na dziedzińcu pałacyku Cecylienhoff w Poczdamie zatrzymał się czarny *dodge,* z którego wysiadł porucznik w mundurze lotniczym. Do lewej ręki miał przykutą teczkę, a w niej film z przebiegu próbnej eksplozji. Wprost z samochodu skierował się do apartamentów zajmowanych przez prezydenta Harry'ego Trumana.

Projekcja filmu, przy starannie zasłoniętych oknach gabinetu prezydenta, wywarła ogromne wrażenie. Truman był tak zadowolony, że nie odmówił sobie przyjemności wspomnienia Stalinowi, że Stany Zjednoczone dysponują bronią o niezwykłej sile.

Stalin wysłuchał informacji z kamienną twarzą. Można było odnieść wrażenie, że nie rozumie, o jakiej broni mówi Amerykanin. To były jednak tylko pozory. Tuż po zakończeniu spotkania polecił swojemu sekretarzowi:

– Przekażcie towarzyszowi Kurczatowowi, że powinien przyspieszyć prace...

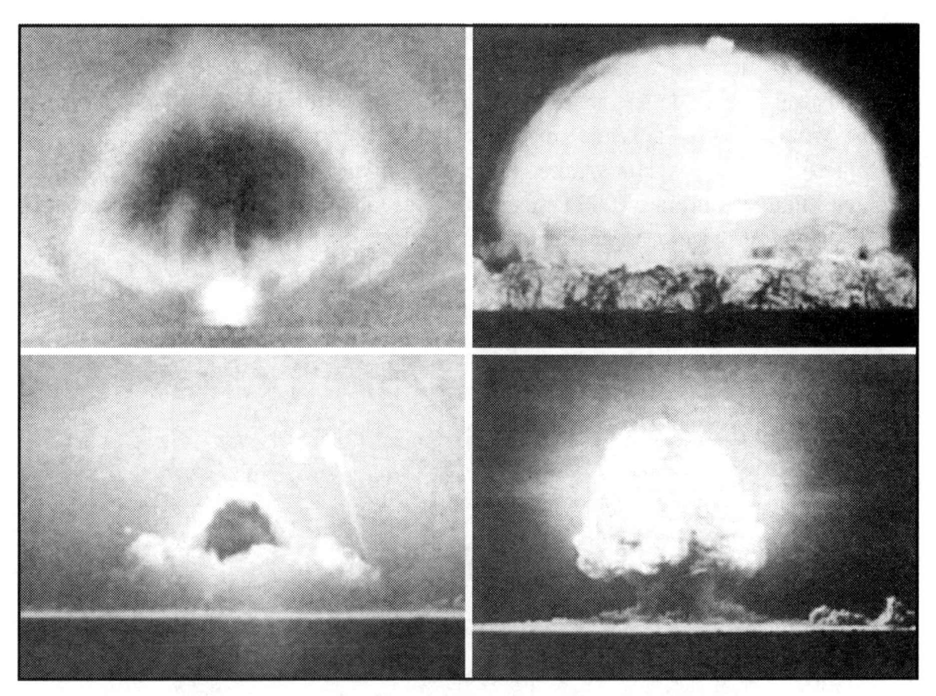

Fazy wybuchu pierwszej bomby atomowej

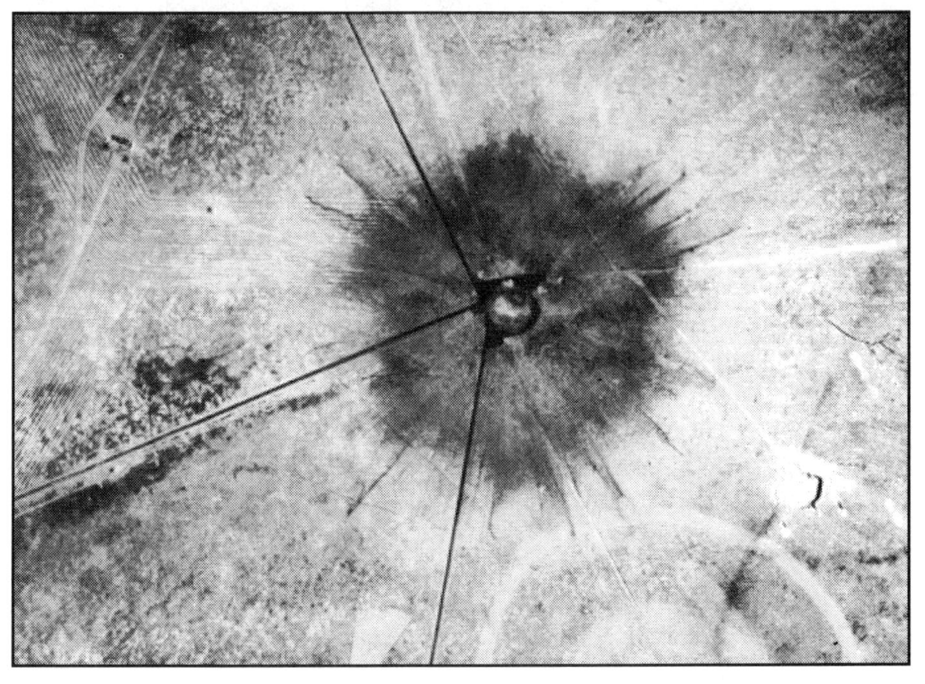

Punkt zero po wybuchu

Jednakże wyobraźnia Stalina nie obejmowała jeszcze potęgi nowej broni. Raporty wywiadowcze docierające ze Stanów Zjednoczonych, Wielkiej Brytanii i Kanady koncentrowały się na kwestiach technicznych, a na tej podstawie żaden polityk nie mógł wyrobić sobie zdania, czym naprawdę jest bomba atomowa.

Dopiero eksplozja w Hiroszimie, gdzie w wyniku wybuchu nuklearnego zginęło w ciągu kilku sekund około 80 tysięcy ludzi, uświadomiła Stalinowi, że o polityce w powojennym świecie zadecyduje nowa broń.

Poczdam - Churchill, Truman, Stalin

ZADANIE DOKTORA MAYA

Trzy dni po zrzuceniu bomby atomowej na Hiroszimę, 9 sierpnia 1945 roku, pułkownik Zabotin wysłał do Moskwy szyfrogram:

Fakty podane przez Aleka: 1) próba bomby atomowej przeprowadzana w New Mexico (z "49", "94–239"). 2) Bomba zrzucona na Japonię zrobiona była z uranu 235. Uważa się, że dzienna wydajność produkcji uranu 235 wynosi 400 gramów w Magnetic Separation Plant w Clinton. Wydajność "49" jest dwa razy większa (niektóre z jednostek grafitowych planowane są na 250 megawatów, co oznacza 250 gramów z każdego codziennie). (...) 5) Alek przekazał nam folię platynową z 162 mikrogramami uranu 233. Podpisano: Grant.

Wojna zakończyła się i zniknął główny powód, dla którego w Stanach Zjednoczonych i w Kanadzie zgromadzono najlepszych naukowców różnych narodowości, aby skonstruowali nową broń, zanim uczynią to wrogowie. 3 września 1945 roku doktor Nunn May zaczął się przygotowywać do opuszczenia Kanady i powrotu do Wielkiej Brytanii.

Pułkownik Zabotin otrzymał szyfrogram z Moskwy:

Do Granta. Opracować i przekazać nam warunki spotkania i hasło, jakie będzie użyte przez Aleka w czasie spotkania z naszym człowiekiem w Londynie. Podpisano: Dyrektor.

Zabotin odpowiedział:

Do Dyrektora. Opracowaliśmy warunki spotkania z Alekiem w Londynie. Alek będzie pracował w Kings College, Strand. Możliwe będzie odnalezienie jego adresu w książce telefonicznej. Spotkania: październik 7, 17, 27 na ulicy przed wejściem do British Museum. Czas: 11.00 wieczorem. Znak identyfikacyjny: gazeta w lewej ręce. Hasło: "Najlepsze pozdrowienia od Mikela".

Nie może pozostać w Kanadzie. Na początku września leci do Londynu. Przed odjazdem musi pojechać do zakładów uranowych w Petawara, gdzie pozostanie przez około dwa tygodnie. Przyrzekł, że jeżeli będzie to możliwe, spotka się z nami przed wyjazdem. (...) Wręczyliśmy mu ponad 500 dolarów. Podpisano: Grant.

Centrala w Moskwie zaakceptowała propozycje Zabotina, aczkolwiek wprowadziła pewne zmiany, o których poinformowała w szyfrogramie:

Do Granta. Warunki spotkania (w Londynie – BW) *opracowano w sposób zadowalający. Informuję was o nowych ustaleniach:*

1. Miejsce: przed British Museum w Londynie, na Great Russel Street (...) od strony Tottenham Court Road, powtarzam: Tottenham Court Road. Nasz przedstawiciel będzie po drugiej stronie ulicy, od Southampton Row.

2. Czas: jak wskazaliście, aczkolwiek łatwiej byłoby odbyć spotkanie o godzinie 20.00, jeżeli to będzie odpowiadało Alekowi, gdyż o 23.00 jest za ciemno. Czas uzgodnijcie z Alekiem i zakomunikujcie decyzję. Jeżeli spotkanie nie mogłoby odbyć się w październiku, godzina i dzień pozostaną takie same w następnych miesiącach.

3. Znaki rozpoznawcze: Alek będzie miał pod lewą ręką gazetę "Times", nasz agent, również w lewej ręce, magazyn "Picture Post".

4. Hasło. Nasz agent: "Jaka jest najkrótsza droga do Strand?"

Alek: "Proszę iść ze mną. Idę w tamtą stronę".

Na początku rozmowy o sprawach zawodowych Alek powie: "Najlepsze pozdrowienia od Mikela".

Raportujcie o przekazaniu ustaleń Alekowi. Dyrektor.

Pułkownik Zabotin był zadowolony. Co prawda doktor May wyjeżdżał z Kanady, ale centrala w Moskwie wysoko oceniała jego dotychczasowe działania naukowe, a zaliczała to oczywiście na konto energicznego szefa wywiadu w Ottawie.

3 września Zabotin zaprosił swoich najbliższych współpracowników na kieliszek wódki, aby uczcić zakończenie ważnego etapu pracy. Wszystko układało się znakomicie. Pułkownik nie miał żadnych podstaw do obaw, że lada moment jego doskonale zorganizowana placówka NKWD rozsypie się jak domek z kart.

British Museum

PRZEPUSTKA DO WOLNOŚCI

– Czas na mnie, Anno. – Igor Guzenko ciężko podniósł się z krzesła w kuchni i narzucił marynarkę. Nie kwapił się jednak do wyjścia.

Jego żona miała zaczerwienione oczy.

– Zastanów się. Dotychczas było nam dobrze. Przecież wszystko układa się jak najlepiej. Wrócimy do Moskwy, tam też ludzie żyją – mówiła bez większego przekonania.

Igor pocałował ją w policzek i ruszył do drzwi. Widać było, że słowa żony pomogły mu podjąć decyzję. Przystanął jeszcze na moment zastanawiając, czy nie pożegnać się z dwuletnim synem Andriejem, ale odrzucił ten pomysł i szybko wyszedł z mieszkania.

Za dwa tygodnie Guzenkowie mieli wrócić do Związku Radzieckiego. Kilka dni wcześniej z Moskwy nadeszła wiadomość, że władze nie zgodziły się na dalsze przedłużenie pobytu Igora w Ottawie. Świadomość, że wkrótce znowu znajdzie się w Moskwie, zmobilizowała go do działania. Nie wiedział, czy nakaz powrotu wynika z rutynowej wymiany personelu, czy też zgromadzono przeciwko niemu zarzuty, które mogły przekreślić dalszą karierę. Poza tym oboje – on i żona – bardzo chcieli pozostać w Kanadzie. Pragnęli zapewnić lepsze życie Andriejowi i dziecku, które miało się narodzić za trzy miesiące.

Igor zbiegł z drugiego piętra, gdzie mieściło się ich mieszkanie w domu pod numerem 511 na Somerset Street i skierował swe kroki do ambasady na Range Road. Szedł spokojnie, nie spiesząc się, aby mieć czas na ponowne przemyślenie swych planów.

Wybrał wieczór, gdyż w ten sposób zyskiwał czas do południa następnego dnia. Dopiero wówczas zauważą jego nieobecność i rozpoczną poszukiwania. Do tej pory jego rodzina i on sam będą bezpieczni pod opieką władz kanadyjskich, którym Igor przekaże najtajniejsze materiały. Wiedział jednak, że czeka go bardzo trudna operacja. Wielokrotnie analizował sposoby wyniesienia tajnych dokumentów z ściśle strzeżonego biura pułkownika Zabotina. Nie wiedział jednak, kiedy pojawić się może największe niebezpieczeństwo.

– Dobry wieczór, Wania. – Machnął ręką w stronę kolegi, który pełnił służbę w dyżurce ambasady.

– Co tak późno? – zaciekawił się porucznik Kułakow.

– Muszę coś sprawdzić dla pułkownika – odpowiedział Guzenko.

Podobne sytuacje zdarzały się często i nikt nie powinien mieć powodów do podejrzeń. Igor otworzył książkę, w której rejestrowano przybycie pracowników i wpisał swoje nazwisko. Nagle kątem oka dostrzegł, że w pokoju przyjęć siedzi Witalij Pawłow, skośnooki szef oddziału NKWD w ambasadzie. Był to bardzo niebezpieczny człowiek: podejrzliwy, inteligentny i bezwzględny.

– Dobry wieczór, Witaliju Stiepanowiczu. – Guzenko starał się zachowywać naturalnie, ale czuł, że oblewa go zimny pot.

Tamten nie odpowiedział.

Guzenko ruszył do schodów, gdzie pod poręczą ukryty był przycisk dzwonka. Nacisnął go, informując w ten sposób strażnika przy pancernych drzwiach wiodących do pomieszczeń wywiadu, że za chwilę tam wejdzie. Wspiął się na drugie piętro i doszedł do połowy szerokiego, jasno oświetlonego korytarza. Za welwetową zasłoną ukryte tu były drzwi do tajnych pomieszczeń. Stanął przed nimi tak, aby przez niewielkie zakratowane okienko strażnik mógł przyjrzeć się jego twarzy. Po chwili drzwi otworzyły się. Za nimi stał Riazanow, drugi szyfrant.

– O tej porze do pracy? – Riazanow otworzył następne pancerne drzwi, prowadzące do niewielkiego korytarza, gdzie po każdej stronie znajdowały się kolejne pomieszczenia: pokój szyfrów wywiadu wojskowego, dalej toaleta, pokój szyfrów wywiadu handlowego, gdzie pracował Riazanow, pokój szyfrów NKWD, gabinet Zabotina i pokój, gdzie ustawiono maszyny do niszczenia dokumentów.

– Tak gorąco, że w domu nie chce się siedzieć. – Guzenko starał się racjonalnie uzasadnić swe przybycie.

– Oj, coś mi się wydaje, że z żoną się pokłóciłeś! – Riazanow przyglądał mu się uważnie.

– A, rozzłościła mnie. – Guzenko uznał, że to dobre wyjaśnienie zdenerwowania, widocznego zapewne dla wszystkich.

– Długo będziesz pracować?

– Nie, kilkanaście minut. Mam zamiar pójść dzisiaj do kina. Przygotuję parę telegramów i znikam.

Guzenko wszedł do swojego pokoju i zamknął starannie drzwi. Z biurka wyciągnął teczkę. Od miesiąca wybierał dokumenty, które mogły mieć największą wartość dla Kanadyjczyków. Zaznaczał je zaginając róg lub odrywając skrawek. W ten sposób przygotował 109 kartek. Wiedział, że w Kanadzie działa dziewięć radzieckich siatek szpiegowskich, ale on mógł zebrać materiały dotyczące tylko jednej. To i tak powinno wystarczyć, aby kupić azyl dla siebie, żony i dzieci. Podciągnął koszulę i zaczął starannie umieszczać kartki pod paskiem spodni. Gdy skończył, zapiął dokładnie marynarkę i poszedł do toalety, gdzie przed lustrem sprawdził, czy w jego wyglądzie nie ma niczego, co mogłoby zwrócić uwagę Pawłowa.

– Wychodzę. – Zastukał w drzwi Riazanowa, ale nie otworzył ich. Odczekał kilka minut i zszedł po schodach czując, że znowu zaczyna się denerwować. Nieopatrzny ruch mógł spowodować szelest papieru pod koszulą. Jakiś skrawek mógł wysunąć się zza paska i wylecieć przez nogawkę. Igor nie miał już jednak odwrotu. Mógł liczyć tylko na szczęście. Zaczynało mu chyba dopisywać.

W pokoju przyjęć nie było Pawłowa. Guzenko minąwszy wartownika wyszedł na ulicę. Odetchnął z ulgą; wydawało mu się, że najtrudniejsze ma już za sobą.

Od wielu tygodni dyskutował z żoną, co zrobić z dokumentami. Uznali, że najlepiej będzie zwrócić się do redakcji, która bez wątpienia zechce opublikować sensacyjne informacje. Wybrali ''Ottawa Journal'', ale obawiając się, że może tam pracować agent NKWD Igor nie uprzedził redaktora naczelnego o swojej wizycie. Dopiero gdy wchodził do budynku, zdał sobie sprawę, że ma niewielkie szanse spotkania o tej porze człowieka kierującego gazetą. Nie mógł się jednak cofnąć. Wsiadł do windy i nacisnął guzik z numerem piętra, na którym mieścił się gabinet szefa. Winda zatrzymała się na drugim piętrze; weszła kobieta, której twarz wydała się Guzence znajoma.

– Jakieś ważne informacje z ambasady? – spytała z uśmiechem.

Guzenko poczuł znowu strach. Skąd ją znał? Skąd ona wiedziała, że jest pracownikiem ambasady? Czyżby była agentką NKWD? Pawłow przechwalał się kiedyś, że ma swoich agentów w każdej poważniejszej instytucji w mieście. Winda stanęła na piątym piętrze i kobieta wysiadła. Guzenko zdrętwiały patrzył, jak odchodzi korytarzem. Jeżeli była współpracownicą NKWD, to za chwilę podejdzie do telefonu i zadzwoni do ambasady, a Pawłow z paroma ludźmi wsiądą do samochodu i za kilka minut przyjadą po niego. Znajdą go wszędzie, choćby nawet wszedł do gabinetu naczelnego, i wywloką pod pretekstem, że oszalał i szykuje zamach.

Winda dojechała do szóstego piętra. W głębi korytarza Igor widział oszklone drzwi z napisem ''Redaktor naczelny'', ale postanowił nie ryzykować. Ruszył w stronę klatki schodowej i zbiegł na parter. Czuł, że musi jak najszybciej powrócić do domu. To było jedyne miejsce, gdzie mógł odzyskać pewność siebie i nabrać sił do dalszego działania. Zerknął na zegarek. Dochodziła 23.15. Rozejrzał się dookoła. Nic nie wzbudziło jego podejrzeń.

– Te cholerne nerwy! – powiedział po rosyjsku tak głośno, że przechodząca obok para starszych ludzi obejrzała się za nim.

Anna nie spała. Przez cały czas wyglądała przez okno i widząc męża wysiadającego z autobusu wybiegła na klatkę schodową.

– Jak poszło? – Rzuciła mu się na szyję.

– Nie wiem, nie wiem.. – Usiłował zebrać myśli. – Mam wszystkie dokumenty, ale obawiałem się wejść do redakcji. – Usiadł na krześle przy kuchennym stole. – Boję się, Anno, że mogą tam mieć swoich ludzi. W windzie spotkałem kobietę, którą znam, ale nie wiem skąd.

– Myślisz, że ona jest z NKWD?

– Chyba nie. Może spotkałem ją na jakimś przyjęciu w ambasadzie... – Czuł, że wraca mu pewność siebie. – Niepotrzebnie zawróciłem.

– Musisz spróbować jeszcze raz. – Anna starała się go uspokoić. – Oni na pewno wezmą te dokumenty.

Igor rozpiął koszulę. Cienki papier, nasączony jego potem, przykleił się do ciała. Odrywał ostrożnie kartki, aby nie zniszczyć najcenniejszej waluty świata, za którą mógł kupić dla siebie i rodziny nowe życie. Anna suszyła je machając nimi w powietrzu, potem ułożyła równo i zawinęła w papier.

– Twoją nieobecność zauważą dopiero w południe. Możesz zadzwonić i powiedzić, że miałeś wypadek lub ciężko zachorowałeś. To da nam jeszcze więcej czasu – podpowiadała. – Teraz wróć do redakcji i oddaj to redaktorowi naczelnemu.

Dochodziła godzina 1.00, gdy wszedł do sekretariatu naczelnego. Za biurkiem siedział gruby mężczyzna, którego twarz zdradzała, że jest bardzo niezadowolony z tego, że przyszło mu pełnić dyżur.

– O tej porze? Człowieku, jest noc. Szef będzie dopiero rano.

– Proszę pana, to są największe tajemnice ambasady radzieckiej. – Guzenko wydobył z kieszeni zwitek papierów. – Mam tu nazwiska najbardziej niebezpiecznych szpiegów...

– Człowieku, nic nie poradzę! – Grubas patrzył na niego jak na wariata. – Szefa nie ma. Będzie jutro. Jeśli nie może pan czekać, to niech pan się zgłosi na policję.

Guzenko wrócił do domu załamany. Pozostawało czekać do rana. Nie spał przez całą noc. Zaczynał rozumieć, że sytuacja może powtórzyć się w każdym urzędzie, do którego wejdzie. Wszędzie będą mieli go za wariata. Nikt nie da wiary jego słowom. Czas uciekał. O 8.30 Igor powinien stawić się w ambasadzie. O 9.00 zaczną się zastanawiać, dlaczego go nie ma. O 10.00 spróbują dociec, kto widział go ostatnio i czy ktokolwiek wie, dlaczego się spóźnia. Pewną szansą była obecność jego szefa na bankiecie wydanym tego wieczora przez National Film Board. Zabotin zapewne, jak to miał w zwyczaju, wypił zbyt dużo whisky i przyjdzie do pracy koło południa. Do tego czasu będą może myśleć, że to on zlecił Guzence jakieś zadanie, ale gdy pułkownik wyjaśni, że nic nie wie o powodzie nieobecności Igora, wówczas Pawłow podniesie alarm i rozpoczną poszukiwania. Najpierw przyjdą do domu.

– Musisz pójść ze mną, musimy też zabrać Andrieja. Nie możecie tu zostać – powiedział do Anny. – Rano przyjdą po mnie. Gdy mnie nie zastaną, wezmą was.

Zgodziła się bez słowa.

Wcześnie rano Guzenkowie wyruszyli do Ministerstwa Sprawiedliwości. Igor uznał, że uda mu się dotrzeć do ministra. Mylił się. Co prawda obecność żony i dziecka podnosiła wiarygodność jego słów, ale minister nie znalazł czasu, aby go przyjąć.

Guzenko zaczynał rozumieć, że nikt nie chce oglądać jego papierów.

Wrócił do redakcji ''Ottawa Journal''. Redaktor naczelny był w swoim gabinecie, ale sekretarka otrzymała wyraźne polecenie, aby nie wpuszczać dziwnego człowieka z ambasady radzieckiej, który w nocy szukał szefa.

– Proszę zaczekać. – Wskazała fotel w pokoju recepcyjnym. – Za chwilę ktoś do pana przyjdzie.

Guzenko zerknął na zegarek. Dochodziła 12.00. W ambasadzie Zabotin wszedł do swojego biura i zapytał o szyfranta. Nikt nie wie, co się z nim stało. Zabotin pewnie już sięgnął po słuchawkę i zadzwonił do Pawłowa.

Igor usiadł zrezygnowany w fotelu. Anna nie odzywała się. Jedynie Andriej, któremu widocznie udzielił się nastrój podenerwowania, wyrywał się z objęć matki i płakał.

– Jestem Lesley Johnston. – Do pokoju weszła wysoka młoda kobieta. Wyciągnęła rękę do Guzenki, a potem przywitała się z jego żoną. – W czym mogę panu pomóc?

Igor wydobył z kieszeni marynarki plik dokumentów. Rozłożył je na stole.

– Nazywam się Igor Guzenko. Do dzisiaj byłem pracownikiem tajnej sekcji ambasady radzieckiej. A to są najtajniejsze depesze...

– Proszę mi wybaczyć. – Dziewczyna uśmiechnęła się. – Ja nie znam rosyjskiego. Nie mogę więc ocenić, czy mówi pan prawdę.

Igor znów spojrzał na zegar wiszący na ścianie: 12.25.

Spokojnie i rzeczowo zaczął wszystko wyjaśniać. Dziennikarka notowała skrupulatnie. Zapisała nawet treść dokumentów, które jej przetłumaczył. Widać było, że cała sprawa bardzo ją zainteresowała. Guzenko zaczął odzyskiwać nadzieję.

– Proszę chwilę poczekać. – Lesley Johnston weszła do gabinetu szefa. Zegar wskazywał 12.45, gdy wróciła.

– Przykro mi. – Rozłożyła bezradnie ręce. – Nie będziemy mogli wydrukować pana rewelacji. To sprawa międzypaństwowa. Nie możemy ingerować w politykę zagraniczną – usiłowała tłumaczyć odmowę.

Igor kątem oka zauważył, że Anna zakrywa twarz rękami.

– To co mam robić?

– Może niech pan wystąpi o przyznanie obywatelstwa kanadyjskiego – powiedziała bez przekonania dziennikarka.

– Gdzie mam się zwrócić? – Bezsensowne pytanie. Nadanie obywatelstwa trwało wiele miesięcy.

– Do Ministerstwa Sprawiedliwości.

– Byłem tam dziś rano – powiedział zrezygnowany. Wziął Annę pod rękę i wyszli z budynku. Andriej wyrywał się i płakał.

Minęła 13.00. W ambasadzie zapewne zaczęli go szukać, a on mógł tylko jeszcze raz pójść do Ministerstwa Sprawiedliwości.

– O tej porze raczej niczego nie załatwi pan w kanadyjskim urzędzie. – Sekretarka wskazała na zegarek, przypominając, że jest czas lunchu.

– Ale ja nie mam czasu! Za godzinę mnie zastrzelą.

Kobieta spojrzała z zaciekawieniem. Bez wątpienia obecność Anny podtrzymującej śpiące dziecko nastrajała ją życzliwie do dziwnego obcokrajowca. Igor w skrócie opowiedział przebieg kilkunastu ostatnich godzin.

– To powienien poznać cały świat! – wykrzyknęła przejęta. – Niech pan zaczeka.

Słyszał, jak dzwoni do redakcji i rozmawia z dziennikarzem, który obiecał, że wkrótce przyjedzie.

Dotrzymał słowa. Bardzo szybko zjawił się w ministerstwie i wysłuchał opowieści o tajemnicach ambasady radzieckiej.

– Nic z tego! – Wzruszył ramionami, gdy tylko Guzenko skończył. Zamknął notatnik i schował pióro do kieszeni. – Żadna gazeta nie wydrukuje tego. To zbyt poważna sprawa. Jedyne, co może pan zrobić, to zgłosić się na policję.

Igor wziął Annę za rękę. Wiedział już, że przegrał. Nic innego nie przychodziło mu do głowy jak tylko powrót do domu. Oboje byli bardzo zmęczeni. Andriej obudził się i płakał głośno. Gdy stanęli przed domem, Igor rozejrzał się. Na wąskiej, spokojnej uliczce panował niewielki ruch. Żaden z samochodów zaparkowanych przy krawężniku nie wydawał się podejrzany.

– Poczekaj tutaj. – Igor podprowadził Annę do najbliższej ławki. – Obserwuj balkon. Jeżeli wszystko jest w porządku, dam ci znak.

Wspiął się po schodach na drugie piętro i podszedł do drzwi mieszkania. Przyłożył ucho i nasłuchiwał przez chwilę. Z wnętrza nie dobiegał żaden odgłos. Ostrożnie otworzył drzwi. Wszedł do środka i po kolei zaglądał do wszystkich pokoi. Nie było nikogo.

Wyszedł na balkon i dał znak Annie. Byli wyczerpani i głodni. Andriej, wymęczony całodziennymi wędrówkami po mieście, zasnął w swoim łóżeczku.

Co robić dalej? Dokąd pójść? Gdzie się schronić? Igor wiedział, że pozostało mu niewiele czasu. Za kilkanaście minut, może za godzinę, przyjdą ludzie wysłani przez Pawłowa.

Podniósł się z łóżka i podszedł do okna. Ostrożnie odchylił kotarę i dostrzegł ich. Dwaj mężczyźni siedzieli na ławce, na której kilkadziesiąt minut wcześniej Anna oczekiwała na jego znak. Nie widział twarzy, ale nie miał wątpliwości, że ludzie ci wpatrują się w okna jego mieszkania. Po chwili do drzwi rozległo się energiczne pukanie. Anna rzuciła się w stronę łóżeczka i przytuliła dziecko do piersi. Igor stanął z boku.

– Guzenko, otwieraj! – Poznał głos porucznika Ławrentiewa, szofera pułkownika Zabotina. To go uspokoiło. Zrozumiał, że Zabotin trzyma jeszcze całą sprawę w swoich rękach, a on nie był tak bezwzględny jak Pawłow.

Po chwili na schodach rozległy się kroki. Ławrentiew uznał widocznie, że nikogo nie ma w domu i odszedł. Wróci do ambasady i zamelduje o tym Zabotinowi. Ten, przekonany, że dłużej nie może zajmować się tą sprawą, przekaże ją Pawłowowi. Natychmiast wyśle on swoich ludzi. Oni nie będą pukać. Wyważą drzwi i wejdą.

Po drugiej stronie korytarza mieszkał sierżant Harold Main, pilot z Royal Canadian Air Force. Znali się dobrze. Odkąd Guzenkowie zamieszkali w tym domu, spędzili wspólnie z Haroldem parę wieczorów, byli też w jego chatce myśliwskiej.

– Co się stało? – Main patrzył zdziwiony na Guzenkę, gdy ten zadzwonił do jego drzwi.

– Annie i Andriejowi grozi niebezpieczeństwo. Czy mogą ukryć się w twoim mieszkaniu?

– Wejdź i opowiedz spokojnie, o co chodzi. – Main otworzył szeroko drzwi. Guzenko wyjaśnił mu sytuację.

– Bierz rodzinę i przenieście się do mnie.

Igor pokręcił głową. Nie chciał narażać tego człowieka na niebezpieczeństwo, ale pomyślał natychmiast, że NKWD nie będzie przecież przeszukiwać wszystkich lokali w całym domu. Wrócił szybko do siebie.

– Aniu, zabieraj Andrieja. Idziemy do Harolda! – krzyknął od drzwi, ale odpowiedziała mu cisza. W mieszkaniu nie było Anny i dziecka. Igor wybiegł na korytarz, przekonany, że podczas paru minut jego nieobecności przyszli ludzie Pawłowa i zabrali najbliższych.

– Są u mnie! – Drzwi mieszkania w końcu korytarza otworzyły się i stanęła w nich sąsiadka Frances Elliott. – Anna bała się pozostać sama i przyszła do mnie. Możecie u mnie spędzić całą noc.

Na korytarz wyszedł Harold.

– Idę po policję – oświadczył zakładając kurtkę.

Wrócił z dwoma policjantami. Usiedli w salonie pani Elliott i kolejny raz Guzenko przedstawił przebieg ostatnich godzin.

– Nie ma pan czego się obawiać. – Starszy policjant, który przedstawił się jako Thomas Welsh, poklepał go po ramieniu. – Nie możemy tu tkwić przez całą noc, ale mamy służbę w tym rejonie. Proszę zostawić światło w łazience. Gdy przyjdą do pana, wówczas proszę zgasić światło. Natychmiast będziemy tu.

Anna spała na kanapie w salonie. Do niej tulił się Andriej.

Igor po raz pierwszy poczuł, że spotkał urzędników, którzy chcą mu pomóc.

– Będziemy w okamgnieniu! – Policjanci założyli czapki i wyszli.

Nie wiedział, kiedy zasnął w fotelu. Obudził się przykryty kocem przez panią Elliott. Dochodziła północ. Rozejrzał się po pokoju. Zza drzwi dochodziły niepokojące odgłosy. Nasłuchiwał przez chwilę. Tak, ktoś dobijał się do jego mieszkania.

– A panowie czemu tak hałasują?! – Rozpoznał głos Harolda.

– My do Guzenki... – To był głos Pawłowa.

Igor przytknął oko do dziurki od klucza. Zobaczył ich. Pawłow i trzej inni: Rogow, Angełow i Farafontow.

– Nie ma go. Wyjechał z żoną i dzieckiem – powiedział Harold.

Pawłow i jego ludzie zeszli po schodach. Guzenko nie odrywał oka od dziurki od klucza. Wiedział, że wrócą. Po chwili byli z powrotem. Zachowywali się bardzo cicho. Jeden z nich wyjął pęk kluczy i zaczął dopasowywać do zamka. Otworzyli drzwi i weszli do środka.

– Niech pani zadzwoni na policję – szepnął Igor do pani Elliott.

Thomas Welsh dotrzymał słowa. Po kilku minutach na korytarzu rozległy się kroki dwóch policjantów. Nie zastanawiając się weszli do mieszkania Guzenki, gdzie Pawłow i jego ludzie z latarkami w rękach przeszukiwali meble.

– Policja! Ręce do góry i pod ścianę! – ryknął Welsh wyciągając pistolet.

– Jesteśmy dyplomatami! – Pawłow wyprostował się nad szufladą biurka, w której grzebał.

– Pod ścianę, mówię! – Welsh schwycił go za kołnierz kurtki i gwałtownie pchnął.

– Jestem dyplomatą! – Pawłow zdołał wydobyć paszport.

Welsh przytrzymał kołnierz kurtki jedną ręką, a drugą sięgnął po dokument.

– To też dyplomaci? – Wskazał trzech pozostałych, którzy nie stawiając oporu rozłożyli ręce na ścianie.

– Jesteśmy pracownikami ambasady Związku Radzieckiego – odezwał się któryś.

– Weź ich paszporty. – Welsh zwrócił się do kolegi. – To może wytłumaczycie, panowie dyplomaci, co robicie w tym mieszkaniu? – zapytał przeglądając paszporty. – Drugi sekretarz ambasady... asystent attaché wojskowego... radca handlowy... i kierowca ambasady przeszukują mieszkanie z latarkami w rękach, jak złodzieje?

– To mieszkanie jest własnością ambasady radzieckiej. Mieszkający tutaj Igor Guzenko wyjechał do Toronto i pozostawił dla nas ważne dokumenty – usiłował wybrnąć z sytuacji Pawłow. – Żądam, abyście nas natychmiast zwolnili.

– Spokojnie, panie sekretarzu. My też mamy swoje przepisy. – Welsh nie spieszył się. Czekał, aż przybędzie inspektor MacDonald.

– Zgłaszam najpoważniejszy protest! – krzyknął Pawłow na jego widok. – Zostaliśmy napadnięci na terenie będącym własnością państwa radzieckiego! Pogwałcono immunitet dyplomatyczny!

– Wolnego, wolnego... – MacDonald nie dawał się sprowokować. – Jesteśmy w Kanadzie, a immunitet ma swoje granice.

Pawłow wyrwał paszport z ręki Welsha i skierował się do drzwi. Nikt mu w tym nie przeszkodził.

Nad ranem do mieszkania, gdzie ukrywali się Guzenkowie, przyszli trzej agenci kontrwywiadu kanadyjskiego i zabrali rodzinę w bezpieczne miejsce, gdzie rozpoczęły się przesłuchania. Okazało się, że już poprzedniego dnia sprawa dotarła do kontrwywiadu i dwaj mężczyźni siedzący na ławce przed domem nie byli ludźmi Pawłowa, lecz agentami kontrwywiadu.

Śledztwo w sprawie materiałów dostarczonych przez Guzenkę trwało do lutego 1946 roku. Rosjanie początkowo nie podejrzewali Igora o zdradę tajemnic. Jednakże w grudniu 1945 roku dowiedzieli się, że tajne papiery znalazły się w rękach Kanadyjczyków.

13 grudnia pułkownik Zabotin niespodziewanie wyjechał do Nowego Jorku, skąd na pokładzie statku *Aleksandr Suworow* wypłynął do Związku Radzieckiego. Od tego momentu wszelki słuch o nim zaginął. Według jednej z wersji w Nowym Jorku schwytali go agenci NKWD i siłą wprowadzili na pokład. Na Atlantyku zdołał zmylić ich czujność i wyskoczył do wody. Według innej po przybyciu do Moskwy otrzymał medal za wierną służbę, a następnie aresztowano go i zastrzelono w więzieniu na Łubiance; wywiad nie wybaczał nieudanych akcji.

Sam Carr zdołał zbiec na Kubę, ale trzy lata później FBI zatrzymało go w Nowym Jorku. Odesłany do Kanady, został skazany na 6 lat więzienia; po zwolnieniu wyjechał do Polski. Tę samą karę więzienia otrzymał Fred Rose.

Doktor Allan Nunn May, skazany w 1946 roku na 10 lat więzienia, wyszedł na wolność w roku 1951.

W dokumentach, które Guzenko*) przekazał Kanadyjczykom, znajdowało się nazwisko doktora Klausa Fuchsa. Nikt jednak nie zwrócił na to uwagi.

*) Igorowi Guzence urodziła się córka, która żyje w Kanadzie pod przybranym nazwiskiem.

Igor Guzenko (zakapturzony ze względu na bezpieczeństwo) udziela wywiadu amerykańskiemu dziennikarzowi

BERIA I UCZENI

Początkowo radzieckie badania szły opornie. Co prawda Kurczatow potrafił skupić wokół siebie grupę najzdolniejszych naukowców, ale brakowało środków niezbędnych do realizacji niezwykle trudnego celu. Kurczatow nie był zadowolony z działań Wiaczesława Mołotowa, zastępcy przewodniczącego Rady Komisarzy Ludowych (wicepremiera), który – choć od samego Stalina otrzymał polecenie objęcia opieką badań – nie miał serca do rozwiązywania tysięcy problemów, jakie się z tym wiązały.

W połowie 1945 roku funkcję głównego administratora prac badawczych przejął Ławrentij Beria, który do tego czasu zajmował się jedynie stroną wywiadowczą przedsięwzięcia. Stało się to wkrótce po otrzymaniu przez Berię listu Kurczatowa ze skargami na opieszałość Mołotowa. Fakt, że Kurczatow skierował list do Berii, był formalnie uzasadniony pozycją, jaką szef tajnej policji zajmował we władzach Związku Radzieckiego. Był członkiem Biura Politycznego oraz członkiem Komitetu Obrony odpowiedzialnym za przemysł zbrojeniowy. Jednakże szef zespołu atomistów decydując się na taki krok brał zapewne pod uwagę specjalną pozycję Berii we władzach i wpływ, jaki miał on na Stalina.

List okazał się dobrym pomysłem. Stalin szybko zdecydował się zdjąć z ramion Mołotowa ciężar, jakim było zarządzanie badaniami, i powierzył to Berii. Ten czując, że trafiła mu się szansa umocnienia pozycji, z ogromną energią zabrał się do dzieła.

Czas mu sprzyjał, gdyż już następnego dnia po wybuchu bomby w Hiroszimie Stalin, wstrząśnięty siłą nowej broni, wezwał na Kreml ludzi, którzy mogli przyspieszyć radzieckie działania. W gabinecie Stalina, obok Kurczatowa i kilku innych wybitnych naukowców, zasiedli: Boris Wannikow – komisarz przemysłu amunicyjnego, Michaił Pierwuchin – komisarz przemysłu chemicznego oraz Beria.

Wtedy to zapadła decyzja o utworzeniu Rady Naukowo-Technicznej, podlegającej Radzie Komisarzy Ludowych (rządowi). Na jej czele stanął Wannikow, a jego zastępcami zostali Kurczatow i Pierwuchin.

Berii nie odpowiadało to rozwiązanie. Szybko doprowadził do powstania Specjalnego Komitetu ds. Bomby Atomowej, któremu przewodniczył on sam. Poza nim komitet liczył siedmiu członków: Kurczatow, Wannikow, Pierwuchin, Piotr Kapica, Gieorgij Malenkow oraz dwóch zastępców Berii z NKWD. W dalszym ciągu istniała Rada Naukowo-Techniczna, ale stała się martwą organizacją, gdyż cała władza przeszła w ręce Berii.

Z wielkim zapałem przystąpił on do tworzenia odpowiednich warunków pracy zespołu naukowców i produkcji bomby atomowej.

Miał do dyspozycji setki tysięcy wykwalifikowanych robotników więzionych w obozach. To oni wybudowali niemalże wszystkie obiekty konieczne do

Wybuch amerykańskiej bomby atomowej

Wybuch radzieckiej bomby atomowej

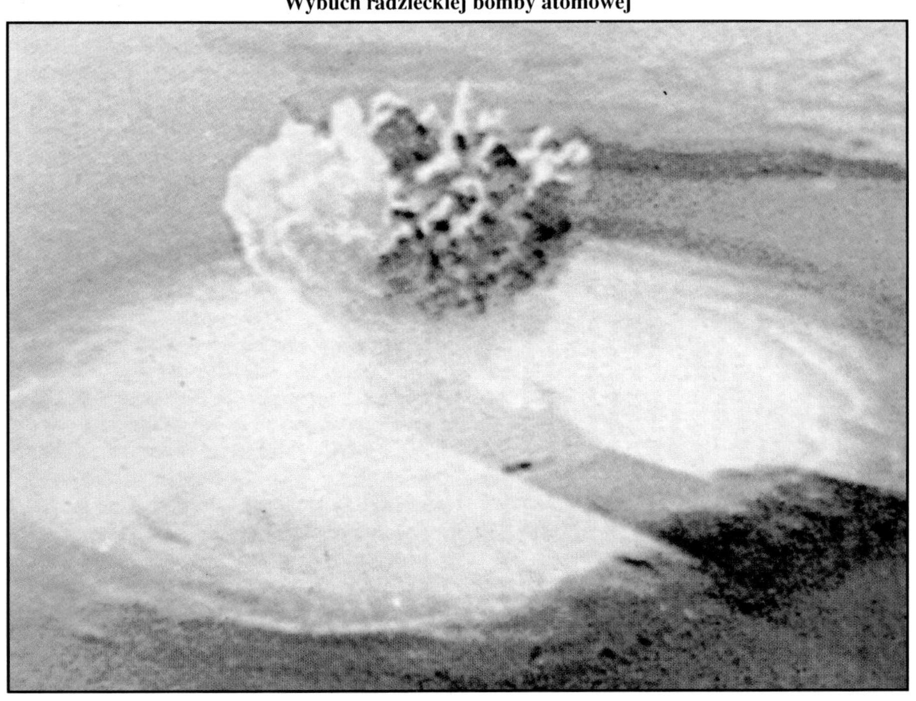

„Little Boy" – bomba atomowa zrzucona na Hiroszimę

RUINY HIROSZIMY, 1946

Grzyb po wybuchu bomby nad Hiroszimą

Obelisk postawiony w miejscu wybuchu pierwszej bomby atomowej

prowadzenia badań, oni wydobywali uran w kopalniach. Beria zadbał też o to, aby naukowcy otrzymali niezbędne urządzenia wymontowywane z laboratoriów i fabryk w radzieckiej strefie okupacyjnej Niemiec. Wreszcie – w rękach Berii znaleźli się niemieccy naukowcy, którzy mogli być przydatni w realizacji programu atomowego.

Latem 1945 roku do Związku Radzieckiego przybyły dwie grupy niemieckich fizyków, którym przewodzili baron Manfred von Ardenne i Gustaw Hertz. Po krótkich rozmowach z Berią w Moskwie naukowców przewieziono do Suchumi, gdzie pod kontrolą NKWD (już wówczas przemianowanej na MWD – Ministerstwo Spraw Wewnętrznych) powstawały laboratoria.

Warunki życia i pracy były tam bardzo surowe. Praca trwała przez wszystkie dni tygodnia, a czas odpoczynku ograniczono do minimum. Uczonym zawsze towarzyszył żołnierz. Tylko raz w tygodniu wolno im było pod eskortą udać się na targ w Suchumi, aby kupić owoce i warzywa. Zakazano im wszelkich kontaktów z Rosjanami.

Skargi wnoszone do dowódcy ośrodka, generała Kochlavaszwilego nie przynosiły rezultatów. Dopiero w październiku 1948 roku niemieccy naukowcy mieli okazję do ponownego spotkania z Berią w tajnym ośrodku w Swierdłowsku, gdzie zawieziono Niemców, aby mogli wymienić doświadczenia z naukowcami radzieckimi.

Hertz wykorzystał tę okazję, aby poskarżyć się. Twierdził, że nieustanny nadzór i brak swobody uniemożliwia wydajną pracę. Beria wezwał generała Kochlavaszwilego i nakazał poprawienie warunków życia naukowców. Rzeczywiście, w ciągu najbliższych dni usunięto żołnierzy z bezpośredniego otoczenia, zezwolono uczonym na swobodne poruszanie się po terenie ośrodka i na wizyty w mieście. Warunki życia stały się znośne.

Był to jedyny chyba przypadek, że Beria zadbał o dobre stosunki w zespole naukowców. Stało się tak dlatego, że prasa zachodnia zaczęła pisać o radzieckich badaniach nuklearnych jako wyłącznej domenie naukowców niemieckich. Berii chodziło o to, aby zaprotestowali oni przeciwko takim opiniom na łamach któregoś z periodyków naukowych wydawanych w Związku Radzieckim lub na Zachodzie.

Wobec uczonych radzieckich Beria nie był tak uprzejmy. Wiedział, że są w jego władzy i dawał im to odczuć na każdym kroku. Pewnego razu wszedł do pokoju, gdzie profesor Aleksandrow – jeden z bliskich współpracowników Kurczatowa – dyskutował z generałem Machniewem sprawę lokalizacji zakładów produkujących deuter. Beria przysłuchiwał się przez chwilę w milczeniu. Wiedział, że podczas jednego z eksperymentów z deuterem nastąpiła eksplozja.

– Czy on nie zdaje sobie sprawy, że jeżeli zakłady wylecą w powietrze, będzie musiał za to zapłacić? – zwrócił się do Machniewa, ignorując obecność Aleksandrowa. Ten, mimo gróźb, nie dał się odwieść od wybranej lokalizacji. Na jego szczęście nie nastąpił poważniejszy wypadek.

Piotr Kapica nie miał jednak zamiaru znosić arogancji Berii. W październiku 1945 roku wysłał do Stalina list, w którym pisał:

Teraz, gdy doszło do spięć z towarzyszem Berią na forum Specjalnego Komitetu, widzę jasno, że nie do przyjęcia jest jego podejście do naukowców. Gdy przyjmował mnie do pracy, po prostu kazał swojemu sekretarzowi wezwać mnie do gabinetu. Gdy Witte, minister finansów (w czasach carskich – BW) *zatrudniał Mendelejewa w Urzędzie Miar i Wag, osobiście poszedł do Dmitrija Iwanowicza* (Mendelejewa – BW). *28 września, gdy byłem w gabinecie towarzysza Berii, on uznając, że czas skończyć rozmowę, po prostu klasnął w dłonie i powiedział: ''No dobrze, do widzenia''. To nie są drobnostki, lecz objawy braku poważania dla człowieka, dla naukowca.*

Stalin pokazał list Berii, a ten zadzwonił do Kapicy i zaprosił go na rozmowę. Naukowiec odmówił. Beria wyruszył więc do niego ze wspaniałym prezentem: bogato zdobioną tulską fuzją myśliwską.

Rozejm nie trwał jednak długo. Już w miesiąc poźniej Kapica napisał kolejny list do Stalina:

Towarzysze Beria, Malenkow i Wozniesienski zachowują się w Specjalnym Komitecie, jakby byli supermenami. Zwłaszcza towarzysz Beria. Aby dodać sobie powagi, nosi pałeczkę w dłoni. (...) Główna słabość towarzysza Berii polega na tym, że dyrygent powinien nie tylko machać batutą, ale także rozumieć cel tego machania. W tym Beria jest słaby. Powiedziałem mu wprost: ''Nie rozumiecie fizyków. Pozwólcie nam, naukowcom, podejmować decyzje''. Odpowiedział mi na to, że nie wiem nic o ludziach.

W starciu wybitnego naukowca z potężnym szefem tajnej policji naukowiec przegrał. W końcu 1945 roku Stalin zwolnił Kapicę z funkcji członka Specjalnego Komitetu. Nie był to jednak koniec kłopotów. W następnych miesiącach Kapica utracił wszystkie stanowiska naukowe i został osadzony w areszcie domowym, co trwało prawie przez osiem lat, do śmierci Stalina.

Inni uczeni, choć również doświadczali bezwzględności Berii, doceniali jednak jego energię i zaangażowanie.

Profesor Igor Gołowin, zastępca Kurczatowa, pisał:

Dla nas oczywiste były wielkie zdolności administracyjne Berii. Był niezwykle energicznym człowiekiem. Narady nie trwały godzinami, wszystkie decyzje podejmowane były szybko. Największe nasilenie prac przypadło na lata 1945–1947 i wtedy wyraźnie odczuwaliśmy jego operacyjne przywództwo. Czytał nasze raporty szybko, a jeżeli miał wątpliwości, zwracał się o wyjaśnienia.

Inny z naukowców twierdził:

Ci, którzy spotkali Berię, musieli uznać jego inteligencję, siłę woli i skuteczność działania. Uważali go za administratora pierwszej klasy, który potrafił każde zadanie doprowadzić do końca.

NOWOJORSKIE SPOTKANIE

Wieczór był dżdżysty i zimny. Harry Gold wyszedł ze stacji metra przy 5 Avenue. Rozejrzał się bacznie po zatłoczonej ulicy, jakby zastanawiał się dokąd pójść, ale szybko podjął decyzję i skierował się w głąb 53 ulicy, gdzie migotał neon ''Iroquise'' – niewielkiego baru w parterowym domu, który jakimś cudem zachował się między dwoma potężnymi blokami.

Przed wejściem strząsnął krople wody z płaszcza, a w barze usiadł na wysokim stołku przy końcu kontuaru. Barman zwrócił się w jego stronę.

– Piwo! – krzyknął Gold. – Obojętnie jakie.

Przez dużą szybę wystawową dostrzegł zgarbioną sylwetkę Johna Doe. Ciekawe, jak on się naprawdę nazywa... – pomyślał. Rosjanin również go zauważył. Wszedł do baru i usiadł obok Golda.

– Zamów dla mnie też piwo – powiedział cicho. Nie chciał sam tego robić obawiając się, że ktoś może zwrócić uwagę na jego obcy akcent.

– Co nowego? – zagaił rozmowę, gdy barman podał już szklanki z piwem i odsunął się na odległość, z której nie mógł słyszeć rozmowy.

– To materiały z Los Alamos. – Gold wsunął do kieszeni płaszcza Jakowlewa (tak brzmialo prawdziwe nazwisko agenta NKWD, który używał pseudonimu John Doe) papiery, które odebrał od Fuchsa w Santa Fe kilka dni wcześniej.

– Dobrze. – Mister Doe nie zmieniał wyrazu twarzy. – Centrala jest zadowolona. Otrzymasz specjalną gratyfikację.

Gold kątem oka dostrzegł ruch ramienia Jakowlewa, co wskazywało, że teraz z kolei on wsunął do kieszeni płaszcza Golda kopertę z pieniędzmi.

– Pięćset – wyjaśnił Jakowlew przełykając piwo. – Mam dla ciebie nowe zadanie...

Rozejrzał się bacznie, czy nikt ich nie obserwuje, ale w barze panowała pustka, a barman zajęty był wycieraniem szklanek. Jakowlew położył na blacie zdjęcie dwojga ludzi.

– Zapamiętaj ich twarze. To Ethel i Julius Rosenbergowie. Komuniści, gotowi do dużych poświęceń. Brat Ethel, David Greenglass, pracuje w Los Alamos jako tokarz na nocnej zmianie. Sądzę, że przygotowuje wiele elementów do interesujących nas urządzeń. Gdyby kopiował rysunki detali, które dostaje do toczenia, mogłoby to być bardzo przydatne. Musisz skontaktować się z Rosenbergami i namówić ich, aby skłonili swojego krewnego do współpracy. Za każdą cenę.

Zabrał zdjęcie Rosenbergów, nasunął kapelusz na oczy i skierował się do wyjścia.

Gold zapłacił za piwo i wyszedł tuż za nim.

Rosenbergowie, których odwiedził w ich nowojorskim mieszkaniu, chętnie zgodzili się na współpracę. Nie wiadomo, jakich argumentów użył Gold.

Prawdopodobnie w tym przypadku nie wchodziły w grę pieniądze. Julius Rosenberg był inspektorem ds. uzbrojenia, a więc miał dobrze płatną posadę. Ethel nie pracowała. Wiedli z dwójką dzieci spokojne, dostatnie życie w obszernym mieszkaniu. Uważali, że ich – komunistów – obowiązkiem jest informowanie ''ojczyzny komunizmu'' o amerykańskich postępach w pracach nad tworzeniem nowej broni.

Greenglass nie miał już takich motywacji. Dla niego liczyły się pieniądze, i za każdy materiał przekazywany Goldowi w Santa Fe pobierał wysokie honoraria.

Harry Gold **David Greenglass**

WYBUCH

Na początku roku 1949 do gabinetu Stalina wszedł Igor Kurczatow niosący w ręku połyskującą kulę o średnicy około dziesięciu centymetrów i położył ją na biurku.

– To jest ładunek naszej bomby, Józefie Wissarionowiczu – powiedział uroczyście. – Pluton.

Stalin patrzył ze zdziwieniem na niewielką kulę.

– Skąd mam wiedzieć, że to pluton, a nie kawałek wypolerowanego żelaza? – spytał z niedowierzaniem. – Dlaczego to tak błyszczy?

– Ładunek został pokryty niklem, aby można było bezpiecznie wziąć go do ręki. Pluton jest szkodliwy, ale pod warstwą niklu bezpieczny – odpowiedział Kurczatow. – Aby się przekonać, że nie jest to zwykły kawałek metalu, możecie polecić komuś, by dotknął tej kuli. Jest ciepła, a sam metal byłby zimny.

Stalin dotknął kuli.

– Rzeczywiście. Zawsze jest ciepła?

– Tak, Józefie Wissarionowiczu – potwierdził Kurczatow. – Tam wewnątrz przebiega reakcja nuklearna, która ogrzewa niklową powłokę. Już potrafimy doprowadzić do potężnej reakcji. To będzie eksplozja o wielkiej sile.

Kilka miesięcy później na poligon w Kazachstanie przybył Beria. Jego samochód zatrzymał się przy betonowym bunkrze, którego płaski dach wystawał ponad murawę.

– Proszę uważać na głowę! – Lejtnant w mundurze NKWD wskazał niski strop korytarza rozpoczynającego się za pancernymi drzwiami. Beria pochylony wszedł do dużego centralnego pomieszczenia w bunkrze obserwacyjnym. Umeblowanie było bardzo proste: kilka niewielkich foteli, stoliki pod ścianami, centrala telefoniczna, duży zegar na ścianie i rury kilku peryskopów wystające z sufitu.

– Luksusów tutaj nie mamy, ale za to jest bezpiecznie – uśmiechnął się Kurczatow.

Przybył do bunkra kilkanaście minut wcześniej, aby osobiście dopilnować, czy wszystko jest gotowe na przyjęcie dostojnego gościa.

– Kiedy rozpoczniecie odliczanie? – Beria uścisnął dłoń uczonego i usiadł w foteliku, który usłużnie podsunął mu porucznik.

Był wyraźnie zdenerwowany i podniecony. Co chwila zerkał na ścienny zegar i przecierał chusteczką kark. W bunkrze było duszno, ale Beria pociłby się zapewne nawet przy zimnym wietrze.

– Proszę, podejdźcie do peryskopu – powiedział w pewnym momencie Kurczatow zdejmując z głowy słuchawki. On też był przejęty. – Dzień 29 sierpnia 1949 roku otwiera nową kartę naszej historii i historii świata...

Z głośnika słychać było monotonny głos oficera odliczającego sekundy, i raptem jakby czas zatrzymał się. Ostatnia sekunda wydawała się dłuższa niż poprzednie. Nagle w peryskopach przysłoniętych zaciemnionymi szybkami zajaśniało jaskrawe światło. Beria cofnął się gwałtownie. Szybko jednak wrócił do okularu, aby widzieć wszystko, co działo się w odległości kilkunastu kilometrów.

– Ależ byłoby nieszczęście, gdyby to wszystko nie wypadło dobrze – powiedział powoli do Kurczatowa. I nagle ożywił się. – Czy nasz wybuch przypomina ostatnie amerykańskie próby na Bikini? – Rozejrzał się i podbiegł do telefonu.

Kurczatow zorientował się, że Beria dzwoni do kogoś, kto przyglądał się ostatniej próbie amerykańskiej. Powtórzył swe pytanie i po chwili z wyrazu jego twarzy można było odczytać, że obydwie eksplozje wyglądały podobnie.

Uspokojony, kazał połączyć się ze Stalinem.

– Towarzysz Stalin śpi – odpowiedział Poskriebyszow, który odebrał telefon w moskiewskim mieszkaniu dyktatora.

– Obudźcie! – warknął Beria. – To ważna sprawa.

Po kilku minutach Stalin podszedł do aparatu.

– Józefie, wszystko poszło dobrze. – Beria zaczął mówić podniesionym głosem. – Wybuch był taki sam jak amerykański.

– Już wiem o tym – odpowiedział sucho Stalin i odłożył słuchawkę.

Beria przez moment stał jak skamieniały, po czym odwrócił się do żołnierza obsługującego centralę.

– Wetknąłeś kołek w szprychy mojego koła, zdrajco! – wrzasnął. – Zetrę cię w proch!

Szybko jednak zdał sobie sprawę z bezsensowności swego zachowania. Odwrócił się i wyszedł z bunkra.

W końcu września 1949 roku amerykański samolot badawczy *B-29,* dokonujący rutynowych lotów wzdłuż granic Związku Radzieckiego, przywiózł zdjęcia, które zaniepokoiły analizujących je ekspertów. Na negatywach, oprócz zwykłych śladów pozostawianych przez cząsteczki pochodzące z przestrzeni kosmicznej, widoczne były wyraźne linie, których nie można było wyjaśnić naturalnym pochodzeniem. Kolejne rejsy specjalnych samolotów, tzw. RD (Radiation-Detection – wykrywania promieniowania) rozwiały wątpliwości. W azjatyckiej części Związku Radzieckiego dokonano eksplozji nuklearnej.

Dla prezydenta Trumana był to szok. Kiedyś pozwolił sobie na dowcip; podczas spotkania z Robertem Oppenheimerem powiedział:

– Wiem, kiedy Rosjanie będą mieli bombę atomową.

– Kiedy? – zainteresował się uczony.

– Nigdy! – roześmiał się prezydent.

To był oczywiście tylko żart, gdyż prezydent Stanów Zjednoczonych zdawał sobie sprawę, że wcześniej czy później państwo tak potężne, dysponujące tak ogromnym potencjałem gospodarczym i naukowym jak Związek Radziecki zbuduje bombę atomową, jednakże amerykańscy analitycy byli przekonani, że potrwa to wiele lat.

W 1945 roku ambasada amerykańska w Moskwie nadsyłała dane na temat ogromu zniszczeń wojennych.

W Rosji, Białorusi i Ukrainie z 16 milionów koni 7 milionów zostało zabitych lub wywiezionych przez Niemców; z 23 milionów świń zabito 20 milionów. Zniszczeniu uległo 137 tysięcy traktorów i 49 tysięcy kombajnów zbożowych. Przemysł był rozproszony. Maszyny w 600 zakładach zdemontowano i wywieziono za Ural. Największe w europejskiej części ZSRR ośrodki przemysłowe – Leningrad i Stalingrad – leżały w gruzach. Transport praktycznie nie istniał: 65 tysięcy kilometrów linii kolejowych było zniszczonych, 15 800 lokomotyw i 428 tysięcy wagonów towarowych – również, podobny los spotkał połowę mostów. W gruzach leżało 1,2 miliona domów w miastach oraz 3,5 miliona wiejskich chat.

Na tej podstawie amerykańscy analitycy potrafili precyzyjnie określić możliwości militarne Związku Radzieckiego.

Obliczali, że Rosjanie nie będą dążyć do wojny przez najbliższe 5–10 lat. Straty demograficzne i przemysłowe odrabiane będą przez co najmniej 15 lat, z czego 10 trwać będzie uzupełnianie kadry technicznej. 5–10 lat minie, zanim Związek Radziecki stworzy lotnictwo strategiczne, a za 15–25 lat marynarkę wojenną.

W lipcu 1948 roku R. H. Hillenkoetter, dyrektor Centralnej Agencji Wywiadowczej (CIA), wysłał do prezydenta raport, w którym oceniał, że Rosjanie będą gotowi do przeprowadzenia próbnej eksplozji najwcześniej w roku 1953. W lipcu 1949 roku Hillenkoetter skorygował swoje ustalenia podając połowę roku 1951 jako najbardziej prawdopodobną datę skonstruowania radzieckiej bomby.

Wyniki analiz materiału dostarczanego przez samoloty wywiadowcze we wrześniu 1949 roku były szokiem dla administracji amerykańskiej. Nie zaskoczyły jednak wywiadu. Trzy miesiące wcześniej amerykański agent nadesłał z Moskwy zaszyfrowaną depeszę:

Istnieją dowody, że tajemnica naszej bomby została wykradziona i rosyjska bomba jest gotowa.

Depesza została natychmiast przekazana amerykańskiemu łowcy szpiegów – Edgarowi J. Hooverowi, szefowi Federalnego Biura Śledczego FBI. Wkrótce otrzymał on następny dowód dostarczony przez służby FBI.

Edgar J. Hoover

OPERACJA „VENONA"

Złamanie radzieckich kodów i szyfrów dyplomatycznych było dla amerykańskich służb specjalnych za twardym orzechem do zgryzienia. Depesze wysyłane z ambasady radzieckiej w Waszyngtonie odkładano na bok, w nadziei, że kiedyś uda się odczytać niezwykle trudny szyfr.

Możliwość taka stała się realna w 1944 roku, gdy Biuro Studiów Strategicznych (OSS – agencja wywiadowcza) otrzymało z Finlandii radziecką księgę kodów liczącą 1500 stron. Zdobycz szybko wróciła do właściciela, gdyż tak nakazał prezydent Franklin D. Roosevelt, ale, bez jego wiedzy, kopia pozostała w FBI. Jednakże pożytek z niej był niewielki.

Rosjanie szyfrowali bowiem depesze podwójnie: litery, lub w pewnych wypadkach całe słowa, były zastępowane pięcioma cyframi z księgi. Do tego szyfrant dodawał następne cyfry pochodzące z tablicy szyfru jednorazowego użytku, dostarczanego do ambasady przez kuriera dyplomatycznego; odczytanie takiego kryptogramu było niemożliwe, gdyż w żadnej z depesz nie powtarzały się te same znaki.

Jednakże w roku 1948, ze względu na ożywioną korespondencję z placówkami dyplomatycznymi w USA, szyfranci z centrali NKWD w Moskwie zaczęli wielokrotnie używać tej samej tablicy szyfru.

To już był punkt zaczepienia dla amerykańskich kryptologów, którzy przystąpili do tajnej operacji, opatrzonej kryptonimem ''Venona''. Zadanie odczytania depesz powierzono Meredithowi Gardnerowi, funkcjonariuszowi US Army Security Agency*) (Agencja Bezpieczeństwa Armii Stanów Zjednoczonych). Był to człowiek o oszałamiających zdolnościach lingwistycznych; potrafił na przykład w ciągu trzech miesięcy opanować język japoński.

Pracując nad radzieckimi depeszami Gardner otrzymał niezwykłą pomoc – pierwszy komputer na świecie, ale niewiele mógł osiągnąć w wypadku aktualnych depesz, gdyż Rosjanie szybko poznali cel ''Venony''.

W 1949 roku zdradził go William Weisband, szyfrant zatrudniony w ASA, zwerbowany przez Rosjan dwa lata wcześniej. Centrala w Moskwie niezwłocznie zmieniła system kodowania depesz, a Weisband, choć schwytany w roku 1950, nigdy nie został należycie ukarany, gdyż zachodziła obawa, że ujawnione podczas rozprawy sądowej sekrety ''Venony'' szybko przedostaną się na zewnątrz. Dlatego też zdrajcę skazano tylko na rok więzienia za niestawienie się przed sądem.

Gardner zapewne nie zmartwił się zmianą radzieckiego systemu szyfrowania, gdyż miał przed sobą tysiące depesz NKWD z lat 1944 – 1945. Najważniejsze było przeanalizowanie korespondencji wychodzącej z ambasady i przychodzącej

*) W 1949 roku ASA została przekształcona w Armed Forces Security Agency (AFSA), stając się zalążkiem Agencji Bezpieczeństwa Narodowego (National Security Agency – NSA), powołanej w roku 1952.

do niej w pierwszych tygodniach po wybuchu bomby atomowej w Hiroszimie, gdyż można było przyjąć, że dotyczyły przede wszystkim tego wydarzenia. Gardner szybko odnalazł depeszę, której treść pozwalała na stwierdzenie, że w Los Alamos działał radziecki szpieg będący naukowcem brytyjskim.

Jak jednak odnaleźć go wśród tysięcy ludzi zatrudnionych przy realizacji amerykańskiego projektu, z których co najmniej kilkuset miało bezpośredni dostęp do ściśle tajnych danych? Odpowiedź była prosta: sprawdzić wszystkich.

Specjalnie dobrany zespół pracowników FBI zaczął analizować akta ludzi zatrudnionych w laboratoriach, w których prowadzono prace nad bombą. Drugi zespół wyruszył do Wielkiej Brytanii, aby sprawdzić dane personalne brytyjskich naukowców, którzy pracowali w USA w latach 1943 – 46. Trzeci zespół badał w siedzibie FBI, na Pennsylvania Avenue w Waszyngtonie, akta niemieckiej policji tajnej, wydobyte z archiwów w Berlinie tuż po zakończeniu działań wojennych.

Jednakże tygodnie żmudnych dociekań nie przynosiły żadnych rezultatów, dopóki jeden z agentów nie zwrócił uwagi na nazwisko Klausa Fuchsa, znajdujące się w wykazie Żydów uznanych przez nazistowską policję za niebezpiecznych dla państwa. Notatka zamieszczona przy tym nazwisku informowała:

Student filozofii; urodzony 29 grudnia 1911 w Russelsheim, RSHA – IVA2 – Urząd Gestapo w Kilonii.

RSHA był to skrót nazwy Reichssicherheitshauptamt – Głównego Urzędu Bezpieczeństwa Rzeszy; rzymska czwórka oznaczała czwarty wydział RSHA, a ''A2'' było używanym przez gestapo oznaczeniem komunistów.

To było już coś! Dalsze informacje, jakie zebrano o Fuchsie, wskazywały, że może on być poszukiwanym szpiegiem; pracował w laboratoriach w Los Alamos, centralnym miejscu amerykańskiego projektu atomowego, i miał dostęp do najściślejszych tajemnic. W roku 1946 powrócił do Wielkiej Brytanii, gdzie objął katedrę fizyki teoretycznej w Harwell – centralnym ośrodku brytyjskich badań atomowych.

Klaus Fuchs (w lewym górnym rogu) wśród naukowców z Harwell

REAKCJA ŁAŃCUCHOWA

Gdy komisarz George Smith wszedł do swojego pokoju w Scotland Yardzie, zauważył, że w jego fotelu za biurkiem siedzi mężczyzna ubrany w garnitur o tak wyraźnych prążkach, że komisarzowi samo nasunęło się skojarzenie z ulubionym strojem amerykańskich gangsterów.

– Peter Sellenck, FBI. – Wyciągnął rękę w stronę Smitha. Ten poczuł się zakłopotany.

– Przepraszam za spóźnienie, ale w lipcu 1944 roku bomba zniszczyła mój dom w Londynie i musiałem przeprowadzić się do Bratton, a to kawałek drogi. Nasza komunikacja nie funkcjonuje jeszcze... – tłumaczył zawile, ale nagle zauważył, że Amerykanina w ogóle to nie interesuje.

– Tak, to przejdźmy do rzeczy – zakończył nieoczekiwanie. – W biurku mam papiery, które zapewne pana zainteresują.

Użył tego wybiegu, żeby wypłoszyć gościa ze swojego fotela. Amerykanin wstał wykonując gest zapraszający komisarza do zajęcia miejsca.

– Otrzymałem wasz telegram w sprawie Fuchsa – mówił dalej Smith grzebiąc w szufladzie. – Udało mi się co nieco ustalić. Zanim rozpoczął on pracę w Harwell w 1946 roku, sprawdzał go szef miejscowej służby bezpieczeństwa, komandor Henry Arnold, i nie znalazł nic niepokojącego. Po powrocie ze Stanów Fuchs był obserwowany, ale nie stwierdzono, by kontaktował się z kimkolwiek spoza grona naukowców oraz pewnej kobiety, z którą spotykał się regularnie raz w tygodniu.

Smith miał wszelkie powody, aby wierzyć w ustalenia komandora Arnolda, który rzeczywiście bardzo starannie przyjrzał się Fuchsowi. Miał wszakże pecha. Fuchs przed powrotem ze Stanów Zjednoczonych został poinformowany przez Golda, że spotkania z agentami będą kontynuowane na dworcu Paddington w określonych dniach o godzinie 20.00. Jednakże Fuchs, z nieznanych przyczyn, na żadne się nie stawił. A właśnie w tym okresie śledzili go oficerowie kontrwywiadu.

Taka sytuacja trwała przez rok. W 1947 roku Fuchs postanowił wznowić działalność szpiegowską. Skontaktował się z jednym ze znanych sobie sprzed wojny działaczy partii komunistycznej i poprosił go, aby znalazł dojście do ambasady radzieckiej. Nie musiał długo czekać. Wkrótce otrzymał wiadomość, że o wyznaczonej godzinie ma przyjść do pubu ''Nag's Head'' z tygodnikiem ''Tribune'' w ręku. Tam miał na niego czekać mężczyzna, który na blacie stolika położy książkę w czerwonej okładce. Tak rozpoczął się nowy etap szpiegowskiej działalności Fuchsa.

– Niewiele mamy przeciwko Fuchsowi. – Sellenck wstał z krzesła i podszedł do okna. – Właściwie tylko dwa ślady: przed wojną działał w partii komunistycznej w Niemczech oraz to, że jego nazwisko znalazło się w dokumentach przekazanych przez rosyjskiego uciekiniera władzom Kanady. – Mowa była o dokumentach dostarczonych przez Guzenkę. – Fuchs jest już w Anglii, więc musicie go przytrzasnąć.

Smith kiwnął głową. Już parę dni przed przyjazdem Amerykanina rozpoczęto dyskretną inwigilację doktora Fuchsa, jednakże bez rezultatów. Niemniej w czasie następnych miesięcy ludzie ze Special Branch zwrócili uwagę na regularne wizyty obserwowanego w pubach "Nag's Head" i "Spotted Horse" w dzielnicy Putney. Człowiek, z którym Fuchs się spotykał, po wyjściu z pubu krążył po Londynie, ale zawsze trafiał w końcu do ambasady radzieckiej. Nie było więc żadnych wątpliwości...

2 lutego 1950 roku Klaus Fuchs został wezwany do siedziby Atomic Energy Authority w Shell Mex House w Londynie. Nie zdziwiło go to. Bywał tam wielokrotnie z racji najróżniejszych spotkań i konferencji. Jednakże tego dnia spotkał tam komisarza Smitha i komandora Leonarda Burta, szefa Special Branch. Patrząc na tych dwóch urzędników zrozumiał, że wpadł. Uznał, że skoro przyszli aresztować jednego z najwybitniejszych brytyjskich naukowców, to muszą mieć żelazne dowody. Gdy zabrali go na posterunek policji przy Bow Street, przyznał się od razu do współpracy z radzieckim wywiadem.

1 marca 1950 roku został skazany na 14 lat pozbawienia wolności. W celi odwiedzał go funkcjonariusz Scotland Yardu, Jim Skardon, który szybko namówił Fuchsa do współpracy. Doktor bez oporów opowiedział ze szczegółami, jak w Birmingham zgłosił się do niego radziecki agent, jak umówił go na spotkanie w Londynie z Aleksandrem, jakie materiały przekazywał i w jaki sposób. Niewiele jednak mógł powiedzieć o radzieckiej siatce w Stanach Zjednoczonych.

– Niech pan sobie coś przypomni, nawet drobiazgi. – Sellenck krążył po celi, a siedzący na pryczy Fuchs był już wyraźnie zmęczony.

– Nie przypomnę sobie już nic więcej! – wybuchnął wreszcie.

– Średniego wzrostu brunet z okrągłą twarzą, miał na imię Raymond – podsunął Skardon, który dotychczas tylko przysłuchiwał się rozmowie.

– I nic więcej nie potrafię o nim powiedzieć! – Fuchs położył się na pryczy.

– Jak się ubierał? – Sellenck nie dawał za wygraną.

– Nie pamiętam, nie zwracałem na to uwagi.

– Niechlujny, brudny, schludny?... – podsuwał Sellenck różne możliwości.

– Zawsze był elegancki jak... – Fuchs zawiesił głos.

– Jak kto? – podchwycił Sellenck.

– Jak aptekarz – powoli powiedział Fuchs. – Tak, zdaje się, że kiedyś wspomniał, że jest aptekarzem.

– Niech pan odpocznie. Jutro porozmawiamy znowu. – Skardon wstał.

– Niewiele wiecie o tym Raymondzie – powiedział do Sellencka, gdy znaleźli się na korytarzu.

– Obawiam się, że i niewiele więcej się dowiemy. Fuchs chyba zna tylko pseudonim i ledwo sobie przypomina wygląd tamtego. Musimy szukać w Nowym Jorku aptekarza średniego wzrostu, z czarnymi włosami. Sądzę, że jest ich parę tysięcy.

Specjalny zespół agentów FBI z Nowego Jorku, wzmocniony agentami z Waszyngtonu, rozpoczął poszukiwania aptekarza. Dzień po dniu, tydzień po tygodniu, miesiąc po miesiącu z długiej listy ludzi odpowiadających cechom podanym przez Fuchsa eliminowano tych, którzy nie pasowali do wizerunku szpiega. Na liście podejrzanych pozostało w końcu tylko dziesięć nazwisk. Wśród nich widniało nazwisko Harry'ego Golda. Było znane agentom FBI. W 1947 roku przesłuchiwali tego człowieka w związku z oskarżeniem przez kobietę, która zgłosiła się na policję z informacją, że była komunistyczną agentką. Gold gładko wywinął się z opresji, tłumacząc, że kobieta mści się na nim za jakieś nieporozumienia finansowe. Nie znaleziono przeciwko niemu żadnych dowodów i sprawa poszła w zapomnienie.

Istniało niebezpieczeństwo, że i tym razem Gold wymknie się agentom FBI, tym bardziej że staranna inwigilacja, jakiej natychmiast go poddano, nie przyniosła żadnych rezultatów. Podejrzany był szefem wydziału badań biologicznych w szpitalu filadelfijskim, i bez wątpienia nie utrzymywał żadnych podejrzanych kontaktów. Dla agentów FBI było oczywiste, że wywiad radziecki uśpił go. Odpoczynek Golda mógł trwać nawet parę lat. Należało go więc zdenerwować, pobudzić do działania, zmusić do wysłania sygnału alarmowego. Do szpitala w Filadelfii udał się w tym celu jeden z funkcjonariuszy kontrwywiadu.

– Jestem z FBI – zaczepił Golda na korytarzu. – Musimy chwilę porozmawiać. – Stanęli przy oknie. – Czy zna pan tego człowieka? – Agent wydobył z kieszeni zdjęcie Fuchsa.

Gold przyglądał się uważnie. Niczym nie zdradził, że zdjęcie przedstawia kogoś mu znanego.

– Wydaje mi się, że tak... – Podniósł wzrok i oddał zdjęcie. Zastanawiał się przez chwilę. – Tak, chyba widziałem tę twarz w gazetach. To zdaje się jakiś naukowiec. Nie mylę się?

Podstęp nie udał się. Gold zachował zimną krew. Jednakże w następnych dniach zrobiono mu około tysiąca zdjęć i przesłano je do Anglii.

Peter Sellenck pokazał je Fuchsowi.

– Nie mam pewności – powiedział doktor Klaus przypatrując się fotografiom. – Nie widziałem Raymonda od czterech lat. Ten na zdjęciu jest do niego podobny, ale nie mogę stwierdzić jednoznacznie, że to ten człowiek.

Dwa dni później Skardon i Sellenck ponownie zjawili się w więzieniu Brixton. Tym razem przynieśli 30-minutowy film przedstawiający Golda w różnych sytuacjach. Fuchs nie miał już wątpliwości. Rozpoznał Raymonda.

– Nic nie wiem o człowieku nazywającym się Fuchs, a wy nie macie dowodów, że jest inaczej. – Gold nie miał zamiaru przyznać się do winy. Siedział wygodnie na fotelu w salonie swojego domu przy Kindred Street w Filadelfii.

– Dowody zaraz znajdziemy. – Funkcjonariusz FBI wyciągnął z kieszeni nakaz rewizji i podał Goldowi.

Ten nie spojrzał nawet na dokument.

– Możecie sobie szukać. Tylko nie zróbcie bałaganu, bo zaskarżę was do sądu o odszkodowanie.

Przez cały czas rewizji nie ruszał się z fotela, będąc pewnym, że mieszkanie jest czyste. Zawsze bardzo starannie niszczył wszelkie materiały, które mogłyby go zdradzić.

– A to co? – Jeden z agentów wyciągnął z półki bibliotecznej mapę Santa Fe. Rozłożywszy ją zauważył krzyżyk wskazujący miejsce, gdzie Gold po raz pierwszy spotkał się z Fuchsem. – Pan Fuchs zeznał, że spotykaliście się w Santa Fe na Virginia Street.

Gold zbladł. Zapomniał o tej mapie. Kiedyś po powrocie z Santa Fe odłożył ją na półkę, nie pamiętając o krzyżyku, który teraz go zdradził. Mapa nie była żelaznym dowodem, na podstawie którego można by osadzić Golda w więzieniu, ale zawiodły go nerwy. Przyznał się do współpracy z wywiadem radzieckim.

Podczas śledztwa ujawnił, że w 1945 roku w Santa Fe odebrał z rąk Davida Greenglassa, technika zatrudnionego w Los Alamos, schemat tak zwanej soczewki implozyjnej, ważnego elementu bomby plutonowej.

Aresztowany Greenglass przyznał się do winy i oświadczył: *Zostałem zwerbowany przez moją siostrę Ethel i jej męża, Juliusa Rosenberga. Oboje kierują radziecką siatką mającą zdobywać informacje atomowe.*

Klaus Fuchs

ŚLEPY ZAUŁEK

Rosenbergów aresztowano 17 lipca 1950 roku.

Obydwojgu zarzucono kierowanie siatką szpiegowską zbierającą materiały na temat bomby atomowej konstruowanej w Stanach Zjednoczonych. Podstawowym dowodem było zeznanie Davida Greenglassa. Przyjaciel Rosenbergów – Morton Sobell, specjalista od radiolokacji – podejrzany o przekazanie im wielu informacji, uciekł do Meksyku, co dodatkowo obciążyło małżonków.

Proces rozpoczął się 6 marca 1951 roku, w okresie bardzo niekorzystnym dla oskarżonych. Od kilku miesięcy na Dalekim Wschodzie trwała wojna

25 czerwca 1950 roku wojska Korei Północnej zaatakowały Koreę Południową i w krótkm czasie podeszły do przedmieść stolicy tego państwa. Organizacja Narodów Zjednoczonych zdecydowała się wysłać na pomoc zaatakowanym kontyngent międzynarodowy, którego trzon stanowili żołnierze amerykańscy. Pierwsze miesiące walk zakończyły się dotkliwymi klęskami Amerykanów. Wiadomo było, że oddziały północnokoreańskie korzystają z wszechstronnej pomocy radzieckiej. Żołnierze szkoleni byli przez radzieckich instruktorów i wyposażeni w radziecką broń. Co prawda na polach walk nie było radzieckich żołnierzy, ale groźba bezpośredniej konfrontacji amerykańsko-radzieckiej była nadzwyczaj realna.

26 marca 1951 roku ława przysięgłych uznała, że Rosenbergowie są winni zarzucanych im czynów. 5 kwietnia sędzia Irving R. Kaufman wydał na oboje wyrok śmierci. Jego przemówienie w oczywisty sposób wskazywało, jak bardzo na procesie i wyroku zaważyła wojna w Korei.

– *Nasz kraj jest wciągnięty w walkę na śmierć i życie z całkowicie odmiennym systemem* – mówił. – *Ta walka przejawia się nie tylko w starciu poza granicami naszego kraju, ale ten przypadek* (tzn. sprawa Rosenbergów – BW) *wskazuje jasno, że wróg angażuje tajne siły oraz naszych obywateli.*

Zdaniem sędziego zbrodnia Rosenbergów była *gorsza niż zabójstwo.*

– *Oddanie w ręce Rosjan bomby atomowej* – mówił dalej – *o całe lata wcześniej, zanim, według oceny naszych najlepszych naukowców, mogliby sami skonstruować taką broń, spowodowało, moim zdaniem, w Korei komunistyczną agresję która pochłonęła już ponad 50 tysięcy ofiar i kto wie, jak wiele milionów niewinnych ludzi może zapłacić za waszą zdradę.*

Dowody zdrady Rosenbergów były bardzo kruche: zeznania Golda i Davida Greenglassa, szkic wykonany przez Sobella oraz zeznania Jerome Tartakowa, byłego członka partii komunistycznej, którego umieszczono w celi Juliusa Rosenberga. Ten zwierzył się Tartakowowi ze swojej tajemnicy nie podejrzewając, że rozmówca pracuje dla FBI.

To jednak nie wystarczało do skazania dwojga ludzi na śmierć. Tym bardziej że inni zamieszani w sprawę atomowego szpiegostwa – których wina była całkowicie udowodniona, a udział w zdradzie znacznie większy – otrzymali o wiele łagodniejsze wyroki: Fuchs – 14 lat więzienia, Allan Nunn May – 10, Harry Gold – 15 lat, Sobell – 30.

W czasie śledztwa FBI niewiele wydobyła z Rosenbergów, a istniały uzasadnione podejrzenia, że wiedzą znacznie więcej (do dzisiaj nie ujawniono, na jakich podstawach opierały się te podejrzenia). Wyrok miał skłonić Rosenbergów do zawarcia układu: ich życie w zamian za wszelkie informacje, jakie znali. Zakładniczką była Ethel.

Szef FBI, Edgar J. Hoover uważał, że skazanie na śmierć żony i matki dwojga dzieci złamie Juliusa Rosenberga. Dlatego też w celi śmierci zainstalowano telefon mający bezpośrednie połączenie z FBI. Mijały miesiące, a Rosenbergowie trwali w uporze. A może nie mieli nic do powiedzenia? Próby skruszenia Ethel losem jej dzieci również nie powiodły się. *Nie wspominajcie o dzieciach. Dzieci rodzą się każdego dnia* – odpowiedziała.

A potem sprawy zaczęły biec już własnym torem. Prezydent Harry Truman odrzucił prośbę o ułaskawienie. Jego następca, Dwight Eisenhower również nie zgodził się ułaskawić skazanych. Istniała jeszcze szansa, że zostaną oni odesłani do Związku Radzieckiego, w zamian za ważnych szpiegów amerykańskich aresztowanych w tym kraju.

4 lipca 1951 roku w Pradze skazano na 10 lat więzienia, za szpiegostwo, Williama Oatisa – szefa biura Associated Press. Przewodniczący Kongresu Obrony Praw Człowieka, William Paterson zaproponował przedstawicielowi ambasady czechosłowackiej w Waszyngtonie wymianę Rosenbergów na Oatisa. Podobno Czesi zwrócili się z tą sprawą do Moskwy, ale odpowiedzi nie otrzymali.

Rosjanom żywi Rosenbergowie byli już niepotrzebni. Rosenbergowie martwi umożliwiali natomiast rozpętanie wielkiej akcji propagandowej przeciwko rządowi amerykańskiemu.

Jeden z szeryfów nadzorujących 19 czerwca 1953 roku wykonanie wyroku w więzieniu Sing Sing powiedział: *Miałem instrukcję, by egzekucję wstrzymać w każdej chwili, gdybym wyczuł, że Rosenbergowie są gotowi współpracować z rządem.* Dlaczego?

Ethel Rosenberg długo umierała na krześle elektrycznym. Pierwsze uderzenie prądu, o napięciu 2000 V, nie pozbawiło jej życia. Prąd włączono ponownie. I tym razem lekarz stwierdził, że skazana żyje. Dopiero trzeci, przedłużony szok sprawił, że z nosa i uszu Ethel zaczął wydobywać się dym; prąd spalił ją.

Julius Rosenberg, na tym samym krześle elektrycznym, umarł od razu.

*

W listopadzie 1949 roku Rosjanie podjęli prace nad skonstruowaniem bomby wodorowej.

8 sierpnia 1953 roku premier Gieorgij Malenkow oznajmił, że Stany Zjednoczone utraciły monopol nie tylko na broń atomową, lecz także wodorową. Pięć dni później odbył się pierwszy test radzieckiego urządzenia termonuklearnego.

Siły eksplozji nie podano do wiadomości publicznej. Prawdopodobnie moc eksplozji nie przekroczyła 300 kiloton.

Ławrentij Beria – człowiek, który stworzył radzieckie laboratoria i zakłady atomowe – siedział w więzieniu. Dwa miesiące wcześniej został obalony przez grupę ludzi z kręgu najwyższych władz: Nikitę Chruszczowa, Gieorgija Malenkowa i Nikołaja Bułganina.

Wkrótce nowy sekretarz generalny KC KPZR, Nikita Chruszczow, wyruszył na pokładzie radzieckiego niszczyciela z wizytą do Wielkiej Brytanii. U jego boku stał Igor Kurczatow. Nie ukrywano go już w azjatyckiej głuszy. Zaczynały się nowe czasy...

Aresztowani Rosenbergowie

KOREA W OGNIU

UDERZENIE KOBRY

Generał Li Hak Ku wyszedł z ziemianki, gdzie przez ostatnie kilka godzin studiował mapy, nanosząc na nie najnowsze dane wywiadu na temat południowokoreańskich linii obronnych. Był pewny, że ofensywa wojsk oddanych pod jego komendę powiedzie się bez większych przeszkód. Wróg bowiem, armia Korei Południowej, nie miał ciężkich dział i czołgów, co wykluczało zdecydowany opór. Ponadto generał liczył na zaskoczenie, które miało wprowadzić zamęt w szeregach armii południowokoreańskiej.

Zszedł z pagórka w stronę ukrytych w wąwozie haubic kal. 122 mm. Artylerzyści zdjęli już brezenty chroniące sprzęt przed ulewnym letnim deszczem, ale nie rozpięli siatek maskujących, gdyż nikt nie liczył się z niebezpieczeństwem ze strony południowokoreańskich samolotów.

Nad górami wstawał brzask przyciemniony ciężkimi deszczowymi chmurami. Generał spojrzał na zegarek. Dochodziła 4.00. Był 25 czerwca 1950 roku, niedziela. Za kilka minut powinien się rozpocząć nowy rozdział w historii Korei. Generał odczuwał dumę, że będzie jednym z tych, którzy wezmą udział w nadchodzących wydarzeniach.

Punktualnie o 4.00 linia frontu w rejonie Kaesong rozbłysła dziesiątkami ogni z luf najcięższych dział. W tym samym czasie rozpoczęły kanonadę działa w czterech innych punktach granicy między Koreańską Republiką Ludowo-Demokratyczną a Republiką Korei, choć główne uderzenie następowało w rejonie Kaesong, skąd do Seulu prowadziła najkrótsza droga.

O 5.30 generał dał znak stojącemu na wzgórzu sygnaliście. Ten przyłożył do ust trąbkę obwieszczając żołnierzom ukrytym w zaroślach, że nadszedł czas ataku.

Z kępy krzaków przykrytych siatką maskującą zaczęły wyjeżdżać czołgi *T-34*, a tuż za nimi podążała piechota w szarych drelichach.

Cała operacja była znakomicie przygotowana. Silne uderzenie 70 tysięcy żołnierzy północnokoreańskich, wspomaganych przez ciężką artylerię, czołgi i lotnictwo szturmowe, miało szybko przełamać opór wroga i otworzyć drogę do Seulu, odległego o parę minut lotu.

Tam, w stolicy Republiki Korei, John J. Muccio, ambasador Stanów Zjednoczonych, zerwał się z łóżka na odgłos bliskich wybuchów. Ich siła była tak wielka, że trzęsły się szyby w oknach, a pies ambasadora wpełzł głęboko pod łóżko i skomlał żałośnie. Sytuacja wyglądała jednoznacznie: to nie była potyczka na linii demarkacyjnej dzielącej Republikę Korei od Koreańskiej Republiki Ludowo-Demokratycznej, do jakich często dochodziło w przeszłości. To była wojna. Ambasador w narzuconym na ramiona szlafroku pognał na niższe piętro do swojego gabinetu, gdzie już czekał sekretarz, w równie niedbałym stroju.

– Szyfrant jest na miejscu – powiedział odsuwając fotel przy biurku. – Domyślałem się, że zechce pan, ekscelencjo, natychmiast poinformować Waszyngton.

– Skontaktował się pan ze sztabem armii koreańskiej?

– Tak, ale panuje tam straszliwy rozgardiasz. Jednego możemy być pewni: to nie jest potyczka na linii demarkacyjnej, lecz poważne uderzenie wieloma dywizjami. Takie wiadomości nadchodzą z Kaesong i z dwóch innych miejsc. Zapewne wkrótce otrzymamy dalsze informacje. Nasz attaché wojskowy będzie tu za chwilę.

– Dobrze, proszę pisać do Achesona. – Ambasador ogarnął się trochę i usiadł przy biurku.

Wojska Korei Północnej najechały Republikę Korei dziś rano, w kilku miejscach. (...) Wydaje się, ze względu na naturę ataku i sposób, w jaki go przeprowadzono, że jest to pełna ofensywa przeciwko Republice Korei.

W Stanach Zjednoczonych był czas weekendu: sobota, 24 czerwca (czasu lokalnego). Sekretarz stanu Dean Acheson wyjechał do podwaszyngtońskiej miejscowości. Jego wypoczynek został gwałtownie przerwany dzwonkiem telefonu ze stolicy; przekazywano treść depeszy, którą nadesłał ambasador Muccio. Acheson kazał natychmiast połączyć się z prezydentem Harrym Trumanem, który też wyjechał na weekend do Independence w stanie Missouri.

Zegar na sekretarzyku w pokoju bibliotecznym willi prezydenta przy North Delaware Street zaczął wybijać godzinę 22.00, gdy zadzwonił telefon.

– Panie prezydencie, mam bardzo ważną wiadomość. – Dean Acheson był wyraźnie zdenerwowany. – Północni Koreańczycy dokonali inwazji na Koreę Południową!

Truman milczał przez chwilę.

– Proszę w poniedziałek o 9.00 rano stawić się na naradę w Waszyngtonie! – powiedział wreszcie. Wiadomość przekazana przez Achesona zaskoczyła go. Prawdopodobnie jeszcze nie wierzył, że wybuchła wojna. W ciągu minionych lat wielokrotnie przecież meldowano z Korei o zbrojnych starciach na linii demarkacyjnej.

W Tokio generał Douglas MacArthur wstał wcześnie, gdyż planował całodzienną wycieczkę z rodziną. Stojący przy łóżku aparat rozdzwonił się gwałtownie. Oficer dyżurny przekazał wiadomość, która dla generała miała największe znaczenie od czasu zakończenia wojny na Pacyfiku.

– Panie generale, otrzymaliśmy wiadomość z Seulu, że północni Koreańczycy uderzyli z dużą siłą na południe, w wielu punktach 38 równoleżnika. Stało się to dzisiaj o 4.00 nad ranem.

MacArthur zdążył zaledwie wciągnąć szlafrok, gdy znowu zadzwonił telefon. Zgłaszał się generał Edward M. Almond, szef sztabu. Wiedział już o wydarzeniach w Korei.

– Jakieś rozkazy, generale? – zapytał.

– Pozwól mi to przemyśleć! – odpowiedział MacArthur. – Czuję się tak jak dziewięć lat temu w Manili. Chyba jeszcze śpię i to jest nocny koszmar. – Odłożył słuchawkę i zaczął nerwowo przechadzać się po pokoju.

Rzeczywiście mógł doszukiwać się podobieństwa z sytuacją, w jakiej znalazł się w końcu 1941 roku, gdy dowodził amerykańskimi siłami lądowymi na Dalekim Wschodzie i kierował obroną Filipin. 10 grudnia wojska japońskie uderzyły na największą wyspę archipelagu – Luzon. MacArthur niewiele mógł zdziałać mając 15 tysięcy żołnierzy amerykańskich i 160 tysięcy żołnierzy filipińskich, słabo wyszkolonych i uzbrojonych. Jego wojsko nie mogło podjąć równorzędnej walki z liczniejszymi, doskonale przygotowanymi i wyposażonymi Japończykami. Można było tylko mieć nadzieję, że Waszyngton dośle posiłki, ale obrońcy Filipin nie doczekali się zrealizowania tych obietnic.

22 lutego 1942 roku MacArthur, na rozkaz prezydenta Franklina D. Roosevelta, opuścił swoje oddziały i udał się do Australii. Amerykańscy żołnierze, zepchnięci przez Japończyków na półwysep Bataan, poddali się. Nieliczni uciekli na ufortyfikowaną wysepkę Corregidor i tam usiłowali stawiać opór, ale nie trwało to długo. Tych, którzy poddali się, czekał straszny los: Japończycy popędzili jeńców przez dżunglę. Wielu padło na trasie do obozu. Zdziesiątkowały ich głód, choroby i żołnierze eskorty pastwiący się nad opadającymi z sił ludźmi.

Generał krążył po pokoju. Miał już 70 lat i zdawał sobie sprawę, że w jego życiu zaczyna się nowy okres, choć wydawałoby się, że jego kariera dowódcy i stratega dobiegła końca.

W II wojnie światowej, gdy szala wojny przechyliła się na stronę Amerykanów, objął dowodzenie alianckimi siłami zbrojnymi w południowo-zachodniej części Pacyfiku. Dowodził wojskami inwazyjnymi w wielkich operacjach desantowych na Nową Gwineę, Nową Brytanię, Nową Georgię, Wyspy Admiralicji i Wyspy Salomona. Opracował i rozwinął strategię „żabich skoków" – zajmowania kolejnych wysp i tworzenia na nich baz dla wojsk przygotowujących się do inwazji na następne wyspy. W 1944 roku zaplanował największą (do tego czasu) operację inwazyjną na Leyte i dowodził nią. Ukoronowaniem jego zasług było powierzenie mu przyjęcia kapitulacji Japonii, 2 września 1945 roku, na pokładzie pancernika *Missouri.* Miał wówczas 65 lat. Osiągnął najwyższe zaszczyty i... spokojną posadę naczelnego dowódcy alianckich sił okupacyjnych w Japonii.

Jednakże generał nie miał zamiaru przechodzić na emeryturę wyłącznie jako bohater Pacyfiku. Uważał, że może jeszcze przydać się krajowi na bardziej eksponowanym stanowisku: prezydenta!

Nerwowe kroki dobiegające z sypialni zaniepokoiły żonę generała. Jane MacArthur uchyliła drzwi.

– Słyszę, że tłuczesz się po pokoju. Jest bardzo wcześnie. Źle się czujesz?

– Dzisiaj Korea Północna rozpoczęła wojnę z Koreą Południową – powiedział cicho MacArthur. – Uderzyli jak kobra...

Jane zbladła i szybko wycofała się z pokoju.

W Waszyngtonie, w poniedziałek rano 26 czerwca (czasu lokalnego) zebrali się członkowie najwyższych władz.

Gdy zasiedli dookoła mahoniowego stołu w jadalni Blair House przy Pennsylvania Avenue, Dean Acheson, sekretarz stanu, przedstawił informacje, jakie napłynęły z Korei.

– Atak nastąpił o 4.00 nad ranem w niedzielę 25 czerwca tamtejszego czasu. Według wstępnych ocen w stronę południowokoreańskiej stolicy posuwają się z dwóch kierunków cztery dywizje piechoty, wspierane przez trzy brygady milicji. Łącznie 70 tysięcy ludzi i 70 czołgów *T-34* – mówił Acheson stojąc przy wielkiej mapie Dalekiego Wschodu. – Według ostatnich raportów, przesyłanych przez ambasadora Muccio, kolumna północnokoreańskich czołgów niebawem znajdzie się na wysokości portu lotniczego Kimpo. Obrona jest słaba i prawdopodobnie nie zdoła zatrzymać agresora. Południowokoreańska armia jest o klasę gorsza.

To było bardzo dyplomatyczne określenie stanu wojsk napadniętego kraju, słabych i całkowicie zaskoczonych atakiem z północy. Armia wycofywała się w panice, nie będąc w stanie stawić liczącego się oporu.

– Jakie są wiadomości z Narodów Zjednoczonych? – zapytał Truman, wiedząc, że sekretarz stanu natychmiast po otrzymaniu informacji o wybuchu wojny skontaktował się z Trygve Lie, sekretarzem generalnym ONZ, w sprawie zwołania nadzwyczajnego posiedzenia Rady Bezpieczeństwa.

– To jedyna dobra wiadomość, jaką mogę dzisiaj przedstawić – odpowiedział Acheson. – Wczoraj o godzinie 15.00 Rada Bezpieczeństwa jednogłośnie, stosunkiem głosów 9 do 0, potępiła inwazję, jako występek przeciw pokojowi. Kontynuujemy działalność dyplomatyczną. Warren Austin, nasz ambasador przy ONZ, przygotował rezolucję wzywającą państwa członkowskie ... – Acheson wyciągnął kartkę i odczytał: – *...do udzielenia Republice Korei wszelkiej pomocy niezbędnej do odparcia zbrojnego ataku oraz przywrócenia międzynarodowego pokoju i bezpieczeństwa w tym rejonie świata.*

Truman już wcześniej zadecydował, że siły zbrojne Stanów Zjednoczonych udzielą pomocy zaatakowanemu państwu, aczkolwiek nie zdecydował się jeszcze, jaka ma być skala tej pomocy i stopień zaangażowania armii amerykańskiej. Zdawał sobie sprawę, że za inwazją wojsk północnokoreańskich stoją dwa inne mocarstwa: Związek Radziecki i Chiny Ludowe. Należało więc działać z ogromną ostrożnością, aby konflikt na Półwyspie Koreańskim nie przekształcił się w wojnę między światowymi mocarstwami.

W czasie narady w Blair House prezydent podjął trzy decyzje: zorganizowanie przez generała MacArthura ewakuacji dwóch tysięcy obywateli amerykańskich z Korei, udzielenie tej operacji wsparcia i osłony lotniczej, bez naruszania przestrzeni powietrznej Korei Północnej oraz dostarczenie artylerii i amunicji oddziałom południowokoreańskim.

Nikt jednak nie zastanawiał się głębiej nad charakterem wojny, która wybuchła niespodziewanie przypominając raczej zamach terrorystyczny niż wielką operację, a która musiała być przygotowywana przez wiele miesięcy.

Inwazja na Koreę Południową zaskoczyła Stany Zjednoczone i Organizację Narodów Zjednoczonych. Szok był tym większy, że od 9 do 24 czerwca na przygranicznych terenach napadniętej republiki przebywała Specjalna Komisja ONZ. Jej raport stwierdzał, że *nie istnieje żadna przesłanka wynikająca z informacji wywiadowczych lub bezpośrednich obserwacji, która wskazywałaby na groźbę inwazji.*

Armia południowokoreańska też nie spodziewała się ataku. W jego przededniu, w sobotę 24 czerwca, najwyżsi dowódcy udali się do Seulu na otwarcie nowego kasyna oficerskiego. W niedzielę rano, obudzeni znienacka przez adiutantów, potrzebowali dużo czasu na zorientowanie się w sytuacji i dotarcie do swoich oddziałów.

Jakim cudem Korei Północnej udało się ukryć wielką akcję mobilizacji ludzi i sprzętu? Generał Douglas MacArthur dysponował przecież całkiem niezłą siecią wywiadowczą, a nie informował Waszyngtonu o żadnych przygotowaniach do ataku. Skąd więc nagle 25 czerwca nad granicą znalazły się o świcie \dziesiątki tysięcy żołnierzy, artyleria, czołgi?

Mieszkańcy Seulu uciekają z miasta przed oddziałami północnokoreańskimi

PODSTĘP STALINA

Cofnijmy się o kilka lat, do sierpnia 1945 roku. Wybuchy bomb atomowych, które zniszczyły Hiroszimę i Nagasaki, odurzyły Amerykanów, napawając ich poczuciem wszechmocy. Jedyni na świecie mieli broń zdolną unicestwić całe miasta. Mieli flotę strategicznych bombowców *B-29* gotowych do zrzucenia bomb nuklearnych na cele oddalone o tysiące kilometrów.

Politycy i stratedzy uznali, że wielomilionowe armie, wspierane przez tysiące czołgów i samolotów, nie będą potrzebne w nowej wojnie, którą będzie można wygrać przy użyciu bomb atomowych. Tym bardziej że nie widzieli wrogów zdolnych przeciwstawić się nuklearnej potędze USA. Związek Radziecki, drugie największe mocarstwo świata, był zrujnowany.

Eksperci amerykańscy na podstawie danych wywiadu i pochodzących z ambasady w Moskwie oceniali, że straty demograficzne i przemysłowe ZSRR odrabiane będą przez co najmniej 15 lat, z czego 10 lat potrwa uzupełnianie kadry technicznej; 5–10 lat minie, zanim kraj ten stworzy lotnictwo strategiczne, a 15–25 lat – marynarkę wojenną. Skonstruowanie bomby atomowej – w ocenie amerykańskich specjalistów – nie było w Związku Radzieckim możliwe przed rokiem 1955*). Dlatego też Amerykanie podjęli działania zmierzające do rozbrojenia.

Amerykańska machina wojenna, licząca w szczytowym okresie II wojny światowej 14 milionów ludzi, zaczęła się gwałtownie kurczyć. Do października 1946 roku armia została zredukowana do miliona 100 tysięcy żołnierzy, podczas gdy Wielka Brytania wciąż trzymała pod bronią półtora miliona ludzi, a Związek Radziecki 3–4 miliony. W 1947 roku siły zbrojne USA liczyły już tylko 675 tysięcy żołnierzy. Braki kadrowe były tak dotkliwe, że zwodowany w tym czasie lotniskowiec *Midway* nie mógł opuścić portu Portsmouth w Wirginii, gdyż nie udawało się skompletować załogi. Blisko 30 tysięcy samolotów oddano na złom. Okręty zamieniano na magazyny zboża, obdarowywano nimi zaprzyjaźnione kraje albo wręcz niszczono. W czasie próbnej eksplozji nuklearnej na atolu Bikini w 1946 roku ustawiono w pobliżu 73 okręty, aby sprawdzić niszczące działanie podwodnego ładunku.

Stalin nie przestraszył się wszakże olbrzymiej mocy bomb atomowych, rozumiejąc, że jest to broń zbyt ciężka, aby władać nią w czasach pokoju. Wywiad radziecki, który przeniknął do najwyższych amerykańskich instytucji

*) Według oficjalnych danych Związek Radziecki stracił w II wojnie światowej co najmniej 27 milionów obywateli, w gruzach legło 1,2 miliona domów w miastach i 3,5 miliona wiejskich chat. W Rosji, Białorusi i Ukrainie z 16 milionów koni 7 milionów zostało zabitych lub wywiezionych przez Niemców. Z 23 milionów świń zabito 20 milionów. Zniszczono 137 tysięcy traktorów i 49 tysięcy kombajnów zbożowych.

Transport praktycznie nie istniał: 65 tysięcy kilometrów linii kolejowych było zniszczonych, podobnie jak 15 800 lokomotyw i 428 tysięcy wagonów towarowych.

politycznych, naukowych i wojskowych, przedstawiał bardzo realny obraz siły USA: do czerwca 1947 roku Amerykanie zgromadzili w arsenale atomowym 13 bomb. Były dość prymitywne, wymagające długotrwałego ręcznego przygotowania do użycia; zespół 39 techników montował bombę przez dwa dni. Po umieszczeniu jej w komorze bombowca *B-29* była gotowa do użytku tylko przez 48 godzin, po czym należało ją częściowo zdemontować, aby naładować baterie zasilające różne mechanizmy i ponownie przystąpić do wielogodzinnego procesu uzbrajania bomby.

Przez trzy lata, od 1945 do połowy 1948 roku, bombowce–nosiciele bomb nuklearnych z Grupy Bombowej 509 stacjonowały w stanie Nowy Meksyk w bazie Walker w Roswell, oddalonej o godzinę lotu od magazynu bomb w Sandii, w pobliżu Albuquerque. Jeszcze w czasie wojny przeprowadzono operację „Silverplate'', polegającą na przystosowaniu 46 maszyn *B-29* do przenoszenia bomb atomowych; jednakże w końcu 1946 roku tylko 10 maszyn było w pełnej gotowości. Obsługiwało je 20 wyszkolonych załóg. Nie była to siła, która mogłaby zniszczyć radziecką gospodarkę i osłabić radziecką machinę wojenną, tym bardziej że po wojnie Rosjanom pozostał doskonale zorganizowany system obrony przeciwlotniczej i niewielu amerykańskim samolotom udałoby się dolecieć do celów w głębi Związku Radzieckiego. Dlatego Stalin poczynał sobie dość swobodnie nie obawiając się, że nad Moskwą zjawi się nagle flotylla superfortec.

Prezydent Harry Truman zbyt późno zrozumiał, że popełnił błąd. 18 czerwca 1948 roku w Europie rozpoczął się kryzys berliński. Współpraca czterech mocarstw okupujących Niemcy została zerwana, kiedy w zachodnich sektorach ogłoszono wprowadzenie nowego systemu walutowego, co zapowiadało utworzenie odrębnego państwa niemieckiego. Rosjanie odpowiedzieli wstrzymaniem dostaw surowców, żywności i prądu do Berlina Zachodniego. Amerykanie ujęli się honorem i zaczęli dowozić do Berlina węgiel i inne towary masowe samolotami: od końca czerwca 1948 roku do września 1949 roku samoloty transportowe wykonały 277 tysięcy lotów, dostarczając każdego dnia średnio 5,5 tysiąca ton (rekord wyniósł 13 tysięcy ton jednego dnia) zaopatrzenia dla odciętego miasta.

Zapalny punkt w centrum Europy tak zaabsorbował uwagę amerykańskich polityków, że umknęły ich uwagi sprawy dziejące się w innych rejonach świata. Wiele wskazuje dziś na to, że zamieszanie wokół Berlina było tylko zasłoną dymną, którą Stalin osłaniał swe działania w Chinach. Wiedział, że w centrum Europy Stany Zjednoczone i ich sojusznicy nie cofną się ani o krok, ale chodziło mu właśnie o skoncentrowanie uwagi polityków i opinii publicznej na Europie oraz o danie Amerykanom satysfakcji z wielkiego sukcesu, jakim było zorganizowanie mostu powietrznego do Berlina Zachodniego. Ten czas poświęcił zaś na opanowanie Chin, oczywiście nie bezpośrednio, ale za sprawą chińskich komunistów, podatnych na sugestie Moskwy.

Wszystko potoczyło się po myśli Stalina, czemu sprzyjał fakt, że prezydent Harry Truman zlekceważył dalekowschodnie problemy, nie zdając sobie w pełni sprawy ze strategicznego znaczenia tego regionu dla realiów powojennego świata.

21 kwietnia 1949 roku miliony żołnierzy z czerwonymi gwiazdami na czapkach przeprawiło się przez rzekę Jangcy na dwudziestokilometrowym odcinku i ruszyło w stronę Nankinu, stolicy rządu Czang Kaj-szeka. Ich przewaga była tak ogromna, że już trzeciego dnia otoczyli Nankin, a czwartego na ulice miasta weszli żołnierze III armii generała Czen I. W następnych tygodniach padły kolejne miasta, gdzie broniły się wojska rządowe. Do 23 sierpnia 1949 roku komuniści dotarli do swojej kolebki – Jui-czin, gdzie dwadzieścia lat wcześniej proklamowano pierwszy rząd ludowy w Chinach. 10 grudnia 1949 roku Czang Kaj-szek uciekł na Tajwan. Twierdził, że przegrał, gdyż pomoc amerykańska utrzymywana była zaledwie na poziomie „niezbędnego minimum'', podczas gdy komuniści korzystali z nieograniczonej pomocy Moskwy. Przekazane przez Waszyngton dwa miliardy dolarów mogły wystarczyć Czang Kaj-szekowi zaledwie na zorganizowanie odwrotu na Formozę (Tajwan), a nie na walkę z wojskami komunistycznymi. Bez wątpienia miał w pewnym sensie rację, jednakże w owym czasie żadna pomoc militarna ani finansowa nie byłaby wystarczająca dla powstrzymania gigantycznej armii Mao Tse-tunga, który 1 października 1949 roku przemawiając w pałacu cesarskim w Pekinie powiedział:

Ogłaszamy ustanowienie Chińskiej Republiki Ludowej.(...) Musimy zjednoczyć się ze wszystkimi państwami i narodami miłującymi pokój i wolność, a nade wszystko ze Związkiem Radzieckim.(...) Niech drżą reakcjoniści w kraju i na świecie!

Nie były to słowa rzucane na wiatr, o czym Amerykanie mieli się przekonać już niespełna rok później. Korea leżąca pod bokiem Chin nęciła komunistyczne władze i stanowiła łatwy do zdobycia kąsek.

KULISY AGRESJI

Od 1910 roku Korea, jako generalne gubernatorstwo, była częścią Japonii. Dopiero klęska cesarstwa w II wojnie światowej dała Koreańczykom szansę odzyskania niepodległości. W sierpniu 1945 roku na ich teren od północy weszły wojska radzieckie. Amerykanów tam jeszcze nie było, ale zainteresowane mocarstwa ustaliły wcześniej, że ze względów porządkowych dobrze będzie podzielić wyzwolony kraj na dwie części, aby na północ od 38 równoleżnika kapitulację wojsk japońskich nadzorowali Rosjanie, a na południu – wojska amerykańskie. Zgodnie z tą umową we wrześniu 1945 roku rząd USA wydał General Order 1 nakazujący dowódcom japońskich oddziałów na południe od 38 równoleżnika poddawanie się wojskom amerykańskim. Tekst rozkazu został zatwierdzony przez przedstawicieli Wielkiej Brytanii i Związku Radzieckiego.

Wyznaczenie granicy na 38 równoleżniku miało charakter tymczasowy i czysto techniczny. Pierwsze oddziały amerykańskie wylądowały w Korei 8 września 1945 roku. Samoloty amerykańskie zrzucały ulotki informujące, że *z biegiem czasu Korea stanie się wolna i niezależna.* Tyle że dwa wielkie mocarstwa inaczej rozumiały pojęcie niezależności wyzwolonego państwa.

W czasie moskiewskiej konferencji ministrów spraw zagranicznych Stanów Zjednoczonych, Wielkiej Brytanii i Związku Radzieckiego, odbytej 27 grudnia 1945 roku, uzgodniono, że na pięć lat zostanie utworzony czteromocarstwowy zarząd nad Koreą. Związek Radziecki nie spieszył się jednak z realizacją tych ustaleń, a partie polityczne Korei Południowej odrzuciły je jako nie gwarantujące niezależności państwa.

Amerykanie zwrócili się o pomoc do Organizacji Narodów Zjednoczonych, która zaproponowała nadzór nad przeprowadzeniem wolnych wyborów. Związek Radziecki nie zgodził się, aby w wyborach wzięły udział partie odrzucające efekty porozumienia moskiewskiego. W tej sytuacji wybory odbyły się tylko na południu, gdzie 6 maja 1948 roku Zgromadzenie Narodowe powołało rząd pod przywództwem Li Syng-Mana. Tak powstała Republika Korei, państwo o powierzchni 94 tysięcy kilometrów kwadratowych, zamieszkane przez 20 milionów ludzi.

Cztery miesiące później na północ od 38 równoleżnika proklamowano Koreańską Republikę Ludowo-Demokratyczną, państwo rozciągające się na nieco większym obszarze – 124 tysięcy kilometrów kwadratowych, ale z mniejszą liczbą ludności – 10 milionów. Urząd premiera objął Kim Ir Sen, który w latach wojny dowodził koreańską partyzantką komunistyczną. Linia demarkacyjna biegnąca wzdłuż 38 równoleżnika stała się granicą między dwoma państwami.

Pierwszego dnia 1949 roku rząd radziecki ogłosił, że wycofał swe oddziały z Koreańskiej Republiki Ludowo-Demokratycznej. Pół roku później Republikę Korei opuściły wojska amerykańskie, przekazując obronę kraju 100-tysięcznej armii niedoświadczonych i nie wyszkolonych żołnierzy, pozbawionych ciężkiej artylerii, czołgów i lotnictwa. Było oczywiste, że ich rola może sprowadzać się jedynie do zwalczania wrogów wewnętrznych, gdyż nie będą mogli stawić skutecznego oporu wdzierającemu się w granice kraju wrogowi dysponującemu ciężką bronią.

Jednakże prezydent Truman był przeciwny wyposażaniu południowokoreańskich wojsk w broń ofensywną obawiając się, że Li Syng-Man wykorzysta ją do ataku na KRL-D. Rzeczywiście, prezydent Republiki Korei dawał powody do takich obaw, obwieszczając publicznie ochotę zjednoczenia Korei pod swoimi rządami.

Wraz z zakończeniem okupacji Korei Południowej Waszyngton utracił zainteresowanie tym rejonem, o czym najwyżsi przedstawiciele władz amerykańskich mówili otwarcie.

Pierwszy sygnał wyszedł z ośrodka najbardziej kompetentnego: Szefów Połączonych Sztabów. We wrześniu 1947 roku wybitni dowódcy, generałowie Carl Spaatz i Dwight Eisenhower oraz admirał Chester Nimitz oświadczyli: *Szefowie Połączonych Sztabów uważają, że z punktu widzenia bezpieczeństwa militarnego Stany Zjednoczone mają małe powody strategiczne do utrzymania żołnierzy i baz militarnych w Korei.*

Opierając się na stanowisku tych dowódców prezydent Harry Truman zadeklarował w kwietniu 1948 roku, że akcja militarna którejkolwiek ze stron podzielonego kraju nie będzie uznana przez Stany Zjednoczone za *casus belli*[*].

W styczniu 1950 roku sekretarz stanu Dean Acheson stwierdził, że rubież obronna Stanów Zjednoczonych na Dalekim Wschodzie rozciąga się od Aleutów, przez wyspy Japonii, do Filipin, i dodał, iż udzielenie gwarancji politycznej integralności Korei Południowej i Tajwanowi *nie byłoby ani rozsądne, ani potrzebne.*

W maju 1950 roku przewodniczący senackiej Komisji Spraw Zagranicznych, senator Connally z Teksasu na pytanie dziennikarza z „US News and World Report'', czy Korea jest istotnym ogniwem amerykańskiej strategii obronnej odpowiedział: *Nie. Oczywiście każda pozycja ma jakąś wartość strategiczną, ale nie myślę, żeby ta była bardzo ważna. Stwierdzono, że absolutnie niezbędny jest nam łańcuch obronny, który tworzą Japonia, Okinawa i Filipiny.*

Czy Stalin i Kim Ir Sen potrzebowali wyraźniejszego zaproszenia do zjednoczenia Korei, której południe, opuszczone przez Amerykanów, miało słabą armię i zagrożony upadkiem rząd?

Dzisiaj znamy już mechanizm narodzin agresji. W czerwcu 1994 roku prezydent Rosji Borys Jelcyn przekazał prezydentowi Republiki Korei Kim Young Samowi kopie dokumentów dotyczących współpracy KRL-D i ZSRR w okresie przygotowań do wojny.

Pomysł zbrojnego obalenia rządu w Seulu i zjednoczenia Korei wyszedł od przywódcy północnokoreańskiego Kim Ir Sena. Nie mógł on jednak zrealizować

[*] *Casus belli* – przyczyna przystąpienia do wojny

swojego planu bez aprobaty Związku Radzieckiego i jego pomocy, dlatego też od początku 1949 roku zaczął usilnie zabiegać o spotkanie ze Stalinem. Radziecki dyktator doskonale wiedział, o co chodzi koreańskiemu przywódcy, gdyż Arkadij Sztykow, ambasador radziecki w Phenianie, gorący zwolennik zjednoczenia Korei pod rządami komunistycznymi, informował dokładnie o zamiarach gospodarzy.

Stalin przyjął Kim Ir Sena w marcu 1949 roku, ale zachował powściągliwość słuchając słów gościa, który w dość zawoalowanej formie przedstawiał wstępne plany agresji.

Stalin nie chciał, aby w wojnę zaangażowani zostali bezpośrednio radzieccy dowódcy i żołnierze, gdyż przewidywał, że uderzenie na Republikę Korei spowoduje amerykańską interwencję. Obawiał się również, że działalność koreańskiego dyktatora może wymknąć się spod kontroli Kremla i w wojennym zapale Kim Ir Sen wyśle samoloty nad Japonię, aby zaatakowały amerykańskie bazy. Z punktu widzenia radzieckiej polityki o wiele dogodniejsze do podboju południa Korei byłoby wykorzystanie wojsk chińskich. W ten sposób Stalin zrealizowałby wielki cel: postawił nowe państwo chińskie przeciwko mocarstwom zachodnim, izolował je i jeszcze bardziej podporządkował wpływom Moskwy. To była najwyższa stawka w tej grze.

Dlatego podczas marcowego spotkania z Kim Ir Senem zgodził się na podjęcie bezpośrednich rozmów na temat wyekwipowania Koreańskiej Armii Ludowej, co oznaczało przyzwolenie na agresję. Minister obrony Związku Radzieckiego, marszałek Nikołaj Bułganin w czasie rozmowy z koreańskim dyktatorem 12 marca 1949 roku wyraził zgodę na zwiększenie i przyspieszenie dostaw nowoczesnego sprzętu wojennego dla armii północnokoreańskiej. Przygotowania do wojny rozpoczęły się.

Kim Ir Sen po powrocie z Moskwy przystąpił do współpracy z Mao Tse-tungiem. W maju wysłał do Chin swojego przedstawiciela, generała Kim Irę, z misją poinformowania chińskiego przywódcy o planach zbrojnego zjednoczenia ojczyzny oraz wynegocjonowania zwolnienia z armii chińskiej wszystkich żołnierzy koreańskich; powrót do kraju paru tysięcy zaprawionych w bojach ludzi znacznie podniósłby siłę Koreańskiej Armii Ludowej.

Mao zgodził się na odesłanie do domu koreańskich żołnierzy, ale nie miał zamiaru przyłączać się do zbrojnej interwencji. Podobnie jak Stalin, obawiał się konfliktu ze Stanami Zjednoczonymi.

Oczywiście sytuacja wyglądałaby zupełnie inaczej, gdyby to południowi Koreańczycy zaatakowali. Wówczas i Chiny, i Związek Radziecki chętnie udzieliłyby „internacjonalistycznej pomocy''. Dlatego też Kim Ir Sen zaczął nadsyłać informacje o przygotowaniach Republiki Korei do wojny. Akcja dezinformowania sojuszników była tak sprytnie przygotowana i prowadzona, że nawet ambasador Sztykow padł ofiarą mistyfikacji i w depeszach, jakie wysyłał na Kreml w maju 1949 roku, wspominał o koncentracji znacznych sił południowokoreańskich wzdłuż 38 równoleżnika. Jednakże Stalin i Mao Tse-tung nie byli tak naiwni, aby uwierzyć, że słaba Republika Korei zamierza podbić silniejszą KRL-D. Świadomość ta nie przeszkodziła im jednak we wspieraniu północnokoreańskich przygotowań.

Przełom nastąpił na początku 1950 roku. Prawdopodobnie Stalin uznał, że Stany Zjednoczone są tak zaabsorbowane sytuacją w Europie i nie otrząsnęły się jeszcze z szoku, jakim było dla nich zwycięstwo komunistów w Chinach, że nie zdążą zareagować na szybkie uderzenie przeważających sił północnokoreańskich. Wstępny „Plan wyprzedzającego uderzenia Koreańskiej Armii Ludowej", opracowany w Phenianie przez oficerów radzieckich i koreańskich w lutym 1950 roku, przewidywał, że wojna zakończy się zwycięstwem KRL-D w ciągu dwóch tygodni, a w tak krótkim czasie Amerykanie nie zdążą wysłać do Korei swoich wojsk. Stalin zaakceptował założenia planu, ale w dalszym ciągu nie miał zamiaru posyłać do walki radzieckich żołnierzy.

– Przyjaciele koreańscy nie mogą liczyć na zbyt poważną pomoc ze strony Związku Radzieckiego, który stanął przed znacznie poważniejszymi wyzwaniami niż problem koreański – oznajmił Kim Ir Senowi, gdy ten w kwietniu 1950 roku przybył do Moskwy. – Naszą uwagę i czas zajmuje skomplikowana sytuacja na zachodzie.

Radziecki dyktator nie zabraniał wprawdzie agresji, ale i nie zmienił zdania w sprawie udziału w niej żołnierzy radzieckich. Koreańczycy muszą sami dokonać zbrojnego zjednoczenia kraju, licząc jedynie na bezpośrednie zaangażowanie Chińczyków.

– Musicie pozostawać w stałym roboczym kontakcie z towarzyszem Mao Tse-tungiem – doradzał Kimowi. – Towarzysze chińscy mają dobre rozeznanie w problemach Dalekiego Wschodu i rozumieją je.

Kim nie chciał się już cofnąć. Miał broń, dobrze wyszkoloną i liczną armię oraz polityczne poparcie Kremla. To były atuty, które postanowił wykorzystać, aby skłonić opieszałego Mao do współpracy. W połowie maja udał się z tajną wizytą do Pekinu, gdzie powiedział Mao, że Stalin poparł plan uderzenia na Republikę Korei i liczy na udział Chińczyków w tym przedsięwzięciu.

Zaskoczony Mao zwrócił się do Moskwy o potwierdzenie słów koreańskiego dyktatora.

Towarzyszu Mao, w rozmowie z towarzyszami koreańskimi Filipow (pseudonim Stalina, używany w korespondencji dyplomatycznej – BW) *i jego przyjaciel wyrazili opinię, że w związku ze zmianami na arenie międzynarodowej nie sprzeciwiają się propozycji Koreańczyków zmierzających do zjednoczenia Korei. Ostatecznym warunkiem wyrażenia zgody jest wspólne podjęcie przez towarzyszy koreańskich i chińskich konkretnej decyzji* – odpowiedział z Moskwy minister spraw zagranicznych Andriej Wyszynski. Ta opinia przekonała zapewne ostatecznie Mao, który w konsekwencji zgodził się poprzeć plany Kim Ir Sena.

1 czerwca 1950 roku Koreańska Armia Ludowa zakończyła przygotowania do agresji. Termin uderzenia wyznaczono na koniec czerwca, kiedy to w Korei zaczynała się pora deszczowa. Niskie chmury i rzęsisty deszcz miał uniemożliwić

amerykańskiemu lotnictwu przyjście z pomocą wojskom Republiki Korei. Plan operacyjny „wyprzedzającego ataku'' zakładał, że siły północnokoreańskie będą posuwać się z prędkością 15–20 kilometrów na dobę i w ciągu 22–27 dni zakończą działania wojenne.

„Wielka przyjaźń'' (Stalin i Mao), obraz olejny D. Nałbandiana, 1950

TAJEMNICA 38 RÓWNOLEŻNIKA

Jak to się stało, że wywiad amerykański nie zauważył koncentracji nad granicą 70-tysięcznej armii?

W ocenie ekspertów wojskowych zebranie takiej siły, wyposażenie jej i rozlokowanie musiało zająć co najmniej miesiąc, czyli że każdego dnia do nadgranicznych wiosek Republiki Korei dobiegał z północy warkot motorów ciężarówek zwożących paliwo, części zamienne i amunicję do czołgów. Hałasowały ciągniki artyleryjskie holujące ciężkie działa. Huczały silniki czołgów zajmujących pozycje. Ani amerykańscy, ani południowokoreańscy dowódcy nic o tym nie wiedzieli. Dlaczego?

Pytanie drugie: dlaczego w dniu rozpoczęcia wojny nie było w Radzie Bezpieczeństwa przedstawiciela ZSRR? Co prawda od początku 1950 roku Związek Radziecki bojkotował posiedzenia Rady Bezpieczeństwa, protestując przeciwko poparciu udzielonemu przez ONZ rządowi Czang Kaj-szeka, ale Stalin wiedząc o przygotowaniach KRL-D do inwazji musiał rozumieć, że dalsza nieobecność w Radzie Bezpieczeństwa pozbawia Rosjan możliwości weta i daje Amerykanom wolną rękę w działaniach przeciwko Korei Północnej.

Na pierwsze pytanie można odpowiedzieć dość łatwo. Rząd amerykański miał niewielkie pojęcie o sile zbrojnej Koreańskiej Republiki Ludowo-Demokratycznej oraz o zamiarach jej władz.

Rok przed wybuchem wojny oficerowie amerykańskiego wywiadu wojskowego zostali wycofani z Korei Południowej, a prowadzenie wywiadu przejęła nowo utworzona Centralna Agencja Wywiadowcza. Allen Dulles, jej szef, miał na głowie o wiele ważniejsze sprawy, choćby sytuację w Berlinie, i wiedząc, że prezydent nie przywiązuje szczególnej wagi do Korei, zorganizowanie tam sieci wywiadowczej pozostawił na później. W rezultacie jedynie głównodowodzący wojskami okupacyjnymi w Japonii, generał Douglas MacArthur, miał dość wątłą sieć informatorów w KRL-D. Efektem takiego stanu rzeczy była całkowicie różna ocena sił północnokoreańskich sporządzana przez CIA i MacArthura. Dulles informował prezydenta, że wojska KRL-D liczą 36 tysięcy żołnierzy; z Tokio zaś MacArthur przysyłał raporty, w których oceniano liczebność Koreańskiej Armii Ludowej na 136 tysięcy.

– Co za cholerna sprawa! – krzyknął Truman, któremu zreferowano te rozbieżności w ocenie. – Poślijcie tam kogoś, aby zorientował się na miejscu i niech dostarczy mi prawdziwe dane!

Jay Vanderpool, oficer CIA, wyjechał do Seulu, gdzie spędził dwa miesiące (jak sam przyznał, „bardzo przyjemne''), a po powrocie do Waszyngtonu oznajmił, że liczebność sił zbrojnych KRL-D wynosi... 36 tysięcy żołnierzy. Pomylił się o 100 tysięcy!

Generał Douglas MacArthur

Amerykańscy żołnierze na linii frontu, 1952

Piechota amerykańska w marszu, zima 1950/51

Oficer północnokoreański

Korea Północna miała bowiem pod bronią 89 tysięcy żołnierzy armii regularnej, 18 600 funkcjonariuszy straży granicznej oraz 23 tysiące żołnierzy w trzech dywizjach rezerwowych. Mogła więc wystawić do boju 130 600 ludzi. KRL-D miała również 150 czołgów *T-34* z działami kal. 85 mm, działa samobieżne kal. 76 mm, haubice kal. 122 mm oraz działa kal. 76 mm. Lotnictwo północnokoreańskie dysponowało samolotami myśliwskimi *Jak* oraz szturmowymi *Ił-10*. Ponadto Rosjanie skłonni byli dosłać nowe myśliwce odrzutowe *MiG-15*, aby w warunkach bojowych sprawdzić ich wartość.

Wojska Republiki Korei liczyły 65 tysięcy żołnierzy armii regularnej oraz 45 tysięcy policjantów, którzy jednak nie przeszli przeszkolenia wojskowego. Armia nie miała czołgów, ciężkich dział i samolotów, a działa mniejszego kalibru znacznie ustępowały północnokoreańskim; np. armaty kal. 76 mm produkcji radzieckiej mogły razić cele odległe o 13 500 metrów, gdy amerykańskie haubice kal. 105 mm, którymi dysponowali południowi Koreańczycy, wystrzeliwały pociski na odległość 7 600 metrów.

Generał MacArthur zapewne doskonale zdawał sobie sprawę z tej dysproporcji sił. Od czerwca 1949 roku do czerwca roku 1950 szef wywiadu jego sztabu sporządził 1195 raportów wskazujących na intensywną rozbudowę sił północnokoreańskich, obecność oddziałów chińskich na terenie KRL-D i przygotowania do ataku. Prawdopodobnie raporty te pozostawały w Tokio, na biurku generała Douglasa MacArthura, który miał wszelkie powody, aby nie informować Waszyngtonu o narastającym niebezpieczeństwie. Poczuł się dotknięty, że prezydent nie dając wiary jego ocenom przysłał oficera CIA, aby zweryfikował dane wywiadowcze. Co jednak najważniejsze, generał był bardzo niezadowolony z polityki prezydenta na Dalekim Wschodzie. Wielokrotnie protestował przeciwko koncentrowaniu uwagi na Europie, kosztem Dalekiego Wschodu. Bezskutecznie. Wiedząc o koncentracji wojsk północnokoreańskich mógł wprawdzie ostrzec rząd amerykański, ale to niczego by nie zmieniło. Szansa, że prezydent uwierzy w zagrożenie (zwłaszcza w świetle zweryfikowanych danych wywiadowczych, przekazanych przez Vanderpoola) była niewielka. Jeżeli nawet tak by się stało, prezydent podjąłby zapewne kroki dyplomatyczne lub zadecydował o wysłaniu nowego sprzętu w celu wzmocnienia armii południowokoreańskiej.

MacArthurowi chodziło natomiast o głębokie przewartościowanie amerykańskiej polityki zagranicznej, o przekonanie ludzi z administracji i Kongresu o znaczeniu Dalekiego Wschodu. Wiedział, że politykę jego kraju może zmienić jedynie szok na skalę Pearl Harbor, gdzie w grudniu 1941 roku japońskie samoloty zabiły 2403 żołnierzy, raniły 1178, zniszczyły dwa pancerniki, a pięć innych poważnie uszkodziły, co skłoniło Kongres do wypowiedzenia Japonii wojny.

Wiedząc o przygotowaniach KRL-D do wojny musiał zdawać sobie sprawę, że słaba armia południowokoreańska nie wytrzyma naporu nawet przez kilka dni i wojska amerykańskie będą musiały wejść do akcji. Oczywiście pod jego dowództwem. I w tym generał widział największą korzyść. Marzył o urzędzie prezydenta, a najkrótsza droga do Białego Domu prowadziła przez zwycięską wojnę z komunistami. Dlatego zaskoczenie, o jakim generał pisał wspominając moment, w którym dowiedział się o wybuchu wojny, jest mało wiarygodne. Generał posunął się nawet dalej. Na wieść o wojennych decyzjach prezydenta wyraził oburzenie: *Byłem zaskoczony sposobem, w jaki podjęto tę ważną decyzję* (o zbrojnym wsparciu Republiki Korei – BW): *bez udziału Kongresu, do którego kompetencji należy deklarowanie wojny, a nawet bez konsultacji z dowódcami wojskowymi.*

Tak, Douglas MacArthur rozpoczął grę o fotel prezydencki. Czy mógł posunąć się do sprowokowania władz KRL-D do agresji?

Nie ma dowodu potwierdzającego jakiekolwiek działania zaczepne wojsk południowokoreańskich, z wyjątkiem komunikatu dowództwa Koreańskiej Armii Ludowej informującego o „głębokim odrzuceniu wojsk Korei Południowej''. Takie sformułowanie miało wskazywać, że 25 czerwca wojska Republiki Korei przekroczyły granicę na 38 równoleżniku, lecz nie zdołały przełamać obrony północnokoreańskiej, a Koreańska Armia Ludowa, po zatrzymaniu wrogich kolumn, przeszła do kontrataku. To jest czysta fantazja.

Atak wojsk południowokoreańskich – nie mających ciężkiej artylerii, czołgów i samolotów – byłby samobójczą głupotą. Korea Północna uderzyła pierwsza. Ale wobec tego dlaczego w Radzie Bezpieczeństwa nie było przedstawiciela Związku Radzieckiego, który mógłby zapewnić agresji ochronę dyplomatyczną na forum międzynarodowym i zablokować Amerykanom możliwość udzielenia Korei Południowej pomocy pod flagą ONZ?

Odpowiedź wydaje się bardzo prosta: Rosjanie popełnili błąd w rachunkach.

W myśl artykułu 27. Karty Narodów Zjednoczonych wszystkie uchwały w ważnych sprawach powinny być podejmowane co najmniej siedmioma głosami, w tym głosami pięciu stałych członków Rady: Chin (Tajwanu), Francji, Stanów Zjednoczonych, Wielkiej Brytanii i Związku Radzieckiego. Ponieważ przedstawiciela radzieckiego nie będzie, Rada nie zdoła podjąć decyzji – rozumowali Rosjanie.

Stało się inaczej. Rada Bezpieczeństwa, zgodnie z Kartą NZ, podjęła uchwałę siedmioma głosami: czterech stałych członków, czyli: Stanów Zjednoczonych, Francji, Wielkiej Brytanii, Chin (Tajwanu) oraz Norwegii, Kuby i Ekwadoru. Jedynie Jugosławia głosowała przeciw.

Sekretariat Generalny ONZ wezwał państwa członkowskie do poparcia akcji pomocy dla Korei Południowej. „Za'' głosowało 48 państw, „przeciwko'' 6 państw socjalistycznych, 3 państwa wstrzymały się od głosu.

Wojna między dwoma państwami koreańskimi zamieniła się w wojnę między Koreańską Republiką Ludowo-Demokratyczną i Organizacją Narodów Zjednoczonych.

GRA MacARTHURA

MacArthur przeszedł wąskim korytarzem łączącym jego biuro z centralą telefoniczną. Minął żołnierza, który na jego widok wyprężył się na baczność, i wszedł do pokoju za masywnymi drzwiami. Zawsze przychodził tutaj, gdy miał odbyć szczególnie ważną rozmowę. Uważał, że w tym miejscu nie ma niebezpieczeństwa podsłuchu i przecieku najważniejszych informacji.

Telefonista usiłował zerwać się z miejsca, ale generał powstrzymał go ruchem ręki i sięgnął po słuchawkę.

– Generał Douglas MacArthur, słucham! – Wiedział, z kim będzie rozmawiał, ale chciał, aby rozmówca również się przedstawił.

– John Foster Dulles. – Usłyszał w słuchawce głos brata szefa CIA, Allena Dullesa i bliskiego doradcy prezydenta. – Jak sprawy, generale?

– Nie widzę powodów do obaw. – MacArthur usiadł na krześle, które podsunął mu telefonista.

– Z naszego punktu widzenia, sprawa jest dość poważna... – Dulles był wyraźnie zaskoczony beztroską generała.

– Mamy do czynienia z konfliktem granicznym. – MacArthur nie dał się zbić z tropu. – Republika Korei powinna wytrzymać napór KRL-D. Proszę też nie niepokoić się o naszych obywateli w Korei. Wystarczy, że kilka LST (duże okręty desantowe – BW) dobije do brzegu i zabierze Amerykanów, którzy zdecydują się opuścić ten kraj. Oczywiście cała operacja zostanie przeprowadzona pod osłoną naszych samolotów myśliwskich.

– Tak, tak... – Dulles był wyraźnie nie przekonany. – Zadzwonię później, gdy będzie pan miał dokładniejsze wiadomości na temat sytuacji na półwyspie.

– Cześć, cześć. – MacArthur odłożył słuchawkę.

Kłamał z rozmysłem. Od chwili gdy otrzymał informację, że mianowano go głównodowodzącym wojskami amerykańskimi na Dalekim Wschodzie (CINCFE – Commander in Chief, Far East), a następnie głównodowodzącym wojskami ONZ nie miał zamiaru dopuszczać polityków z Waszyngtonu do spraw Korei. Obawiał się bowiem, że zanim uda się wprowadzić do akcji wojska amerykańskie, dyplomaci zawrą pokój, oczywiście na warunkach niekorzystnych dla Stanów Zjednoczonych. Dlatego zdecydował się osobiście prowadzić nie tylko sprawy wojskowe, ale i polityczne. Jednakże źle oceniał Dullesa, który mógł stać się jego najpoważniejszym sojusznikiem w koreańskiej sprawie.

Dulles tuż po rozmowie z MacArthurem zadzwonił do sekretarza stanu Deana Achesona.

– Jeżeli Korei Południowej nie uda się zatrzymać lub odeprzeć atakujących, wojska Stanów Zjednoczonych powinny wkroczyć do akcji, nawet jeżeli zrodzi to niebezpieczeństwo przeciwdziałania ze strony Rosjan – powiedział. – Korea jest ofiarą nie sprowokowanego ataku i nasza bezczynność może doprowadzić do kolejnej wojny światowej.

Doradca prezydenta nie wyjaśnił, jakim cudem można zapobiec wojnie światowej rozpoczynając wojnę lokalną, ale to nie miało znaczenia. Prezydent coraz bardziej był skłonny do przyjęcia takiego rozwiązania, a generał MacArthur zyskiwał coraz większe uprawnienia.

Czwartego dnia wojny generał uznał, że powinien z bliska przyjrzeć się sytuacji w Korei, tylko nie było wiadomo, gdzie będzie mógł wylądować jego samolot. Lotnisko Kimpo pod Seulem od 28 czerwca znajdowało się w rękach żołnierzy północy. Lądowanie w Suwon, położonym w odległości około 30 kilometrów od frontu, było ryzykowne. Pozostawał Pusan odległy o około 200 kilometrów od linii walki, ale generał uznał, że to zbyt daleko i wybrał Suwon. Do udziału w tej niebezpiecznej podróży zaprosił korespondentów wojennych.

Propaganda odgrywała dużą rolę w jego planach. Dziennikarze, którzy dobrze znali MacArthura, patrzyli ze zdziwieniem, jak bardzo człowiek ten zmienił się w ciągu paru dni. Wydawało się, że ubyło mu kilkanaście lat. Zwykle spokojny, a nawet flegmatyczny, stał się nagle nadzwyczaj energiczny. W jego ustach pojawiła się wielka fajka, z którą w przeszłości często fotografował się w czasie zwycięskich bitew na Pacyfiku, a potem na kilka lat schował do szuflady (Japończycy twierdzą, że wyglądam z nią jak wieśniak – odpowiadał, gdy pytano go o ten charakterystyczny przedmiot).

– Jeżeli nie będzie panów na lotnisku w czasie, na który zaplanowaliśmy start, uznam, że macie ważniejsze zadania – oznajmił na pożegnanie dziennikarzom, po krótkiej konferencji prasowej, podczas której przedstawił rozwój sytuacji w Korei.

29 czerwca wszyscy zaproszeni stawili się na betonowej płycie tokijskiego lotniska, gdzie stała *Dakota* generała nazwana *Bataan*. Jednakże szanse, że lot odbędzie się, były niewielkie. Chmury wisiały tuż nad ziemią, a widzialność była równa zeru.

MacArthur zjawił się jednak punktualnie. Ubrany był w polowy mundur i mimo fatalnej pogody założył okulary przeciwsłoneczne.

– Panie generale, nie widzę szans na zmianę pogody. – Z kabiny samolotu zeskoczył pilot i podszedł do generała otoczonego grupą współpracowników i dziennikarzy.

– Jeżeli pan m u s i a ł b y lecieć, wystartowałby pan? – MacArthur wiedział, jak zdobyć uznanie korespondentów wojennych.

– Tak... – niepewnie odpowiedział pilot. – Ale ja się nie liczę. Tu chodzi o pana, generale.

MacArthur uśmiechnął się.

– Lecimy więc! – Skinął w stronę dziennikarzy, zapraszając ich do zajęcia miejsc w samolocie.

Generalski *Bataan* wystartował w eskorcie czterech myśliwców *Mustang*. Osłona okazała się bardzo potrzebna, gdyż u wybrzeży Korei pojawił się samotny myśliwiec *Jak*. Widząc jednak cztery samoloty, które natychmiast zwróciły się w jego kierunku, odleciał na północ nie podejmując ataku.

I Armia amerykańska w akcji pod Ch'onan, 1950

Amerykańscy żołnierze w zdobycznym samochodzie terenowym, 1950

Tuż po wylądowaniu w Suwon i zapoznaniu się z sytuacją MacArthur wydał polecenie startu. Tym razem po to, aby dokonać inspekcji z powietrza. Wiele godzin jego samolot krążył nad liniami obrony wojsk południowokoreańskich. Widok z góry nie pozostawiał żadnych wątpliwości co do rozwoju sytuacji. Żołnierze Republiki Korei wycofywali się na całej szerokości frontu, niezdolni stawić oporu lepiej wyszkolonym i uzbrojonym oddziałom północnokoreańskim. Według ocen amerykańskich na froncie nacierało już 18 dywizji KRL-D.

Następnego dnia generał *jeepem* dotarł na szczyt góry w pobliżu Seulu.

Seul był już w rękach wroga – zapisał w pamiętniku. – *Zaledwie z odległości mili mogłem zobaczyć słupy dymu unoszące się z ruin tego XIV-wiecznego miasta... To był tragiczny widok.*

Rząd i władze wojskowe Republiki Korei ogarnięte były paniką. Już 27 czerwca stolicę opuścił personel ambasady amerykańskiej i grupa doradców American Korean Military Advisory Group. Drogi i mosty na rzece Han zapełniły tłumy żołnierzy i ludności cywilnej uciekającej na południe.

Nie wiadomo, kto podjął 28 czerwca decyzję o wysadzeniu mostu. Amerykanie dowiedzieli się o rozkazie tuż po godzinie 13.00, poinformowani przez dowódcę koreańskiej 2. dywizji. Zadanie zatrzymania saperów zlecono generałowi Chang Kuk. Wiedział, że ma bardzo mało czasu. Wskoczył do *jeepa* i ruszył w stronę zagrożonego obiektu, jednakże udało mu się dojechać tylko na odległość około pół kilometra. Dalej droga była zablokowana setkami samochodów i wozów konnych oraz tysiącami uchodźców. Generał wyskoczył z *jeepa* i przeciskając się przez ludzką ciżbę dotarł na odległość 150 metrów od mostu, gdy nagle potężny podmuch rzucił go na mur pobliskiego domu. Dostrzegł, jak w czerwonopomarańczowym błysku wylatują w powietrze przęsła mostu drogowego, a tuż potem szczątki trzech mostów kolejowych.

To był zbrodniczy rozkaz. Około tysiąca ludzi zginęło w czasie eksplozji lub utonęło w rzece, zrzuconych podmuchem do wody. Na północnym brzegu pozostało wiele oddziałów, których żołnierze mogli przeprawić się na południową stronę jedynie wpław lub w niewielkich łódkach, co wymagało porzucenia całego ciężkiego sprzętu, którym dysponowali.

Tego dnia, 28 czerwca, padł Seul, a do 30 czerwca żołnierze Korei Północnej zajęli tereny na północ od rzeki Han. Z 98 tysięcy żołnierzy, których Republika Korei postawiła pod broń 25 czerwca, 34 tysiące zginęło, zaginęło lub dostało się do niewoli.

Generał MacArthur zdawał sobie sprawę, że tylko interwencja wojsk amerykańskich może uratować zaatakowany kraj przed klęską. W Japonii stacjonowały trzy dywizje piechoty: 24., 25., 7. oraz 1. dywizja kawalerii. Natychmiast po powrocie do Tokio generał zażądał od prezydenta Trumana zgody na przerzucenie z Japonii na front w Korei dwóch dywizji. W depeszy, która wysłana z Tokio o 17.00 została odebrana w Pentagonie 30 czerwca o 3.00 nad ranem, pisał:

Jedyną możliwością utrzymania obecnej linii i późniejszego odzyskania utraconego terenu jest wprowadzenie amerykańskich sił lądowych do walk w Korei. Kontynuowanie użycia naszych sił powietrznych i morskich bez elementu lądowego nie może być decydujące. Jeżeli uzyskam zgodę, zamierzam natychmiast wprowadzić amerykański pułk do wzmocnienia ważnego rejonu i stworzenia warunków dla wprowadzenia dwóch dywizji z naszych wojsk stacjonujących w Japonii, w celu przeprowadzenia wczesnej kontrofensywy.

W Pentagonie oficer dyżurny zbudził szefa sztabu generała Lawtona J. Collinsa.

– Generał MacArthur dzwoni z Tokio w sprawie depeszy, którą odebraliśmy przed chwilą – oznajmił.

Collins, zagniewany, usiłujący uratować resztki snu, którego w ciągu ostatnich dni nie było mu dane zaznać w nadmiarze, podniósł się z polowego łóżka, wstawionego do gabinetu.

– Odebraliśmy depeszę – powiedział do słuchawki, a dźwięk rześkiego głosu rozmówcy rozeźlił go jeszcze bardziej. – Rano prześlę ją do prezydenta.

– Nie możemy czekać do rana. Czas pracuje dla wroga – rzekł MacArthur.

– Wymaga pan rzeczy niemożliwych – usiłował bronić się Collins. – W Waszyngtonie jest teraz 3.00 nad ranem. Prezydent śpi!

– Gdy prezydent wstanie, Koreańczycy mogą już być w Pusan, na południowym krańcu kraju! – MacArthur nie ustępował.

– Dobrze, skontaktuję się natychmiast z ministrem Pace'em – obiecał Collins, jednakże do Franka Pace'a zadzwonił dopiero o 4.30.

Ten skontaktował się z Trumanem o 5.00. Prezydent, jak co dzień, już pracował w swoim gabinecie w Białym Domu. Na wieść o depeszy z Tokio postanowił zasięgnąć opinii najbliższych doradców. Nie uważał za stosowne konsultować się z senatorami i kongresmenami, gdyż wiedział, że poprą wszelkie działania mające na celu obronę amerykańskich interesów. Dla Trumana najważniejszą sprawą był zakres pomocy dla Korei Południowej. Uważał, że nie należy przekraczać ram „akcji policyjnej'', ale nęcąca wydała mu się propozycja, z jaką wystąpił Czang Kaj-szek oferujący przysłanie 33 tysięcy żołnierzy z Tajwanu.

– Uważam, że trzeba przyjąć ofertę Czang Kaj-szeka. – Prezydent zwrócił się do Deana Achesona, a widząc jego zdziwiony wzrok wyjaśnił: – Chciałbym, aby w walkach w Korei wzięło udział tak wielu członków Organizacji Narodów Zjednoczonych, jak to tylko możliwe.

Acheson był przeciwnego zdania.

– Myślę, że ci żołnierze bardziej przydadzą się do obrony Formozy. Musimy się także liczyć z tym, że wprowadzenie do walki Chińczyków z Formozy może sprowokować Mao do wysłania swoich wojsk.

Truman nie dał się przekonać racjonalnym argumentom sekretarza stanu. Sprawę przesądzili dopiero najwyżsi dowódcy oświadczając, że żołnierze Czang Kaj-szeka są źle wyposażeni i marnie wyszkoleni, a ich przerzucenie do Korei wymagać będzie udostępnienia przez Stany Zjednoczone dużej liczby okrętów i samolotów.

W czasie tej narady prezydent przyjął propozycję generała MacArthura wysłania pułku z Japonii, ale nie podjął decyzji co do drugiej części jego propozycji: wysłania dwóch dywizji. Wahał się. Uważał, że wystarczy, gdy do boju ruszą samoloty i okręty. Jednakże nie miał racji.

Samoloty myśliwskie, szturmowe i bombowce średniego zasięgu startujące z lotnisk na wyspach japońskich niewiele mogły zdziałać nad Koreą, gdyż szybko kończyło im się paliwo. Jedynymi samolotami obecnymi w tym rejonie, które mogły zaatakować cele w Korei, były 22 *B-29 superfortece* w bazie Andersen na Guam. Nie nadawały się jednak do atakowania północnokoreańskich kolumn pancernych łamiących opór armii Republiki Korei, a doświadczenia II wojny światowej wskazywały jednoznacznie, że tylko zmasowane ataki myśliwców i szturmowców na czołgi mogą spowolnić tempo marszu agresora; jedynie w ten sposób armia Republiki Korei mogła zyskać czas na zorganizowanie obrony.

B-29 rzucono do ataku na linie kolejowe na północ od Seulu, lotniska i zgrupowania wojsk KRL-D wzdłuż rzeki Han. Rezultaty były mierne. Załogi, szkolone do nalotów strategicznych, nie mogły poradzić sobie z niszczeniem małych celów. Most kolejowy w pobliżu Seulu przez trzy tygodnie opierał się zmasowanym nalotom *superfortec*, zanim wreszcie został celnie ugodzony bombami.

Sytuację mogło zmienić jedynie przerzucenie do Korei lotnictwa taktycznego. Aby tego dokonać, należało wybudować tam bazy. Do tego zaś potrzebni byli żołnierze obsługujący bazy i strzegący ich, a więc wielu żołnierzy.

Ostatecznie 30 czerwca prezydent musiał zgodzić się na wprowadzenie do walki 24. dywizji piechoty wchodzącej w skład VIII Armii stacjonującej w Japonii.

Przygotowanie *superfortecy B-29* do lotu na Koreę

SIR, MAMY TOWARZYSTWO!

Deszcz przestał padać nad ranem, ale ciężkie, szare chmury zakrywające niebo wskazywały, że to tylko krótka przerwa w ulewie trwającej już trzeci dzień.

Żołnierze kompanii A z 24. dywizji siedzieli skuleni w jamach wygrzebanych w ziemi i starannie osłoniętych brezentem, który dawał odrobinę osłony przed wodą. Przybyli do Pyongtaek przed dwoma dniami, przekonani, że za dwa, trzy tygodnie powrócą do wygodnych koszar w Sasebo w Japonii. Jednakże już pierwszy dzień przyniósł niepomyślne wieści spod Osan: nieprzyjacielskie czołgi rozjechały podobno amerykańskie pozycje obronne i dotarły na odległość 10 kilometrów od Pyongtaek.

– Mówiono wam wielokrotnie, że będzie to akcja policyjna – zapewniał zaniepokojonych żołnierzy dowódca jednego z plutonów. – I tak będzie. Pogłoski o koreańskich czołgach są wyssane z palca.

W tej samej chwili z doliny dobiegł stłumiony warkot czołgowych silników.

Sierżant Collins, który jadł na śniadanie fasolę z puszki, odstawił ją i ruszył ospale w stronę okopu na zboczu wzgórza. Zsunął się po nasypie i przytknął do oczu lornetkę. W porannej mgle dostrzegł sylwetki kilku czołgów, które zatrzymały się przed mostem.

– Sir! – krzyknął w stronę dowódcy plutonu. – Czołgi na drodze!

Porucznik Robert Ridley machnął zniecierpliwiony ręką. Informowano go wcześniej, że drogą będą się prawdopodobnie przemieszczać żołnierze 21. dywizji.

– To dwudziesta pierwsza idzie spod Osan – zapewnił sierżanta.

Ten nie dawał za wygraną. Ponownie zaczął lustrować teren przez lornetkę. Unosząca się mgła odsłoniła kolejne czołgi, a za nimi widoczne były dwie kolumny żołnierzy.

– Sir! – krzyknął znów do Ridleya. – Czy dwudziesta pierwsza ma czołgi?

Porucznik Ridley, pochylony, zbiegł do okopu, w którym leżał sierżant.

– Sir, chyba mamy towarzystwo... – Collins podał dowódcy lornetkę.

Przez kilka minut obaj wpatrywali się w pojazdy i żołnierzy na drodze. Uznali, że jest tam co najmniej batalion, a sylwetki czołgów nie przypominają żadnego z amerykańskich wozów bojowych.

– To muszą być Koreańczycy! – uznał wreszcie porucznik. – Przekażcie namiary obsłudze moździerzy.

Gdy pierwszy pocisk rozerwał się z boku drogi, kierowcy czołgów zamknęli włazy wieżyczek, a piechota rozciągnęła się w tyralierę na ryżowiskach.

Kompania A błyskawicznie zajęła miejsca w okopach wygrzebanych poprzedniego wieczoru. To był dobry oddział. Wszyscy żołnierze walczyli w czasie II wojny na wyspach Pacyfiku. Widok nadciągających Koreańczyków i wybuchy pocisków nie zrobiły na nikim wrażenia, tym bardziej że amerykańskie pozycje były dobrze zamaskowane, piechota koreańska posuwała się na oślep, a ostrzał czołgowych dział był zupełnie niecelny. Jednakże przewaga liczebna wroga była tak duża, że Amerykanie nie mieli szans utrzymania pozycji. Gdy po kilkunastu minutach walki nadszedł rozkaz odwrotu, wykonali go skwapliwie, pozostawiając brezent rozpięty nad jamami, w których spędzili noc.

– „Akcja policyjna'', mówiłeś? – Ridley zwrócił się do dowódcy drugiego plutonu, gdy drugą stroną wzgórza spieszyli do pozostawionych na drodze *studebakerów*. Tamten nie odpowiedział.

Zaczynała się krwawa walka.

Amerykańscy chłopcy przybywający z Japonii prezentowali się doskonale na trapach okrętów desantowych wchodzących do koreańskich portów. Przywozili ze sobą świeżą legendę bohaterskich zmagań i zwycięstw na wyspach japońskich w czasie II wojny. „Oni pójdą jak diabły'' – mówili Koreańczycy obserwując sojusznicze oddziały. Jednakże czasy świetności amerykańskich chłopców minęły bezpowrotnie.

Zaledwie 20 procent żołnierzy USA pełniących służbę okupacyjną w Japonii miało doświadczenie bojowe z walk na Pacyfiku. Reszta przybyła wprost z kraju i szybko przywykła do wygodnej i spokojnej służby w okupowanym kraju, gdzie jedynym niebezpieczeństwem były choroby weneryczne i grypa.

Ich uzbrojenie było niewiele warte. Do czołgów *T-34* mogli strzelać z 60-milimetrowch *bazook*, które w Stanach Zjednoczonych kilka lat wcześniej wycofano z użycia, wprowadzając na ich miejsce znacznie skuteczniejsze *bazooki* kal. 88,9 mm, ale w Japonii ich nie było. Co najgorsze, zdarzało się, że pociski odbijały się od pancerzy czołgów nie wybuchając, gdyż zleżałe ładunki i zapalniki nie działały.

W czasie pierwszych dni walki zginęło bardzo wielu oficerów, a byli często w swoich oddziałach jedynymi ludźmi, którzy umieli obsługiwać granatniki i ciężkie karabiny maszynowe.

Z Japonii można było dowieźć tylko lekkie czołgi. Wojska okupacyjne nie miały innych, gdyż wątłe mosty w tym kraju nie pozwalały na przejazd ciężkich wozów bojowych.

Naprzeciw nim wyjechały w Korei jedne z najlepszych czołgów II wojny, *T-34* produkcji radzieckiej, z potężnymi armatami kal. 85 mm, których pociski przechodziły przez pancerze amerykańskich wozów bojowych jak nóż przez papier. Do haubic kal. 105 mm Amerykanie nie mieli pocisków; nie było też min przeciwpancernych. Brakowało środków łączności, przez co wielu wyższych oficerów dostawało się do północnokoreańskiej niewoli, gdy na piechotę wędrowali na front, aby zorientować się, co tam się dzieje lub wydać osobiście rozkazy. Sytuację pogarszał chaos organizacyjny panujący podczas pierwszych dni pobytu amerykańskich chłopców w Korei.

28 czerwca 1. dywizja południowokoreańska znalazła się w ogniu amerykańskich samolotów, których piloci otrzymali rozkaz zatrzymania kolumn północnokoreańskich na północ od rzeki Han, i nie zdołali rozpoznać sojuszniczych oddziałów. Straty w 1. dywizji były duże: kilkudziesięciu zabitych i rannych.

Dowódca, generał Paik powiedział na odprawie do swoich oficerów:
– Paru z was wyrażało wątpliwości, czy Amerykanie nam pomogą. Teraz macie pewność.

Pierwszy kontakt z nieprzyjacielem w rejonie Osan – około 50 kilometrów na południe od Seulu – zakończył się porażką wojsk amerykańskich. Dwa tygodnie później resztki 24. dywizji zostały rozbite w rejonie Tedzon. Dowódca, generał major William Dean dostał się do niewoli, gdy osobiście dowodził ariergardą osłaniającą odwrót. Przybyła na pomoc 25. dywizja piechoty i 1. dywizja kawaleryjska mogły już tylko bronić ostatniego skrawka Korei Południowej – półkolistego obszaru ciągnącego się od miasta Masan, wzdłuż rzeki Naktong, przez Tegu do Morza Japońskiego. W tym rejonie znajdował się punkt, od którego zależały dalsze losy wojny – port Pusan; tamtędy przybywały posiłki: 2 tysiące żołnierzy brytyjskiej 27. brygady piechoty z Hongkongu i pięć batalionów czołgów.

Mimo bardzo poważnych strat generał MacArthur nie tracił optymizmu. Patrzył na tę wojnę z punktu widzenia stratega, a nie dowódcy oddziału. *Nasze pozycje w południowej części Korei oparte są na solidnej podstawie* – pisał w raporcie do Waszyngtonu. – *Nasze straty, mimo wielu niepowodzeń, są relatywnie niskie. Nasza siła będzie wzrastała, w miarę gdy siła nieprzyjaciela będzie relatywnie się zmniejszać. Jego linie zaopatrzenia są niepewne. Miał wielką szansę* (nieprzyjaciel – BW), *lecz nie wykorzystał jej.*

Pusan bronił się pomimo wielokrotnych ataków wojsk północnokoreańskich, których uderzenia były coraz słabsze. Amerykanie potrafili wreszcie wykorzystać moc *superfortec B-29,* wyznaczając im zadania, do których były stworzone – naloty strategiczne.

W końcu lipca 49 samolotów zbombardowało w Czosen zakłady produkujące materiały wybuchowe. Kilka dni później trzykrotne naloty na Bogun zniszczyły kolejny zakład produkujący amunicję. W końcu sierpnia dowódca Bomber Command raportował, że wszystkie zakłady przemysłowe KRL-D zostały zniszczone. Uratowała się tylko fabryka w Rashin położona tuż przy granicy radzieckiej, w związku z czym Truman nie zgodził się na jej zaatakowanie.

W „worku pusańskim'' dowódca VIII Armii, generał Walton H. Walker w opancerzonym *jeepie* objeżdżał miejsca potyczek chcąc mieć dokładny obraz sytuacji. Wszystkie informacje przekazywał natychmiast generałowi MacArthurowi, który powrócił do swojej kwatery w Tokio. Tam to rodziły się plany niesłychanie ryzykownej akcji, która mogłaby zmienić bieg wydarzeń.

DIABELSKIE MIEJSCE

Plan był znakomity: wojska amerykańskie dokonają desantu w miejscu odległym o setki kilometrów od Pusan, tam gdzie Koreańczycy zupełnie nie spodziewają się takiej operacji. Wykorzystując zaskoczenie Amerykanie przedrą się przez linie obronne, wyjdą na tyły wojsk północnokoreańskich, zajmą Seul i przetną główne linie zaopatrzeniowe wroga, biegnące przez stolicę. Wojska nieprzyjacielskie, pozbawione dostaw posiłków, broni i amunicji, będą musiały w końcu wycofać się, a wówczas siły ONZ ruszą za nimi w pościg.

Wszyscy zainteresowani akceptowali taki plan, dopóki generał nie ujawnił, gdzie zamierza dokonać desantu: w Inczhon, niewielkim porcie leżącym w odległości 270 kilometrów na północ od Pusan i trzydziestu kilku kilometrów od Seulu. To był szokujący pomysł.

Jeszcze na trzy tygodnie przed wyznaczonym terminem inwazji eksperci zwracali MacArthurowi uwagę na ogromne ryzyko.

– Sir, to jest diabelskie miejsce! Sporządziliśmy listę naturalnych przeszkód, których istnienie wyklucza możliwość przeprowadzenia desantu morskiego. W Inczhon występują wszystkie! – powiedział jeden z oficerów.

– Jeżeli sporządzimy wykaz czynności, których nie da się wykonać za pomocą amfibii, to otrzymamy dokładny opis operacji w Inczhon – dodał drugi.

Nie mylili się. Droga do portu prowadziła przez wody najeżone podwodnymi skałami i rafami, a nie ulegało wątpliwości, że wszystkie tory wodne zostały zaminowane. Jeżeli nawet okrętom desantowym udałoby się przedrzeć przez przeszkody, to nieunikniona pułapka czyhała na brzegu. W miejscu, gdzie miały lądować amerykańskie wojska, różnica przypływów wynosiła dziewięć metrów, a w czasie odpływu woda cofała się o cztery kilometry, odsłaniając muliste dno. Okręty desantowe, których zanurzenie wynosiło kilka metrów, miały tylko dwie i pół godziny na wyładunek żołnierzy i sprzętu. Wyjście na brzeg też nie było sprawą prostą. W Inczhon nie było plaż. Woda dochodziła do pionowych betonowych ścian czterometrowej wysokości. Żołnierze musieliby sforsować je za pomocą drabin, wprost z pokładów okrętów desantowych i amfibii. To oczywiście było możliwe, ale jak dostarczyć ciężki sprzęt? Istniała jedyna szansa na sto, że Koreańczycy nie zniszczą niewielkiego betonowego pirsu, do którego mogłyby przybić okręty z samochodami i działami.

Wydawało się, że MacArthur nie zwraca uwagi na słowa podwładnych wyliczających dziesiątki argumentów, które wskazywały niezbicie, że desant należy przeprowadzić w innym miejscu.

– Japończycy dwukrotnie lądowali w Inczhon, w 1894 i w 1904 roku, i odnieśli sukces – odpowiadał generał, przekonany, że wszystkie pozorne przeciwności staną się najlepszym sprzymierzeńcem jego wojsk.

– Proszę zwrócić uwagę, sir, że okręty z przełomu wieków miały o wiele mniejsze zanurzenie niż nasze jednostki.

– To się da załatwić! – MacArthur uciął dyskusję. Nie na darmo już w czasie I wojny światowej generał Pershing mówił o nim: „To tylko wojownik, wojownik, wojownik''...

Pentagon, zaniepokojony planami desantu, przysłał do Tokio dwóch wysokich rangą oficerów: generała Lawtona J. Collinsa i admirała Forresta P. Shermana.

Narada, od której miały zależeć losy operacji, rozpoczęła się w biurze MacArthura 20 sierpnia. Dla generała było oczywiste, że przedstawiciele Waszyngtonu przybyli, aby wyperswadować mu atak na Inczhon. Uważali, że nie można wystawiać na tak ogromne ryzyko najlepszych amerykańskich jednostek, które mogły być potrzebne w innym, ważniejszym rejonie świata.

W czasie narady, która rozpoczęła się o 17.30, pierwsi zabrali głos przeciwnicy operacji. Przez osiemdziesiąt minut dziewięciu oficerów przedstawiało argumenty przemawiające za dokonaniem desantu w innym miejscu.

MacArthur siedział skupiony, z posępną twarzą. Wreszcie wstał. Po latach tak wspominał ten moment:

Czekałem przez chwilę, aby zebrać myśli. Odczuwałem napięcie, jakie panowało w pokoju. Almond (gen. Edward M. Almond, jeden z autorów planu lądowania w Inczhon – BW) *wiercił się niespokojnie na krześle. Jeżeli cisza może być głośna, to tak właśnie było wówczas. Niemalże słyszałem głos mojego ojca, który wiele lat temu powiedział: „Doug, wojenne narady zawsze rodzą bojaźń i defetyzm''.*

– Każdy argument, który padł na tej sali, umacnia moje przekonanie, że wybraliśmy dobre miejsce – zaczął cichym głosem generał. – Tak samo rozumują dowódcy wroga, przez co zyskują pewność, że nikt w Inczhon nie zaatakuje. A zaskoczenie jest najważniejszym elementem sukcesu w wojnie.

Generał odszedł od stołu i zbliżył się do dużej mapy Półwyspu Koreańskiego. Wszyscy oczekiwali, że zacznie dowodzić strategicznej słuszności uderzenia na Inczhon. On jednak sięgnął do historii.

– Markiz de Montcalm[*)] wierzył w 1759 roku, że sforsowanie brzegów rzeki na południe od otoczonego murem Quebecku jest niemożliwe i dlatego skoncentrował swoje wojska w północnym rejonie, lepiej dostępnym dla wroga. Ale generał James Wolfe[**)] z niewielkim oddziałem nadszedł od strony rzeki Św. Wawrzyńca i wdarli się w miejscu uważanym za niedostępne. Wolfe odniósł nieprawdopodobne zwycięstwo tylko dzięki zaskoczeniu. Tak jak Montcalm oceniał brzegi rzeki pod Quebec, tak Koreańczycy uważają brzeg Inczhon za niemożliwy do sforsowania. Tak jak Wolfe Francuzów, ja mogę wziąć Koreańczyków przez zaskoczenie.

Generał mówił długo. Powoływał się na skuteczność operacji desantowych

[*)] Louis-Joseph de Montcalm-Gozon (1712–1759), generał francuski mianowany w 1756 roku głównodowodzącym wojskami Kanady. Odniósł wiele zwycięstw nad Brytyjczykami. W 1759 roku zginął, pokonany w Quebecu. Klęska zakończyła panowanie Francuzów w Kanadzie.

[**)] James Wolfe (1727–1759), brytyjski generał major, dowodził w Quebecku ekspedycją przeciwko Francuzom. Zginął w czasie zwycięskiej bitwy.

w II wojnie i sprawność marynarki wojennej, która nigdy go nie zawiodła, gdy prowadził śmiałe operacje na Pacyfiku.

– Czy jesteście zadowoleni, że nasi żołnierze wpadli w ten krwawy „worek pusański'', gdzie tkwią jak bydło w rzeźni? Kto weźmie odpowiedzialność za ich tragedię? Ja na pewno nie!

Wszyscy słuchali w skupieniu.

– Prawie słyszę tykanie zegara przeznaczenia! Musimy działać teraz, albo zginiemy!– krzyknął MacArthur. – Inczhon zakończy się sukcesem. Uratuję sto tysięcy istnień!

Zapadła cisza.

– Dziękuję. To był ważny głos w ważnej sprawie. – Admirał Sherman zakończył naradę.

Nikt nie spodziewał się ostatecznej decyzji, gdyż przybysze z Waszyngtonu musieli mieć czas na przeanalizowanie opinii, które usłyszeli podczas dyskusji. Jednakże admirał Sherman wychodząc z sali powiedział:

– Mam zamiar poprzeć projekt lądowania w Inczhon. Brzmi on całkiem logicznie.

Cztery dni później z Waszyngtonu nadeszła depesza.

Zgadzamy się, po rozważeniu informacji przywiezionych przez generała Collinsa i admirała Shermana, na podjęcie przygotowań i wykonanie manewru sił amfibijnych na zachodnim brzegu Korei, w Inczhon, jeżeli obrona nieprzyjacielska jest tam nieefektywna, lub na innej wybranej plaży na południe od Inczhon. (...) Rozumiemy, że alternatywne plany (wobec lądowania w Inczhon – BW) *są przygotowywane, aby jak najlepiej wykorzystać wszelkie możliwości.*

To było zielone światło dla planów MacArthura, ale niezbyt jasne. Szefowie Połączonych Sztabów ubezpieczali własne pozycje. Żaden z nich nie chciał wziąć na siebie odpowiedzialności za los tysięcy żołnierzy amerykańskich, którzy mieli się wspinać na pionowe mury.

12 września MacArthur wyszedł z domu niosąc niewielką skórzaną walizkę. Żona zapakowała tam jego fajkę, zapasowy woreczek tytoniu, dwie zmiany bielizny, przybory toaletowe oraz szlafrok, o którym generał mówił, że przynosi mu szczęście. Pojechał na lotnisko, skąd samolot *Bataan* zabrał go do Itazuki na wyspie Kiusiu. Potem, w tumanach kurzu unoszącego się z piaszczystej drogi, przejechał autem 150 kilometrów do Sasebo, gdzie wsiadł na pokład okrętu *Mount McKinley*. Rozpoczęła się operacja *Chromite* (chromit – ruda chromu).

W tym samym czasie cztery krążowniki i kilka niszczycieli podeszło pod brzeg Inczhon i podjęło systematyczne bombardowanie nabrzeżnych stanowisk.

14 września uderzyły samoloty z czterech lotniskowców. Do koreańskiego brzegu zbliżała się armada 261 okrętów amerykańskich, brytyjskich, kanadyjskich, francuskich, australijskich i nowozelandzkich.

O 5.20 rano pierwsze oddziały marines ruszyły do ataku na wysepkę Wolmi Do, leżącą u wejścia do portu Inczhon. Zajęto ją po 45 minutach walki. 17 amerykańskich żołnierzy odniosło niegroźne rany. Dowódcy północnokoreańscy byli cał-

Marines podczas desantu w Inczhon, 1950

Jeńcy północnokoreańscy – Inczhon, 1950

kowicie zaskoczeni, chociaż od dwóch dni okręty US Navy bombardowały nabrzeżne stanowiska. Uważali, że żaden oficer o zdrowych zmysłach nie może wydać rozkazu ataku na Inczhon, który natura tak doskonale zabezpieczyła przed inwazją.

MacArthur wysłał depeszę do Waszyngtonu.

Pierwsza faza lądowania zakończona sukcesem. Straty niewielkie. Wszystko przebiega zgodnie z planem.

Lądowanie odbyło się z zegarmistrzowską precyzją. Żołnierzom amerykańskim, którzy po aluminiowych drabinach wspięli się na wysokie ściany nabrzeża, udało się szybko opanować nadmorski bulwar i okoliczne domy. Koreańczycy byli zbyt zaskoczeni, aby zorganizować skuteczną obronę i przeszkodzić w dostarczeniu amunicji i żywności oddziałom desantowym, które wdarły się na brzeg. Do rana trwały starcia w różnych punktach miasta. O świcie cały Inczhon był już w rękach Amerykanów.

Pierwsza część wielkiego planu przejmowania inicjatywy w wojnie została zrealizowana tak, jak tego sobie życzył MacArthur.

Już następnego dnia oddziały z Inczhon ruszyły w stronę Seulu, aby spotkać się z wojskami, które wyrwały się z rejonu Pusan.

16 września 5. pułk marines zajął największe w kraju lotnisko Kimpo leżące 13 kilometrów na wschód od Seulu. Jednakże zdobycie miasta okazało się znacznie trudniejsze niż przewidywano. Walki o każdą ulicę i każdy dom trwały przez dziesięć dni. Ostatecznie oddziały z Inczhon, wzmocnione przez wojska idące z Pusan, zajęły Seul 26 września.

Wojska ONZ straciły 536 zabitych, 2 550 rannych i 65 zaginionych. Północni Koreańczycy ponieśli bardzo wysokie straty: około 50 tysięcy żołnierzy zginęło, a 125 tysięcy dostało się do niewoli; armia poszła w rozsypkę. Wydawało się oczywiste, że podbój KRL-D nie będzie przedstawiał żadnych trudności.

MacArthur zdawał sobie jednak sprawę, że dalsza droga na północ, przekroczenie 38 równoleżnika i wejście do Korei Północnej może sprowokować Rosjan i Chińczyków do bezpośredniej interwencji. Propaganda radziecka była niezmiernie agresywna, a każdy dzień amerykańskich sukcesów wyraźnie rozjuszał Rosjan. Dziennik „Prawda" pisał 23 września o walkach w Inczhon i Seulu:

Generał MacArthur wypuścił na brzeg najbardziej zatwardziałych kryminalistów, zebranych z różnych krańców świata.(...) Amerykańscy bandyci rozstrzeliwali każdego mieszkańca Seulu, który dostał się w ich ręce.

Korespondent dziennika porównywał miasto do Stalingradu. Pisał, jak to na każdej ulicy mieszkańcy Seulu wznieśli barykady.

Każdy dom stał się fortecą. Strzela każdy kamień. Gdy żołnierz zostaje zabity, jego broń strzela nadal. Podnosi ją robotnik, kupiec lub urzędnik.

Uchwała Rady Bezpieczeństwa, będąca prawną podstawą działania wojsk ONZ, mówiła o obronie Republiki Korei przed agresją, a nie o zajmowaniu Koreańskiej Republiki Ludowo-Demokratycznej. Generał MacArthur, choć miał wielką ochotę pójść na czele swoich wojsk na północ od 38 równoleżnika, nie odważył się takiego rozkazu wydać. Decyzja należała do prezydenta.

Żołnierze amerykańscy wdzierają się na pionowe ściany nabrzeża Inczhon

Mustangi

DROGA NA PÓŁNOC

– Uchwała Rady Bezpieczeństwa mówi o przywróceniu pokoju i granicy na 38 równoleżniku – prezydent Truman rozpoczął rozmowę z sekretarzem stanu Achesonem. – Nie upoważnia nas do przekroczenia granicy?

– Uchwałę podjęto w czerwcu, gdy sytuacja była całkiem odmienna. – Acheson wiedział, że Truman zbiera argumenty przemawiające za wydaniem rozkazu przekroczenia 38 równoleżnika i wejścia na terytorium Korei Północnej. – Ponadto kolejna uchwała mówi o całkowitej niepodległości i jedności Korei. „Jedność'' oznacza połączenie północy i południa pod jednym rządem. Równoleżnik nie ma żadnej wartości politycznej.

Truman obawiał się jednak podjęcia ostatecznej decyzji, tym bardziej że inni jego doradcy byli znacznie wstrzemięźliwsi w proponowaniu podboju Korei Północnej.

– Nie leży w naszym interesie ani też w naszych możliwościach ustanawianie antyradzieckiego rządu w całej Korei – twierdził George Kennan.

– Musimy się spieszyć! – Acheson chciał koniecznie przekonać prezydenta. – Jeżeli Rosjanie wrócą do Rady Bezpieczeństwa, wówczas mogą zablokować dalsze operacje wojsk ONZ.

To był mocny argument. Truman zdawał sobie sprawę, że Rosjanie zrozumieli, iż nieobecność ich delegacji na obradach Rady Bezpieczeństwa jest bardzo korzystna dla Amerykanów. Należało się spodziewać, że lada moment zawieszą protest przeciwko nieuznawaniu Chińskiej Republiki Ludowej i podejmą pracę w Radzie Bezpieczeństwa.

Jednakże Truman zdecydował się na wyjście pośrednie. Wysłał do MacArthura depeszę będącą wyrazem dyplomatycznego mistrzostwa. Poinstruował generała, że powinien prowadzić *niezbędne wojskowe operacje w celu wypchnięcia wojsk północnokoreańskich za 38 równoleżnik lub zniszczenia ich sił.* Dalsza część depeszy zawierała zachętę do przekroczenia 38 równoleżnika, *gdyby nie było niebezpieczeństwa interwencji Moskwy lub Pekinu.* Wówczas generał *powinien rozszerzyć operacje na północ od równoleżnika i opracować plany okupacji Korei Północnej.* W ten sposób prezydent spróbował zepchnąć decyzję na MacArthura.

Ten jednak starannie omijał zastawioną pułapkę. Chciał mieć wyraźny rozkaz przekroczenia 38 równoleżnika.

27 września George Marshall, sekretarz obrony wystosował depeszę:

Chcemy, żeby czuł się pan nieskrępowany taktycznie i strategicznie w działaniach na północ od 38 równoleznika.

Dokument nosił jednak nadruk *Tylko dla generała MacArthura*, nie był więc formalnym rozkazem przekroczenia granicy, lecz raczej poufną zachętą, stwierdzeniem, że władze Stanów Zjednoczonych cenić będą zdecydowane działania generała.

2 października Marshall wysłał następną depeszę:
Oczekujemy, że będzie pan prowadzić operacje bez dalszych wyjaśnień i oświadczeń z naszej strony i pozwoli, że rozwój wypadków określi sytuację. Rząd nie chce tworzyć problemu przekroczenia 38 równoleżnika, dopóki nie zakończymy misji.

Waszyngton nie zdobył się na sformułowanie jednoznacznego rozkazu. MacArthur zdecydował się jednak działać, mimo świadomości, że w razie klęski lub poważniejszych komplikacji będzie musiał przyjąć na siebie całą odpowiedzialność. Mógł się jednak zabezpieczyć. Wysłał do walki żołnierzy południowokoreańskich, którzy co prawda podlegali mu jako naczelnemu dowódcy, ale ich działania nie miały tak wielkiej wagi międzynarodowej jak akcje wojsk ONZ.

30 września 3 dywizja I korpusu armii południowokoreańskiej przekroczyła 38 równoleżnik i szybko doszła do rejonu Wonsan. Zgromadzenie Ogólne ONZ uchwaliło rezolucję zezwalającą własnym oddziałom na przekroczenie granicy dopiero 7 października. Następnego dnia na północ wyruszyla VIII Armia amerykańska, pozostawiając na południu dwie dywizje, które miały zwalczać niedobitki armii północnokoreańskiej.

I wtedy odezwali się Chińczycy.

Pierwszy sygnał ostrzegawczy nadszedł dużo wcześniej. 20 sierpnia 1950 roku chiński premier Czou En-laj depeszował do sekretarza generalnego ONZ:
Korea jest sąsiadem Chin i naród chiński nie może pozostawać obojętny wobec sposobu rozwiązania problemu koreańskiego.

30 września oświadczenie Ministerstwa Spraw Zagranicznych ChRL głosiło:
Amerykańska inwazja na Koreę stanowi poważne zagrożenie bezpieczeństwa Chin.

Tuż po ogłoszeniu uchwały Zgromadzenia Ogólnego ONZ radio pekińskie zapowiedziało, że *Chińczycy nie będą stać bezczynnie.*

W tej atmosferze, wskazującej na możliwość szybkiego włączenia się Chin do konfliktu, prezydent Truman postanowił spotkać się osobiście z generałem MacArthurem.

Harry S. Truman

JAK DWAJ KRÓLOWIE

Prezydent nie wezwał generała, swojego podwładnego, do Waszyngtonu. Nie poleciał też do Tokio. Postanowił konferować z MacArthurem na wyspie Wake na Pacyfiku, „w połowie drogi'' między Waszyngtonem a Tokio.

Dlaczego? Dotychczas nie ma jednoznacznego wyjaśnienia zaskakującej decyzji Trumana. W swoich pamiętnikach napisał tylko: *Chciałem odbyć osobistą rozmowę z generałem.*

W oświadczeniu wydanym po spotkaniu prezydent stwierdził:

Spotkałem się z generałem Douglasem MacArthurem w celu uzyskania informacji z pierwszej ręki. Nie chciałem zabierać go daleko od miejsca akcji w Korei na dłużej, niż to było konieczne i dlatego udałem się na spotkanie na Wake. Nasza konferencja była bardzo owocna. (...) Pytałem o sprawy militarne. Otrzymałem przejrzysty obraz bohaterstwa i wielkich możliwości sił Organizacji Narodów Zjednoczonych pod jego dowództwem. Dyskutowaliśmy również, jakie kroki należy podjąć, aby pokój i bezpieczeństwo w tym rejonie zapanowały jak najszybciej, zgodnie z rezolucją Zgromadzenia Ogólnego Narodów Zjednoczonych oraz na temat wycofania naszych sił zbrojnych z Korei, jak tylko misja Narodów Zjednoczonych zostanie wypełniona.

Generał MacArthur był równie wstrzemięźliwy w sprawie celu spotkania na Wake. Odpowiadał krótko:

– Nie czuję się upoważniony do ujawniania tematu prowadzonej tam dyskusji.

W sobotę 14 października o 7.00 rano MacArthur wystartował z lotniska Haneda w Japonii. Prezydencki samolot *Independence* znajdował się już w powietrzu kontynuując 24-godzinny lot z Waszyngtonu.

Wśród osób towarzyszących Trumanowi nie było sekretarza stanu ani sekretarza obrony. O ile nieobecność ostatniego można było łatwo wyjaśnić koniecznością pozostania w Waszyngtonie, w czasie gdy MacArthur był z dala od Tokio, o tyle sekretarz stanu, Dean Acheson takiego pretekstu nie miał. W pamiętniku napisał:

Gdy prezydent poinformowal mnie o swojej p i e l g r z y m c e (podkreślenie BW) *i zaprosił, abym wziął w niej udział, błagałem, by mnie z tego wyłączył. Wobec faktu, że generał MacArthur miał wiele cech zagranicznego suwerena (...) nie wydawało się rozsądne uznawać go za takiego.(...) Cały pomysł był dla mnie niesmaczny. Nie chciałem brać w tym udziału wiedząc, że nic dobrego z tego nie wyniknie.*

Podobnego zdania był komentator tygodnika „Time'' piszący:

Truman i MacArthur byli jak suwerenni władcy oddzielnych państw spotykający się na neutralnym terenie, w otoczeniu zbrojnych orszaków, aby odbyć rozmowy.

Truman zaopatrzył się nawet w podarunki. Z Tokio doniesiono, że żona MacArthura bardzo lubi cukierki „Blum'', których nie było w Japonii. Ludzie z otoczenia prezydenta kupili natychmiast pięć funtowych pudełek. W czasie przerwy w podróży dokupili w Honolulu jeszcze jedno, aby zyskać pewność, że Jane MacArthur będzie miała odpowiedni zapas ulubionych łakoci.

MacArthur przybył na Wake kilka godzin przed prezydentem. Miał czas wyspać się, zjeść dobre śniadanie i przybyć na lotnisko na pół godziny przed wylądowaniem prezydenckiego samolotu *Independence*. Ludzi z jego otoczenia zaskakiwał dość niedbały strój generała: wytarta polowa czapka, wymięta i mocno zużyta koszula khaki rozpięta pod szyją. Ta niedbałość stroju zwróciła również uwagę prezydenta, który uznał to za zniewagę, jednakże nie dał po sobie poznać niezadowolenia. Później dopiero powiedział do jednego ze swoich doradców:

– Gdyby on był porucznikiem z mojego zespołu, wywaliłbym go za ten strój tak szybko, że nie zdążyłby się zorientować, co się stało.

MacArthur nie oddał prezydentowi honorów wojskowych, ale kordialnie wyciągnął do niego rękę.

– Panie prezydencie... – powiedział przyjaźnie.

– Jak się pan ma, generale? – uśmiechnął się Truman. – Minęło wiele czasu, odkąd widzieliśmy się ostatnio.

– Mam nadzieję, że na następny raz nie trzeba będzie tak długo czekać, panie prezydencie – odparł MacArthur.

Po zdawkowej wymianie grzeczności prezydent i generał skierowali się do mocno sfatygowanego *chevroleta* model 1948, przy którym ludzie z obstawy mocowali się z tylnymi drzwiami. Zamek zaciął się na dobre i obydwaj przybyli musieli wcisnąć się przez przednie drzwi i przedostać się nad oparciem fotela do tyłu wozu. Najlepszy na wyspie samochód ruszył hałaśliwie w stronę baraku linii lotniczej *Pan American,* oddanym do dyspozycji dostojnych gości na czas konferencji. Przez całą drogę do baraku Truman i MacArthur byli sami. Również później, gdy zasiedli już w wiklinowych fotelach, rozmawiali bez świadków.

Do dzisiaj nie wiadomo, co było tematem dyskusji. Należy sądzić, że omówione zostały wszystkie najważniejsze sprawy wojny koreańskiej.

Po półgodzinie, gdy do pokoju weszli doradcy, rozmowa skoncentrowała się na błahych tematach. Truman zastanawiał się, jakiej pomocy należy udzielić Li Syng-Manowi po wojnie i dopytywał o postępy, jakie poczynił MacArthur w pracy nad redakcją traktatu pokojowego z Japonią.

Dopiero pod koniec spotkania podjęto temat najważniejszy: niebezpieczeństwa rądzieckiej lub chińskiej interwencji w Korei. Generał był dobrej myśli. Odrzucał możliwość wkroczenia większych oddziałów wojsk radzieckich przed końcem zimy. Lekceważył też chińskie ostrzeżenia, które poważnie zaniepokoiły prezydenta.

– Gdyby Chińczycy interweniowali w pierwszym lub drugim miesiącu wojny, miałoby to znaczenie – oświadczył. – Teraz już się ich nie boimy. Mają prawdopodobnie 300 tysięcy ludzi w Mandżurii; z tego 100–125 tysięcy mogą skoncentrować nad rzeką Jalu po swojej stronie, a tylko 50–60 tysięcy przerzucić do Korei. Nie mają lotnictwa. A my mamy w Korei bazy dla naszych samolotów. Jeśli Chińczycy spróbują pójść na południe, nastąpi tylko jeszcze większa rzeź.

Wydaje się, że właśnie ten temat, jakby od niechcenia podjęty na końcu spotkania, był głównym powodem rozmowy na Wake. Oświadczenia władz chińskich niepokoiły Trumana, który dbał nade wszystko o to, by do wojny w Korei nie przystąpiły Chiny i Związek Radziecki. Obawiał się jednak, że bardzo realna jest groźba utraty panowania nad sytuacją, gdyż generał MacArthur mógł w wojennym zapale przekroczyć wyznaczone ramy działania. Jednakże tę sprawę prezydent mógł załatwić nie ruszając się z Waszyngtonu, gdyż środki łączności działały bardzo sprawnie i mógł bez najmniejszych trudności na odległość odbyć konferencję z głównodowodzącym siłami ONZ. Prawdopodobnie postanowił jednak upiec dwie pieczenie przy jednym ogniu: upewnić się, że MacArthur nie wyda pochopnych rozkazów, które mogłyby doprowadzić do wojny ze Związkiem Radzieckim i Chinami, oraz ściągnąć na siebie trochę sławy opromieniającej bohatera z Inczhon.

Od połowy września prasa amerykańska skoncentrowała się na wielkim zwycięstwie i autorze tego sukcesu. Dalsze wydarzenia: zajęcie Seulu, spotkanie MacArthura z prezydentem Korei Południowej, ofensywa wojsk ONZ też skupiały uwagę opinii publicznej na generale. Truman postanowił przypomnieć Amerykanom, że to on jest zwierzchnikiem.

Bez względu na to, jakie powody kierowały prezydentem, jedno jest pewne: spotkanie na Wake nie doprowadziło do niczego...

Wydawałoby się, że sukces wojenny oszołomił generała. Zaczął popełniać błędy. Przede wszystkim zlekceważył przeciwnika: jego liczebność i możliwości. Zapewniał prezydenta, że nad rzeką Jalu może stanąć 100–125 tysięcy żołnierzy chińskich, a ledwie połowa z nich zdoła przekroczyć rzekę, gdyż dla reszty nie będzie środków transportu. Za Jalu zjawiło się w rzeczywistości prawie trzykrotnie więcej żołnierzy: 300 tysięcy. Wszyscy oni mogli przeprawić się do Korei Północnej!

Tymczasem oddziały ONZ posuwały się na północ szybciej niż zakładano; już 11 października 3. dywizja południowokoreańska zajęła Wonsan, gdzie zgodnie z planem dopiero 20 października miała dokonać inwazji z morza amerykańska piechota morska. Ostatecznie marines wykonali „administracyjne'' lądowanie, witani nie przez ogień baterii północnokoreańskich, lecz sojusznicze oddziały z południa kraju.

20 października VIII Armia weszła do stolicy KRL-D.

26 października pierwsze jednostki południowokoreańskie dotarły do rzeki Jalu. MacArthur zrezygnował z przyjętego wcześniej planu zakładającego, że oddziały ONZ zatrzymają się w odległości około 60–70 kilometrów od granicznej rzeki. I wtedy stało się to, czego obawiał się Truman i co zlekceważył MacArthur...

CHIŃCZYCY NADCHODZĄ

Porucznik Burt Williams wysiadł z *jeepa* i skierował się do kwatery dowództwa 3. dywizji koreańskiej. Wezwano go pilnie przez radiostację. Dowódca dywizji nie chciał ujawnić, jaki jest powód alarmującego wezwania. Powiedział tylko, że sprawa wymaga niezwłocznego omówienia.

Wartownik, najwidoczniej uprzedzony o przyjeździe porucznika, podbiegł do samochodu i wskazał na jedną z dużych chat krytych ryżową słomą. Williams ruszył w tamtą stronę, pewny, że mieści się tam sztab dywizji. Drugi wartownik otworzył szeroko drzwi prowadzące do niskiej, wąskiej sieni. Krzyknął coś i po chwili w drzwiach stanął oficer.

– Kapitan Kim Chang Song, szef wywiadu – przedstawił się. Mówił płynnie po angielsku, choć z bardzo wyraźnym koreańskim akcentem, który zawsze śmieszył Williamsa, gdyż przywodził mu na myśl dzieci deklamujące wierszyki.

– To ja pana wezwałem, gdyż sprawa jest bardzo pilna – oświadczył szef wywiadu i wskazał drzwi do pokoju. Weszli pochylając głowy. Gdy usiedli za stołem, kapitan skinął na wartownika. Po chwili przywleczono półnagiego mężczyznę i posadzono go na krześle.

Williamsowi zrobiło się słabo. Mimo półmroku panującego w pomieszczeniu dostrzegał na ciele mężczyzny czerwone plamki, które wskazywały, że przypalano go papierosami. Cienkie, krwawiące pręgi były śladami razów zadawanych prętem lub wyciorem karabinowym. Ręce jeniec miał obwiązane zakrwawionymi szmatami, co dowodziło, że zerwano mu paznokcie. Williams zamknął oczy

– Trochę doprowadziliśmy go do porządku na pana przyjazd. Gorzej wyglądał. Oni są twardzi... – uśmiechnął się kapitan.

Williams wysupłał z kieszeni paczkę papierosów i zaciągnął się głęboko dymem. Kapitan przestał się uśmiechać.

– Jest wojna, poruczniku – powiedział cicho. – Nie widział pan, co oni robią z naszymi ludźmi?

– Niech pan sobie to daruje. Jesteśmy żołnierzami. W każdym razie ja. O co chodzi? Po co mi go pokazujecie? – Głos Williamsa brzmiał opryskliwie.

– To jest Chińczyk! – Kapitan skinął na żołnierza stojącego za jeńcem. Tamten zadał jakieś pytanie po chińsku. Więzień odpowiadał z trudem.

– Jest żołnierzem 370. pułku 124. dywizji z XLII Armii chińskiej... – tłumaczył żołnierz.

– Jak liczny jest jego pułk? – pytał kapitan.

– Około dwóch i pół tysiąca żołnierzy...

– Jak znalazł się w Korei?

– Dzisiaj w nocy przekroczyli Jalu w rejonie Wan Po Jin.

– Dokąd się kierowali?

– Rozdzielili się. Część poszła w stronę zapory Chosin, a pozostali w kierunku Fusen.

Więzień był już tak straszliwie zmaltretowany, że nie usiłował niczego ukrywać. Obawiając się tortur odpowiadał, jak tylko mógł najszybciej. A może uznał, że w ten sposób uratuje życie?

– Jakie mieli zadania?

– Nie otrzymali jeszcze rozkazu. Wie tylko, że mieli walczyć z imperialistami...

– Czy ma pan jakieś pytania do jeńca? – Kapitan zwrócił się do Williamsa.

Ten pokręcił przecząco głową. Wstał i bez pożegnania wyszedł z chaty.

Gdy usiadł za kierownicą *jeepa,* zobaczył, że żołnierze wywlekają z chaty jeńca i ciągną go w stronę stodoły. Wrzucili go do płytkiego grobu. Jeden z żołnierzy wyciągnął bagnet i pochylił się nad leżącym. Do Williamsa dobiegł zduszony jęk.

Wrzucił bieg i szybko odjechał. Poczuł się lepiej dopiero gdy zimny wiatr ochłodził mu twarz. Jechał do sztabu dywizji, aby jak najszybciej przekazać informację dowództwu. Wiedział, że wiezie bardzo ważną wiadomość.

– Doug, to już nie są żarty! – Generał Almond, szef sztabu MacArthura położył na biurku kartki z raportami z Korei. – 16 października: 370. pułk 124. dywizji z XLII Armii w sile około 2500 żołnierzy przeszedł Jalu w rejonie Wan Po Jin – czytał generał. – 20 października: specjalna jednostka, oznaczona jako „56'', w sile 5 tysięcy żołnierzy przekroczyła Jalu w rejonie Antung i zajęła pozycje na południe od Sui–ho. Schwytany żołnierz z tej jednostki zeznał, że jest to część XL Armii stacjonującej w Antung, w Mandżurii. 30 października: przesłuchanie dziewiętnastu jeńców chińskich pozwoliło zidentyfikować dwa inne pułki, 371. i 372., ze 124. dywizji w rejonie Changin.

MacArthur słuchał wyraźnie zaciekawiony, ale wydawało się, że nie przywiązuje wielkiej wagi do informacji, jakie przedstawiał szef sztabu.

– To wszystko? – zapytał, gdy generał skończył odczytywać raporty.

– Sądzę, że nie możemy tego zlekceważyć... – Almond był zdziwiony beztroską dowódcy. – To są pierwsze sygnały o przerzuceniu przez Chińczyków dość licznych oddziałów.

– Nikt tych oddziałów nie widział! – MacArthur podniósł się z krzesła. – To nie są żadne oddziały, lecz tylko zeznania jeńców. To propaganda! Wysyłają niewielkie grupy, które będą robić dużo huku, żeby nas przestraszyć. Ot, taki blef komunistów. Czy masz coś jeszcze?

Almond zasalutował i bez słowa wyszedł z gabinetu. Zbyt dobrze znał charakter swojego dowódcy, aby podejmować dyskusję. Był przekonany, że wkrótce generał będzie musiał zmienić zdanie.

Amerykański 7. pułk 26. dywizji został zmieciony z powierzchni ziemi silnym uderzeniem wojsk chińskich. W tym samym czasie inne oddzialy 26 dywizji napotkały bardzo silny opór w pobliżu Sudong. Generał Walker raportował, że 6. dywizja południowokoreańska, rozbita silnym uderzeniem chińskich wojsk, przestała istnieć jako zorganizowana jednostka. Amerykański 8. pułk kawalerii stracił połowę żołnierzy, kilkadziesiąt samochodów i dział.

Dwaj żołnierze amerykańscy i czterej australijscy w punkcie medycznym po ucieczce z niewoli północnokoreańskiej, 1951

Ewakuacja rannego, 1951

MacArthur wciąż jednak nie zmieniał zdania. Być może dlatego, że po początkowych sukcesach oddziały chińskie niespodziewanie zaprzestały walki i wycofały się na północ. Również sposób przeprowadzania ataków, choć skuteczny, był charakterystyczny raczej dla partyzantów niż regularnej armii. Chińczycy unikali pokazywania się w dzień. Ich oddziały przemieszczały się dopiero po zapadnięciu ciemności. Każdy żołnierz miał zapas gotowej żywności na pięć dni. Nie musieli więc rozpalać ognisk, aby przyrządzić posiłki, co mogłoby zdradzić obozowiska.

Nocami nagle pojawiali się przed liniami wojsk ONZ, a obrońcy nie mogli użyć wówczas samolotów ani ciężkiej artylerii. Nie można było bombardować chińskich oddziałów wyrastających jak spod ziemi przed amerykańskimi okopami, gdyż bomby i pociski artyleryjskie raziłyby również własne wojska. Bitwy przypominały więc starcia kowbojów z Indianami oglądane w westernach. Żołnierze walczyli na bagnety, strzelali z pistoletów z biodra, gdyż ledwo mieli czas na wyciągnięcie ich z kabur, albo przeładowywali karabiny kryjąc się za rozbitymi pojazdami. Potyczki kończyły się równie nagle, jak się rozpoczynały. Chińczycy wycofywali się błyskawicznie, zabierając zabitych i rannych, i ukrywali się w lasach pobliskich gór.

Amerykańskich dowódców niepokoiła skuteczność tych ataków i bezradność własnych wojsk, tym bardziej że próby wyprzedzenia wroga, osaczenia jego oddziałów w leśnych kryjówkach, nie udawały się. Amerykanie odnosili wrażenie, że wróg doskonale orientuje się w ich planach.

Czyżby w najwyższym dowództwie działali komunistyczni szpiedzy? Wzmożona czujność kontrwywiadu nie przyniosła żadnych rezultatów. Może dlatego, że przecieków szukano nie tam, gdzie naprawdę następowały. Sprawa wyjaśniła się dopiero kilka miesięcy później, gdy brytyjski kontrwywiad wpadł na trop agentów.

W ambasadzie brytyjskiej w Stanach Zjednoczonych od sierpnia 1950 roku pracował jako drugi sekretarz Guy Burgess. Mimo dość niskiej rangi miał dostęp do danych wywiadowczych opracowywanych w brytyjsko-amerykańskim komitecie wywiadu (Joint Intelligence Committee), w Ministerstwie Wojny oraz do raportów nadsyłanych z kwatery generała MacArthura z Tokio.

Od sierpnia 1949 roku w Waszyngtonie pracował, oddelegowany z Londynu jako przedstawiciel brytyjskich tajnych służb SIS, Harold A.R. „Kim'' Philby.

W Londynie działał trzeci radziecki szpieg, Donald Maclean, mianowany jesienią 1950 roku szefem Wydziału Amerykańskiego Ministerstwa Spraw Zagranicznych.

Ponieważ w Korei walczyły brytyjskie oddziały, rząd premiera Attle'ego był informowany o planach MacArthura i Pentagonu. Informacje przechodziły przez ambasadę brytyjską przy Massachusets Avenue w Waszyngtonie i MSZ w Londynie. Philby, Burgess i Maclean znali wszystkie ważniejsze decyzje już w kilka godzin po ich podjęciu. Najpóźniej po tygodniu informacje docierały do Moskwy, a stamtąd do Pekinu.

25 maja 1951 roku Burgess i Maclean zostali ostrzeżeni przez Philby'ego, że kontrwywiad brytyjski wpadł na ich trop. Wkrótce potem obydwaj uciekli do Moskwy, a Philby prowadził swoją działalność jeszcze przez 12 lat i dopiero w styczniu 1963 roku przez Bejrut przedostał się do ZSRR.

MacArthur nie tracił optymizmu uważając, że niepowodzenia z początku listopada miały charakter przejściowy. Postanowił jednak zapobiec wprowadzeniu do akcji większych sił chińskich i wydał rozkaz zbombardowania mostów na rzece Jalu, co zdecydowanie utrudniłoby przerzucanie wojsk do Korei, dostawę zaopatrzenia i wycofywanie rozbitych oddziałów. *Superfortece B-29* miały niszczyć południowe podejścia do mostów oraz południowe przęsła. Dla pilotów, szkolonych w wykonywaniu „obszarowych nalotów'' na miasta i duże zakłady przemysłowe, takie rozkazy brzmiały dość humorystycznie.

W Departamencie Stanu zawrzało, gdyż już wcześniej zakazano atakowania obiektów położnych w pasie ośmiu kilometrów na południe od rzeki. Pentagon przełknął wszakże samowolę generała, zwracając mu jedynie uwagę, że powinien powstrzymać się przed kierowaniem bombowców na cele leżące na północ od Jalu.

Generał przygotowywał następną ofensywę, która miała zmieść resztki armii północnokoreańskiej i wojska chińskie operujące na terytorium KRL-D.

25 listopada na północ wyruszyła VIII Armia i piechota morska. Nikt nie zwracał uwagi, że wojsko było nie przygotowane do takiej akcji. Temperatura spadała do 20–25 stopni poniżej zera, a żołnierze nie mieli ciepłej odzieży i rękawic. Brakowało amunicji, żywności, środków transportu i łączności. Chińczycy zaś rzucili do akcji 200 tysięcy żołnierzy.

Gigantyczne kleszcze Narodów Zjednoczonych posuwały się dzisiaj naprzód zgodnie z planem – głosił komunikat kwatery głównej generała MacArthura. – *Siły powietrzne całkowicie zdezorganizowały zaplecze nieprzyjaciela, który wzdłuż całej długości rzeki Jalu wykazywał nikłą aktywność bojową. Lewe skrzydło naszych wojsk przełamywało początkowo silny, następnie słabnący opór. Prawe skrzydło, wspierane przez marynarkę i lotnictwo, wykorzystywało umiejętnie swoją przewagę. Nasze straty byly nadzwyczaj małe.*

Po czterech dniach stało się to, co wobec nieprzygotowania wojsk musiało nastąpić: ofensywa załamała się. W końcu listopada oddziały ONZ znalazły się w całkowitym odwrocie cofając się w stronę Hyngnam, które wkrótce zyskało miano „koreańskiej Dunkierki''. Pancernik USS *Missouri* ogniem dział powstrzymywał prące do przodu wojska chińskie, a flota 109 okrętów zabierała z plaży żołnierzy ONZ i ludność cywilną. W ciągu kilku dni ewakuowano 91 tysięcy koreańskich uchodźców, 105 tysięcy żołnierzy, 17 tysięcy pojazdów i 375 tysięcy ton sprzętu i amunicji. Drugie tyle zniszczono na plażach, aby nie dostały się w ręce wroga.

VIII Armia wycofała się ze stolicy KRL-D i szybko znalazła się po południowej stronie 38 równoleżnika.

1 stycznia 1951 roku 400 tysięcy żołnierzy chińskich i 100 tysięcy północnokoreańskich rozpoczęło nową ofensywę, której 200 tysięcy żołnierzy ONZ nie mogło zatrzymać.

3 stycznia 1951 roku nowy dowodca VIII Armii, generał Matthew Ridgway (generał Walker zginął w wypadku, gdy jego *jeep* wpadł w poślizg na oblodzonej jezdni) zarządził ewakuację Seulu i okopał się na linii biegnącej od Phionghtek nad Morzem Żółtym do Samczhok nad Morzem Japońskim. Czekał na posiłki i przygotowywał się do kontrofensywy.

W lutym 1951 roku ruszył na północ odpychając wojska chińskie. Gdy Amerykanie doszli do Seulu, generał Ridgway zdecydował się ominąć stolicę; nie chciał tracić sił i czasu w walkach o Seul. Zdobycie tego zrujnowanego miasta, które już trzykrotnie przechodziło z rąk do rąk, było nęcące jedynie pod względem propagandowym i psychologicznym, ale nie miało żadnego znaczenia militarnego.

Ważniejsze było zajęcie Inczhon i lotniska Kimpo. Takie zadanie postawiono przed oddziałami, które miały rozpocząć nową ofensywę. Generał chciał nadać jej kryptonim „Operation Killer'' (operacja „Zabójca''). Pentagon odrzucił jednak tę propozycję, uważając, że nie jest to nazwa stosowna. Zdecydowano, że lepsze wrażenie zrobi na opinii publicznej nazwa... „Operation Ripper'' (operacja „Rozpruwacz''). Faktem jest, że jednym z głównych celów operacji było zadanie wojskom chińsko-koreańskim jak największych strat.

14 marca 1951 roku Seul po raz kolejny w tej wojnie przeszedł w ręce wojsk południowokoreańskich. Obie strony były już silnie wyczerpane. Przyszedł czas na zakończenie krwawych marszów z północy na południe i z południa na północ Korei.

Truman rozumiał, że groźba otwartej wojny z Chinami staje się coraz bardziej realna. Rozumiał również, że chwilowe zelżenie naporu ze strony Chin może być jedyną okazją do podjęcia negocjacji na temat zawieszenia broni. 20 marca 1951 roku prezydent podjął kroki, które miały doprowadzić do zakończenia działań wojennych. Sojusznicy Stanów Zjednoczonych zostali poinformowani, że *ONZ przygotowuje się do zawarcia porozumienia, które zakończyłoby walki i zapobiegło ponownemu wybuchowi konfliktu. Takie porozumienie otworzyłoby drogę do szerszej umowy z Koreą, włączając w to wycofanie obcych wojsk z tego kraju.*

Jedną z kopii tej propozycji przesłano MacArthurowi. Sekretarz stanu opatrzył ją uwagą, że ugoda powinna zostać zawarta, zanim wojska ONZ podejmą marsz na północ od 38 równoleżnika. Generał dobrze zrozumiał te słowa: nie wolno mu podejmować akcji ofensywnych do czasu zakończenia negocjacji. A więc stało się to, czego obawiał się najbardziej: gryzipiórki z Waszyngtonu zabrały się do prowadzenia wojny. J e g o wojny! Na to nie mógł pozwolić.

PRYWATNA WOJNA GENERAŁA

24 marca generał MacArthur wydał oświadczenie, które doprowadziło do wściekłości chińskich przywódców.

Operacje rozwijają się zgodnie z planem. Praktycznie oczyściliśmy Koreę Południową ze zorganizowanych sił komunistycznych. Jeszcze większe znaczenie ma jasne wykazanie przez nas, że nasz nowy nieprzyjaciel, czerwone Chiny, których potęgę wojskową oceniano tak przesadnie, nie ma potencjału przemysłowego, umożliwiającego prowadzenie nowoczesnej wojny. (...) Ta słabość militarna ujawniła się z całą oczywistością, z chwilą gdy czerwone Chiny rozpoczęły nie wypowiedzianą wojnę w Korei.

Ten komunikat oznaczał, że MacArthur prowadzi już nie tylko własną wojnę; prowadził własną politykę zagraniczną. Groził Chinom sankcjami, o których Organizacja Narodów Zjednoczonych nigdy nie wspomniała ani też nie była przygotowana do wprowadzenia ich w życie. Proponował też naczelnemu dowódcy wojsk chińskich podjęcie natychmiastowych negocjacji. Zapraszał na spotkanie, na które chiński dowódca miał przybyć jako pokonany. Za tym wszystkim kryła się nie maskowana groźba, że niepodporządkowanie się wezwaniu oznaczać będzie dla Chin zgubę.

Pekin zareagował szybko oskarżając MacArthura, że wydał *fanatyczne i bezwstydne oświadczenie, którego jedynym celem jest podtrzymywanie agresji anglo-amerykańskiej przeciwko Chinom.*

Tuż potem odezwała się Moskwa. Minister spraw zagranicznych, Andriej Wyszynski nazwał MacArthura *maniakiem, głównym winowajcą i geniuszem zła wojny.*

Nadzieja na negocjacje, które mogłyby doprowadzić do zakończenia walk, prysła. Generał storpedował plany prezydenta. Lekceważył nie tylko rozkazy wojskowe Waszyngtonu. Kpił również z poleceń politycznych. Kilka miesięcy wcześniej wyraźnie poinformowano go, że wszelkie oświadczenia mogą być wydawane tylko przez Departament Stanu.

Tekst oświadczenia generała dotarł do Waszyngtonu w piątkowy wieczór 23 marca (czasu lokalnego; w Tokio był 24 marca). Jeszcze tego samego dnia o 23.00 najbliżsi doradcy prezydenta zasiedli w salonie domu sekretarza stanu, Deana Achesona w Georgetown.

– Bogowie, gdy chcą kogoś ukarać, najpierw odbierają mu rozum. – Acheson powołał się na Eurypidesa. – Sądzę, że nikt nie ma wątpliwości, iż MacArthur musi odejść, zanim wyrządzi nieodwracalne szkody naszej polityce.

Odpowiedział mu pomruk uznania.

– Powinniśmy bezzwłocznie skontaktować się z prezydentem w tej sprawie – odezwał się sekretarz obrony, George Marshall. Nigdy nie lubił MacArthura. Złośliwi twierdzili, że niechęć datowała się od czasów, gdy w 1918 roku MacArthur miał już dziewięć medali za odwagę, a Marshall zdobył jedynie Srebrną Gwiazdę za zbieranie informacji i dbałość o morale ochotników.

– Nie działajmy pochopnie. – Acheson zdecydował się ostudzić zapał gości. – Musimy przespać się z tą myślą i podjąć sprawę rano.

Prezydent wielokrotnie analizował tekst oświadczenia MacArthura.

– To jest niedopuszczalne! – wybuchnął. – Zlekceważył wszystkie dyrektywy nakazujące mu trzymanie się z dala od polityki zagranicznej! To jest wyzwanie dla konstytucyjnej roli prezydenta! – krzyczał, rozdrażniony, do swojego sekretarza. – To szyderstwo z polityki Narodów Zjednoczonych! Działając w ten sposób MacArthur nie pozostawił mi wyboru! On musi odejść!

Truman stracił cierpliwość. Jest to tym bardziej zrozumiałe, że od pierwszych starć z Chińczykami MacArthur publicznie krytykował politykę prezydenta. Twierdził, że dawno już mógł wygrać tę wojnę, gdyby prezydent mu nie przeszkadzał. Zamierzał ściągnąć z Formozy (Tajwanu) wojska kuomintangowskie, aby zaatakowały kontynentalne Chiny. Uważał, że należy dokonać masowych nalotów na bazy za rzeką Jalu w celu sparaliżowania dostaw dla oddziałów walczących w Korei. Domagał się zgody na morską blokadę chińskich portów. Sprzeciw Waszyngtonu doprowadzał go do furii. Generał nie chciał zrozumieć, że rząd ma poważne powody, aby odrzucać jego wersję działania.

Istniało „dżentelmeńskie porozumienie'' między USA i Chinami, zakładające, że dopóki Stany Zjednoczone nie zaatakują chińskich baz w Mandżurii, Chiny nie uderzą na bazy amerykańskie w Japonii.

Zniszczenie chińskich linii kolejowych w Mandżurii nie dałoby zresztą nic, gdyż Chińczycy zaczęliby przewozić zaopatrzenie korzystając z radzieckiej linii transsyberyjskiej. Blokada portów chińskich byłaby z kolei tylko wtedy efektywna, gdyby równocześnie zamknąć porty radzieckie Darien i Port Arthur oraz brytyjski Hongkong, przez które Chińczycy mogli eksportować i importować towary. Wreszcie inwazja oddziałów Czang Kaj-szeka nie udałaby się bez amerykańskiej pomocy logistycznej.

Generał nie rozumiał lub nie chciał zrozumieć, że wprowadzenie w życie jego planów nie przyniosłoby żadnych korzyści militarnych, a jedynie doprowadziło do wojny z Chinami. Miał jeszcze w zanadrzu inny projekt, który ujawnił amerykańskiemu dziennikarzowi Bobowi Constantinowi dopiero w 1954 roku, zastrzegając, że może on być opublikowany dopiero po jego śmierci. Planował zrzucenie bomb atomowych na bazy chińskie.

Mogłem wygrać wojnę w Korei w ciągu dziesięciu dni. I moje zwycięstwo mogło zmienić bieg dziejów. Trzydzieści do pięćdziesięciu bomb atomowych byłoby aż nadto. Zrzucone pod osłoną ciemności wzdłuż północnego brzegu rzeki Jalu zniszczyłyby wszystkie samoloty na ziemi, zmiotłyby pilotów i całą obsługę baz. Ich odbudowa byłaby uzależniona wyłącznie od zdolności przewozowej jednotorowej kolei transsyberyjskiej. Jest to kolej doskonała, ale nie byłaby w stanie zapewnić transportu materiału niezbędnego do odbudowy we właściwym czasie. Jednocześnie wezwałbym pół miliona żołnierzy Czang Kaj-szeka, wzmocnionych dwiema amerykańskimi dywizjami piechoty morskiej.(...) Wprowadzone do walki, dwiema wielkimi operacjami desantu morskiego, naciskałyby nie-

przyjaciela od północy, gdy VIII armia ruszyłaby do ofensywy z południa. Nikt i nic nie uratowałoby się przez rzekę Jalu.

Ta wypowiedź została opublikowana rzeczywiście dopiero po śmierci MacArthura, w 1964 roku.

20 marca generał MacArthur przeszedł do ataku w ... Waszyngtonie, który miał dla niego równie duże znaczenie jak zmagania w Korei. Tego dnia wysłał list do republikańskiego kongresmena Josepha Martina. Nie mógł wybrać lepszego adresata.

Miesiąc wcześniej Martin wystąpił w Nowym Jorku z gwałtowną krytyką polityki Trumana, któremu zarzucił nieudolność, lekceważenie głosu wojskowych i pacyfistyczne nastawienie. Co więcej, swoje oskarżenia oparł na najbardziej ordynarnych kłamstwach, jakie tylko mógł wymyślić. Twierdził między innymi, że prezydent nie dopuścił, aby 800 tysięcy ochotników z Tajwanu utworzyło drugi front. Zakończył swoje przemówienie stwierdzeniem:

Jeżeli wojna w Korei zostanie przegrana, to administracja Trumana powinna zostać oskarżona o śmierć tysięcy amerykańskich chłopców!

Krewki kongresmen przesłał treść swego przemówienia do Tokio i wkrótce potem MacArthur odpowiedział mu uprzejmym listem. Nie zaprotestował przeciwko łgarstwom Martina, nie sprostował jego pomyłek, a ponadto nie zaznaczył, że jest to list prywatny.

5 kwietnia Joe Martin odczytał list MacArthura w Izbie Reprezentantów.

Wydaje się dziwnie trudne do zrozumienia, że komunistyczni konspiratorzy wybrali Azję dla swojej gry o podbój świata.(...) Tutaj (tj. w Korei – BW) *prowadzimy wojnę o losy Europy za pomocą broni, a dyplomaci ciągle używają wyłącznie słów. Jeżeli przegramy wojnę z komunistami w Azji, upadek Europy będzie nieunikniony; gdy wygramy, Europa prawdopodobnie uniknie wojny i zachowa wolność* – pisał MacArthur.

Następnego dnia list generała znalazł się na pierwszych stronach gazet całego świata.

11 kwietnia prezydent wykorzystując uprawnienia zwierzchnika sił zbrojnych zwolnił MacArthura z funkcji naczelnego dowódcy wojsk ONZ, naczelnego dowódcy sił sojuszniczych na Dalekim Wschodzie, naczelnego dowódcy sił sojuszniczych w Japonii oraz naczelnego dowódcy wojsk lądowych w USA i na Dalekim Wschodzie.

– Z głębokim żalem doszedłem do przekonania, że generał armii Douglas MacArthur nie jest w stanie udzielić pełnego poparcia polityce USA i Narodów Zjednoczonych w sprawach należących do jego urzędowych obowiązków – powiedział prezydent na konferencji prasowej.

Autorzy noty informującej MacArthura o dymisji nie byli tak eleganccy. Na polecenie prezydenta sformułował ją George Marshall, zaciekły wróg generała. Ostatnie słowa depeszy brzmiały:

Przekaże pan dowodzenie generałowi M.R. Ridgwayowi. Jest pan upoważniony do wydania tylko takich rozkazów, jakie są niezbędne do odbycia podróży w miejsce, które pan wybierze. Powody zwolnienia pana będą ogłoszone publicznie, równocześnie z otrzymaniem przez pana niniejszej wiadomości.

MacArthur spodziewał się zapewne takiego obrotu sprawy. Miał już opracowany plan działania.

19 kwietnia powrócił do San Francisco i ruszył w triumfalny objazd kraju. Rozpoczął go od wystąpienia w Kongresie, gdzie mówił, że *w wojnie nie ma środka zastępczego dla zwycięstwa.* Kongresmeni mieli mokre oczy słuchając starego żołnierza, którego gwiazda przybladła – jak sam się nazywał. Amerykanki łkały, weterani II wojny światowej, z których wielu służyło pod jego rozkazami, stawali na trasie przejazdu generała i usiłowali choć dotknąć jego ręki. MacArthur mógł być zadowolony: witano go jak bohatera.

Ale z biegiem dni temperatura powitań opadała. Z wolna pojawiało się przekonanie, że ten człowiek postępował niesłusznie krytykując prezydenta i łamiąc pisemne rozkazy. Tak, gwiazda MacArthura i jego nadzieje na urząd prezydencki zaczęły blednąć, aż zgasły zupełnie.

Generał MacArthur

STRATY I KORZYŚCI

W Korei fortuna była łaskawa to dla jednej, to dla drugiej strony. W lipcu 1951 roku front ustabilizował się w pobliżu 38 równoleżnika.

25 czerwca, w pierwszą rocznicę wojny, radziecki przedstawiciel w ONZ, Jakub Malik zaproponował podjęcie rozmów rozejmowych. Rząd Chin przyjął tę propozycję. Wiceadmirał C. Turner Joy przewodniczył delegacji Narodów Zjednoczonych. Generał Nam Il reprezentował stronę chińsko-koreańską w czasie wstępnego spotkania w Kesong. Pierwsza runda rozmów trwała do końca sierpnia. Druga rozpoczęła się w listopadzie w Phanmundzon.

Negocjacje odbywały się przez cały rok 1952. Chodziło nie tylko o wyznaczenie linii demarkacyjnej. Znacznie trudniejszy wydawał się problem jeńców wojennych. Amerykanie przyrzekali, że żadnego nie będą zmuszać do pozostania w Korei Południowej. Druga strona upierała się, że wszyscy, to znaczy 170 tysięcy jeńców, muszą powrócić do KRL-D.

Tymczasem dobrowolna i anonimowa ankieta przeprowadzona wśród jeńców wykazała, że 50 tysięcy z nich, a więc prawie jedna trzecia, nie ma na to ochoty.

Sytuacja w obozach stawała się coraz trudniejsza. Dochodziło do buntów żołnierzy, wywoływanych przez świetnie zorganizowane grupy komunistyczne, z którymi amerykański personel zupełnie nie dawał sobie rady.

7 maja 1952 roku w obozie na wyspie Koje, gdzie zamknięto 80 tysięcy ludzi, jedna z grup zażądała spotkania z komendantem. Generał, który wszedł do baraku z niewielką obstawą, został obezwładniony. Buntownicy zagrozili, że zabiją go, jeżeli władze amerykańskie nie zaprzestaną ankietowania jeńców i udzielania azylu tym, którzy zdecydowali się pozostać na południu. Domagali się również, aby ONZ doprowadziła do zaniechania stosowania gazów bojowych, broni bakteriologicznej (co zresztą było czystym wymysłem koreańskiej propagandy) oraz prób z bronią nuklearną. Amerykanie przyjęli te warunki i po czterech dniach generał został zwolniony.

Dwa miesiące później w tym samym obozie znów doszło do buntu więźniów. Tym razem władze obozu były znacznie lepiej przygotowane i zdecydowane działać bezwzględnie. Doszło do bitwy z oddziałami strażniczymi. Zginęło 1340 jeńców i ... jeden żołnierz amerykański. W czasie próby ucieczki z obozu w Pongnam zginęło 185 jeńców.

Rokowania, przerywane gwałtownymi zrywami wojsk obydwu stron, zakończyły się 19 lipca 1953 roku.

Dwa wydarzenia przesądziły o ostatecznej decyzji położenia kresu wojnie: w listopadzie 1952 roku wybory prezydenckie wygrał generał Eisenhower, a 5 marca 1953 roku zmarł Józef Stalin.

27 lipca 1953 roku generał William K. Harrison jr i generał Nam Il podpisali porozumienie rozejmowe. Walki ustały 12 godzin później.

Żadna ze stron nie została uznana za zwycięską ani pokonaną. Zakończyła się krwawa i dziwna wojna, w której za walczącymi stały Związek Radziecki i Stany Zjednoczone, nie walczące z sobą bezpośrednio.

Wojska ONZ składały się z kontyngentów 17 państw, ale 90 procent żołnierzy stanowili Koreańczycy i Amerykanie.

Ofiary 37-miesięcznych walk były ogromne. Zginęło lub odniosło rany 6 milionów osób, z czego połowę stanowiła ludność cywilna.

Straty wojsk wyglądały następująco:

państwo	zabici	ranni	zaginieni	jeńcy
USA	54 246	103 284	760	5 133
Rep.Korei	415 000	429 000	460 000	
KRL-D	520 000	rannych i zabitych		170 000
ChRL	900 000	rannych i zabitych		
W. Brytania	5 017	rannych i zabitych		
Turcja	3 349	rannych i zabitych		
Australia	1 591	rannych i zabitych		
Kanada	1 396	rannych i zabitych		
Francja	1 135	rannych i zabitych		

Wydawałoby się, że ta krwawa wojna nie zmieniła niczego. Korea pozostała podzielona; nowa granica przebiega niewiele dalej na północ od 38 równoleżnika, gdzie zaczęła się wojna. Stany Zjednoczone dokonały niewielkiej zmiany w swojej strategii obronnej włączając do rubieży obronnej Republikę Korei.

Jednakże świat był już zupełnie inny. Zanim wybuchła ta wojna, Ameryka zasypiała w poczuciu dobrze spełnionego obowiązku w II wojnie światowej: budżet obronny Stanów Zjednoczonych spadł o ponad 13 miliardów dolarów i w 1950 roku wyniósł 17,7 miliarda. Co prawda prezydent Truman znalazł kozła ofiarnego i zwolnił ministra obrony Louisa Johnsona, ale wiedział, że nie była to wina zdymisjonowanego ministra. To Kongres nie chciał słyszeć o rozbudowie armii.

Wybuch wojny koreańskiej sprawił, że amerykański potencjał obronny zaczął gwałtownie wzrastać: w roku finansowym 1952 budżet Ministerstwa Obrony wyniósł już 44 miliardy dolarów, a rok później wzrósł do 50 miliardów. Do Niemiec skierowano dodatkowo cztery dywizje; w wielu państwach świata zaczęto budować bazy dla amerykańskich bombowców strategicznych i okrętów, a w lutym 1951 roku produkcja samolotów osiągnęła szczytowy poziom z roku 1944.

Pojawiła się nowa broń: bomba wodorowa.

Dwaj amerykańscy fizycy nuklearni, Bush i Conant, obliczyli, że bombę „H'' uda sie zbudować w 6–12 miesięcy po skonstruowaniu bomby „A''. Wybuch jednej bomby wodorowej mógł spowodować zniszczenia, jakie dotychczas było

Amerykańska piechota pod ogniem nieprzyjaciela, 1951

Marines tuż po zawieszeniu broni, 1953

w stanie wyrządzić tysiąc eskadr bombowców w ciągu tysiąca nalotów! Mimo takich prognoz nie było pieniędzy, a część uczonych wypowiadała się przeciwko budowie bomby wodorowej. Albert Einstein nazwał projekty skonstruowania bomby fatalną iluzją, która powstała w związku z przewagą technologiczną i militarną Stanów Zjednoczonych. Uważał, że nowa broń zagrozi zniszczeniem życia na Ziemi i chęć ludzi do posiadania takiej broni wydawała mu się upiorna. Przeciwko programowi budowy superbomby występował „ojciec'' amerykańskiej bomby atomowej, Robert Oppenheimer. Mówił:

– Podjęcie przez USA prac automatycznie naciśnie wodorowy cyngiel w ZSRR, z opłakanymi skutkami dla świata.

Prezydent Truman podpisał ostatni dokument w sprawie budowy bomby „H'' 31 stycznia 1950 roku, ale na realizację programu pod kryptonimem NSC–68 brakowało pieniędzy. Wybuch wojny usunął tę przeszkodę.

Pierwszy eksperyment z dużym, ważącym około 30 ton, urządzeniem termojądrowym nazwanym *Mike*, odbył się 31 października (według innych źródeł: 1 listopada) 1952 roku. Próbny wybuch powiódł się i miał moc około 10 megaton.

Wydawało się, że Amerykanie „uciekli'' Rosjanom o całe dziesięciolecia. Tymczasem ci ostatni, którym system polityczny pozwalał uniknąć wieloletnich dyskusji uczonych i walk w parlamencie o fundusze na badania, rozpoczęli prace nad skonstruowaniem bomby wodorowej na przełomie 1947 i 48 roku, kiedy to w doniesieniach wywiadu z Zachodu zaczęły pojawiać się wzmianki o superbombie.

8 sierpnia 1953 roku premier Gieorgij Malenkow oznajmił, że Stany Zjednoczone utraciły monopol nie tylko na broń atomową, lecz także na wodorową. Pięć dni później odbyła się pierwsza radziecka próbna eksplozja wodorowa.

Tak, Rosjanie wyprzedzili Amerykanów, ponieważ pierwsi skonstruowali bombę, podczas gdy Amerykanie mieli gotowe wielkie urządzenie, które skonstruowano tylko dla prób, lecz nie można było go wykorzystać w roli broni.

Te sukcesy były bezpośrednim wynikiem wojny koreańskiej. Krwawy konflikt „na końcu świata'' zmienił świat...

ŚMIERTELNY POJEDYNEK

GORĄCY CZERWCOWY DZIEŃ

Z windy, która zatrzymała się na drugim piętrze kremlowskiego gmachu, wyszli Nikita Chruszczow i Gieorgij Malenkow. Nie odpowiedzieli na powitanie żołnierza, który salutując otworzył im drzwi, i skierowali się w stronę sali konferencyjnej na końcu korytarza.

Stanowili dość śmieszną parę: korpulentny, pyzaty Chruszczow usiłował nadążyć za stawiającym długie kroki zwalistym Malenkowem. W pewnej chwili Malenkow pochylił się i zaczął coś szeptać Chruszczowowi do ucha, jednocześnie rozglądał się uważnie, czy nikt się nie zbliża. Nagle, widząc wyłaniającego się zza rogu korytarza Mikojana, urwał w pół zdania, wyprostował się i w milczeniu wyciągnął rękę na powitanie.

We trójkę minęli drzwi prowadzące do sekretariatu i skręcili do sali obrad. Przy długim stole, zasłanym zielonym suknem, nikt jeszcze nie siedział.

– Towarzysze się spóźniają – sapnął Malenkow, ale nie powiedział nic więcej, gdyż zorientował się, że to oni przyszli przed czasem. Skierował się w stronę miejsca przewodniczącego narady, lecz najwidoczniej doszedł do wniosku, że nie wypada, aby przewodniczący siadał, zanim zbiorą się wszyscy uczestnicy. Zawrócił więc i wszedł do sekretariatu; stanął przy biurku i zaczął bębnić palcami po blacie.

Chruszczow usiadł na swoim miejscu. Jego rubaszna, pogodna zazwyczaj twarz tym razem zdradzała niepokój. Nerwowo rozglądał się po sali, przyglądając się czujnie każdemu, kto wchodził. Uczestnicy narady podchodzili do niego lub przechylając się przez stół rzucali słowa powitania. Chruszczow nie odpowiadał. Kwitował powitania kiwnięciem głowy lub sztucznym uśmiechem, co jeszcze bardziej zwracało uwagę na jego zły humor. Malenkow, gdy tylko uznał, że są już prawie wszyscy, powrócił i zasiadł u szczytu stołu.

– Na kogo jeszcze czekamy, towarzysze? – Anastas Mikojan uniósł się ze swojego miejsca i rozejrzał po sali. Malenkow odwrócił się w jego stronę.

– Towarzysz Beria prosił o chwilę zwłoki. Zatrzymały go jakieś ważne sprawy państwowe – wyjaśnił. Natychmiast opuścił głowę, udając, że przegląda dokumenty, które rozłożył przed sobą, ale co chwilę zerkał na Mikojana. Nagle pochylił się w stronę Chruszczowa. – Kto jak kto, ale ten lisek–chytrusek nie mógł nie zauważyć nieobecności Berii – szepnął.

Chruszczow kiwnięciem głowy przyznał mu rację. Obaj doskonale znali Mikojana i wiedzieli, że zawsze przykładał ogromną wagę do spraw protokolarnych. Wiedzieli też, że potrafił znakomicie lawirować między wrogimi frakcjami WKP(b). Malenkow przypomniał sobie zabawne wydarzenie.

Było to w grudniu 1937 roku, siedzieli wówczas za długim prezydialnym stołem na scenie teatru Bolszoj podczas uroczystej akademii z okazji dwudziestolecia utworzenia organów bezpieczeństwa, z których wywiódł się Ludowy Komisariat Spraw Wewnętrznych (NKWD). Mikojan miał wygłosić przemówienie otwierające akademię, ale Stalin nie przybył na czas. Rozpoczynanie uroczystości bez głównego gościa było nie do pomyślenia. Prowadzący akademię – Malenkow nie przypominał sobie, kto to był – posyłał w stronę Mikojana rozpaczliwe spojrzenia, ale ten gestami dawał mu znać, że jeszcze muszą zaczekać. Wreszcie, gdy już nie można było przeciągać braw i owacji na cześć prezydium, gdyż Stalin mógłby uznać, że to któryś z zasiadających tam ludzi zaskarbił sobie tak dużą popularność, Mikojan musiał wejść na mównicę.

Stalin się nie pojawiał, toteż Mikojan chcąc nie chcąc wygłosił mowę powitalną. Ale ponieważ w każdym zdaniu wychwalał zasługi Stalina dla zapewnienia bezpieczeństwa państwa i narodu, ten nie miał mu za złe, że akademia rozpoczęła się bez jego udziału.

– O co mu chodzi? Czyżby coś wiedział? – Malenkow znowu zwrócił się do Chruszczowa.

Mikojana nie wtajemniczono w plany, gdyż wiadomo było, że opowiada się za Berią.

Wzrok Malenkowa powędrował na drugą stronę stołu, gdzie rozsiadł się minister obrony, marszałek Nikołaj Bułganin. On też zwrócił uwagę na dziwne zachowanie Mikojana, ale z jego twarzy nie można było wyczytać zaniepokojenia. Napotkawszy wzrok Malenkowa pokręcił znacząco głową, jakby chciał powiedzieć „nie ma powodu do obaw'', i powrócił do lektury „Prawdy''.

Nagle drzwi otworzyły się i pojawiła się w nich krępa, przysadzista sylwetka Ławrentija Berii. Szybkim krokiem przemierzył salę i usiadł po lewej stronie przewodniczącego. Gwar umilkł. Bułganin odłożył gazetę. Mikojan głośno wytarł nos. Mołotow siedział nieporuszony, jak to miał w zwyczaju. Tylko Chruszczow kręcił się niespokojnie na krześle.

– Jaki jest temat narady? – zapytał Beria. – A w ogóle, dlaczego spotykamy się tak niespodziewanie?

Chruszczow pochylił się w stronę Malenkowa.

– Otwórz naradę i oddaj mi głos – szepnął.

Malenkow zdawał się nie słyszeć tych słów. Najwidoczniej chciał zyskać na czasie. Wyciągnął z kieszeni chusteczkę i przetarł nią twarz. Nie mógł podjąć decyzji. Wiedział, że od słów, które za chwilę wypowie, będzie zależeć bardzo wiele. Być może nawet jego życie. Czuł, że wszyscy patrzą na niego.

Zaczął mówić, ale tak cicho i tak powoli, że Chruszczow nie czekał dłużej. Obawiał się, że misterny plan rozleci się nagle wobec braku odwagi i zdecydowania spiskowców. Rozpoczął walkę bez pardonu. Zwycięzca musi zabić pokonanego...

KARIERA JAK INNE

– Towarzyszu Beria! – Drzwi otworzyły się z rozmachem i do gabinetu wpadła Lenka, telegrafistka z OGPU.

– Gdzie włazi!... – Beria rozwścieczony odwrócił się od okna, gdzie nalewał sobie właśnie szklankę wódki z karafki schowanej za kotarą. Nie znosił, gdy ktoś bez uprzedzenia wchodził do jego gabinetu. Zanim jednak zdążył wyładować wściekłość, telegrafistka dopadła do biurka i zdyszana, z trudem łapiąc oddech wyciągnęła w jego stronę wąski pasek taśmy telegraficznej.

– To z Moskwy! Przed chwilą odebrałam! Tak się cieszę...

Beria wyjął jej z dłoni papierową taśmę.

*Specjalnym zarządzeniem Biura Politycznego KC WKP(b) w sprawie odpoczynku i leczenia towarzysza Stalina Zakkrajkom**) *otrzymuje polecenie zorganizowania pobytu sekretarza generalnego w terminie wskazanym później.*

– To oczywiście telegram do komitetu naszej partii, ale odpis przysłano tutaj, więc natychmiast przyniosłam – wyjaśniała dziewczyna, gdy złapała oddech po długim biegu przez korytarze OGPU.

– Dobra dziewczyna! – Beria poklepał ją po policzku. – Jutro możesz wziąć wolne.

Odwrócił się do okna i nabrał powietrza. Wiedział, że trafia się okazja, która już nigdy może się nie powtórzyć. Otworzył drzwi do sekretariatu.

– Wezwij naczelników wydziałów – powiedział do sekretarki. – Jak którego nie ma na miejscu, niech go natychmiast przywiozą. I połącz mnie z komitetem.

Po chwili zadźwięczał dzwonek telefonu.

– Mówi Beria. Czy rozmawiam z towarzyszem Ławrentijem?

– Tak, tu Ławrentij Kartweliszwili. – W słuchawce zabrzmiał głos pierwszego sekretarza Komitetu Krajowego ZFSRR.

– Witam, witam towarzysza imiennika. Otrzymaliście zapewne telegram z Moskwy. Chcę was zapewnić, że moja instytucja jest w stanie zagwarantować całkowite bezpieczeństwo naszemu gościowi. Oczywiście, będę uczestniczył we wszystkich naradach, które zapewne zwołacie, żeby właściwie przygotować pobyt. Gdzie będziemy przyjmować towarzysza Stalina?

– W Cchałtubo. Dziwne, że tego jeszcze nie wiecie – sucho odrzekł Kartweliszwili, który nawet w tak oficjalnej rozmowie nie mógł się powstrzymać od zamanifestowania swojej niechęci do Berii.

– Zawiadomcie mnie o terminie narady. – Beria nie zwrócił uwagi na złośliwość i odłożył słuchawkę.

Wiedział, że Kartweliszwili uważa go za kanalię, karierowicza i intryganta; nienawidził go tak bardzo, iż wielokrotnie wysyłał pisma do Moskwy z prośbą o odwołanie szefa OGPU. Beria nie reagował. Zbyt wiele miał na sumieniu, aby

*) Zakaukaski Komitet Krajowy WKP(b)

podejmować walkę z człowiekiem tak silnym jak pierwszy sekretarz komitetu organizacji komunistycznej. Ponadto Kartweliszwili znał ciemną przeszłość Berii, która zresztą na Zakaukaziu nie była tajemnicą, ale nie miał dowodów, pozostało mu więc jedynie wysyłanie petycji do Moskwy, lecz tam nie reagowano na sygnały z terenu.

Delikatne pukanie do drzwi przerwało rozmyślania Berii. Do pokoju gęsiego wchodzili naczelnicy wydziałów i zajmowali miejsca za długim stołem konferencyjnym ustawionym przy oknie.

– Akcja będzie miała kryptonim „Zorza'' – powiedział szef OGPU, gdy wszyscy usiedli. – Jej celem jest ochrona najważniejszego człowieka w państwie radzieckim. – Przerwał na moment, aby zrobić jak największe wrażenie na podwładnych. Wstał i krążąc za ich plecami mówił dalej: – Zapamiętajcie: rok 1931 będzie dla was najważniejszym rokiem życia. Będziecie robić to, o czym dotychczas mogliście tylko marzyć: będziecie chronić towarzysza Stalina. I zapamiętajcie też, że jeżeli którykolwiek z was zawiedzie, to osobiście wydłubię mu oczy... – Wrócił na miejsce przewodniczącego. – ... tym palcem! – Skierował dłoń w ich stronę. – Ochrona towarzysza Stalina, który przyjedzie do Cchałtubo, musi być zorganizowana i przeprowadzona tak, że gdy świerszcz zaskrzypi bez mojego pozwolenia, macie go zgnieść.

Podwładni Berii byli przyzwyczajeni do jego ordynarnych połajanek i brutalności, ale sposób, w jaki przemawiał podczas tego zebrania, zaskoczył nawet tych, którzy znali go od dawna.

Gdy tylko Stalin wysiadł z salonki na dworcu, Beria już warował u drzwi. Przez półtora miesiąca nie odstępował Stalina, ale zawsze zachowywał odpowiedni dystans. Pozostawał w cieniu, ale nie tak głębokim, żeby Stalin nie zdołał go zauważyć. Rzeczywiście, dyktator, zawsze przeczulony na punkcie swojego bezpieczeństwa, szybko zwrócił uwagę na krępego Gruzina. Postanowił dowiedzieć się więcej o szefie miejscowej policji politycznej. W tym celu z Moskwy przyjechał Rudolf Mienżynski, szef OGPU. Wprost z dworca dotarł do willi Stalina.

– Można o nim powiedzieć wiele dobrego i wiele złego – zaczął rozmowę Mienżynski.

Stalin przechadzając się po tarasie, z którego rozciągał się piękny widok na pobliskie lasy, wskazał ręką na krzesło.

– Wstąpił do partii komunistycznej w 1917 roku, aczkolwiek nie mamy pewności w tej kwestii – zaczął referować Mienżynski. – W czasie wojny domowej Beria i jego patron Mir Dżafar Bagirow rozpoczęli służbę w kaukaskiej CzeKa (Nadzwyczajna Komisja do Walki z Kontrrewolucją i Sabotażem – BW). Trudno ustalić, czy tylko ze względów ideologicznych. Istnieją poważne podejrzenia, że obydwaj utrzymywali dość ożywione kontakty z musawatystami, azerbejdżańskimi nacjonalistami i gruzińskimi mienszewikami. Później Beria odpierał ten zarzut tłumacząc, że takie miał polecenie służbowe, czego sprawdzić się już nie da. Mówi się, że w czasie tureckiej okupacji Baku był funkcjonariuszem policji musawatystów. Nie ma jednak dowodów...

– Wasze zdanie? – przerwał mu Stalin.

– Uważam, że nie ma to większego znaczenia – bez namysłu wypalił Mienżynski. – Jakakolwiek była jego przeszłość, dowiódł, że jest oddanym bolszewikiem.

Szef OGPU wiedział, że informacja o tym etapie kariery Berii dotknęła czułego punktu Stalina, gdyż on sam w młodości był agentem Ochrany (carskiej tajnej policji politycznej). Zdecydowana odpowiedź Mienżynskiego spodobała się najwidoczniej dyktatorowi.

– Tak, bez wątpienia przyczynił się do umocnienia władzy radzieckiej i bezwzględnie rozprawiał z wrogami – mówił dalej Mienżynski. – Zdobył uznanie Feliksa Dzierżyńskiego, który, doceniając jego zasługi, przymykał oko na doniesienia o nieprawidłowościach. Tak było w 1921 roku, gdy Michaił Kiedrow, szef wydziału specjalnego CzeKa, kontrolując działalność azerbejdżańskiego oddziału stwierdził, że aresztowano wielu niewinnych ludzi, zwolniono zaś kilku wrogów władzy radzieckiej. Dzierżyński nie zareagował na ten raport. Wkrótce Beria awansował na stanowisko szefa GPU (utworzonej w miejsce CzeKa) Gruzji, a następnie całej Federacji Zakaukaskiej. To wszystko, towarzyszu Stalin. – Mienżynski zamknął zeszyt z notatkami i starannie schował do czarnej teczki.

– Aha, jeszcze jedno, towarzyszu Stalin. – Zastanawiał się przez moment nad doborem słów. – Beria popadł w bardzo ostry konflikt z kilkoma towarzyszami z tutejszych władz, głównie z pierwszym sekretarzem Ławrentijem Kartweliszwilim. Niepochlebnie wyraża się też o nim wielu towarzyszy pochodzących z tych ziem: między innymi Adasi Chandżian, Georg Alichanow. Ponadto złe zdanie mają o nim wasi najbliżsi współpracownicy: Sergo Ordżonikidze i Siergiej Kirow.

Stalin pokiwał głową i przymknął oczy. Raport Mienżynskiego zrobił na nim jak najlepsze wrażenie. Szybko odrzucił informacje o negatywnych opiniach. Podobali mu się tacy ludzie jak Beria. Im więcej grzechów mieli na sumieniu, tym wierniej służyli. W razie potrzeby można było wyciągnąć stare sprawki i bez większych kłopotów pozbyć się człowieka, który stał się niewygodny. A na razie na Zakaukaziu przydałby się oddany człowiek pilnujący miejscowych spraw, aby nie zalągł się tutaj jakiś spisek.

Po powrocie do Moskwy Stalin zwołał posiedzenie Biura Politycznego WKP(b) poświęcone problemom Zakaukazia, na które wezwano wszystkich szefów tamtejszych organizacji partyjnych. W czasie obrad zaproponował powołanie Berii na drugiego sekretarza zakaukaskiego komitetu partii bolszewickiej. Energiczne protesty Kartweliszwilego oraz ludzi z najbliższego otoczenia Stalina, którzy znali Berię, odniosły odwrotny skutek. Następnego dnia działaczy z Zakaukazia, którym nie odpowiadał awans Berii wysłano do innych rejonów Związku Radzieckiego: Kartweliszwili pojechał na Syberię Zachodnią jako drugi sekretarz Komitetu Krajowego, Aleksandr Jakowlew objął stanowisko dyrektora zjednoczenia „Wostokzołoto'', a Aleksiej Sniegow wyruszył do Irkucka.

Beria, widząc, że Stalin otwiera mu drogę awansu, nie tracił czasu. Już po kilku miesiącach został pierwszym sekretarzem i natychmiast obsadził główne stanowiska swoimi ludźmi; trzydziestu dwóch szefów rejonowych urzędów GPU zastąpiło sekretarzy rejonowych komitetów partii komunistycznej. Pamiętał doskonale, że jego los jest w rękach Stalina. To łaskawość dyktatora dała mu eksponowane stanowisko i zmiotła wrogów, którzy stali na drodze do dalszych awansów. Starał się odpłacać łaskawemu protektorowi ze wszystkich sił. Stalin uznał, że naród powinien poznać lepiej jego zasługi w krzewieniu komunizmu na Zakaukaziu i takie polecenie Beria przekazał miejscowym historykom, gotowym wykonać każde zadanie. Zaczęli więc przetrząsać archiwa w poszukiwaniu dokumentów potwierdzających fundamentalne osiągnięcia wodza. Ich wysiłki i tak nie miały większego znaczenia, gdyż bez względu na wynik poszukiwań musiało się ukazać dzieło sławiące Stalina.

Beria sam odczytał referat na zebraniu tbiliskiego aktywu partyjnego 21 maja 1935 roku. Bardzo się to spodobało Stalinowi. Polecił wydać książkę pod tytułem „K woprosu ob istorii bolszewitskich organizacji w Zakawkazie''. Przeciw kłamstwom w niej zawartym protestowali historycy, którzy walczyli w latach rewolucji i wojny domowej na Zakaukaziu i prawdę znali nie tylko z dokumentów, ale z i osobistego doświadczenia. Nikt ich jednak nie słuchał, a wkrótce zamilkli na zawsze w więzieniach.

W Związku Radzieckim rozpoczął się czas Wielkiej Czystki; Stalin przystąpił do usuwania wszystkich, którzy nie zgadzali się z nim, sprzeciwiali mu się lub w jakikolwiek sposób zagrażali jego władzy. Wśród nich były tysiące bojowników rewolucji i wojny domowej, bohaterów, legendarnych dowódców, najbliższych współpracowników Lenina, starych bolszewików, którzy stracili zdrowie w carskich więzieniach i na katordze. Z nimi Stalin mógł rozprawić się tylko wtedy, gdyby naród popadł w masową histerię zagrożenia, łapania szpiegów, dywersantów i sabotażystów. I tak się stało.

W grudniu 1934 roku zginął w zamachu Siergiej Kirow, sekretarz komitetu leningradzkiego, popularny działacz partyjny. Ludziom wmówiono, że zamachowiec wykonywał polecenie kontrrewolucyjnej organizacji o nazwie „Blok Prawicowo–Trockistowski''. W czasie śledztwa oskarżeni, pod wpływem straszliwych tortur, wskazywali wyimaginowanych pomocników. Ci w izbach tortur przyznawali się do działalności antyradzieckiej i podawali nazwiska następnych. Ujawniano szpiegów, zdrajców ojczyzny, sabotażystów nasyłanych przez państwa imperialistyczne, organizatorów wywrotowych organizacji. Histeria narastała. Sąsiad obawiał się sąsiada, z którym mieszkał przez wiele lat, i biegł do NKWD, aby złożyć doniesienie. Żona informowała o wywrotowej działalności męża, gdy chciała się rozwieść. Syn donosił na ojca, gdy ten spuścił mu lanie za złe stopnie w szkole. Nikt nie kwestionował oskarżeń, nikogo nie dziwiło, że przed sądami stają wysocy funkcjonariusze partyjni i państwowi, zasłużeni działacze bol-

Stalin podpisuje wyroki śmierci, 1933

Generał lotnictwa Wasilij Stalin, syn Józefa Stalina

Przemawia Malenkow, jeszcze pod okiem Stalina

szewiccy. Ci, którzy wyrażali wątpliwości, denuncjowani przez sąsiadów i kolegów z pracy, trafiali do więzienia.

Organizatorem tego wielkiego polowania był Nikołaj Jeżow, od października 1936 roku ludowy komisarz spraw wewnętrznych. Był tak sprawnym organizatorem masowych represji, że ten okres nazwano „jeżowszczyzną". Oficjalnie przyjmuje się, że Wielka Czystka rozpoczęła się 2 lipca 1937 roku od rezolucji Komitetu Centralnego partii komunistycznej. W ciągu następnych czterech miesięcy aresztowano 269 tysięcy osób, z których 75 950 natychmiast rozstrzelano. Początkowo Jeżow na rozkaz Stalina niszczył tych, którzy mogli zagrozić dyktaturze: ze 131 członków Komitetu Centralnego partii komunistycznej zamordowano 100 (według innych danych – 110), z 22 komisarzy ludowych – 17, z 900 oficerów w randze generalskiej zginęło 600.

Z czasem machina terroru niszczyła wszystkich: inteligencję za to, że była inteligencją, rodziny uwięzionych za to, że były rodzinami uwięzionych, bogatych chłopów za to, że potrafili się wzbogacić.

W latach 1937–38 ofiarami prześladowań padło co najmniej dwanaście milionów ludzi, z których około miliona rozstrzelano. Pozostałych wywieziono na Syberię, gdzie co najmniej dwa miliony zginęło z głodu, zimna, zakatowanych przez strażników. Tak wielka „wydajność" NKWD była możliwa dzięki pełnemu zaangażowaniu terenowych oddziałów, które prześcigały się w tropieniu i likwidowaniu zdrajców i wywrotowców. Beria, choć odszedł z aparatu ścigania, bardzo troskliwie nadzorował jego działalność, wiedział bowiem, że Stalin ocenia szefów lokalnych oddziałów NKWD i organizacji partyjnych według liczby uwięzionych. Poza tym nadarzała się okazja wyrównania rachunków z ludźmi, którzy kiedyś chcieli zaszkodzić jego karierze.

Tego dnia służbowy telefon w mieszkaniu Berii w Tbilisi zabrzmiał bardzo późnym wieczorem. Podwładni wiedzieli, że spokój szefa można zakłócać tylko w sprawach najważniejszych, więc Beria niecierpliwie sięgnął po słuchawkę. Dzwonił Siergiej Goglidze, szef miejscowego NKWD.

– Towarzysze z Moskwy dostarczyli cenną przesyłkę. Myślę, Ławrentij, że chciałbyś ją zobaczyć.

Beria nie zadawał pytań. Zadzwonił po kierowcę i natychmiast wyruszył w stronę więzienia. Wiedział, kogo Goglidze nazwał „cenną przesyłką", i śpieszył, żeby zobaczyć go jak najszybciej.

Przy bramie czekał oficer NKWD, który na widok samochodu Berii machnął do wartowników, aby otworzyli bramę, i pobiegł w stronę wejścia do szarego, odrapanego budynku. Zaczekał, aż Beria wysiądzie i już równym wojskowym krokiem sprowadził go do podziemi. Zatrzymał się przed masywnymi drzwiami obitymi blachą i nacisnął klamkę. W pomieszczeniu panował półmrok. Goglidze podniósł się zza stolika i ruszył w stronę gościa. Dopiero po chwili, gdy oczy przyzwyczaiły się do ciemności, Beria dostrzegł półnagiego mężczyznę wiszącego na sznurze krępującym wyłamane za plecami ręce. Głowę miał owiniętą grubym kocem. Więzień jęczał cicho, usiłując z ogromnym trudem oddychać przez grubą materię.

– To jest Ławrentij Kartweliszwili – powiedział z uśmiechem Goglidze, witając się z Berią. – Przywieziono go dzisiaj z Moskwy, więc pozwoliliśmy mu trochę odpocząć po podróży.

Beria podszedł do stolika, przy którym dotychczas siedział Goglidze. Leżały tam pejcze, pałki i inne narzędzia tortur. Przez chwilę się wahał, aż wreszcie wziął kawał gumowej rury. Podszedł do więźnia i zdarł koc. Patrzył przez chwilę na jego twarz i oczy przekrwione od ogromnego wysiłku, jakim było oddychanie przez grubą tkaninę.

– Chciałeś mnie zniszczyć! Mówiłeś, draniu, „ja z tym szarlatanem pracować nie będę!'' W Moskwie do samego Ordżonikidzego pobiegłeś, żeby skamleć. – Beria uderzał gumą po otwartej dłoni. – Teraz już wiemy, dlaczego to robiłeś. Przeciw władzy radzieckiej knułeś. Wszystko powiesz. Wszystkich swoich wspólników wskażesz. Na pewno Sniegowa, Jakowlewa, Orachełoszwilego, Arisbekowa, Chandżiana. A teraz powiesz nam, jak to za pieniądze Anglików knuliście przeciw władzy radzieckiej. Prawda? – Beria odwrócił się gwałtownie. Rzucił gumę żołnierzowi stojącemu przy drzwiach.

– Wkropcie mu! Ja nie będę się męczył. – Wyszedł. Z pokoju dobiegały głuche razy i jęk katowanego człowieka.

Goglidze odprowadził Berię do samochodu.

– Wiesz, kogo ma wskazać? – Beria wyciągnął rękę na pożegnanie.

– Towarzysze z Moskwy informują, że już ich mają, a ten powie dokładnie, jak to chcieli razem państwo radzieckie zniszczyć. Zapewniam cię, Ławrentij.

Wkrótce do więzienia w Tbilisi z różnych zakątków Związku Radzieckiego przywieziono Orachełoszwilego, Arisbekowa i innych. Beria nie przychodził już, żeby ich zobaczyć. Wystarczała mu informacja, że po długim śledztwie przyznali się do winy i zostali skazani na śmierć. Jednakże los, tak łaskawy do tej pory, nagle odwrócił się od Berii, gdyż naraził się wszechwładnemu szefowi NKWD.

Jeżow w lipcu 1938 roku polecił Siergiejowi Goglidzemu zebranie dowodów potwierdzających udział Berii w „organizacji wojskowo–faszystowskiej''. Szef gruzińskiego NKWD ostrzegł Berię. Ten pożegnał się z rodziną i wyruszył do Moskwy. Do Stalina. Wyjeżdżając z Tbilisi miał w walizce dodatkowy tobołek: zmianę bielizny, mydło, szczoteczkę do zębów. Wiedział, że może już nie wrócić.

JA, BERIA!

Stalin pojął, że Jeżow zaczyna tracić panowanie nad NKWD; coraz częściej powtarzały się informacje, że zbyt gorliwi funkcjonariusze NKWD zamykają nie tylko „wrogów ludu", lecz także najwierniejszych stalinowców. Poza tym cel Wielkiej Czystki został spełniony: rzeczywiści i urojeni wrogowie byli martwi lub zamknięci w łagrach. Należało łagodzić represje. Stalin zaczął dostrzegać, że państwo sparaliżowane strachem przestaje funkcjować. Dyrektorzy zakładów przemysłowych, w obawie przed oskarżeniem o sabotaż lub sprzyjanie wrogom ludu, nie podejmowali żadnych decyzji; czekali, aż z Moskwy, ze zjednoczenia przyjdzie odpowiednie polecenie. Urzędnicy, równie zastraszeni, ograniczali się do przekładania papierów. W armii dowódcy, zamiast organizować szkolenia, szukali szpiegów i szkodników. W czasie manewrów na Bałtyku okręty podwodne pływały wyłącznie na powierzchni, a atak torpedowy sygnalizowały podniesieniem peryskopu. Powodem takiego zachowania była informacja, że wróg przeniknął do floty podwodnej i uszkodził okręty, aby osłabić siłę zbrojną państwa radzieckiego.

Co prawda społeczeństwo uważało, że terror ogarnął Związek Radziecki bez zgody i wiedzy dyktatora, ale ten zdawał sobie sprawę, że na jakiś czas musi zdjąć z ludzi widmo aresztowań, sądów i zsyłek. Musiał też wskazać winnego, a Jeżow, który już spełnił swoje zadanie, doskonale się nadawał do roli kozła ofiarnego. I właśnie wtedy, w lipcu 1938 roku, w Moskwie zjawił się Beria z walizką, w której miał więzienny tobołek. Stalin doceniał jego zasługi w organizowaniu represji w Gruzji, ponadto, co istotne, formalnie człowiek ten nie był związany z aparatem NKWD. Takiego człowieka potrzebował. Beria został więc członkiem komisji badającej nadużycia władzy, jakich dopuściło się NKWD; w jej skład weszli również Gieorgij Malenkow, sekretarz Komitetu Centralnego WKP(b), Wiaczesław Mołotow, premier i Andriej Wyszynski, prokurator generalny.

Komisja bardzo energicznie zabrała się do pracy: 150 specjalnych zespołów sprawdzało – w całym kraju – czy więźniowie są dobrze traktowani i czy nie ma wśród nich niesłusznie oskarżonych. Nie miały, oczywiście, żadnych kłopotów z zebraniem dowodów łamania prawa, nadużywania uprawnień, zbrodniczych działań Jeżowa i jego ludzi. Wnioski, które przedstawił Beria, bardzo odpowiadały Stalinowi, toteż niebawem KC WKP(b) wydał dwie rezolucje: „O aresztowaniu, nadzorze prokuratorskim oraz prowadzeniu śledztwa" oraz „O werbunku uczciwych obywateli do pracy w organach bezpieczeństwa".

Jeżow zdawał sobie sprawę, że choć pozostaje jeszcze na stanowisku, jest już stracony. Nie chciał walczyć; zbyt dobrze wiedział, jak bezwzględna jest instytucja, którą stworzył. Miał pewność, że którejś nocy jego byli podwładni wyciągną go z mieszkania, zaprowadzą na Łubiankę i każą podpisać zeznanie, że był amerykańskim agentem. Jeżeli odmówi, będą go męczyć tak długo, że wreszcie podpisze wszystko. Sam wielokrotnie katował ludzi, którzy odmawiali oskarżenia siebie, najbliższej rodziny lub po prostu innych niewinnych ludzi.

23 listopada 1938 roku wysłał do Stalina list, w którym prosił o zwolnienie ze stanowiska szefa NKWD i brał na siebie wszelką odpowiedzialność. Dlaczego? Być może uznał, że postępując tak, jak chciałby tego Stalin, uniknie tortur. Rezygnacja została przyjęta następnego dnia. Jeżowa pozostawiono na wolności. Nadal był komisarzem transportu wodnego. Przychodził do pracy, brał udział w zebraniach, ale zupełnie się nie interesował tematem rozmowy. Często w czasie narad robił samolociki z papieru i puszczał je nad stołem. Gdy któryś wylądował na podłodze, kucał obok krzesła i zapamiętale szukał zabawki. W kwietniu 1939 roku został aresztowany. Nie torturowano go, gdyż natychmiast przyznał się do najbardziej nawet absurdalnych zarzutów i oskarżył wiele niewinnych osób. Trzymano go w podmoskiewskim specjalnym więzieniu NKWD. Został rozstrzelany prawdopodobnie latem 1940 roku.

Beria, który od sierpnia 1938 roku był zastępcą komisarza spraw wewnętrznych, 8 grudnia objął kierownictwo NKWD. Jego pierwszym zadaniem było wyplenienie ludzi Jeżowa i wprowadzenie swoich protegowanych. Do końca stycznia 1939 roku ludzie Berii zajęli wszystkie najważniejsze stanowiska w centrali w Moskwie i w republikach (Siergiej Goglidze został szefem NKWD na Ukrainie). Stalin liczył, że Beria szybko powstrzyma terror, choć nie było to łatwe. W samej Moskwie działało trzy tysiące oficerów śledczych; przyzwyczajeni do nieograniczonej władzy, nie mieli zamiaru z niej rezygnować. Wiktor Nasedkin, szef białoruskiego NKWD, gdy otrzymał podpisane przez Berię polecenie wstrzymania represji, kazał w ciągu jednej nocy zabić 800 więźniów. W dokumentach wstawiono wcześniejszą datę egzekucji.

Jednak Beria szybko zaprowadził twarde rządy w aparacie bezpieczeństwa i w ciągu kilkunastu tygodni wyraźnie zmniejszył terror. Nie był psychopatą jak jego poprzednik. Dla Jeżowa obozy na Syberii były niezbędnym elementem procesu likwidacji „wrogów''; najchętniej unicestwiałby ich na miejscu, tuż po aresztowaniu, ale ze względów technicznych było to niemożliwe. Dlatego budowano obozy, podobozy, kolonie, gdzie aresztowani i skazani mieli dokonać życia dziesiątkowani przez głód, choroby, zimno, pracę ponad siły oraz przez strażników. Beria uważał, że jest to marnotrawstwo.

Do dzisiaj nikt nie potrafi określić, ile było obozów i ilu ludzi w nich więziono. Według jednych badaczy w 1940 roku w Związku Radzieckim były 53 obozy, 425 kolonii pracy poprawczej i 50 kolonii dla młodocianych. Więziono w nich 1 668 200 ludzi. Inni historycy oceniają, że w 1939 roku w ZSRR w łagrach znajdowało się ponad 3,5 miliona więźniów. Ogromną większość z nich stanowili ludzie w wieku produkcyjnym. Nie należało więc ich zabijać ani wyniszczać, lecz wykorzystać ich siłę, zdolności.

Beria poprawił ich los. Na jego rozkaz zwiększono racje żywnościowe, pozwolono więźniom odbierać paczki od rodzin, wydawano mydło. Śmiertelność w obozach zmniejszyła się, choć w dalszym ciągu strażnicy byli panami życia i śmierci, a mróz i praca ponad siły dziesiątkowały więźniów. W jednym tylko obozie „Zapoliarny'' w jednym tylko miesiącu, w październiku 1941 roku, zmarło 1474 więźniów.

SPRAWA BLÜCHERA

Gwałtowne łomotanie do drzwi zbudziło Głafirę Blücher. Przez chwilę zastanawiała się, czy to jeszcze sen, czy też rzeczywiście ktoś dobija się do ich domu. Spojrzała na męża, który spał twardym snem. Zegar w kącie sypialni pokazywał trzecią.

– Wasilij! Wasilij! – Szarpnęła męża, ale on nie zbudził się. Kwaśny odór alkoholu uprzytomnił jej, że jest tak pijany, iż wszelkie wysiłki są bezcelowe. Zerwała się z łóżka, narzuciła szlafrok na ramiona i zbiegła schodami do przedpokoju. Teraz słyszała już wyraźnie, że ktoś łomocze pięścią w drzwi.

– Kto tam?

– NKWD! Otwierać!

Na dźwięk tych słów machinalnie sięgnęła do zasuwki, odciągnęła rygiel i usiłowała tylko uchylić drzwi, aby sprawdzić, kto za nimi stoi, lecz silne kopnięcie odrzuciło ją w głąb przedpokoju. Do środka wtargnęło czterech mężczyzn z rewolwerami w dłoniach. Rozejrzeli się szybko wokół, ale nie widząc nic podejrzanego zwrócili się do kobiety.

– Głafira Blücher? – Najstarszy, z włosami przetykanymi siwizną, podszedł bliżej, aby przyjrzeć się jej twarzy. Odciągnął połę długiego czarnego płaszcza i schował rewolwer do kabury. Dopiero teraz zauważyła, że pod płaszczem nosi mundur.

– Tak – odpowiedziała niepewnie. Czuła, że paniczny strach ściska jej gardło.

– Mąż na górze? – To nie było pytanie, lecz stwierdzenie.

– Tak...

– A jego brat gdzie? – Enkawudzista dopytywał się o Pawieła, który przyjechał przed kilkoma dniami.

– Też na górze, w pokoju obok.

– Zostańcie tutaj! – Funkcjonariusz gestem nakazał kobiecie pozostanie w przedpokoju.

– Ja muszę do dzieci! Proszę was... – Głafira uznała, że matczyny odruch zmiękczy enkawudzistów i pozwolą jej odejść. – O, słyszycie, płaczą – mówiła błagalnym tonem.

– Zostańcie tutaj! – powtórzył najstarszy i z dwoma funkcjonariuszami wspiął się schodami na górę.

Marszałek Wasilij Blücher zdążył się obudzić i półprzytomny siedział na brzegu łóżka, gdy dwaj enkawudziści weszli do sypialni.

– Obywatelu Blücher, jesteście aresztowani!

– Zaraz, o co... po co... – bełkotał Blücher.

Jeden z przybyszów rozejrzał się po sypialni i dostrzegł cywilne ubranie leżące na oparciu fotela. Rzucił je na łóżko.

– Ubierajcie się, bo w gaciach was weźmiemy – roześmiał się najstarszy. – A to będzie wstyd dla marszałka.

Blücher niezdarnie wciągnął spodnie i narzucił marynarkę. Gdy sprowadzili go na dół, usiłował objąć żonę trzęsącą się z zimna i strachu. Wykręcili mu ręce i pchnęli w stronę drzwi. Zobaczył jeszcze, że po schodach sprowadzają jego brata.

– Nic to, Głafira. – Tyle zdążył powiedzieć, zanim wyciągnęli go na zewnątrz.
– A wy też się zbierajcie – polecił najstarszy marszałkowej.
– Ale przecież dzieci... – Oszołomiona tym, co wydarzyło się w ciągu kilku minut, nie wiedziała, co ma robić.
– Nie martwcie się. Będą pod dobrą opieką. – Enkawudzista popchnął ją lekko w stronę schodów. – Narzućcie coś na siebie i wychodzimy.
Głafira bez protestu poszła do sypialni, wyjęła z szafy ubranie. Zastanowiło ją, że enkawudzista zostawił ją samą. Po chwili zrozumiała, że zakładnikami były dzieci, dlatego nikt jej nie pilnował.
Jej mąż, dowódca Samodzielnej Armii Dalekiego Wschodu, od dawna spodziewał się uwięzienia. Gdy w końcu 1936 roku w jego armii zaczęto aresztować oficerów, poddał się temu z rezygnacją człowieka, który zdaje sobie sprawę, że nie może przeciwstawić się sile Stalina. Do marca 1937 roku osadzono w więzieniu 427 osób z jego jednostki. Wkrótce niebezpieczeństwo zaczęło zataczać coraz ciaśniejsze kręgi. W połowie 1937 roku aresztowano zastępców Blüchera, później dowódców dywizji i korpusów. Śledztwo wykazywało, że w Samodzielnej Armii Dalekiego Wschodu dwudziestu najwyższych oficerów utworzyło konspiracyjne ugrupowanie mające kontakty z Japończykami. Torturowani oficerowie oskarżali także Blüchera, ale wciąż pozostawiano go na wolności. Łaskawość NKWD wynikała prawdopodobnie z faktu, że marszałek zdecydował się lub został zmuszony do daleko idącej współpracy w tropieniu i aresztowaniu swoich podwładnych. Być może obawiano się rychłego konfliktu z Japonią.
Stalina nie zadowoliło rozgromienie kadry oficerskiej dalekowschodnich wojsk. Wierzył, że i Blücher bierze udział w spisku. Dlatego na początku 1938 roku wysłał do Chabarowska swoich zaufanych ludzi: Lwa Mechlisa i Michaiła Frinowskiego, obdarzając ich ogromnymi pełnomocnictwami.
Blücher wiedział, że do jego kwatery zbliża się śmierć. Zapewne dlatego nie wyszedł na dworzec, by powitać gości przyjeżdżających specjalnym pociągiem.
– Przybyły rekiny, które chcą mnie pożreć – mówił do żony. – Oni mnie albo ja ich. Inne rozwiązanie jest mało prawdopodobne.
Mechlis i Frinowski przejęli faktyczne dowodzenie jego armią. Zreorganizowali wojsko i doprowadzili do konfliktu z Japończykami. Blücher usiłował się bronić, wysyłał telegramy do Stalina, domagał się ukarania wysłanników Moskwy. Nic nie pomagało. Jego los był już przesądzony.
Walki z Japończykami, które wybuchły w sierpniu 1938 roku nad jeziorem Chasan, musiały przynieść armii Blüchera poważne straty. Kadra dowódcza bowiem była zdziesiątkowana czystkami, uwięzionych dowódców dywizji i brygad zastąpili pospiesznie awansowani dowódcy pułków i kompanii, którzy oczywiście nie mieli wiedzy, doświadczenia i kwalifikacji. Ponadto rozkazy wydawali zarówno Frinowski, jak i Mechlis, co pogłębiało bałagan i zamieszanie. Wina za to wszystko spadała zaś na Blüchera. We wrześniu 1938 roku został zdymisjonowany.
Po dwóch tygodniach pobytu w moskiewskim hotelu „Metropol'' komisarz obrony Kliment Woroszyłow zaproponował mu, aby wyjechał do willi w Boczarow Ruczaju pod Soczi i tam oczekiwał na dalsze decyzje. Była to niezwykła propozycja, ale trudno posądzać Woroszyłowa, że kierowała nim sympatia czy choćby współczucie dla marszałka. Prawdopodobnie chciał go usunąć z Moskwy, pozbawić wszelkich szans obrony.

Wkrótce do willi, pięknie położonej na zboczu zalesionego stoku, przyjechała Głafira wraz z pięcioletnią córką i kilkumiesięcznym synem Wasilinem. Z Moskwy napływały coraz gorsze wieści: komisarz obrony Woroszyłow wydał rozkaz 0040, w którym napiętnował Blüchera jako odpowiedzialnego za niski poziom wyszkolenia, brak czujności i wreszcie „sabotowanie zbrojnego oporu'' przeciw Japończykom. Marszałek nie miał już żadnych złudzeń. Załamał się ostatecznie. Następne dni upływały mu na pijaństwie i próbach zredagowania listu do Stalina. Wysłał nawet takie pismo, ale decyzje w jego sprawie już zapadły.

22 października 1938 roku został aresztowany razem z najbliższą rodziną. Przewieziono ich do Moskwy i zamknięto w więzieniu lefortowskim. Zarzucono mu, że od 1921 roku współdziałał z Japończykami i zamierzał do nich uciec. Blücher odmówił podpisania wcześniej przygotowanego przyznania się do winy. Wtedy rozpoczęły się tortury. Długie, bezlitosne. Wyłupiono mu oko, zmasakrowano twarz. Po raz ostatni widziano go żywego 5 lub 6 listopada 1938 roku. Nie wiadomo, kiedy i jak umarł. Być może nie wytrzymał tortur. Według innej wersji, doprowadzony do Jeżowa lub Berii rzucił się na przesłuchującego i został zastrzelony.

Kto przesłuchiwał i maltretował marszałka Blüchera? Bez wątpienia sprawę zapoczątkował komisarz Jeżow. Czy to on jednak doprowadził ją do końca, czy to on był odpowiedzialny za okaleczenie i straszliwe tortury zadawane marszałkowi? W tym czasie jego zastępcą był już Beria. Bez wątpienia to Beria przesłuchiwał żonę marszałka; traktowano ją zresztą łagodnie*). Nie wiadomo jednak, czy również on ponosi odpowiedzialność za los Blüchera.

Jakkolwiek było, Beria wkrótce zajął się najwyższymi dowódcami sowieckimi.

*) Głafirę Blücher skazano na osiem lat łagru za ukrywanie czynów męża. Po uwolnieniu odnalazła jedno dziecko – córeczkę Waiwrę; syn zaginął. Brat marszałka, Pawieł, został stracony.

Wasilij Blücher

CZAS BERII

Prywatny samolot Hitlera, czterosilnikowy *Condor* o nazwie *Immelmann III,* oderwał się od pasa startowego lotniska Tempelhof w Berlinie kilka minut po dziewiątej, w środę 27 września 1939 roku. Minister spraw zagranicznych Rzeszy, Joachim von Ribbentrop otworzył oczy, gdy tylko samolot znalazł się w powietrzu. Nie lubił chwili startu; zawsze wydawało mu się, że maszyna nie zdoła oderwać się od betonowego pasa. Pogoda była piękna i lot zapowiadał się spokojnie, co cieszyło ministra, przewidywał bowiem, że podróżujący z nim współpracownicy będą musieli sporo popracować przed lądowaniem w Moskwie. Spodziewał się, że druga grupa jego podwładnych, która wystartowała z Berlina trzy godziny wcześniej, gdyż leciała wolniejszym, trzysilnikowym *Ju 52/3m,* też nie mitręży czasu.

Ribbentrop wiedział, że być może cała jego kariera zależy od tej wizyty, zamierzano bowiem ostatecznie uregulować sprawy podziału ziem polskich zajętych przez wojska niemieckie z jednej i sowieckie z drugiej strony. Dla Hitlera ugoda ze Stalinem co do ostatecznego podziału zdobyczy miała ogromne znaczenie, gdyż od tego uzależniał termin uderzenia na państwa Europy Zachodniej.

W drodze do Moskwy samolot Ribbentropa wylądował w Königsbergu, aby uzupełnić paliwo. W tym czasie minister zjadł obiad wydany przez Ericha Kocha, gauleitera Prus Wschodnich. Wtedy dowiedział się o upadku Warszawy, co wszyscy goście Kocha, z Aleksandrem Szkwarzewem, ambasadorem sowieckim w Berlinie, uznali za dobry znak. Postój w Königsbergu przedłużył się, toteż samolot Ribbentropa nie dogonił lecącego przodem *Ju 52/3m.* Już nad Moskwą jego dowódca, oficer SS Richard Schulze, kazał pilotowi krążyć nad lotniskiem Chodynka, w nadziei, że samolot Ribbentropa nadleci lada moment. Jednak po godzinnym kołowaniu poziom paliwa w zbiornikach spadł poniżej granicy bezpieczeństwa i pilot musiał lądować.

Na ziemi komitet powitalny, któremu przewodniczyli Friedrich Werner von der Schulenburg, ambasador niemiecki w Moskwie, i Aleksandr Potemkin, zastępca komisarza spraw zagranicznych, widząc lądujący niemiecki samolot, wyszedł na płytę lotniska. Rozwinięto czerwony dywan, orkiestra zaczęła grać *Deutschland über alles*, a tu nagle w drzwiach samolotu pojawił się wyraźnie skonfundowany dwudziestoczteroletni esesman. Zbiegł szybko po schodkach, które dostawiono do samolotu, i wyjaśnił zaskoczonemu Schulenburgowi, co się stało.

Odstawiono więc *Ju 52/3m* na bok i dalej oczekiwano samolotu Ribbentropa, który wylądował dopiero o 17.50.

Powitanie było krótkie, gdyż minister śpieszył się do pracy. Przywitał się szybko z przedstawicielami rządu radzieckiego i służb dyplomatycznych i pomknął w kierunku dużej czarnej limuzyny, przed którą stał rozpromieniony pułkownik Nikołaj Własik, osobisty ochroniarz Stalina.

Późnym wieczorem niemiecka delegacja przejechała przez opustoszałe ulice Moskwy na Kreml, gdzie powitał ją, w mundurze pułkownika, Aleksandr Poskriebyszow, osobisty sekretarz Stalina.

Ribbentrop nie był w dobrym nastroju. Wywiad niemiecki donosił, że Rosjanie szykują się do zajęcia Litwy, a Hitlerowi zależało na tym, aby nie zadrażnić stosunków ze Stalinem. Nie powiedział jednak, jak daleko Ribbentrop może posunąć się w ustępstwach. Nocna rozmowa ze Stalinem i Mołotowem była trudna i nie przyniosła rozstrzygnięcia. O 1.00 w nocy Ribbentrop zakończył negocjacje, prosząc o czas na przeanalizowanie sytuacji. Liczył, że uda mu się skontaktować z Hitlerem i gdy tylko dotarł do swoich apartamentów w budynku dawnej ambasady austriackiej, napisał długi, liczący tysiąc słów telegram i o 3.00 pojechał do ambasady niemieckiej, aby osobiście nadać depeszę. Hitlera nie było jednak w stolicy; wyjechał do bazy okrętów podwodnych w Wilhelmshaven. Przez cały następny dzień Ribbentrop nadaremnie oczekiwał odpowiedzi.

Dopiero wieczorem Hitler zadzwonił. Połączono go bezpośrednio do sali, gdzie odbywały się negocjacje, i Ribbentrop musiał rozmawiać pod bacznym wzrokiem Stalina i Mołotowa. Nie znali niemieckiego, ale bezbłędnie wyczuli, że Hitler zgodził się na najdalej idące ustępstwa.

Ribbentrop odłożył słuchawkę i obrócił się do Stalina mówiąc:

– Führer wyraził zgodę, gdyż chce ustanowić bliskie i trwałe stosunki między naszymi państwami.

Stalin pokiwał głową i mruknął:

– Hitler zna się na rzeczy.

Cokolwiek sądził o oświadczeniu Hitlera, wiedział, że w tym momencie on jest górą.

Wczesnym rankiem, w piątek 29 września, uzgodniono szczegóły układu i maszynistki natychmiast zaczęły przepisywać dwa zestawy dokumentów, po niemiecku i rosyjsku. W tym czasie kartografowie kończyli swoją pracę. O 17.00 podpisano układ o przyjaźni i granicach.

Rząd Rzeszy Niemieckiej i rząd Związku Socjalistycznych Republik Radzieckich uważają za swój obowiązek, po dezintegracji byłego państwa polskiego, ustanowić pokój i porządek na tych terytoriach i zapewnić ludności pokojowe życie w poszanowaniu ich narodowego charakteru.

Na mapie, dużej kolorowej płachcie o wymiarach 1,5 na 0,9 metra, przedstawiającej sporne tereny w skali 1: 1 000 000, wykreślono czarnym tuszem linię dzielącą ziemie polskie między obu zaborców. Stalin, który starannie się jej przyjrzał, poprosił o drobną zmianę w rejonie Lwowa; potem sięgnął po grubą woskową kredkę w kolorze niebieskim i złożył na mapie swój podpis: zamaszysty zawijas o długości 25 centymetrów.

– Mój podpis nie pozostawia chyba żadnych wątpliwości – zwrócił się do jednego z Niemców.

Tuż potem, równie efektownie, podpisał się Ribbentrop.

Polska została podzielona. Stalin uzyskał wolną rękę w sprawie 13,5 miliona

Polaków zamieszkujących ziemie zajmujące 200 tysięcy kilometrów kwadratowych.

Bardzo szybko uporano się ze stroną formalną układu; już 22 października 1939 roku przeprowadzono „wybory'' do zgromadzeń ludowych tzw. Zachodniej Ukrainy i Zachodniej Białorusi. 29 października radio moskiewskie, w audycji w języku angielskim, powiadomiło o wydaniu przez zgromadzenia ludowe deklaracji o włączeniu tych ziem do Związku Radzieckiego. Radio informowało:

Całą własność ludu białoruskiego zagarnęli polscy obszarnicy. Rabując te ziemie, Polacy przechwalali się, że ich państwo jest demokracją. Białorusini pragną jednak tylko stalinowskiej demokracji radzieckiej. Wszyscy deputowani jednomyślnie wznosili okrzyki na cześć władzy radzieckiej, wielu płakało ze szczęścia.

4 listopada, komentując włączenie ziem polskich do ZSRR, radio moskiewskie podawało:

(...) Odbywają się wiece w Zachodniej Białorusi ku uczczeniu włączenia do Związku Radzieckiego. 15 tysięcy robotników i chłopów wzięło udział w wielkim wiecu w Białymstoku.(...) Zapanowała powszechna radość i wdzięczność. Podejmuje się czyny produkcyjne i strzeże własności ludowej. Dwa wspaniałe dni we Lwowie. Tysiące mężczyzn pracuje nad doprowadzeniem miasta do porządku, wszędzie remontuje się ulice. Robotnicy przenoszą się z nędznych izb do luksusowych mieszkań. (...) Polscy profesorowie zostali usunięci z uniwersytetu i zastąpieni uczonymi ukraińskimi, których poprzednio nie dopuszczano do wykładów.

Nowy porządek we Lwowie wprowadzano pod osobistym nadzorem Berii. Jego ludzie mieli nie dopuścić do zawiązania się polskich organizacji konspiracyjnych i zapewnić sprawny przebieg wyborów do zgromadzeń ludowych. Terror obrócił się przede wszystkim przeciw tym, którzy mogli poprowadzić walkę przeciw władzy radzieckiej: inteligencji, oficerom, policjantom.

Beria wiedział jednak, że Stalina to nie zadowoli. Dyktator lubił klarowne sytuacje; najlepiej byłoby, gdyby z ziem włączonych do Związku Radzieckiego wywieźć wszystkich Polaków lub ich wymordować, a w każdym razie tych, którzy mogli sprawiać władzy radzieckiej kłopoty.

8 lutego 1940 roku ruszyła pierwsza wielka fala deportacji. Pociągi towarowe wiozły daleko na wschód chłopów, urzędników państwowych, kolejarzy i ich rodziny. Ogółem 250 tysięcy ludzi. Wkrótce inny problem zaprzątnął uwagę Berii: sprawa polskich więźniów i żołnierzy, którzy dostali się do niewoli we wrześniu 1939 roku. Niektóre oddziały Armii Czerwonej likwidowały problem w zarodku: pojmanych żołnierzy rozstrzeliwano na miejscu – w Białobrzegach, Grodnie, gdzie zamordowano 130 żołnierzy i uczniów szkół średnich, w Sopoćkiniach, Chodorowie, Złoczowie i dziesiątkach innych miejscowości. Prawdopodobnie zamordowano wówczas około tysiąca polskich oficerów. W obozach i więzieniach znalazło się około 15 tysięcy oficerów służby czynnej i rezerwy oraz policjantów. Po pewnym czasie powinni zostać zwolnieni, ale obawiano się,

że zaczną wówczas walczyć o niepodległość. Byli dobrze wyszkoleni, obyci z bronią, mogli szybko utworzyć oddziały partyzanckie.

5 marca 1940 roku Beria wysłał do Stalina list o treści:

Ściśle tajne. Do towarzysza Stalina.

W obozach NKWD i więzieniach w zachodnich rejonach Ukrainy i Białorusi znajduje się duża liczba byłych oficerów polskiej armii, byłych członków polskiej policji i organów wywiadu, uczestników tajnych organizacji kontrrewolucyjnych i innych. Wszyscy oni są zagorzałymi wrogami władzy radzieckiej, przepełnionymi nienawiścią do systemu radzieckiego. Jeńcy wojenni, którzy są oficerami i policjantami, próbują kontynuować swoją kontrrewolucyjną działalność w obozach, prowadząc antyradziecką propagandę. Każdy z nich tylko czeka na moment zwolnienia, aby aktywnie włączyć się do walki przeciwko władzy radzieckiej. Organa NKWD w zachodnich obwodach Ukrainy i Białorusi wykryły wiele kontrrewolucyjnych organizacji powstańczych. W tych kontrrewolucyjnych organizacjach przywódczą rolę odgrywają byli oficerowie byłej polskiej armii oraz byli policjanci i żandarmi. (...) W obozach jenieckich znajduje się 14 736 byłych oficerów, urzędników państwowych, posiadaczy ziemskich, policjantów, żandarmów, strażników więziennych, oficerów wywiadu. Ponad 90 procent z nich jest narodowości polskiej.

Dalej Beria podał listę „wrogów ludu'' i proponował, by zajęło się nimi NKWD: *aby w każdym z przypadków zastosować karę najwyższego wymiaru – śmierć przez rozstrzelanie.*

Na pierwszej stronie listu Stalin złożył podpis, aprobował środki zaproponowane przez Berię; niżej podpisali się inni członkowie Politbiura: Wiaczesław Mołotow, Anastas Mikojan i Kliment Woroszyłow. Dołączono również nazwiska Michaiła Kalinina i Łazara Kaganowicza, którzy ustnie poparli propozycję Berii. Decyzja dotyczyła łącznie 25 700 polskich więźniów. Polecenie jej wykonania otrzymał Bogdan Kobułow, zastępca Berii.

Kilka dni później polscy więźniowie dowiedzieli się, że zostaną przetransportowani do innych obozów, gdzie będą mieli lepsze warunki, i po krótkim czasie zostaną zwolnieni do domów. W przepełnionych obozach zapanowała radość.

Dzień po dniu wywożono od 50 do 350 osób, przekonanych, że dla nich koszmar już się kończy i lada moment powrócą do rodzin. Funkcjonariusze NKWD sprawdzali nazwiska, brali odciski palców, wręczali więźniom prowiant na drogę i odprawiali ich do trzech obozów NKWD: Kozielska, Starobielska i Ostaszkowa. Nikt już ich nigdy nie zobaczył.

3 kwietnia w lesie pod Katyniem rozstrzelano pierwszą grupę polskich oficerów z obozu kozielskiego. Wielu z nich zawiązano ręce na plecach, a drugi koniec linki zapętlono na szyi. Na głowy narzucono płaszcze lub kurtki wypełnione trocinami. Ludzie krztusili się, kaszleli gwałtownie, a wówczas pętla zaciskała się; dusili się, oddychali głębiej, więcej drobin podrażniało krtań, kaszel stawał się intensywniejszy. Tortura spełniła swoje zadanie: prowadzeni na śmierć nie bronili się, gdy żołnierze NKWD przykładali im lufę pistoletu do tyłu głowy...

WYBUCHŁA WOJNA

– Boh pomyłujte! – Fiodor Orycki, starszina z Kijowa, odłożył lornetkę. – Uderzą, jak nic, uderzą!

– Co tam mamroczesz? – Żołnierz leżący na stercie siana rozrzuconego na podłodze najwyższej wieży kościoła podniósł ospale głowę.

Kilka tygodni temu na wieży kościoła, rozłupanej pociskiem jeszcze w czasie walk we wrześniu 1939 roku, założyli posterunek obserwacyjny, gdyż roztaczał się stamtąd wspaniały widok na zabużańskie pola. Niemcy szybko się zorientowali, że czerwonoarmiści zagnieździli się w kościele i w ciągu jednej nocy ustawili na polach drewniane ramy, na które naciągnęli koce. W ten prosty sposób ograniczyli pole widzenia, ale i tak można było dostrzec kolumny ciężarówek jadące piaszczystą drogą ze stacji oddalonej o 15 kilometrów. Znikały gdzieś za lasem, skąd dochodził czasami huk silników czołgowych.

– Popatrz sam... – Fiodor podał lornetkę koledze.

Ten przytknął ją do oczu i przez dłuższą chwilę lustrował zachodni brzeg Bugu. Niemcy zwijali koce rozpięte na ramach, a z porannych mgieł wyłaniała się kolumna samochodów załadowanych dużymi skrzyniami.

– Pontony wiozą! – powiedział wreszcie. – Most będą budować, czy co?

– A będą! – Fiodor odsunął się od łukowatego okna, aby zapalić papierosa.

Dowódca oddziału groził, że za palenie na służbie odda winnego NKWD, ale o tej porze na pewno spał i ani myślał sprawdzać posterunki.

– Tam dalej, patrz, działa przeciwlotnicze ustawili. Będą pewno bronić przeprawy przed naszymi samolotami.

– Dlaczego nie powiadomić dowódcy?

– Już to zrobiłem, ale mnie zrugał, że ludzi straszę. Mówił, że Niemcy trenują inwazję na Anglię.

– Nad Bugiem?

– Pewnie chodzi im o to, żeby Anglicy nie widzieli, jak się przygotowują, więc dlatego tyle wojska tutaj przywieźli.

– A ty mówisz, że na nas ruszą...

– To popatrz sobie jeszcze. – Fiodor zzuł but. – Jeśli to nie jest przygotowanie do natarcia, to ja nie nazywam się...

Przerwał nagle, wsłuchując się w narastający warkot samolotów. Przywykli już do widoku samolotów często przelatujących nad ich głowami, ale były to pojedyncze maszyny, które odbywały loty zwiadowcze. Zapuszczały się nawet dość daleko i nigdy nie były atakowane. Teraz narastający odgłos silników wskazywał, że leci bardzo wiele maszyn. Po kilku minutach obserwatorzy zobaczyli na niebie kilkadziesiąt szybko powiększających się punktów.

– Dwusilnikowe – zauważył Fiodor. – Bombowce. To już wojna, Wołodia. Dzwoń do dowódcy i pytaj o rozkazy.

Naciągnął but, założył hełm i oparł karabin o futrynę okna.

– Boże spraw, żeby tylko nie strzelali w wieżę...

Kilkanaście minut później rozległ się odległy głuchy łoskot. Po chwili ciszy żołnierze na wieży kościelnej usłyszeli przenikliwy świst i kilkaset metrów za wioską rozerwały się pierwsze pociski.

Dowódca nadgranicznego posterunku, którego huk wyrwał ze snu, wpadł do izby, gdzie radiotelegrafista przycupnął przy parapecie okna i z przerażeniem wpatrywał się w fontanny ziemi wznoszone przez wybuchające pociski. Na szczęście niemiecka artyleria za daleko ustawiła celowniki.

– Melduj do dowództwa: „Zostaliśmy ostrzelani. Co mamy robić?"

– Tak bez szyfru, towarzyszu dowódco?

– Melduj! Nie ma czasu na szyfrowanie!

Żołnierz roztrzęsionymi palcami zaczął naciskać klucz.

– Nadałem! – zameldował po chwili. – Co teraz?

– Czekaj na odpowiedź, głupi! – wrzasnął oficer. – I natychmiast melduj, durniu, bo mordę obiję.

Wybiegł z chaty, ale po chwili wrócił, uznawszy, że na dworze jest bardziej niebezpiecznie.

– I co?

– Jest odpowiedź, miałem was szukać, dowódco – zameldował przestraszony żołnierz. – „Chyba zwariowaliście. Dlaczego nie używacie szyfru?!"

– Nie wierzą! – krzyknął oficer i wypadł z chaty. Pobiegł w stronę piaszczystego pagórka, aby lepiej widzieć, co się dzieje na zachodnim brzegu Bugu.

Mgła zaczęła się podnosić i widok, który odsłaniała, sparaliżował go: jak okiem sięgnąć stały ciężarówki z pontonami mostowymi i jakieś pojazdy, których z tej odległości nie mógł rozpoznać. Patrzył jak urzeczony na ujawniającą się na jego oczach potęgę.

Na całym długim froncie zapanował kompletny chaos. Niemieckie uderzenie zaskoczyło wszystkich.

W Moskwie Stalin zamknął się w swoim gabinecie i nie chciał nikogo widzieć. Sprawiał wrażenie załamanego. Dopiero na początku lipca, po ośmiu dniach walk, doszedł do siebie na tyle, że zdecydował się wygłosić przemówienie do narodu. O 6.30, bez wcześniejszych zapowiedzi, radio moskiewskie przekazało jego słowa:

Towarzysze, obywatele, bracia i siostry, żołnierze naszej armii i floty. Mówię do was, przyjaciele. – Nigdy dotychczas dyktator nie zwracał się w ten sposób do obywateli, ale też nigdy nie był w takich opałach. – *Czy popełniono poważny błąd* (zawierając pakty – BW)? *Oczywiście nie. Żaden kraj miłujący pokój nie mógłby odrzucić możliwości zawarcia układu z innym krajem, nawet jeżeli na jego czele stoją łobuzy takie jak Hitler i Ribbentrop. Co zyskaliśmy zawierając układ? Uzyskaliśmy dla naszego kraju pokój przez półtora roku i możliwość przygotowania sił do odparcia faszystowskich Niemiec ryzykujących atak na nas...*

Stalin wzywał do powszechnego oporu, wojny totalnej. Wzywał do walki i niszczenia wszystkiego, co przedstawiało jakąkolwiek wartość dla najeźdźcy:

Każdą lokomotywę, każdy wagon kolejowy, każdy kilogram zboża czy litr benzyny (zniszczyć – BW). *Kołchoźnicy muszą wyprowadzać bydło i oddawać zboże do bezpiecznych miejsc wskazanych przez władze. Co nie może być zabrane (...) musi być zniszczone. Nic nie można pozostawić nieprzyjacielowi. A w rejonach już okupowanych muszą być formowane oddziały partyzanckie. Ich zadaniem będzie wysadzanie mostów, dróg, składów, podpalanie lasów, niszczenie komunikacji itd.* Był to jedyny sposób prowadzenia wojny: rzucać do walki coraz nowe oddziały i zostawiać spaloną ziemię.

Stalin mówił dalej:

Historia pokazuje, że nie ma armii niezwyciężonych i nigdy nie było. Armia Napoleona była uważana za niepokonaną, ale została pobita przez rosyjskie oraz angielskie i niemieckie armie.

Opóźnienie błyskawicznego pochodu Niemców dawało możliwość mobilizacji rezerw, przestawienia przemysłu na produkcję najnowocześniejszego uzbrojenia, które potwierdziło swoją wartość w czasie pierwszych bitew, czołgów *T–34, KW–1, katiusz* czy samolotów szturmowych *Ił–2.* Stalin, po pierwszych reakcjach Wielkiej Brytanii, mógł liczyć, że wkrótce jego wojska otrzymają pomoc z Zachodu. Ponadto każdy tydzień opóźnienia postępów wojsk niemieckich przybliżał upragnioną porę dżdżystej jesieni, gdy rosyjskie bezdroża zamieniały się w błotniste potoki pochłaniające samochody i czołgi. Jak zatrzymać Niemców na 3–4 miesiące? Sposób był tylko jeden: desperacki, rozpaczliwy opór, bez względu na straty. Jak zmusić żołnierzy, aby wbrew oczywistym odruchom nie uciekali przed niemieckimi czołgami, dowódców, aby nie wycofywali swoich oddziałów w obawie przed okrążeniem? Stalin znał odpowiedź: terrorem!

Posiedzenie Głównego Komitetu Obrony rozpoczęło się 16 lipca 1941 roku wcześnie rano. Prawdopodobnie ze względu na upały Stalin uznał, że lepiej obradować, zanim ulice i gmachy nagrzeją się, zmieniając nawet ocieniony Kreml w gorące miejsce.

Z frontów docierały wieści coraz bardziej chaotyczne i niepełne. Sieć łączności, zawsze niezbyt sprawna w Armii Czerwonej, rwała się; z wieloma dowódcami dywizji i brygad nie było kontaktu.

Marszałek Kliment Woroszyłow, komisarz obrony, stojąc przed mapą przedstawiał ocenę sytuacji. Był wyraźnie przestraszony i roztargniony. Mówił chaotycznie, mylił armie, robił długie przerwy udając, że szuka na mapie jakiejś miejscowości. Stalin jednak nie zwracał na to uwagi. Wydawało się, że jego myśli zaprząta coś innego.

– Uważam, towarzysze, że musimy teraz wzmocnić morale naszych wojsk. Defetyzm zagraża nam nie mniej niż pociski wroga. – Stalin wstał zza stołu i ulubionym zwyczajem zaczął krążyć po pokoju, zmuszając siedzących do kłopotliwego kręcenia głowami. Nikt bowiem nie odważyłby się oderwać wzroku od ust dyktatora. – Wydarzenia ostatnich dni wskazują, że w wielu miejscach frontu mamy do czynienia ze zorganizowaną działalnością antyradziecką – kontynuował Stalin. – Mówię o znanych wam przypadkach Pawłowa i innych. Leżą przede mną dokumenty z zeznaniami zdrajców, których poczynania nie uszły czujności towarzyszy Berii, Woroszyłowa i Mechlisa.

Dowódca Frontu Zachodniego, generał Dmitrij Pawłow popełnił liczne błędy w rozmieszczeniu i prowadzeniu swoich wojsk, jednak nie tylko on był winny klęski, która spadła na całą Armię Czerwoną. Po kilku pierwszych dniach walk inspekcja, która przybyła do jego kwatery – Woroszyłow, Szaposznikow, Kulik i Mechlis – uznała jednak, że ponosi on całkowitą odpowiedzialność za niepowodzenia. Pawłow został odwołany do Moskwy, gdzie zaproponowano mu dowodzenie wojskami pancernymi jego frontu, oddanego pod dowództwo marszałkowi Siemionowi Timoszence. Generał wyruszył z Moskwy na front, jednak 4 lipca został aresztowany przez szefa kontrwywiadu. Przez dwa dni wytrzymał tortury. 9 lipca przyznał się do absurdalnego zarzutu, że w 1937 roku był uczestnikiem spisku marszałka Tuchaczewskiego i teraz, gdy nadarzyła się okazja, postanowił pomścić jego śmierć, otwierając przed wojskami niemieckimi drogę do Moskwy[*)].

– We wszystkich jednostkach należy odczytać dyrektywę Głównego Komitetu Obrony – mówił dalej Stalin – piętnującą z nazwiska panikarzy, tchórzy i dezerterów. Towarzysz Woroszyłow przygotuje projekt dyrektywy, którą należy bezzwłocznie rozesłać do jednostek.

Stalin znalazł wytłumaczenie klęsk: zdrada wielu dowódców, tchórzostwo innych. Pierwsi skazani na śmierć mieli być groźnym ostrzeżeniem dla tych, którzy nie potrafili zatrzymać wroga. Każdy mógł być w każdej chwili aresztowany, osadzony w więzieniu, torturowany i rozstrzelany. Żołnierz mógł tylko walczyć i iść do przodu. Miał wówczas szansę, że przeżyje i dostanie medal. Gdyby jednak musiał się cofnąć, gdyby dostał się do niewoli, gdyby rannego i nieprzytomnego koledzy wynieśli z pola bitwy – miał pewność, że zginie z rąk oddziałów NKWD.

Terror częściowo tylko spełnił zadanie: zmusił oddziały do desperackiego oporu, przynoszącego gigantyczne straty, nie zatrzymał jednak Niemców.

2 października 1941 roku Hitler ogłosił rozpoczęcie operacji „Tajfun", której celem było opanowanie Moskwy. *Wróg został pokonany i nigdy już nie odzyska siły* – krzyczał Führer na wiecu w hali Sportpalast w Berlinie.

Na Kremlu zapanował nastrój klęski i przygnębienia. 7 października, późnym wieczorem, generał Gieorgij Żukow zameldował się u Stalina. W jego gabinecie panował półmrok rozświetlony tylko lampą na biurku, kotary były szczelnie zasłonięte. Dopiero po chwili generał zauważył, że przy stole, z boku, siedzi Ławrentij Beria.

– Jakie wieści? – zapytał Stalin, ociężale podnosząc się zza biurka. Żukow przez chwilę miał wrażenie, że dyktator jest pijany, co nie było nieprawdopodobne. Nie zdążył odpowiedzieć, gdyż Stalin mówił dalej: – Musimy się liczyć

[*)] Stalin uznał, że oskarżenie jest absurdalne i zmieniono je na „tchórzostwo, bezczynność, nieudolność". Proces Pawłowa i trzech innych generałów odbył się 22 lipca; wyrok śmierci wykonano natychmiast. Zob. „Sensacje XX wieku" – *Sprawa Żukowa.*

z najgorszym. Sądzę, że Armia Czerwona nie jest w stanie powstrzymać i odrzucić wroga. Niemcy przygotowują ostateczną ofensywę na kierunku moskiewskim...

Żukow gwałtownie ruszył głową, lecz Stalin machnął ręką dając znak, żeby mu nie przeszkadzał.

– Musimy pójść za przykładem Lenina – kontynuował. – W marcu 1918 roku, nie mając realistycznej alternatywy, zdecydował się podpisać w Brześciu poniżający pokój z Niemcami. – Stalin podszedł bliżej Berii. – Waszym zadaniem będzie wynegocjowanie z Niemcami takiego właśnie „brzeskiego pokoju'', nawet za cenę utraty republik bałtyckich, Białorusi, Mołdawii i części Ukrainy. To jest cena, którą Hitler może zaakceptować.

Być może wpadł na ten pomysł, gdy dostarczono mu tłumaczenie artykułu zamieszczonego w szwedzkiej gazecie „Svenska Dagbladet''. Autor przewidywał możliwość dogadania się dwóch wielkich wrogów, jeżeli tylko Stalin zgodziłby się na zdemobilizowanie Armii Czerwonej w zachodniej części ZSRR, utworzenie autonomicznej republiki Ukrainy pod niemiecką kontrolą, oddanie Niemcom stoczni i baz na Bałtyku oraz rozmieszczenie na terenie Związku Radzieckiego niemieckich zakładów zbrojeniowych, gdzie nie byłyby narażone na alianckie naloty. Stalin przypuszczał, że artykuł napisano z inspiracji Hitlera. Sam często posługiwał się podobną metodą w negocjacjach z państwami zachodnimi.

– Wybrałem najzdolniejszych agentów, którzy już nawiązali kontakt z ambasadorem Bułgarii, Stetonowem. Zgodził się działać jako mediator. Możemy liczyć, że w Sofii rozpoczną się wkrótce rokowania – powiedział Beria.

Mylił się jednak. Wojska niemieckie postępowały tak szybko, że Hitler nie musiał układać się ze Stalinem; był przekonany, że za kilka tygodni wszystko znajdzie się w jego rękach.

W nocy z 15 na 16 października w Moskwie rozpoczęła się ewakuacja centralnych urzędów NKWD. Z więzień ewakuowano aresztowanych oficerów. Nie wszyscy jednak mieli szczęście trafić do więzień w Kujbyszewie; ci, dla których zabrakło miejsca w samochodach wyruszających do tego miasta i w celach tamtejszego więzienia, około 300 osób, zostali rozstrzelani w moskiewskim więzieniu. Jednak szybko zaprzestano represjonowania najwyższej kadry. Stalin zrozumiał, że strach przed aresztowaniem i egzekucją paraliżuje działania dowódców. A jednocześnie mnożyły się przykłady dowodzące, że o wiele lepsze rezultaty daje pozostawienie im wolnej ręki na polu bitwy i nagradzanie najlepszych, najzdolniejszych i najbardziej doświadczonych oficerów, takich jak generał Gieorgij Żukow. Stalin i Beria, oszczędzając najwyższe szarże, nie zrezygnowali jednak z terroru wobec niższych. Na front wyruszyły specjalne oddziały NKWD – Osobyje Otdieły – z zadaniem powstrzymania odwrotu jednostek, które nie wytrzymały niemieckiego naporu. Pierwsza akcja formacji, nazywanych w skrócie OO, została przeprowadzona 25 lipca. Rozstrzelano wówczas tysiąc żołnierzy, którzy wyrwali się z okrążenia i przebijając się do własnych wojsk wpadli w ręce NKWD.

Beria potrafił bezlitośnie wykorzystywać więzionych. To za jego radą Stalin zgodził się sformować karne kompanie z więźniów zwalnianych z łagrów. W ciągu pierwszych trzech lat wojny wcielono do wojska około miliona więźniów. Ponadto 39 tysięcy więźniów skierowano do zakładów produkujących amunicję, a 40 tysięcy do zakładów lotniczych i czołgowych. Do 1944 roku więźniowie NKWD zatrudnieni w zakładach zbrojeniowych wyprodukowali ponad 70 milionów sztuk amunicji wartości miliarda 250 milionów rubli. Pracowali w dziewięciu kopalniach węgla i rudy żelaza oraz na tysiącach budów; 448 tysięcy więźniów wysłano do budowy i naprawy linii kolejowych. W specjalnym więzieniu pod Moskwą pracowali najwybitniejsi konstruktorzy lotniczy tacy jak Andriej Tupolew. Zwracano im wolność, gdy wykonali zadania.

W marcu 1944 roku Beria z dumą meldował Stalinowi o wybudowaniu przez więźniów w Karagandzie kopalni węgla o wydajności 1,5 miliona ton rocznie. Miesiąc później zakończono budowę zakładów metalurgicznych. Jednocześnie ocenia się, że w czasie wojny 620 tysięcy więźniów zmarło z głodu, zimna i nieludzkich warunków niewolniczej pracy.

Stalin miał jednak inny problem: współpracę mieszkańców republik włączonych po rewolucji do Związku Radzieckiego z wojskami niemieckimi wkraczającymi na ich tereny. Oczywiście, najbardziej podejrzani byli obywatele pochodzenia niemieckiego, osiedlający się od wieków w Rosji, na Ukrainie, Krymie, północnym Kaukazie i Zakaukaziu. Caryca Katarzyna II oddała osiedleńcom duże obszary nad Wołgą, a w 1918 roku Lenin podpisał dekret o utworzeniu obwodu autonomicznego Niemców Powołża. W dniu wybuchu wojny mieszkało tam około 400 tysięcy Niemców, którzy zapuścili już mocne korzenie w rosyjskiej ziemi, i nie było żadnych podstaw, aby podejrzewać ich o nielojalność wobec władzy sowieckiej.

Wehrmacht wkraczając na ziemie Związku Radzieckiego znajdował tam wielu sympatyków, którzy początkowo skłonni byli widzieć w żołnierzach ze swastykami wyzwolicieli spod sowieckiej okupacji; tak było na Ukrainie, w Estonii, Litwie, Łotwie, w republikach kaukaskich. Do końca wojny do Wehrmachtu zaciągnęło się około miliona obywateli ZSRR. Niemcy tworzyli oddziały turkiestańskie, gruzińskie, ormiańskie, Tatarów krymskich, kałmuckie i inne. W szeregach SS okrutną sławę zdobyły oddziały ukraińskie (dywizja SS „Hałyczyna'') oraz nacjonalistów łotewskich, litewskich, estońskich. Ich wartość bojowa nie była duża i dlatego głównie przeprowadzali pacyfikacje, zwalczali oddziały partyzanckie, pełnili służbę wartowniczą itp.

Stalin postanowił ukarać narody, z których wywodziły się jednostki działające w szeregach niemieckich.

WZOROWA AKCJA

Narada w gabinecie Berii rozpoczęła się z niewielkim opóźnieniem. Protokolantka, siedząca przy niewielkim stoliku w rogu pokoju, zanotowała:

16 lipca 1943 roku. Ściśle tajne. Obecni: towarzysze przedstawiciele Komitetu Centralnego (tu następowały nazwiska), *naczelnicy wydziałów* (nazwiska). *Obradom przewodniczył towarzysz Ławrentij Beria.*

– Zebrałem was, aby zakomunikować o decyzji Komitetu Obrony Państwa, nakazującej wzmożenie akcji przesiedleńczej z Powołża i północnego Kaukazu. Potraktujcie to jako zadanie szczególnej wagi, sam towarzysz Stalin specjalnie się nim interesuje. – Beria zrobił krótką pauzę, aby wszyscy obecni właściwie zrozumieli jego słowa. – Akcja będzie więc wzorowo przygotowana. Musimy liczyć się z oporem, nawet zbrojnym, czego za wszelką cenę należy uniknąć.

– Ławrentiju Pawłowiczu... – Z końca stołu podniósł się jeden z funkcjonariuszy. – Warunki na Zakaukaziu, jak dobrze wiecie, są niezwykle trudne. Do żadnego aułu nie zbliżymy się niepostrzeżenie, natomiast obecność oddziałów NKWD wywoła popłoch, a może nawet zbrojny opór.

– Dlatego musimy akcję przeprowadzić po solidnym przygotowaniu. Przede wszystkim nie wolno używać mundurów i odznak wojsk NKWD. Wszyscy żołnierze i oficerowie muszą nosić mundury Armii Czerwonej. Kilka miesięcy wcześniej powinni rozbić obozy w pobliżu miejsca akcji, zdobyć zaufanie ludności, a w kluczowym momencie, pod wiarygodnym pozorem, odseparować mężczyzn od kobiet. Ci, co znają tamtejsze rejony, wiedzą, że nie będzie to trudne. Jeżeli zatrzymamy i rozbroimy mężczyzn, kobiety nie będą stawiać oporu – wyjaśnił szef NKWD.

– A jeżeli jednak będą? – Ktoś nie był przekonany, że podstęp może się udać.

– Próby oporu tłumić z całą bezwzględnością! – Głos Berii stał się twardy. – Przypominam wam, że akcji przygląda się bacznie towarzysz Stalin. Wasze awanse, a może i coś więcej, zależą od tego, jak ją przeprowadzicie.

Dalsza część narady upłynęła na omawianiu organizacji transportu; należało przygotować odpowiednią liczbę wagonów, przewieźć wysiedlanych na dworce kolejowe.

Od 1941 roku Beria inicjował i osobiście nadzorował wielką akcję przesiedlania całych narodowości. Już w sierpniu 1941 roku setki tysięcy nadwołżańskich Niemców wywieziono do Kazachstanu i na Syberię. W listopadzie 1943 roku przesiedlono 68 938 Karaczajów, w styczniu 1944 – 93 139 tysięcy Kałmuków, potem pół miliona Czeczeńców i Inguszów. Setki tysięcy ludzi zginęło w bydlęcych wagonach podczas podróży, która trwała tygodniami. 24 lutego 1944 roku Beria zaproponował wysiedlenie Bałkarów z północnego Kaukazu. Pisał do Stalina:

Jeżeli wyrazicie zgodę, będę mógł poczynić wszystkie niezbędne przygotowania deportacji Bałkarów tutaj, na miejscu, zanim powrócę do Moskwy. Operacja rozpoczęła się w nocy z 8 na 9 marca. W ciągu kilku tygodni przesiedlono 337 103 ludzi.

Największym zmartwieniem szefa NKWD była organizacyjna i ekonomiczna strona wielkich operacji przesiedleńczych. Trwała wojna, najważniejsze było zaopatrzenie frontu, co zmniejszało środki, jakie Beria mógł wykorzystać do przewożenia setek tysięcy ludzi na duże odległości. Potrafił więc docenić aktywność i pomysłowość podwładnych. Jeden z nich, Sołomon Milsztajn, zwrócił uwagę, że w transportach Czeczeńców i Inguszy jest bardzo dużo dzieci, a te zajmują mniej miejsca niż dorośli. Zaproponował więc, aby do jednego wagonu wpychać 45 osób, a nie, jak dotychczas, 40, co pozwoliło na poważne zmniejszenie liczby wagonów.

W bydlęcych wagonach, przepełnionych do granic możliwości, bez światła i wody jechaliśmy do miejsc przeznaczenia przez miesiąc. (...) Tyfus zbierał obfite żniwo, a nie było żadnych lekarstw. Podczas krótkich postojów na bezludnych stacjach pozwalano nam grzebać zmarłych tuż przy torach; za oddalanie się na ponad pięć metrów od pociagu groziła kara śmierci – pisała kobieta, która przeżyła taką podróż.

Beria potrafił nagradzać sprawnych i pomysłowych organizatorów akcji przesiedleńczych. W grudniu 1944 roku Stalin, na jego wniosek, przyznał 413 funkcjonariuszom NKWD najwyższe odznaczenia.

Order Wojny Ojczyźnianej

Order Lenina

Medal „Złota Gwiazda" Bohatera Związku Radzieckiego

Niemieckie czołgi w ataku

Ruiny Witebska

Defilada na Placu Czerwonym w Moskwie – znak potęgi ZSRR wobec świata

Józef Stalin na Kremlu wśród przedstawicieli narodów ZSRR, obraz B.W. Johansona, 1952

„Kołchozowe święto", propagandowy obraz A.A. Płastowa, 1937

NIEPOTRZEBNI BOHATEROWIE

W którymś momencie Beria zorientował się, że Stalin już go nie potrzebuje. Być może było to w grudniu 1949 roku? Ofiarował wtedy generalissimusowi w prezencie na siedemdziesiąte urodziny piękną willę letniskową. Stalin przeszedł korytarzami, obejrzał pokoje i, nic nie mówiąc, wsiadł do samochodu. Odjechał, pozostawiając na werandzie zdziwionego i zdruzgotanego Berię. Dlaczego? Co się stało?

Beria był przecież najwierniejszym przyjacielem, bezwzględnym i posłusznym wykonawcą poleceń Stalina. Wszelkich poleceń. Odrzucenie prezentu nakazywało Berii zaostrzyć czujność. Co prawda już dawno zrozumiał, że Stalin działa przeciw niemu, ale nie wyglądało to jednoznacznie na wrogość dyktatora.

W 1946 roku w ramach ogólnej reorganizacji administracji państwowej Ludowy Komisariat Spraw Wewnętrznych (NKWD) przekształcono w Ministerstwo Spraw Wewnętrznych (MWD), na którego czele stanął Siergiej Krugłow, a Ludowy Komisariat Bezpieczeństwa Państwowego (NKGB) zamieniono na Ministerstwo Bezpieczeństwa Państwowego (MGB), którym kierował Wsiewołod Mierkułow, zaufany człowiek Berii. Nie było więc powodu do obaw, zwłaszcza że w tym samym czasie Beria otrzymał stanowisko członka Biura Politycznego. Wkrótce jednak wiernego Mierkułowa zastąpił nieprzyjazny Berii Wiktor Abakumow. Dalsze zmiany personalne w obu ministerstwach wskazywały wyraźnie, że Stalin dąży do całkowitego pozbawienia Berii wpływu na aparat bezpieczeństwa.

W 1949 roku stało się jasne, że dyktator chce pozbyć się najbliższych współpracowników, którzy przez wiele lat tkwili u jego boku. I dlatego stali się potężni; zdobyli sojuszników, układy, popularność. Musieli więc teraz odejść, co oznaczało śmierć pod murem lefortowskiego więzienia lub dokonanie życia w obozie na Syberii. Ale Mołotowa, Kaganowicza czy Mikojana nie można było aresztować ot tak, bez powodu. Należało społeczeństwu przedstawić dowody, że aresztowany był szpiegiem imperialistycznym lub członkiem organizacji wywrotowej. Aby uwiarygodnić taką tezę, należało ponownie rozpętać histerię podejrzeń, zagrożenia, szpiegomanię, strach przed zamachami – atmosferę, w której najbardziej nawet niedorzeczne oskarżenie stawałoby się oczywiste. Beria doskonale wiedział, jak to się robi. Był więc potrzebny, ale tylko do czasu...

Kto podsunął Stalinowi pomysł wykorzystania Żydów – nie sposób ustalić. Być może sam Beria, nie przeczuwający, że w konsekwencji obróci się to przeciw niemu. Być może Stalin, zajadły antysemita, nie potrzebował doradców. Wykorzystał po prostu pierwszy z brzegu pretekst, jaki przyszedł mu na myśl.

Tuż po wojnie członkowie organizacji żydowskiej zaproponowali, aby Żydów osiedlić na Krymie, opustoszałym po wywiezieniu Tatarów. Wydawało się, że Stalin zaakceptuje ten plan, skierowanie bowiem kilkudziesięciu tysięcy Żydów na żyzne ziemie krymskie dawało szansę szybkiego ich zagospodarowania, a także zapobiegłoby wyjazdom do Palestyny, o czym mówiło coraz więcej rosyjskich Żydów. Stało się jednak inaczej.

Stalin zareagował oburzeniem na ten pomysł. Uznał, że jest to podstęp zmierzający do utworzenia w Rosji enklawy ludzi nieprzychylnych komunizmowi, podatnych na penetrację wywiadów państw kapitalistycznych. Winą za wysunięcie koncepcji obarczył działaczy Antyfaszystowskiego Komitetu Żydowskiego, utworzonego w 1943 roku w celu zjednywania poparcia Żydów amerykańskich dla Związku Radzieckiego. Wtedy to dwaj członkowie komitetu: Sołomon Michoels, znakomity aktor i reżyser, oraz Icek Fefer, poeta, wyjechali do Stanów Zjednoczonych. Przez kilka miesięcy organizowali wielkie imprezy, spotykali się z najbardziej wpływowymi politykami i finansistami amerykańskimi, co zaowocowało bardzo wymiernym poparciem militarnym, finansowym i politycznym dla Związku Radzieckiego. W 1948 roku Stalin uznał, że przedstawiciele komitetu byli wystarczająco długo w USA, aby przesiąknąć demokracją i imperializmem oraz nawiązać kontakty z amerykańskimi tajnymi służbami. Sołomon Michoels zginął na początku roku w Mińsku, wepchnięty pod ciężarówkę. W końcu roku aresztowano jednego z założycieli komitetu, Sołomona Łozowskiego, pod zarzutem zdrady i tworzenia spisku, który miał na celu zniszczenie państwa radzieckiego. Nie wytrzymał tortur i przyznał się do wszystkiego. Do zdrady przyznał się również Fefer.

Wykrycie „spisku żydowskiego'' dawało Stalinowi bardzo groźną broń przeciw najbliższym współpracownikom: żony kilku najwyższych działaczy partyjnych były Żydówkami. Nie ulegało wątpliwości, że znały tak wybitne postacie kultury jak Michoels czy tak wpływowych polityków jak Łozowski. Łatwo więc było zarzucić im udział w spisku i osadzić w więzieniu. Tak stało się z Poliną, żoną Wiaczesława Mołotowa. Rozprawa z członkami rodzin była ulubionym zabiegiem Stalina i sowieckiej służby bezpieczeństwa. Gdy oskarżony, mimo tortur, nie przyznawał się do winy, wystarczało uwięzić jego żonę lub dzieci i zagrozić, że zostaną poddane takim samym torturom. Z reguły załamywali się nawet najsilniejsi i podpisywali wszystko, co podsuwali im oficerowie śledczy.

Uwięzienie rodzin miało jeszcze inną zaletę: obezwładniało „wrogów'', którzy szybko pojmowali, że jakakolwiek próba oporu może zakończyć się śmiercią najbliższej osoby. Zapewne z tego względu Mołotow nie podjął najmniejszej nawet próby uwolnienia żony, a jedynie wstrzymał się od głosu w czasie debaty nad wykluczeniem jej z partii. W 1949 roku Stalin pozbawił Mołotowa stanowiska ministra spraw zagranicznych. Wkrótce Anastasa Mikojana usunął z Ministerstwa Handlu Wewnętrznego. Potem Nikołaja Bułganina pozbawił stanowiska ministra obrony.

Ciągle jednak Ławrentij Beria, najgroźniejszy konkurent do władzy, wydawał się nietykalny. Co prawda Łozowski i Fefer zeznali w czasie procesu, że ich wyjazd do Stanów Zjednoczonych nastąpił jedynie dzięki staraniom Ławrentija Berii, ale te oświadczenia nie wywołały żadnej reakcji. Pozornie. Fakt, że oskarżeni wymienili na procesie jego nazwisko, miał być ostrzeżeniem, przestrogą przed próbą oporu. Beria był zbyt wytrawnym graczem, aby tego nie rozumieć i zlekceważyć następny sygnał ostrzegawczy.

Stalin uderzył w grupę ludzi, którzy stanowili polityczne oparcie dla Berii: gruzińską organizację partyjną. Z tego rejonu dochodziły niepokojące dyktatora głosy: podczas XIV Zjazdu Komunistycznej Partii Gruzji w 1949 roku delegaci okazywali Berii sympatię bardziej ostentacyjnie niż Stalinowi. „Zaria Wostoka'', gazeta całkowicie kontrolowana przez partię, zamieściła artykuł rozpoczynający się od stwierdzenia, że naród gruziński ma dwóch wielkich synów: Berię i Stalina. Wymieniono ich w tej właśnie kolejności, co było rozmyślnym złamaniem ustalonego zwyczaju, że Stalin figuruje zawsze na pierwszym miejscu. To już wystarczyło, aby dyktator uznał, że rodzi się bunt, i podjął zdecydowane kroki. 427 członków władz partyjnych różnych szczebli aresztowano, a ich miejsca zajęli ludzie oddani Stalinowi.

Sprawa żydowska i gruzińska były tylko przygrywką do wielkiej rozprawy z Berią i innymi członkami najwyższych władz.

Latem 1952 roku Stalin wypoczywał w Soczi na Krymie. Już wtedy nie czuł się najlepiej. W ciągu kilku ostatnich lat przeżył niegroźne udary mózgu, toteż często u jego boku pojawiali się lekarze, ale Stalin nie wierzył im. Coraz częściej poddawał się wzbierającej fali podejrzliwości, że każdy z tych ludzi w białych kitlach może zaaplikować mu truciznę.

Tego dnia był u niego Jefim Smirnow, członek Akademii Nauk Medycznych.

– Towarzyszu Smirnow, czy wiecie, kto leczył Dymitrowa i Żdanowa? – zapytał nagle Stalin, gdy przechadzali się wśród drzew brzoskwiniowych i cytrynowych.

– Tak, wiem... – Smirnow był wyraźnie zaskoczony. – To Borys Kogan.

– Dziwne. Leczył ich ten sam lekarz i obydwaj zmarli... – Stalin mówił wolno, jakby od niechcenia, przyglądając się gałązce obsypanej brzoskwiniami.

– To nie wina lekarza! – zaprotestował Smirnow.

– A czyja?

– Interesowałem się historią choroby Dymitrowa. Zapewniam was, że nic w tej sprawie nie można było zrobić. Sam Dymitrow był bardzo zadowolony ze starań lekarza i polecił go Żdanowowi. Uważał Kogana za taktownego człowieka i doskonałego specjalistę...

Andriej Żdanow, sekretarz komitetu leningradzkiego, uważany powszechnie za następcę Stalina, zmarł na serce 31 sierpnia 1948 roku. Gieorgij Dymitrow, którego nazwisko stało się głośne przed wojną w związku z oskarżeniem o podpalenie Reichstagu, był sekretarzem bułgarskiej partii komunistycznej, gdy przyjechał do sanatorium do ZSRR, gdzie 2 lipca 1949 roku zmarł na serce.

Stalin nie odpowiedział Smirnowowi. Odwrócił się i ruszył alejką. Wydawał się pochłonięty podziwianiem owoców. Smirnow nie przekonał go. Nikt nie mógł rozwiać podejrzeń, że to Borys Kogan podstępnie uśmiercił Żdanowa i Dymitrowa. Na pewno nie działał sam. Musiał być członkiem wielkiego spisku wrogów Związku Radzieckiego, którzy postanowili zniszczyć państwo zabijając jego przywódców.

Wkrótce po rozmowie w Soczi Michaił Riumin, wiceminister bezpieczeństwa otrzymał polecenie znalezienia winnych. W listopadzie 1952 roku aresztował kierowniczkę pracowni elektrokardiograficznej w szpitalu kremlowskim oraz Jakowa Etingera, lekarza nadzorującego działalność tej placówki, pod zarzutem złego odczytania elektrokardiogramu Żdanowa. Śledztwo prowadzone bestialsko przez Riumina szybko objęło całą grupę lekarzy kremlowskich. Torturowani, przyznali się do zarzutów.

12 stycznia 1953 roku Riumin miał już w ręku „niezbite dowody", pozwalające aresztować każdego z lekarzy mających dostęp do czołowych postaci władz Związku Radzieckiego. Następnego dnia agencja prasowa TASS podała nazwiska aresztowanych: Wowsi, B. Kogan*) M. Kogan, Feldman, Grinsztein, Etinger, Winogradow, Jegorow.

Stwierdzono, że ci lekarze–mordercy, potwory w ludzkich postaciach, zhańbili cześć nauki i splamili godność naukowca. Byli płatnymi agentami obcego wywiadu. Stwierdzono, że większość utrzymywała kontakty z międzynarodową burżuazyjno-nacjonalistyczną organizacją żydowską JOINT, założoną przez wywiad amerykański, rzekomo w celu pomagania Żydom w innych krajach. W rzeczywistości ta organizacja, kierowana przez wywiad amerykański, prowadziła zakrojoną na szeroką skalę działalność szpiegowską, terrorystyczną i dywersyjną w wielu państwach, a także w Związku Radzieckim.

Katowani lekarze wymienili listę działaczy partyjnych i państwowych, których zamierzali usunąć. Co dziwne jednak, na liście ofiar nie było nazwisk Berii, Chruszczowa i Malenkowa. Wypływał z tego oczywisty wniosek, że to oni polecili lekarzom zamordować Stalina i innych najwyższych urzędników, aby przejąć władzę.

Beria, informowany na bieżąco o postępach śledztwa przez ministra Ignatiewa, doskonale wiedział, do czego to prowadzi. To nie był żart Stalina, znanego skądinąd z makabrycznego poczucia humoru; przed wojną parę razy na widok generała Żukowa zdziwił się, że ten jeszcze jest na Kremlu. Szef Sztabu Generalnego nie przespał z tego powodu paru nocy. Wreszcie Stalin, gdy znudził się straszeniem generała, poklepał go po ramieniu i wyjaśnił, że był to „partyjny żart".

Beria wiele razy sam organizował nagonki, wiedział więc, jaki będzie dalszy bieg wydarzeń: pewnego dnia, któryś z lekarzy stwierdzi, że otrzymał od niego polecenie zamordowania Stalina i innych działaczy komunistycznych. Z archiwum wyciągnie się zeznanie Fefera oraz listę ofiar „lekarzy–morderców", na której nie będzie jego nazwiska. Wszystko połączy się w logiczną całość: Beria nawiązał kontakt z imperialistami amerykańskimi przez swoich agentów, których

*) W 1934 roku Wowsi i Borys Kogan brali czynny udział w nagonce na kardiologa prof. Dmitrija Plechniowa, oskarżonego przez pacjentkę – agentkę NKWD – o gwałt, a następnie o doprowadzenie do śmierci szefa NKWD, Mienżynskiego, za co został skazany na 25 lat więzienia.

w 1943 roku wysłał do USA. Stamtąd otrzymał polecenie zamordowania czołowych działaczy, co postanowił uczynić przy pomocy lekarzy. Aresztowany, pod wpływem tortur potwierdzi te zarzuty i wskaże wspólników: Chruszczowa, Mołotowa, Mikojana i innych. Wszyscy zostaną skazani na śmierć w wielkim pokazowym procesie.

Beria zaczął działać. Wiedział, że jego los może rozstrzygnąć się lada tydzień.

Najpierw musiał wybić Stalinowi jego najsilniejsze podpory – najbliższych współpracowników, dbających o bezpieczeństwo dyktatora: szefa ochrony osobistej, pułkownika Nikołaja Własika, osobistego sekretarza i najbliższego współpracownika, Aleksandra Poskriebyszowa, osobistego lekarza, profesora Winogradowa oraz dowódcę ochrony Kremla, Kosynkina.

Usunięcie tych ludzi, których Stalin darzył pełnym zaufaniem (Winogradow był osobistym lekarzem Stalina od 1932 roku, Kosynkin dowodził ochroną Kremla od roku 1937), wydawało się niemożliwe. Jednak Beria był bardzo sprytnym graczem.

Najłatwiej poszło z Winogradowem, który sam naraził się Stalinowi, gdy zatroskany o stan zdrowia generalissimusa zalecił, aby unikał przepracowania. Stalin wpadł w furię. Uznał, że lekarz, z podszeptu wrogów, usiłuje uniemożliwić mu sprawowanie władzy i kazał go aresztować.

Aleksandra Poskriebyszowa oskarżono o działanie na rzecz zachodniego wywiadu; Beria pewnego dnia podsunął Stalinowi fotokopię dokumentów, zdobytą rzekomo przez jednego z agentów w Wielkiej Brytanii, które mogły mieć tylko dwie osoby: Stalin i Poskriebyszow. W tej sytuacji los sekretarza był przesądzony, jednakże dyktator nie zdecydował się zabić wiernego współpracownika. Jedynie wydalił go z Kremla.

Własik został aresztowany, zapewne pod zarzutem niedopełnienia czynności służbowych, a los Kosynkina wyjaśniała krótka wzmianka w moskiewskiej prasie informująca o jego przedwczesnej śmierci.

W ten sposób, szybko i bez rozgłosu, Beria pozbawił dyktatora najbliższych ludzi. Czy zdecydował się wtedy uderzyć w samego Stalina?

Dwa niemal identyczne zdjęcia nad kanałem Moskwa-Wołga.
Po lewej: Woroszyłow, Mołotow, Stalin, Jeżow.
Po prawej: zdjęcie przerobione po aresztowaniu Jeżowa

UMARŁ STALIN

Generał Łozgaczew, dowódca ochrony Kuncewa, zszedł wąskimi drewnianymi schodami z pierwszego piętra, gdzie była jego służbówka. Starał się iść ostrożnie, żeby schody nie skrzypiały, ale nie przesadzał w zachowaniu ciszy. Pamiętał, że jeden z jego ludzi zapłacił za to życiem. Był to prosty żołnierz, który przez całą wojnę walczył w dywizji NKWD. Kochał Stalina tak bardzo, że pewnego dnia zwierzył się żonie ze zmartwienia, jakim były skrzypiące oficerki.

– Mogę obudzić towarzysza Stalina, gdy odpoczywa po ciężkim dniu – mówił. – A przecież muszę pełnić służbę i pilnować, żeby nie zakradł się wróg.

– To ci kapcie uszyję – powiedziała żona, szczęśliwa, że może coś zrobić dla ukochanego Stalina. – Takie z filcu, założysz na buty i nie będą skrzypiały ani stukały w podłogę.

– Ale to nieregulaminowo.

– Oj, ty. Założysz późno w nocy. Nikt nie zobaczy, a nawet jak zobaczą, to cię pochwalą, że tak dbasz o naszego towarzysza Stalina.

Tamtej nocy Stalin wyszedł ze swojego pokoju. Przy drzwiach siedział na krześle żołnierz, który zerwał się na równe nogi na widok generalissimusa. Wtedy Stalin zobaczył wojłokowe kapcie nazute na wojskowe buty.

– A to wam po co? – zainteresował się.

– Mogę bezszelestnie chodzić po korytarzu – odparł dumnie żołnierz.

– I nikt nie usłyszy?

– Jak kot mogę chodzić.

– No, ciekawe, spróbujmy. – Stalin wrócił do swojego pokoju i położył się na łóżku. Zamknął oczy.

– Podejdźcie. Podejdźcie, żołnierzu – powiedział po chwili.

– Jestem już przy was, towarzyszu Stalin – odezwał się żołnierz, dumny, że bezszelestnie zbliżył się do łóżka.

Stalin drgnął i szybko usiadł wyprostowany.

– Byliście na froncie? – spytał ni to zdziwiony, ni przestraszony.

– Tak jest, towarzyszu Stalin! Od 1941 roku w 23. pułku ...

– A faszystów to pewnie dużo zabiliście?

– Dużo, niedużo. Nie liczyłem. Ale jednego to własnymi rękami zadusiłem, gdy mi się rkm zaciął i swołocz zwalił się na mnie do transzei. Bagnetem mnie chciał, ale ...

– A te kapcie to skąd macie? Ktoś wam dał?

– Żona specjalnie zrobiła. Bo, mówi, nie będziesz mi towarzysza Stalina skrzypieniem butów po nocy budził.

Następnego dnia Łozgaczew otrzymał rozkaz aresztowania i zlikwidowania żołnierza, który potrafił bezszelestnie poruszać się po daczy Stalina. Podobno, gdy go postawili pod murem więzienia na Łubiance, krzyknął: „Niech żyje towarzysz Stalin!'' Chciał jeszcze coś dodać, ale nie zdążył...

Łozgaczew wyjrzał przez okno. Wstawał mroźny i śnieżny poranek. Zawsze w nocy generał obchodził dom. Najpierw zatrzymywał się na parterze, gdzie mieścił się gabinet i sypialnia Stalina. Gdy zza drzwi dochodziły głosy gości, nie zatrzymywał się, lecz kierował w stronę drzwi wyjściowych. Gdy zaś w pokojach było cicho, przystawał na chwilę i nasłuchiwał, czy nie dojdą go podejrzane odgłosy. Potem kierował się w stronę oszklonej werandy, otwierał drzwi na podwórze i szedł wąską dróżką wśród drzew nad jeziorko i dalej, do pomalowanego na zielono ogrodzenia, gdzie przechadzali się wartownicy. Czasami zastanawiał się, czy ta czujność nie jest zbyteczna. W promieniu kilkunastu kilometrów nie było żadnego osiedla; ludzie zamieszkujący domy wzdłuż trzydziestokilometrowej drogi z Moskwy do Kuncewa zostali wysiedleni; gęsto ustawiono posterunki, a po lasach krążyły patrole z psami. Jednakże w wojskach NKWD, w których Łozgaczew służył przez całą wojnę, nauczyli go, że podstawa bezpieczeństwa to porządek, a wróg zawsze gotów jest do zadania ciosu.

Tej nocy, jak zawsze, zbliżył się do drzwi gabinetu. Zerknął do środka i zauważył, że Stalin siedzi przy biurku, tyłem do drzwi, i coś pisze, toteż nie zatrzymywał się. Gdy wracał, światło w gabinecie było zgaszone, a więc dowódca ochrony doszedł do wniosku, że generalissimus udał się spać. Podczas porannego obchodu dostrzegł smugę światła w szczelinie drzwi sypialni. Spojrzał na zegarek; dochodziła siódma. Wydało mu się to dziwne. O tej porze światło zawsze było zgaszone. Stalin chodził spać bardzo późno i z reguły budził się dopiero w południe.

Łozgaczew zbliżył się po cichu i zerknął przez szczelinę między drzwiami a framugą. Paliła się lampka przy łóżku, ale Stalin na nim nie spał. Łozgaczew wstrzymał oddech, chcąc usłyszeć, co dzieje się w pokoju. Po dłuższej chwili dobiegł go szelest i zaraz potem charczenie. Delikatnie pchnął drzwi i wtedy w słabym świetle dostrzegł skuloną sylwetkę na dywanie, tuż obok okrągłego stołu pośrodku pokoju.

Upił się? – Łozgaczew stał niezdecydowany w drzwiach. Parę razy zdarzyło mu się zaciągać ciężkiego jak kłoda dyktatora na łóżko. Tym razem jednak nie czuł zapachu alkoholu. Podszedł po cichu do Stalina.

– Towarzyszu Stalin, coś wam dolega? – zapytał niepewnie.

Żadnej odpowiedzi.

Pochylił nad leżącym. Było zbyt ciemno, aby mógł zobaczyć jego twarz, ale z ust dyktatora wydobywał się krótki świszczący oddech. Po chwili dostrzegł, że Stalin ma otwarte oczy. Poczuł, że ogarnia go paniczny strach.

– Towarzyszu Stalin, coś wam dolega? – zapytał ponownie. Było to chyba najgłupsze pytanie, jakie zadał w życiu.

Łozgaczew zrozumiał, że musi natychmiast wezwać lekarza, ale sam nie mógł podjąć takiej decyzji, zwłaszcza w czasie, gdy gazety każdego dnia pisały o spisku lekarzy dybiących na życie najwyższych dostojników partyjnych.

Musiał uzyskać zgodę Berii.

Beria! – Ucieszył się, że to nazwisko przyszło mu na myśl. Ruszył szybkim krokiem w stronę telefonu umieszczonego na ścianie korytarza.

– Mówi generał Łozgaczew – powiedział, gdy w słuchawce usłyszał głos dyżurnego. – Połączcie mnie natychmiast z towarzyszem Berią.

– Towarzyszu generale, jest godzina siódma. Towarzysz Beria zabronił budzić się tak wcześnie, chyba że byłaby to sprawa wagi państwowej.

– Mówi Łozgaczew z ochrony Kuncewa – powtórzył generał. – To jest sprawa wagi państwowej! Łączyć!

W słuchawce zapadła cisza. Po kilkunastu sekundach dyżurny zgłosił się ponownie.

– Towarzysz Beria nie odpowiada – zameldował.

– Próbujcie jeszcze raz!

Następna próba też się nie powiodła.

– Gdzie może być towarzysz Beria? – denerwował się Łozgaczew.

– Nie wiem. Sprawdzałem w domu i w jego gabinecie w ministerstwie...

– Próbujcie dalej. Gdy się zgłosi, połączcie natychmiast do Kuncewa. Jak się nazywacie?

– Starszina Kralow, towarzyszu generale...

– Jeżeli w tym jest twoja wina, to zrobię z ciebie kotlet mielony. – Łozgaczew rzucił słuchawkę na widełki.

Znowu został sam. Poczuł, że strach, który ustąpił przypływowi energii w czasie rozmowy telefonicznej, znów go paraliżuje. Odwrócił się na pięcie i wszedł do pokoju Stalina.

Ten w dalszym ciągu leżał nieruchomo na podłodze. Łozgaczew poczuł, że w pokoju jest bardzo zimno. Zamknął lufcik i przykrył Stalina kocem. Nie odważył się zaciągnąć generalissimusa na łóżko. Wiedział, że od tej chwili jego życie nie należy już do niego. Wszystko zależało od tego, jak ocenią jego postępowanie; mogli uznać, że zrobił dobrze nie ruszając chorego, ale też mogli orzec, że popełnił błąd lub specjalnie nie udzielił pomocy. A wtedy czekają go tortury. Wrócił do telefonu w korytarzu i podniósł słuchawkę.

– Połączcie mnie z towarzyszem Malenkowem, a gdyby go nie było w domu, to spróbujcie z towarzyszem Chruszczowem.

Po kilku minutach w słuchawce zabrzmiał głos Malenkowa. Łozgaczew odetchnął z ulgą.

– Muszę was zawiadomić, że towarzysz Stalin zasłabł i należy wezwać lekarzy. Nie mogę jednak nigdzie znaleźć towarzysza Berii, aby uzyskać jego zgodę...

– Dobrze, zadzwonię do was. – Malenkow, wyraźnie zaspany, odłożył słuchawkę.

Łozgaczewa zaskoczyło, że Malenkow nie dopytywał się o stan zdrowia Stalina i zadowolił się tylko krótką informacją, że najważniejszy człowiek w państwie „zasłabł''. Zdenerwowany, krążył dookoła telefonu, ale Malenkow zadzwonił dopiero po półgodzinie.

– Ja też nigdzie nie mogę znaleźć Berii – powiedział. – Szukajcie go dalej.

Łozgaczew znowu pozostał sam. Nikt już nie może ustalić, co działo się od tej chwili w daczy w Kuncewie. Osoby, które tam były obecne, przedstawiają tak

Ostatnie oficjalne zdjęcie Stalina – zwłoki wystawione w Domu Związków Zawodowych

Trzej przeciwnicy przy trumnie wodza – od lewej: Chruszczow, Beria, Malenkow

odmienny rozwój wypadków, że odtworzenie okoliczności śmierci dyktatora jest niemożliwe.

Łozgaczew twierdził, że Beria i Malenkow przyjechali do Kuncewa dopiero o 3.00 w nocy 3 marca. Oznaczałoby to, że Stalin przez cały poniedziałek 2 marca leżał bez opieki lekarskiej. Całkowicie odmienna jest relacja profesora Miasnikowa, który utrzymywał, że został 2 marca wieczorem wezwany do Kuncewa, gdzie zastał ministra zdrowia, Tretiakowa, który przedstawił przybyłemu dotychczasowe wydarzenia potwierdzając wersję Łozgaczewa. Miasnikow, po dokładnym zbadaniu Stalina i zapoznaniu się z wynikami analiz, doszedł do wniosku, że nastąpił wylew krwi do lewej półkuli mózgowej, co było następstwem arteriosklerozy i nadciśnienia.

Stan chorego pogarszał się. 4 marca prawdopodobnie nastąpił zawał serca, co jednak nie zostało ostatecznie potwierdzone. 5 marca rano chory zaczął wymiotować krwią, jak wyjaśnił Miasnikow – w wyniku pękania naczyń krwionośnych żołądka spowodowanego przez wysokie ciśnienie.

W pewnym momencie do profesora podszedł Malenkow.

– Jak oceniacie stan chorego? – zapytał, starając się sprawiać wrażenie zatroskanego.

– Jest ... – Miasnikow zawahał się na moment, ale uznał, że nie powinien ukrywać swojej opinii. – Jest śmiertelny.

– Nie widzicie możliwości uratowania towarzysza Stalina?

– Gdyby to ode mnie zależało!

– Musimy uczynić wszystko co w ludzkiej mocy, aby podtrzymać życie towarzysza Stalina. – Malenkow mówił wolno i dobitnie. Miasnikow zwrócił uwagę na słowo „podtrzymać'', a nie „utrzymać''. – Śmierć gospodarza będzie wielkim wstrząsem dla władz i narodu radzieckiego. Musimy przygotować społeczeństwo na przyjęcie tej strasznej wiadomości.

– Robimy wszystko, co w ludzkiej mocy – zaznaczył Miasnikow.

4 marca agencja prasowa TASS opublikowała komunikat:

W nocy z 1 na 2 marca towarzysz Stalin, przebywajacy w moskiewskim mieszkaniu, doznał wylewu krwi do mózgu. Towarzysz Stalin stracił przytomność, a następnie wystąpił paraliż prawej ręki i nogi oraz utrata mowy.

Dlaczego w oficjalnym komunikacie podano, że Stalin zaniemógł w Moskwie, a nie w Kuncewie? Pozostaje to niewyjaśnioną tajemnicą.

Przez cały czas choroby Stalina w pokojach na pierwszym piętrze daczy w Kuncewie zbierali się jego najbliżsi współpracownicy. Schodzili często na dół i stając w drzwiach zaglądali do pokoju, jakby chcieli sprawdzić, czy „gospodarz'' jeszcze żyje. Lekarze zwracali uwagę, że żaden z nich nie wchodził do pokoju; wciąż bali się starego człowieka, nieprzytomnego i bezwolnego. Potem wracali do pokoju na górze. Wiedzieli już, że zgon wodza jest nieunikniony i nastąpi w ciągu kilku dni. Musieli podzielić władzę, ale nikt nie był na tyle potężny, aby przejąć pełnię rządów.

5 marca 1953 roku o 21.50 – według urzędowego komunikatu – Stalin zmarł.

RADOSNY... POGRZEB

9 marca o 10.05 z domu żałobnego wyruszył kondukt pogrzebowy. Ośmiu najbliższych współpracowników Stalina wyniosło trumnę z hallu na plac. Kolejność, w jakiej się ustawili, nie była przypadkowa; wskazywała, kto jest najbliżej władzy.

Pierwszy, po prawej stronie trumny, szedł Gieorgij Malenkow. Nikogo to nie dziwiło, gdyż od śmierci Andrieja Żdanowa jego właśnie typowano na następcę Stalina. Po drugiej stronie niósł trumnę Ławrentij Beria. Nikt nie miał wątpliwości, że to on będzie dzielić władzę z Malenkowem. A nie można było wykluczyć, że szybko przejmie całość rządów. Co prawda w ostatnich miesiącach życia Stalin bardzo osłabił pozycję Berii, nie zdołał jednak zniszczyć jego wpływów. Dalej szedł Wiaczesław Mołotow, przez wiele lat bliski współpracownik Stalina, ostatnio odstawiony na boczny tor. Potem bezgranicznie wierny Stalinowi i bezgranicznie głupi Kliment Woroszyłow, którego nikt nie traktował jako poważnego pretendenta do władzy, ale mógł się on przydać w określonych układach, by przeważyć szalę na jedną ze stron. Podobnie jak idący dalej Łazar Kaganowicz i Anastas Mikojan, którzy nie liczyli się w rozgrywce o najwyższą władzę, ale mogli spełniać rolę pomocników przy kształtowaniu równowagi sił. W orszaku kroczył także marszałek Nikołaj Bułganin, pozbawiony przez Stalina stanowiska ministra obrony, i Nikita Chruszczow. Oni mieli odegrać główną rolę w walce o Kreml. Złożyli trumnę na lawecie armatniej i ruszyli wolno, krok za krokiem, z opuszczonymi głowami; chcieli, aby wszyscy widzieli, że ból po utracie ukochanego wodza dotknął ich do głębi.

Zdążyli podzielić władzę w ostatnich minutach życia przywódcy. 5 marca na wspólnym posiedzeniu Komitetu Centralnego, Rady Ministrów i Prezydium Rady Najwyższej Beria zaproponował, aby premierem mianować Malenkowa. Ten natychmiast odwdzięczył się, proponując Berię na swojego pierwszego zastępcę; pozostałe stanowiska wicepremierów mieli objąć: Mołotow, Bułganin i Kaganowicz. Beria zaproponował również, aby połączyć Ministerstwo Spraw Wewnętrznych (MWD) i Bezpieczeństwa Państwowego (MGB) w jedno Ministerstwo Spraw Wewnętrznych z Berią na czele, co bardzo wzmocniłoby pozycję pierwszego wicepremiera.

Chruszczow się nie liczył. Stara gwardia pamiętała, że Stalin ściągnął go, aby przeprowadził czystkę w moskiewskim komitecie partyjnym. Pozostawiono mu więc jedynie funkcję sekretarza Komitetu Centralnego do spraw rolnictwa. Chruszczow potrafił jednak, nawet w tak niesprzyjających warunkach, umocnić swoją pozycję, wprowadzając na stanowisko sekretarza Komitetu Centralnego Ignatiewa, zdeklarowanego wroga Berii.

Władza została podzielona, ale było oczywiste, że jest to układ tymczasowy, z którego dopiero wyłoni się prawdziwy władca.

Kondukt, krocząc trasą obstawioną przez tysięczne tłumy, zamarłe w głuchym milczeniu wyrażającym ból po śmierci „ojca narodu'', dotarł do Mauzoleum Lenina na placu Czerwonym. Napis nad szerokimi prostokątnymi drzwiami głosił: „Lenin–Stalin''. Wykucie liter i wymiana ogromnego bloku granitu wymagały czasu*), toteż blok z nazwiskiem Lenina zamalowano farbą imitującą fakturę granitu, i ciemnoczerwoną farbą wykonano nowy napis.

Pogrzeb kończył się. Rozpoczynała się walka o władzę na Kremlu, w której musiały paść ofiary.

*) Nowy, ważący 40 ton, blok z wyrytymi nazwiskami Lenina i Stalina wstawiono dopiero po siedmiu latach.

Kondukt pogrzebowy – trumna na lawecie

BERIA – REFORMATOR

Malenkow był za słaby, by utrzymać dominującą pozycję w nowej konfiguracji. Już 13 marca partyjna gazeta „Prawda'' przestała nazywać go przywódcą partyjnym. Dzień później, co ujawniono dopiero 21 marca, Malenkow „na własną prośbę'' zrezygnował z funkcji pierwszego sekretarza, pozostał jednak premierem.

Władza w partii zaczęła zsuwać się w ręce Ławrentija Berii, a jeśli wziąć pod uwagę jego pozycję we władzach partyjnych, podległość aparatu terroru, przejęcie pełni władzy wydawało się tylko kwestią czasu. Wszystko wskazywało, że nastąpi wówczas fala gigantycznego terroru, przy którym wszystkie zbrodnie Stalina byłyby niewinnym grymasem historii.

I nagle stała się rzecz nieprawdopodobna. Beria przystąpił do reorganizacji aparatu bezpieczeństwa, usuwając ludzi związanych z ostatnimi represjami wobec Żydów i lekarzy; kazał aresztować Riumina i Episzewa, którzy wykazali się szczególnym okrucieństwem wobec aresztowanych lekarzy, i zwolnił niesłusznie uwięzionych.

Wkrótce „Prawda'' zamieściła komunikat Ministerstwa Spraw Wewnętrznych, o szokującej treści:

Ustalono, że przyznanie się do winy aresztowanych (lekarzy – BW) *potwierdzające zarzuty przeciwko nim uzyskiwano w wydziale śledczym byłego Ministerstwa Bezpieczeństwa Państwowego w wyniku użycia niedozwolonych środków, ściśle zakazanych przez radzieckie prawo. (...) Osoby oskarżone o niewłaściwe prowadzenie śledztwa zostały aresztowane i poniosą odpowiedzialność karną.*

6 marca 1953 roku Beria polecił przekazanie zarządu obozów z Ministerstwa Spraw Wewnętrznych do Ministerstwa Sprawiedliwości. To były szokujące zmiany. Nowi ludzie u władzy zdawali sobie sprawę, że należy wprowadzić pewną liberalizację, ale Beria zadziwił ich tempem i skalą reform. A każdy dzień przynosił nowe zarządzenia.

24 marca Beria przedstawił Prezydium Komitetu Centralnego dokument żądający amnestii ogromnej większości więźniów obozów. Z 2 526 402 ludzi za drutami kolczastymi miało pozostać jedynie 221 435 najgroźniejszych kryminalistów. Trzy dni później prezydium zaaprobowało objęcie amnestią więźniów skazanych na mniej niż 5 lat, kobiet, dzieci poniżej 10 roku życia i młodocianych poniżej 18 roku życia – łącznie około miliona osób.

Jako wicepremier, Beria mógł wprowadzać zmiany nie tylko w resorcie bezpieczeństwa. 9 maja z jego inicjatywy Prezydium KC uchwaliło rezolucję zakazującą wystawiania portretów przywódców podczas państwowych świąt i manifestacji. Kazał wstrzymać bezsensowną budowę kanału Wołga–Bałtyk, równie kosztowną i niepotrzebną budowę systemu elektrowni na Donie oraz zabronił wprowadzania w życie pomysłu Chruszczowa, polegającego na tworzeniu ogromnych zespołów rolnych, tzw. agromiast, co mogło przynieść straty w rolnictwie.

Lista reformatorskich poczynań Berii była bardzo długa i musiała wprawić w osłupienie innych członków Komitetu Centralnego. O ile jednak propozycje zmian w administracji i gospodarce Związku Radzieckiego mogli uznać za nieistotne dla systemu, za próbę pozyskania na pewien czas społeczeństwa (więźniów zwolnionych z łagrów można było równie szybko i sprawnie ponownie tam zamknąć), o tyle propozycje międzynarodowe wydały się zagrażające imperium radzieckiemu.

Uwaga moskiewskich władz koncentrowała się na Niemieckiej Republice Demokratycznej – państwie o zasadniczym znaczeniu dla systemu sowieckiej dominacji w Europie. W NRD od kilkunastu miesięcy narastał kryzys gospodarczy. Przyczyną było bardzo duże tempo industrializacji i przymusowa kolektywizacja, narzucone przez szefa partii komunistycznej, Waltera Ulbrichta. 2 czerwca podczas obrad rządu Beria przeforsował dokument pod tytułem „Środki poprawy sytuacji w Niemieckiej Republice Demokratycznej", który zapowiadał:

1. porzucenie polityki przymusowej budowy socjalizmu,
2. podjęcie działań w celu stworzenia zjednoczonych, demokratycznych, miłujących pokój Niemiec,
3 zatrzymanie przymusowej kolektywizacji, która wywoływała niepokoje wśród chłopstwa,
4. wstrzymanie polityki eliminowania prywatnego kapitału,
5. poprawę systemu finansowego,
6. zastosowanie środków gwarantujących poszanowanie praw i wolności obywatelskich.

Dla przywódców NRD, Otto Grotewohla i Waltera Ulbrichta, którzy nazajutrz przyjechali na Kreml, był to szok. Podobnie nie mogli pogodzić się z tym szefowie partii i rządu radzieckiego, tym bardziej że Beria podjął kroki zmierzające do wycofania wojsk radzieckich z NRD: odwołał do Moskwy naczelnego dowódcę, marszałka Wasilija Czujkowa i posłał na jego miejsce cywilnego komisarza, Władimira Siemionowa. Jego zadaniem było zbadanie sytuacji w NRD i doprowadzenie do zmian najwyższych władz; mówiło się, że twardogłowego Ulbrichta zastąpi bardziej liberalny Rudolf Herrnstadt, blisko związany z Berią. Ulbricht, czując zapewne poparcie części członków sowieckiego Komitetu Centralnego, przystąpił do kontrakcji.

Rząd wschodnioniemiecki ogłosił podniesienie o 10 procent norm produkcyjnych. Była to wyraźna prowokacja. Liczono, że wywoła oburzenie robotników, a gdy tylko zaczną protestować, łatwo będzie posunąć prowokację dalej i doprowadzić do walk na ulicach. Tak też się stało.

16 czerwca 1953 roku robotnicy wyszli na ulice Berlina, protestując przeciwko podniesieniu norm, które zmuszały ich do jeszcze bardziej intensywnej pracy, a za dodatkowo zarobione marki trudno było cokolwiek kupić w pustych sklepach. 17 czerwca ruszyły na nich czołgi dwóch dywizji radzieckich, już wcześniej przygotowanych do akcji. Doszło do gwałtownych walk, w których

zginęło 21 cywilnych osób. Beria, rozumiejąc, jak poważnie zagraża to jego rządom, zdecydował się lecieć do Berlina i na miejscu kierować akcją.

Gdy tylko wyjechał z Moskwy, natychmiast uaktywnili się jego wrogowie. Zwołano posiedzenie Prezydium Komitetu Centralnego – prawdopodobnie była to pierwsza próba usunięcia Berii. Przeciwnicy mieli w ręku argumenty; mogli stwierdzić, że nieobliczalne działania wicepremiera ośmieliły wrogów socjalizmu, którzy natychmiast podnieśli głowy. Stało się tak, ponieważ aresztowania (Riumin) oraz reorganizacja dwóch ministerstw osłabiły służbę bezpieczeństwa. Te zarzuty mogły okazać się bardzo groźne, ale Beria był czujny. Dowiedział się o planowanych obradach i przybył do Moskwy.

W czasie narady popełnił błąd. Starał się zbagatelizować wydarzenia w Berlinie, co zostało obrócone przeciw niemu.

– NRD? Jakie znaczenie ma w ogóle NRD? – mówił Beria. – To nawet nie jest prawdziwe państwo. Utrzymują je radzieckie oddziały, chociaż nazywamy ten twór Niemiecką Republiką Demokratyczną.

– Stanowczo protestuję przeciw takiemu podejściu do zaprzyjaźnionego państwa – odezwał się natychmiast Wiaczesław Mołotow.

Chruszczow nie zabierał publicznie głosu. Pochylił się w stronę Bułganina.

– Możemy uznać, że szokująca jest ta polityczna ordynarność Berii – szepnął.

Wicepremier szybko pojął swój błąd i już się nie odezwał. Nikt jednak nie odważył się wystąpić otwarcie przeciw niemu.

Chruszczow zbierał siły. Dla wielu członków sowieckich władz partyjnych mógł być atrakcyjnym kandydatem na przywódcę: miał dobry partyjny rodowód, gwarantował utrzymanie istniejącego porządku i nie obciążała go, tak jak Berię, krwawa przeszłość. W każdym razie nie była tak oczywista.

W rzeczywistości Nikita Siergiejewicz, podobnie jak każdy członek stalinowskiego aparatu władzy, miał ręce unurzane we krwi.

Od 1935 roku był pierwszym sekretarzem komitetu moskiewskiego partii komunistycznej. Wielka Czystka rozpoczęła się w 1937 roku, a więc musiał akceptować decyzje o aresztowaniach. Był nawet szczególnie aktywny. Domagał się aresztowania i zlikwidowania co najmniej 20 tysięcy „kułaków i kryminalistów''. Organizował wiece potępiające ludzi skazywanych w pokazowych procesach. Od 1938 roku był sekretarzem partii komunistycznej na Ukrainie, gdzie zainicjował represje wobec ludności polskiej.

Całkowite oddanie Stalinowi przyniosło mu szybki awans na stanowisko członka Biura Politycznego. W czasie wojny był członkiem rad wojennych kilku frontów. W 1949 roku powrócił do Moskwy na stanowisko pierwszego sekretarza stołecznego komitetu partii i sekretarza Komitetu Centralnego do spraw rolnictwa. Stalin powiedział mu wówczas:

Jesteście tutaj potrzebni. Wykryto wiele spisków. Powinniście tak pokierować moskiewską organizacją, by Komitet Centralny miał zapewnione poparcie jej członków w walce ze spiskowcami. Na razie zdemaskowaliśmy spisek w Lenin-

gradzie. Moskwa jest również zanieczyszczona elementami antypartyjnymi. Powinniście przekształcić miasto w bastion Komitetu Centralnego.

Chruszczow zdawał sobie sprawę, że Stalin wezwał go do Moskwy, by zneutralizował wpływy i znaczenie Berii. Przyjął to zadanie, a wobec Berii żywił zadawniony uraz; w 1939 roku Beria zlikwidował Uspienskiego, szefa bezpieki na Ukrainie, człowieka Jeżowa. Chruszczow, zaprzyjaźniony z Uspienskim, wstawiał się za nim, ale bezskutecznie.

Stalin wiedział o tym konflikcie i liczył, że Chruszczow i Beria będą się zajadle zwalczać. Oczywiście ofiarą miał paść Beria, ale walka wyniszczyłaby siły Chruszczowa do tego stopnia, że nie mógłby zagrozić Stalinowi. Rzeczywiście, Chruszczow bardzo szybko dokonał czystek w komitecie moskiewskim. Ulokował też swoich protegowanych na czele kilku wydziałów Komitetu Centralnego. Ale, co było najważniejsze, gdy inni tracili zaufanie Stalina, on je zachował. Był blisko dyktatora, toteż mógł kierować jego uwagę i niechęć na popleczników Berii, i likwidować ich. Powoli umacniał swoją pozycję, ale ciągle nie udawało mu się wyjść na czoło. Beria zaś zawiązywał sojusz z innym silnym człowiekiem w partii – Malenkowem.

Premier Malenkow przemawia na posiedzeniu Rady Najwyższej

CZAS CHRUSZCZOWA

– Stalin mówił, że bez niego jesteśmy jak ślepe kocięta. – Chruszczow zdjął biały kapelusz i przetarł chusteczką łysinę. Dzień był gorący i bezwietrzny, więc upał dawał się tym bardziej we znaki. – A Beria nas potopi jak ślepe kocięta. W jednym worku.

Malenkow, któremu dokuczała tusza, pocił się nadmiernie. Na jasnej lnianej koszuli widać było ciemne plamy potu spływającego dużymi kroplami po nalanym karku.

– Siądźmy tam. – Wskazał ławkę w cieniu drzew. – Zaraz Masza przyniesie coś zimnego. – Maasza! – krzyknął w stronę domu. – Pić się chce!

– Byleby tylko źle nie zrozumiała i wódki nie przyniosła – zachichotał Chruszczow. – Pić wódkę w taki upał to wykroczenie przeciw dyscyplinie partyjnej.

Malenkow machnął ręką. Nie był skory do żartów. Cała sytuacja bardzo go niepokoiła. Wyczuwał, że Beria coraz silniej mu zagraża, ale jednocześnie obawiał się otwarcie opowiedzieć przeciw niemu, gdyż szef aparatu bezpieczeństwa miał w ręku ogromną siłę. Należało go obezwładnić, zanim zdąży z niej skorzystać.

– To trudne, to trudne – powiedział na głos zapominając, że nie wyjawił wcześniejszych myśli.

Chruszczow wiedział jednak doskonale, co trapi Malenkowa.

– Wojsko jest większą siłą niż dywizje NKWD – stwierdził.

– Ale wielu najwyższych oficerów Armii Czerwonej opowiada się za Berią. – Malenkow nie dawał się przekonać. – Na przykład dowódca Moskiewskiego Okręgu Wojskowego, generał Artiemiew w czasie wojny dowodził oddziałami NKWD. Teraz jawnie popiera Berię. A co możemy zrobić bez wojsk Moskiewskiego Okręgu?...

– Ściągnąć wojska z innych okręgów. – Chruszczow nie rezygnował. Wiedział, że od tej rozmowy zależy przyszłość. Przygotowywał się do niej od dawna i wyczekiwał stosownej chwili. Wreszcie Malenkow zjechał do swej podmoskiewskiej daczy i Chruszczow, nie zapowiedziawszy wcześniej wizyty, przyjechał tam. Obawiał się rozmawiać w Moskwie, gdzie wszędzie były podsłuchy i ludzie Berii.

– W armii jest i wielu zagorzałych wrogów Berii. Na przykład Żukow. – Chruszczow był zadowolony, że przyszło mu na myśl to nazwisko.

W 1946 roku, gdy Stalin obawiając się popularności i znaczenia marszałka postanowił go zniszczyć, Beria zajmował się zbieraniem dowodów przeciwko Żukowowi, który doskonale o tym wiedział.

Na schodach prowadzących do domu pojawiła się dziewczyna trzymająca na tacy butelki z kwasem chlebowym i szklanki.

– W tej wsi mają najlepszy kwas chlebowy, jaki kiedykolwiek piłem w Rosji. – Malenkow rozpromienił się na moment.

Chruszczow wiedział, że bez poparcia tego człowieka spisek przeciw Berii nie ma szans. Gdyby Malenkow zdecydował się do niego przyłączyć, wówczas łatwo byłoby pozyskać innych wpływowych sojuszników.

– Kto pójdzie za nami poza Żukowem? – zapytał Malenkow nalewając kwasu do szklanek.

– Nie lekceważyłbym Żukowa, to jest realna siła. Nam jednak... – Chruszczow wypowiedział z naciskiem „nam''. – ...Powinno zależeć szczególnie na Bułganinie. On może nam zjednać wielu oficerów. Znam go dobrze, pracowaliśmy razem w Moskwie w latach trzydziestych.

– Tak... – Malenkow odgarnął kosmyk włosów spadający na czoło. W każdym grymasie, każdym geście widać było, że targają nim sprzeczne uczucia.

– Jeżeli nie usuniemy Berii teraz, on usunie nas później. I dobrze o tym wiesz. Pamiętasz przecież, co już straciłeś... – powiedział twardo Chruszczow.

To był dobry argument. Malenkow zdawał sobie sprawę, że w ciągu trzech miesięcy, które upłynęły od śmierci Stalina, jego pozycja stale słabła, a Beria swoją wciąż wzmacniał.

– Przegramy my i przegra Związek Radziecki – mówił dalej Chruszczow. – Beria wyprzeda wszystko. Odda naszym wrogom, tak jak zrobił to już w NRD. Musisz się zgodzić. Wystarczy, jeżeli do porządku obrad prezydium wpiszesz dyskusję na temat ostatnich działań Berii. Resztę zostaw mnie. Wygramy z nim działając z twardych, pryncypialnych pozycji partyjnych.

Malenkow milczał przez chwilę.

– Dobrze – powiedział wreszcie. – Co z pozostałymi?

Chruszczow rozpromienił się.

– Po sprawie niemieckiej Mołotow nie ma już złudzeń i jest po naszej stronie. Z Bułganinem, jak mówiłem, nie powinno być problemów, gdyż Beria groził, że pozbawi go stanowiska. Saburow nas poprze. Woroszyłow i Mikojan są poplecznikami Berii; ich nie uda się przeciągnąć na naszą stronę. Pozostali dostosują się do sytuacji...

Beria szybko zdał sobie sprawę, że Chruszczow jednoczy siły przeciw niemu i prawdopodobnie przewidywał, że dojdzie do rozgrywki na forum partyjnym. Zadzwonił do Mołotowa i zaproponował, aby ten opowiedział się po jego stronie.

– To ty powinieneś poprzeć naszą grupę – odparł Mołotow. Rozmowa się zakończyła.

Beria zlekceważył Chruszczowa. Uznał, że tamten nie ma dość sił, aby mu zagrozić, i co najwyżej dojdzie do wymiany zdań w czasie jakiegoś posiedzenia prezydium.

A tymczasem Chruszczow działał bardzo sprytnie. Nade wszystko starał się nie zrobić ruchu, który mógłby zdradzić wrogowi jego prawdziwe zamiary. Szybko przeciągnął na swoją stronę większość członków prezydium, zapewniając, że w czasie obrad podejmą opowiednią decyzję. To byłby pierwszy krok.

Później należało aresztować Berię, a to wydawało się bardzo trudne, gdyż pod jego rozkazami były w Moskwie dwie dywizje, specjalnie przygotowane do walk z tłumem i walk ulicznych; podlegały mu wszystkie straże na Kremlu, a włączenie do spisku kogokolwiek z Ministerstwa Spraw Wewnętrznych było nieprawdopodobne, ponieważ główne stanowiska zajmowali najbardziej zaufani ludzie Berii.

Chruszczow mógł jedynie liczyć na poparcie wojska. Generalicja sowiecka, choć tradycyjnie starała się trzymać z dala od polityki, po ostatnich decyzjach w sprawie NRD wykazywała wyraźną niechęć do Berii, generałowie obawiali się ponadto, że zechce on pomniejszać znaczenie armii faworyzując funkcjonariuszy policyjnych.

Jednakże Chruszczow zdecydował się sięgnąć po pomoc wojska dopiero w ostatniej chwili, zmniejszając tym samym do minimum ryzyko zdrady. Dopiero 26 czerwca 1953 roku o 9.00 zadzwonił do Moskalenki, dowódcy obrony powietrznej Moskwy, i poprosił o wskazanie kilku najbardziej zaufanych oficerów. Jeszcze nie wyjawił, w jakim celu. Zapytany wskazał generała Batijskiego, szefa sztabu sił powietrznych, i trzech innych oficerów: Zuba, Baskowa i Juferewa. Kilka minut później do Moskalenki zadzwonił marszałek Bułganin z rozkazem przysłania wskazanych oficerów z bronią do Ministerstwa Obrony.

– Towarzyszu marszałku, meldujemy się na rozkaz! – Batijski i trzej oficerowie weszli do gabinetu ministra.

– Dziękuję za punktualne przybycie. – Bułganin podniósł się zza biurka i nerwowo spojrzał na zegarek. – Waszym zadaniem będzie aresztowanie Berii, który sprzeniewierzył się dobru naszej partii i ojczyzny. Macie broń?

– Zgodnie z rozkazem zabraliśmy broń osobistą. – Generał wskazał na kaburę pistoletu.

– Obawiam się, że nasze siły są jednak za szczupłe. – Bułganin patrzył uważnie na czterech wojskowych. – Czy możecie wskazać innych zaufanych towarzyszy, którzy mogą niezwłocznie przybyć do ministerstwa?

– Na parterze widziałem marszałka Żukowa – podpowiedział któryś ze stojących z tyłu oficerów.

– Tak, zapomniałem, że ma być tutaj. – Bułganin podszedł do telefonu i rozkazał odnaleźć marszałka.

– Poza tym może Breżniew, Niedielin, Getman, Szatiłow, Pronin – wyliczał po namyśle Batijski.

Bułganin skrupulatnie zanotował nazwiska na kartce.

– Towarzyszu ministrze, marszałek Żukow jest w sekretariacie. – W drzwiach stanął oficer dyżurny.

– Proście! I od razu odnajdźcie tych oficerów. – Bułganin podał dyżurnemu kartkę. – Niech natychmiast przyjdą do mnie. To jest rozkaz najwyższej wagi. – Witam cię, Gieorgij. – Wyciągnął rękę w stronę wchodzącego marszałka. – Mamy niewiele czasu, aby wyjaśnić całą sytuację. Za kilkadziesiąt minut

Prezydium Komitetu Centralnego zwolni z obowiązków Ławrentija Berię. Trzeba go bezzwłocznie aresztować, gdyż w przeciwnym razie to on aresztuje całe prezydium. Weźmiesz w tym udział?

Na twarzy Żukowa rozlał się szeroki uśmiech. Nie powiedział nic. Położył na biurku Bułganina czapkę, którą dotychczas trzymał pod ręką, usiadł na krześle i wyciągnął papierośnicę. Przez kilka lat Beria usiłował go zniszczyć*). Zbierał dowody rzekomych przestępstw marszałka, aby go uwięzić i postawić przed sądem, który bez wątpienia wydałby wyrok śmierci. Nie udało mu się, gdyż Żukow miał mocną pozycję w wojsku i był bardzo popularny. Ale Beria sprawił, że marszałek przez lata żył w panicznym strachu, co zakończyło się zawałem serca.

Wezwani oficerowie przybyli bardzo szybko. Gdy zebrali się w gabinecie ministra, okazało się, że nikt z nich nie ma broni. Bułganin odpiął kaburę z pistoletem i wręczył ją Breżniewowi. Pozostali mieli działać nieuzbrojeni.

– Za chwilę wsiądziecie do dwóch samochodów. Mojego i towarzysza Żukowa... – rozpoczął wyjaśnienia.

– Jest nas jedenastu, będzie ciasno – odezwał się Żukow. – Nie chodzi mi o wygodę, ale straż może zwrócić uwagę na przeładowane samochody.

– Jeszcze bardziej będzie podejrzane, jeśli wjedzie więcej samochodów. Zaciągniemy zasłonki, to wartownicy nie zobaczą, kto jest w środku. Potem pójdziecie do pokoju przyjęć, obok sali posiedzeń. Na sygnał wejdziecie do sali i aresztujecie Berię.

– Kto da sygnał i jaki?

– Dowiecie się na miejscu. Życzę powodzenia.

Oficerowie wstali i ruszyli w stronę wyjścia. Na Kreml wjechali bez przeszkód. Przed pokojem recepcyjnym stali już Bułganin i Chruszczow**). Poinformowali oficerów, że sygnał przekaże asystent Malenkowa.

*) Zob. „Sensacje XX wieku" – *Sprawa Żukowa*

**) Według innej wersji: Malenkow i Mołotow

Marszałek Żukow

OSTATNIE STARCIE

Chruszczow pochylił się w stronę Malenkowa.

– Otwórz naradę i oddaj mi głos – szepnął.

Malenkow zdawał się nie słyszeć tych słów. Wyciągnął z kieszeni chusteczkę i rozłożył ją. Najwidoczniej chciał zyskać na czasie. Przetarł twarz. Nie mógł podjąć decyzji. Wiedział, że od słów, które za chwilę wypowie, zależeć będzie bardzo wiele. Być może nawet jego życie. Czuł, że wszyscy patrzą na niego. Zaczął mówić, ale tak cicho i tak powoli, że Chruszczow nie czekał dłużej. Obawiał się, że misternie montowany spisek rozleci się nagle, bo spiskowcom zabraknie odwagi i zdecydowania. Wstał. Też był bardzo zdenerwowany. Mówił niewyraźnie, nieskładnie, słowa z trudem przeciskały mu się przez gardło.

– Jest jeden temat dzisiejszej narady: antypartyjna, rozbijacka działalność imperialistycznego agenta Berii. Jest propozycja wykluczenia go z prezydium i Komitetu Centralnego, wydalenia z partii i oddania pod sąd. Kto jest za?

Beria słuchał tego z wyraźnym zdziwieniem.

– O co chodzi, Nikita? Co ty tam bełkoczesz?

Te słowa rozsierdziły Chruszczowa. Zdążył ochłonąć i rozpoczął mowę oskarżycielską, zarzucając Berii współdziałanie z ruchami nacjonalistycznymi w Baku w 1918 roku, zarzucił mu dążenie do ustanowienia rządów dyktatorskich i rozbicia Związku Radzieckiego.

Później głos zabrali Bułganin i Mołotow. Wypowiadali się w tym samym duchu.

Mikojan usiłował bronić Berii, który z kamienną twarzą przysłuchiwał się oskarżeniom. Czyżby był pewien swojej siły, wiedząc, że w pokoju obok czeka jego straż przyboczna?

Dyskusja dobiegła końca. Głos powienien zabrać Malenkow, ale znowu wpadł w panikę i zamiast wygłosić przemówienie podsumowujące dyskusję nacisnął ukryty pod blatem stołu przycisk uruchamiający dzwonek w pokoju asystenta. Ten wezwał oficerów.

Pierwszy, z pistoletem w dłoni, wkroczył Żukow, tuż za nim inni oficerowie. Na ich widok kilkunastu zebranych zerwało się z krzeseł. Chruszczow znakomicie przygotował spisek: niewiele osób na tej sali wiedziało, że w pewnym momencie wejdą uzbrojeni ludzie. Tylko on, Bułganin, Malenkow i Mołotow nie podnieśli się na widok oficerów.

– Spokojnie, towarzysze! Siadajcie! – Żukow skierował się w stronę Berii.

Kazał mu wstać i przystąpił do rewidowania. Znalazł kartkę ze słowem „alarm''. Beria miał nadzieję, że uda mu się w jakiś sposób podać tę kartkę swoim ochroniarzom. Nie dano mu takiej szansy. Wyprowadzono go do przyległego pokoju. Teraz należało wywieźć Berię z Kremla, co było trudniejsze niż aresztowanie. Można się było spodziewać, że ludzie z ochrony zaczną szukać swojego szefa. Może dojść do walki, a oficerowie uzbrojeni byli tylko w pistolety; nie mieli więc szans na wygranie starcia z żołnierzami wyposażonymi w pistolety maszynowe i granaty. Musieli czekać, aż zapadnie zmrok, aby można było bezpiecznie przeprowadzić aresztowanego do samochodu i wywieźć za bramę.

Beria ciągle liczył, że uda mu się zaalarmować straż. W pewnym momencie poprosił, żeby wypuszczono go do toalety. Żukow nie zgodził się. Ludzie z ochrony Berii zaniepokoili się nieobecnością szefa dopiero wieczorem. Po 22. do gabinetu, obok którego trzymano Berię, wszedł generał Maslennikow, zastępca ministra spraw wewnętrznych, oraz pułkownik Własik*).

– Co się stało z towarzyszem Berią?! – krzyknął Maslennikow do generała Moskalenki. – Zebranie już się zakończyło. O co tu chodzi?!

– Spokojnie, generale! – przerwał mu Moskalenko. Podszedł do biurka, podniósł słuchawkę i wykręcił numer telefonu Bułganina.

– Towarzyszu ministrze, jest tutaj generał Maslennikow i domaga się informacji, co się stało z towarzyszem Berią. – Słuchał przez chwilę tego, co mówił Bułganin, i bez słowa podał słuchawkę Maslennikowowi.

Nie wiadomo, co powiedział minister obrony, ale Maslennikow odłożył słuchawkę i bez słowa wyszedł z gabinetu. Być może uznał, że nie ma już szans uratowania Berii, a jedyne, co może zrobić, to ratować własną skórę**).

Koło północy spiskowcy działający na zewnątrz budynku zebrali pięć samochodów, które wysłano na ulicę Kirowa do dowództwa obrony powietrznej Moskiewskiego Okręgu Wojskowego. Stamtąd zabrano trzydziestu uzbrojonych oficerów, którzy przyjechali na Kreml. Bez żadnej trudności otoczyli i rozbroili ochroniarzy Berii, którzy wciąż czekali na powrót szefa. Teraz już można było wyprowadzić aresztowanego i wsadzić go do samochodu. Do drugiego samochodu wsiadł Leonid Breżniew z kilkoma oficerami. Auta bez problemu przejechały przez Bramę Spaską i skierowały się do budynku strażniczego w więzieniu lefortowskim.

Pierwsza część operacji została zakończona. Przebiegła bez żadnych poważniejszych zakłóceń, ale z prawdziwym oporem należało się liczyć dopiero nazajutrz. Zwolennicy Berii mogli rzucić do walki poważne siły.

Chruszczow przewidział to i mając poparcie najwyższych dowódców wojskowych ściągnął do Moskwy dwanaście transporterów opancerzonych, dwadzieścia czołgów *T–34*, dwadzieścia trzy działa samobieżne *Su–100*, które wyjechały na główne ulice. To był silny argument. Dywizje Ministerstwa Spraw Wewnętrznych, przeznaczone do zwalczania demonstracji, nie miały ciężkiej broni. Były bez szans wobec oddziałów dysponujących bronią pancerną. Jednak ze względów bezpieczeństwa następnego dnia przewieziono Berię z więzienia lefortowskiego do bunkra Sztabu Generalnego w pobliżu rzeki Moskwy. Masywny budynek, wpuszczony na dwa piętra w głąb ziemi,

*) Zwolniony z więzienia po śmierci Stalina
**) Nie na długo; po procesie Berii popełnił samobójstwo

Wyniesienie trumny ze zwłokami Stalina z Domu Związków Zawodowych. Na pierwszym planie Beria, trzeci za nim Chruszczow

Toast. Moskwa, 1963

Grób Chruszczowa na cmentarzu Nowodziewiczym w Moskwie. Czarny i biały marmur symbolizuje złe i dobre aspekty jego władzy

wybudowano jeszcze w czasie wojny jako zapasowy punkt dowodzenia i niewiele osób wiedziało o jego istnieniu.

Jednocześnie zamachowcy przystąpili do unieszkodliwiania najbliższej rodziny i współpracowników Berii. Żona Nino i dwudziestoośmioletni syn Sergo zostali zatrzymani w podmoskiewskiej daczy, a następnie przewiezieni do różnych więzień. Żadne z nich nie wiedziało, co się stało. Syn był przekonany, że wybuchła rewolucja i siły antykomunistyczne opanowały stolicę. Wszyscy ludzie Berii w Moskwie, na Ukrainie i w Gruzji zostali aresztowani. W stolicy oszczędzono jedynie jego najbliższego współpracownika, Wsiewołoda Mierkułowa licząc, że może dostarczyć wielu dowodów wzmacniających oskarżenie. On zaś, ratując własną skórę, napisał dwa listy, w których ujawnił szczegóły kariery swojego byłego przyjaciela. Nie omieszkał potępić uwięzionego szefa MWD.

Każdego dnia, im bardziej o tym myślę, wspominam imię Berii z większym oburzeniem i niesmakiem, wzburzony, że człowiek zajmujący tak wysoką pozycję mógł zachowywać się tak niegodnie – pisał.

Nie to było potrzebne Chruszczowowi. Oczekiwał, że Mierkułow dostarczy informacji o współdziałaniu Berii z musawatystami przeciwko bolszewikom w 1918 roku, a skoro tak się nie stało, uznał, że nie warto oszczędzać tego człowieka i kazał go aresztować pod zarzutem współudziału w zbrodniach Berii. Dwaj zastępcy Berii – Iwan Sierow i Siergiej Krugłow – po pierwszych, bardzo nieśmiałych próbach wstawienia się za aresztowanym szefem szybko zdecydowali się działać po stronie Chruszczowa, dostarczając mu cennych materiałów oskarżenia.

Od 2 do 7 lipca na plenum Komitetu Centralnego Chruszczow wyjaśniał, dlaczego aresztowano Berię. Stał się panem sytuacji. Na sali nie było sprzymierzeńców obalonego szefa bezpieki, gdyż zostali aresztowani. Ci z członków prezydium, co do których istniało podejrzenie, że nie poprą rezolucji potępiającej Berię, zostali poddani prostej, ale skutecznej presji psychologicznej: ich wystąpienia przewidziano w dalszej kolejności, tak aby najpierw wypowiedzieli się najwięksi wrogowie Berii: Malenkow, Chruszczow, Mołotow, Bułganin, Kaganowicz. Przedstawili obraz człowieka tak nikczemnego, że nikt już nie odważyłby się stanąć w jego obronie.

Anastas Mikojan, który usiłował pozostać lojalny, w końcu przyłączył się do oskarżycieli zarzucających Berii działanie przeciw bolszewikom w 1918 roku oraz szkodnictwo gospodarcze w ostatnich miesiącach.

Sekretarz Komitetu Centralnego Szatalin przedstawił (wydobytą od ochroniarza Berii, Sarsikowa) długą listę kobiet, z którymi Beria utrzymywał kontakty seksualne, oraz dowodził, że wiele z nich zostało siłą zmuszonych do oddania się szefowi bezpieki. Bakradze, premier rządu gruzińskiego zeznał, że Beria uzyskał stanowisko w gruzińskiej partii tylko dzięki intrygom i łasce Stalina. Bakradze wyraźnie ratował własną skórę, i to mu się udało: co prawda wydalono go z partii, ale pozostał na wolności.

Wynik plenum łatwo było przewidzieć: zatwierdzono aresztowanie Berii i uchwalono, że należy postawić go przed sądem.

17 grudnia 1953 roku prasa radziecka podała, że prokurator generalny zakończył śledztwo i skierował do sądu akt oskarżenia przeciw Berii i jego sześciu wspólnikom*). Rozprawa miała się odbyć na podstawie przepisów dekretu z 1 grudnia 1934 roku, który nie przewidywał obecności oskarżonych na sali sądowej, nie dopuszczał możliwości odwołania się od wyroku i stanowił, że wyrok musi być wykonany natychmiast.

Według oficjalnych informacji 18 grudnia 1953 roku Ławrentij Beria stanął przed tajnym sądem, oskarżony o zdradę, terroryzm, działalność kontrrewolucyjną w zakonspirowanej grupie, działalność na rzecz obcego wywiadu w latach 1918 – 1919 oraz wiele innych zbrodni kryminalnych, za co groziła kara śmierci przez rozstrzelanie.

Prasa podgrzewała atmosferę zamieszczając całostronicowe artykuły pod wielkimi tytułami: „Wznosi się fala społecznego oburzenia'', „Nie ma litości dla Berii i jego gangu''. Opisywano kryminalną przeszłość Berii i jego najnowsze zbrodnie, z których największa miała polegać na próbie rozbicia kolektywnego rolnictwa w celu spowodowania niedoborów żywności.

Proces trwał do 23 grudnia. Skład sądu, któremu przewodniczył marszałek Iwan Koniew, był bardzo dziwny, gdyż wśród ośmiu sędziów było tylko dwóch prawników, a pozostali to: przewodniczący wszechzwiązkowych związków zawodowych, przewodniczący gruzińskich związków zawodowych, dwóch oficerów, zastępca ministra spraw wewnętrznych i sekretarz moskiewskiego komitetu rejonowego partii. Niemalże wszyscy, poczynając od przewodniczącego trybunału, marszałka Koniewa, byli blisko związani z Chruszczowem.

24 grudnia prasa poinformowała, że sąd potwierdził oskarżenia i skazał Berię oraz jego sześciu wspólników na karę śmierci. Wyrok wykonano prawdopodobnie w bunkrze dowództwa obrony powietrznej, gdzie Beria przez cały czas był więziony. Dziwne jest to, że sześciu innych skazanych przewieziono do więzienia na Łubiance i tam rozstrzelano. Dlaczego nie zrobiono tego w bunkrze? Dlaczego zadano sobie trud przewożenia tych ludzi do innego więzienia? Może ich proces odbył się na Łubiance, a proces Berii w ogóle się nie odbył?

*) Mierkułow, Diekanozow, Bogdan Kobułow, Goglidze, Meszik, Włodzimirski

CAŁKIEM INNA RZECZYWISTOŚĆ

Czy Beria stanął przed sądem? Do dzisiaj nie ma pewności w tej sprawie.

W maju 1956 roku Nikita Chruszczow powiedział delegacji francuskich socjalistów, że Berię zastrzelono w czasie obrad prezydium 26 czerwca, gdyż stawiał opór. We wrześniu 1956 roku przebywającym w Moskwie przywódcom włoskiej partii komunistycznej przedstawił inną wersję. Stwierdził, że Beria usiłował wezwać pomoc i dlatego towarzysze musieli go udusić. Dwa dni później Chruszczow odwołał tę rewelację.

Swietłana Allilujewa, córka Stalina, była przekonana, że Berię rozstrzelano kilka dni po aresztowaniu, po krótkim, pospiesznym procesie. Syn Berii, Sergo, twierdził, że ojciec w czasie rzekomego procesu na pewno już nie żył. Przyjaciel powiedział mu, że 26 czerwca z domu ojca słychać było strzały pistoletowe. Gdy poszedł w tamtą stronę, zobaczył żołnierzy wynoszących ciało owinięte w koc. Jeden z sędziów miał powiedzieć synowi Berii, że nie widział po 26 czerwca jego ojca żywego.

Te wersje są bardzo prawdopodobne. Malenkow i Chruszczow – dwaj główni zamachowcy – bali się Berii jak ognia. Wiedzieli, że nie wystarczy przekonać towarzyszy z prezydium, iż trzeba Berię pozbawić stanowiska, lecz należy go aresztować i wywieźć z Kremla, co mogło im się wydawać niemożliwe. Mieli pełną świadomość, że jakikolwiek błąd z ich strony, a nawet przypadek, może spowodować wkroczenie do akcji ochroniarzy Berii. Wówczas los zamachowców byłby przesądzony. Może dlatego woleli nie ryzykować i zabili go na miejscu, w sali obrad Prezydium Komitetu Centralnego? Ale też wiadomo, że bunkier nad brzegiem Moskwy był w czasie procesu strzeżony szczególnie silnie, co wskazywałoby, że jednak przetrzymywano tam Berię. Prokurator przygotował czterdzieści tomów dokumentów, co wobec politycznego składu sądu wydawało się zupełnie niepotrzebne. Mogłoby to wskazywać, że Beria nie został zabity na posiedzeniu prezydium 26 czerwca i Chruszczow zamierzał początkowo zorganizować proces publiczny, z którego zrezygnował z nieznanych powodów. Jaka jest prawda?

Nikita Chruszczow sprawował niepodzielną władzę w ZSRR do 1964 roku, kiedy to został obalony przez byłego szefa KGB, Aleksandra Szelepina, Michaiła Susłowa i Leonida Breżniewa, zaniepokojonych planami reform aparatu partyjnego. Zmarł w 1971 roku, a na jego pogrzeb (trumnę na cmentarz przywieziono w skrzyni ciężarówki *ził)* dopuszczono tylko najbliższą rodzinę i znajomych.

ZEMSTA OAS

WALCZCIE DO KOŃCA!

Generał de Castries, dowódca garnizonu Dien Bien Phu, zszedł wąskimi betonowymi schodami do bunkra łączności. Otworzył ciężkie stalowe drzwi i wszedł do zacienionego i dusznego pomieszczenia wypełnionego aparaturą radiową. Na jego widok żołnierze poderwali się, z hałasem odsuwając stołki, ale powstrzymał ich ruchem ręki przed składaniem meldunków.

– Jakieś nowe rozkazy z dowództwa? – zapytał radiotelegrafistę. Ten odciągnął słuchawki z uszu i pokręcił głową.

– O tej porze nie można się spodziewać żadnej łączności...

– Dobrze, to ja mam dla nich meldunek. – Castries przysunął sobie krzesło i rozsiadł się najwygodniej, jak było to możliwe w ciasnym wnętrzu. Radiotelegrafista odwrócił się w stronę szafy pancernej, aby wydobyć księgi szyfrów.

– Nie potrzeba – powstrzymał go generał. – Nadawaj otwartym tekstem. Chcę, żeby wszyscy to słyszeli, a zwłaszcza nasi wrogowie...

– Jestem gotowy, generale. – Żołnierz patrzył na niego z lekkim zdziwieniem, gdyż nigdy dotąd podczas służby w Wietnamie nie zdarzyło mu się wysyłać nie szyfrowanych depesz.

– Wietnamczycy wreszcie atakują! – Castries wolno i dobitnie podał treść meldunku. – To wszystko.

Podniósł się z krzesła i szybko wyszedł z bunkra. Wiedział, że ta wiadomość ucieszy generała Cogny – głównodowodzącego wojskami francuskimi północnego teatru działań wojennych w Wietnamie. Od początku 1954 roku oczekiwali na moment, w którym partyzanci zdecydują się uderzyć na silnie broniony zespół fortów w dolinie Dien Bien Phu. Jednakże żołnierze Viet Minh, którzy kryli się w lasach na wzgórzach, nie kwapili się do frontalnego ataku. Co najwyżej wieczorami lub późną nocą uderzali na bunkry strzegące drogi lub na patrole sprawdzające zasieki. Walki – krótkie, gwałtowne – ucichały równie szybko, jak wybuchały. Partyzanci wycofywali się do lasu, unosząc rannych i zacierając wszelkie ślady.

Jednakże Castries wiedział, że pewnego dnia partyzanci będą musieli uderzyć wszystkimi siłami, aby – bez względu na straty – zniszczyć garnizon Dien Bien Phu, wrzynający się w zajęte przez nich tereny jak skała w morze; opanowanie strategicznej doliny było im niezbędne do kontynuowania zwycięskiego marszu. Generał żywił jednak przekonanie, że walka zakończy się klęską Wietnamczyków, gdyż bez ciężkiej artylerii nie sposób było zdobyć umocnienia Dien Bien Phu. Cała sytuacja wydawała mu się niezwykła. Nie przypominał sobie wypadku, w którym silny garnizon regularnych wojsk zostałby oblężony przez partyzantów i gotował się do bitwy z nimi jak z wrogiem rzucającym do walki równorzędne siły lotnictwa, broni pancernej i artylerii.

Odgłosy walki, dobiegające z północy, ustały raptownie. Nagła cisza wydawała się niepokojąca. Castries powrócił do swojego schronu.

– Co melduje „Gabriela'' i „Beatrycze''? – zapytał telefonistę o wiadomości z fortów na północy doliny.

– Po 17.00 atakujący wycofali się.

– Chodziło im pewnie o rozpoznanie walką. Sądzę, że wkrótce znowu uderzą – powiedział pułkownik Gabro, lustrujący przez lornetkę teren wokół schronu. – Ale zachowują się dziwnie. Nigdy dotąd nie rzucali do walki tak dużych sił, aby nagle się wycofać. Dziwne to rozpoznanie...

O 17.30 z północnej części doliny dobiegły głuche odgłosy wybuchów.

– To chyba stodwudziestki... – niepewnie powiedział Gabro.

– Przecież w północnym rejonie nie mamy dział takiego kalibru! Łącz mnie z „Gabrielą'' – krzyknął Castries do telefonisty. Wyrwał mu słuchawkę, gdy tylko zgłosił się dowódca fortu. – Co się u was dzieje?! Słyszymy artylerię...

– Zgadza się, generale! – potwierdził dowódca „Gabrieli''. – Wietnamczycy otworzyli ogień z dużego kalibru. Prawdopodobnie strzela do nas dziesiątka armat kaliber 105 mm. Jak dotąd, pociski przenoszą, ale chyba szybko się wstrzelają. Proszę o pomoc lotnictwa!

– Na razie musicie radzić sobie sami. Jak będzie potrzeba, wezwiemy samoloty – odpowiedział Castries bez większego przekonania, gdyż wiedział, że wyszukanie stanowisk wietnamskiej artylerii, doskonale zamaskowanych w tropikalnym lesie, będzie niemożliwe.

Czterdzieści haubic i armat kaliber 120 mm i 105 mm oraz dwadzieścia moździerzy kaliber 80 mm strzelało ze wzgórz do bunkrów widocznych jak na dłoni.

Generał de Castries ciągle nie mógł uwierzyć, że najdalej na północ wysunięty fort znalazł się pod silnym ostrzałem dział, gdyż nie wyobrażał sobie, jak partyzanci mogli je wtoczyć na urwiste i zalesione zbocza. Haubica kaliber 120 mm ważyła ponad 7 ton i do przetransportowania takiej masy żelaza francuskie wojska używały ciągnika artyleryjskiego, ale żaden pojazd mechaniczny nie mógłby przecież wjechać na wzniesienia wokół doliny Dien Bien Phu. Dowódcy francuscy, przekonani, że partyzanci Viet Minhu nie będą mieli dział, aby razić bunkry, nie zbudowali w górach stanowisk obronnych.

Tymczasem przez wiele dni i nocy tysiące wietnamskich kobiet i dzieci młotkami wykuwało w skałach ścieżki i drogi. Potem setki żołnierzy wycinało siekierami przejścia w gęstwie roślin i wciągało na linach działa. Dokonali dzieła na pozór niemożliwego – ustawili na stanowiskach ogniowych haubice i armaty. W ich zasięgu znalazły się wszystkie forty doliny. Później tysiące ludzi na plecach, na rowerach i grzbietach mułów dostarczało setki ton amunicji, lżejszej broni i prowiantu dla żołnierzy w górach. W całej operacji zaopatrzenia oddziałów szykujących się do zdobycia francuskiej twierdzy wzięło udział około 40 tysięcy Wietnamczyków.

13 marca 1954 roku wietnamskie działa rozpoczęły morderczy ogień. Gdy umilkły wybuchy pocisków, o 18.00 z gór zaczęły spływać potoki żołnierzy Viet

Oddział wietnamski

Patrol francuski w dżungli

Dien Bien Phu –
desant francuskich spadochroniarzy

Fort „Beatrycze'' w Dien Bien Phu

Minh. Szli w samobójczym zaślepieniu na ziejące ogniem bunkry fortu „Gabriela''. Dwa tysiące ludzi zaatakowało schrony i okopy obsadzone przez stu kilkudziesięciu Francuzów. Po dwóch godzinach walki Wietnamczycy wybili kompanię legionistów, broniącą środkowego odcinka fortu, i uderzyli na skrzydła. Tropikalna noc nie przerwała walki. Dopiero nad ranem strzały zaczęły przycichać.

– Zgodziłem się na zawieszenie broni – meldował dowódca „Gabrieli''. – Mamy tak wielu rannych i zabitych, że trzeba uporządkować sytuację. Trupy są wszędzie. Żołnierze w okopach opierają karabiny na zabitych kolegach. Wietnamczycy ponieśli ogromne stra... – W słuchawce rozległ się trzask, a potem zapadła cisza; łączność została zerwana. Prawdopodobnie wybuch pocisku zniszczył linię telefoniczną. Po kilku minutach dowódca „Gabrieli'' zgłosił się przez radio:

– Schrony 7 i 8 zostały całkowicie zniszczone. Środkowy odcinek obrony już nie istnieje. Jeżeli ponowią atak o tej samej sile... – Zawahał się na moment. – ...Może być ciężko, bardzo ciężko, generale...

– Niech pan nie plecie głupstw! Rozkazuję zastrzelić każdego, kto piśnie o poddaniu się. Wytrzymajcie, wysyłam posiłki – odpowiedział generał. Nie spodziewał się, że Wietnamczycy mogą zaatakować z taką siłą i zaciekłością. Oceniał, że partyzanci dysponują 10–15 batalionami wyposażonymi w karabiny maszynowe i lekkie moździerze. W rzeczywistości jednak mieli 30 batalionów i ciężką broń.

Druga nawała spadła na obrońców „Gabrieli'' w południe. Atak został odparty, ale o 20.15 partyzanci wznowili walkę. Dowódca fortu połączył się przez radio z generałem de Castries.

– Strzelamy bez przerwy, ale oni są coraz bliżej. – Mówił spokojnie, ale w jego słowach wyczuwało się straszliwe zmęczenie i rezygnację. – Przez zasieki przechodzą po trupach swoich towarzyszy. Mamy 120 zabitych i ze 300 rannych, ciężko rannych, bo o drobnych kontuzjach nie ma co mówić. Wielu raniono w walkach wręcz. Skończyły się lekarstwa i jeżeli nie odeślemy rannych, to zniszczy ich gangrena...

O 4.00 nad ranem Wietnamczycy weszli do fortu „Gabriela''. Kilka godzin później opanowali drugi z północnych fortów, „Annę Marię'', którego załoga wycofała się w obawie przed okrążeniem. Padł również trzeci z bastionów broniących dostępu od północy – „Beatrycze''. Sytuacja garnizonu stała się poważna. Dolina Dien Bien Phu została otoczona; partyzanci przecięli wszystkie drogi dowozowe.

Ale generał był nadal dobrej myśli. Sądził, że jego garnizon będzie mógł otrzymywać zaopatrzenie i posiłki drogą lotniczą. Te rachuby jednak szybko zawiodły. Deszczowa pogoda utrudniała loty, a Wietnamczycy, rozumiejąc doskonale znaczenie mostu powietrznego, zorganizowali na wzgórzach bardzo silną obronę przeciwlotniczą. Transportowe *dakoty*, podchodząc do lądowania w centrum doliny, musiały już nad górami obniżać lot, a wtedy dostawały się w zmasowany ogień karabinów maszynowych. Straty rosły z dnia na dzień; siły garnizonu, pozbawionego dostaw, szybko się wyczerpywały.

30 marca partyzanci ponowili ataki. Z taką samą samobójczą zaciekłością, jaką zademonstrowali podczas pierwszych walk, podchodzili do bunkrów i wtykali w strzelnice długie bambusowe kije z ładunkami, których eksplozje zabijały załogę.

6 kwietnia obydwie strony miały już 9 tysięcy zabitych i kilkanaście tysięcy rannych. Walki zaczęły przycichać. Generał de Castries zdawał sobie jednak sprawę, że spokój nie potrwa długo. Wietnamczycy gromadzili zapasy do dalszej walki. Odsyłali rannych i sprowadzali na ich miejsce nowe oddziały. Ludzie dostarczali broń i amunicję rowerami. Natomiast Francuzi zostali pozbawieni możliwości odnowienia sił. Korespondent „Le Monde'' pisał w reportażu z doliny:

Około tysiąca rannych oczekuje w Dien Bien Phu końca tego koszmaru. Codziennie pilne depesze wołają o plazmę krwi i leki. W twierdzy przewidziano tylko dwadzieścia pięć łóżek dla rannych, ponieważ wierzono w możliwość transportu powietrznego, który jest już niemożliwy. Obecnie liczbę łóżek powiększono do czterystu i czterech chirurgów amputuje zaatakowane gangreną ręce i nogi, które w normalnych warunkach mogłyby być uratowane. Lekarze doszli do granic wytrzymałości, a potok rannych, daremnie oczekujących na opatrunek, zwiększa się z godziny na godzinę. Woda z zatrutej trupami rzeki musi być filtrowana w specjalnych aparatach. Starcza jej zaledwie na napojenie tych, którzy dostają szału z pragnienia. Na zmniejszającym się stale obszarze twierdzy nie ma gdzie grzebać zwłok. (...) Nasza artyleria okazała się bezsilna w wyszukiwaniu stanowisk ogniowych nieprzyjaciela i drugiego dnia bitwy dowodzący nią pułkownik popełnił w swoim bunkrze samobójstwo, rozrywając się granatem.

1 maja nad ranem generał wyszedł ze swego schronu i skierował się w stronę najbliższych okopów. Wiedział już, że nie może liczyć na odsiecz, a kurczące się gwałtownie zapasy nie dawały szansy na długą walkę. Z ogromnej bazy pozostały tylko trzy forty: „Klaudyna'' i „Eliana'' w centrum oraz odsunięta na południe „Izabella''. Rozłożone na elipsie o obwodzie około 1300 metrów, nie mogły się długo bronić. Zmasowany ogień wietnamskiej artylerii musiał zmieść je z powierzchni ziemi.

Po kilku minutach generał dotarł do pierwszego schronu fortu „Klaudyna''. Niski, tęgi porucznik z zarostem nie golonym od wielu dni i w poplamionym krwią mundurze zameldował się jako dowódca fortu. Generał nie przypominał sobie jego twarzy. Był to już widocznie kolejny dowódca, gdyż poprzedni zginęli lub odnieśli rany.

– Jakie nastroje w załodze? – zapytał de Castries, ale po chwili zdał sobie sprawę, że postawił idiotyczne pytanie.

– Panie generale, Wietnamczycy są w odległości rzutu granatem, a my mamy kilka karabinów maszynowych i amunicję na parę godzin walki. Jeżeli zaatakują, nastąpi koniec...

– Musimy walczyć do końca. My nie bronimy Dien Bien Phu. Bronimy honoru Francji i jej wojska!

– A dlaczego nasz rząd nie broni honoru Francji i jej wojska? – twardo zareagował oficer.

De Castries milczał przez chwilę, zanim powiedział z naciskiem:

– Musimy walczyć. Mamy rezerwy, możemy użyć czołgów.

Wyszedł szybko z bunkra. „Jeżeli zaatakują, nastąpi koniec'' – powtórzył w myślach słowa porucznika.

Atak nastąpił dzień później, 2 maja o 17.00. Przez wiele godzin wietnamska artyleria miotała dziesiątki pocisków na francuskie umocnienia. Mimo poważnych strat, garnizon Dien Bien Phu stawiał twardy opór i odparł kilka zmasowanych ataków piechoty, która poderwała się do walki o 22.00. Jednakże nad ranem siły francuskie zaczęły się wyczerpywać. Zewsząd nadchodziły meldunki: „Kończy się amunicja, nie ma opatrunków, brakuje wody. Czy możemy się poddać?''

Generał de Castries połączył się z dowództwem w Hanoi. Wokół jego bunkra trwały zażarte walki. Wietnamczycy ostrzeliwali wejście z pozycji oddalonych o kilkadziesiąt metrów.

– Mówi generał de Castries...

– Tu Salan. – W Hanoi przy radiostacji był głównodowodzący wojskami francuskimi. – Słucham, generale...

– Wietnamczycy są wszędzie. Sytuacja jest bardzo ciężka. Walka toczy się o każdy metr ziemi. Będziemy walczyć do końca.

– Tak, rozumiem. Walczyliście do końca...

– Zrozumiałem. Za chwilę zniszczymy łączność radiowo-telefoniczną. Będziemy walczyć do końca...

O 17.45 generał rozkazał wywiesić na swoim bunkrze białą flagę. Garnizon Dien Bien Phu – który stracił trzy tysiące żołnierzy zabitych, osiem tysięcy zaginionych i pięć tysięcy rannych – poddawał się. Żołnierze regularnej armii wychodzili ze zrujnowanych schronów z rękami wzniesionymi do góry i poddawali się partyzantom Viet Minhu, którzy – mimo trzykrotnie większych strat – zwyciężyli. Zdobyli strategiczną dolinę, co oznaczało, że wygrali wojnę.

Kilka godzin później generał Raoul Salan wyszedł pośpiesznie ze swojego biura w Hanoi, wsiadł do taksówki i pojechał do niewielkiego hotelu „Nadine'' stojącego na przedmieściu. Przeszedł przez hall, wbiegł na pierwsze piętro i skierował się w stronę drzwi ledwo widocznych w ciemnościach panujących w końcu korytarza. Pewność, z jaką poruszał się po hotelowych wnętrzach, wskazywała, że bywał tu często. Otworzył drzwi, nie pukając, i wszedł do środka. Na jego widok kilku mężczyzn podniosło się z ratanowych fotelików. Choć starali się powstrzymywać od regulaminowego zachowania, to jednak ich gesty świadczyły jednoznacznie, że byli to zawodowi żołnierze.

– Panowie, czasy nie szczędzą nam złych wiadomości... – powiedział Salan, siadając przy niskim stoliku.

– Dien Bien Phu padło? – zapytał Gignac tonem wskazującym, że oczekuje potwierdzenia.

– Przed kilkoma godzinami, dokładnie o 18.30. W tej chwili parę tysięcy naszych chłopców oddaje się w ręce żółtków. Sądzę, że możemy pozbyć się złudzeń co do dalszych losów wojny.

– To stawia nowe zadania przed naszą organizacją – przerwał generałowi Gignac, będący jednym z czołowych działaczy Stowarzyszenia Kombatantów Indochin i Unii Francuskiej.

– Myli się pan! – twardo odparł Salan. – W tej sytuacji nie możemy zrobić nic. Absolutnie nic!

– Jest naszym obowiązkiem nie dopuścić do haniebnego pokoju, jaki zapewne zostanie zawarty przez ten lub inny rząd IV Republiki. – Gignac nie ustępował.

Pozostali uczestnicy zebrania nie zabierali głosu, wsłuchując się w spór dwóch ludzi najważniejszych w Stowarzyszeniu Kombatantów.

– Ten lub inny rząd IV Republiki zawrze pokój bez względu na to, czy będziemy tego chcieli, czy nie. Jesteśmy organizacją, a nie armią! Nie mamy już żadnych argumentów, aby przekonać opinię publiczną we Francji, że wojnę należy kontynuować. Jakich argumentów chce pan użyć? Może pan podać tylko liczbę zabitych, rannych i jeńców. Musimy zrozumieć bolesną dla nas prawdę, że dla przeciętnego Francuza ta wojna oznacza tylko nowe ofiary.

– To zdrada! – krzyknął rozgorączkowany Gignac.

Salan opanował się nagle. Usiadł z powrotem w foteliku i przysunął sobie szklankę białego wina. Wrzucił do niej kilka kostek lodu i przez chwilę popijał w milczeniu. Wreszcie odezwał się spokojnie:

– Powtarzam: w tej wojnie nie możemy zrobić już nic! Ale zgadzam się z panem, że sytuacja, w jakiej się znaleźliśmy, stawia przed nami nowe zadania. A konkretnie – jedno zadanie! Władza musi przejść w ręce ludzi, którzy wiedzą, co to jest honor Francji, a nie tych, którzy przykrawają go do sytuacji i wymagań sojuszników. Zgadzam się: to zdrada. Zostaliśmy zdradzeni. Przez Paryż i przez Amerykanów, którzy odmówili nam pomocy, gdyż sami chcą usadowić się w Indochinach. Nowe zadanie staje się więc coraz pilniejsze: przejąć władzę, aby ocalić honor i powagę Francji!

Obecnych zaskoczyła otwartość Salana. Wiadomo było, że „Mandaryn", jak go powszechnie nazywano, potrafi mówić bardzo długo, ale próżno by dotąd szukać w jego słowach konkretnych deklaracji. Jednakże tym razem szef Stowarzyszenia Kombatantów wyznaczył jasno cel: przejęcie władzy we Francji! Sytuacja jednak jeszcze do tego nie dojrzała.

Francja nie chciała kontynuowania wojny w Indochinach. 12 czerwca ustąpił rząd Josepha Laniela, który utracił poparcie parlamentu, a na fotelu premiera zasiadł Pierre Mendes-France.

21 lipca Francja podpisała w Genewie traktat kończący wojnę w Indochinach...

STARA WOJNA, NOWA WOJNA

Dochodziła północ, gdy pułkownik Lacombe z prefektury w Konstantynie kończył pisanie raportu.

Dane wywiadowcze wskazują jednoznacznie, że w ciągu najbliższych 48 godzin może wybuchnąć powstanie, które ma objąć całą Algierię. Decyzje w tej sprawie podjęli na posiedzeniu 10 października br. dowódcy wilajatów (okręgów wojskowych – BW). *Oceniamy, że w pierwszym okresie liczebność uzbrojonych powstańców nie przekroczy 1000, jednakże może szybko wzrosnąć...*

– Ciekawe, czy w Algierze poważnie potraktują ten raport? – Lacombe przerwał lekturę swojego pisma.

– Nie sądzę, aby nasi zwierzchnicy w Algierze schowali to do szuflady – odpowiedział adiutant, wkładając dokument do grubej koperty i starannie lakując jej brzegi. – To przecież oni powiadomili nas, że w marcu „komitet dziewięciu''*) podjął decyzję o rozpoczęciu walki zbrojnej. Teraz otrzymają potwierdzenie, że informacje ze Szwajcarii były prawdziwe.

– Obawiam się, że droga naszego raportu będzie bardzo długa i zanim Paryż podejmie jakiekolwiek decyzje, Arabowie spalą pół kraju. Nie jesteśmy przygotowani do rozpędzenia bójki dziesięciu Arabów z jednym pijanym Francuzem, a co dopiero mówić o skoordynowanym odparciu tysiąca uzbrojonych partyzantów – westchnął Lacombe.

– Gotowe, panie pułkowniku. Życzę spokojnej podróży. – Adiutant wręczył mu zalakowaną kopertę.

Lacombe wsunął ją do teczki, zamknął niewielką kłódkę, uniemożliwiającą odpięcie paska i skierował się do wyjścia. Na podwórzu oczekiwał już kierowca czarnego *citroena.* Pułkownik umieścił się wygodnie na tylnym siedzeniu, gdyż miał nadzieję, że uda mu się złapać trochę snu po drodze do stolicy. Przez ostatnie dni niewiele miał czasu na odpoczynek. Informatorzy działający w szeregach powstańców meldowali o mobilizacji i przygotowaniach do walki. Najbardziej jednak sensacyjna wiadomość nadeszła kilka godzin temu od agenta działającego pod pseudonimem „Hosni''. Lacombe nie wiedział, kim jest ten człowiek. Nigdy się nie ujawnił. Pewnego razu przysłał chłopca, który wręczył list policjantowi pełniącemu służbę przy drzwiach. Od tego czasu stosował głównie tę metodę kontaktu. Lacombe szybko uwierzył w lakoniczne meldunki, gdyż wszystkie okazały się prawdziwe. Wszelkie próby skłonienia „Hosniego'' do ujawnienia się zawiodły, a zbyt energiczne poszukiwania mogłyby przepłoszyć cennego agenta, dlatego pułkownik wolał pozostawić sprawy swojemu biegowi. Uznał, że informator prowadzi własną grę przeciwko szefom ruchu wyzwoleńczego, aby ich skompromitować. Może kierowały nim względy osobiste:

*) Rewolucyjny Komitet Jedności Działania – kierowniczy organ algierskiego ruchu wyzwoleńczego, utworzony w Szwajcarii w marcu 1954 roku przez krajowych i emigracyjnych działaczy (m. in. Ben Bella, Ait Ahmed)

zawiedziona miłość, zawiść, zadawniona krzywda... Jakiekolwiek były motywy jego działania, pozostawał bezcennym agentem francuskiego wywiadu.

Lacombe podłożył pod głowę teczkę, aby zamortyzować wstrząsy nieprzyjemnie przerywające krótkie chwile drzemki, gdy nagle usłyszał odległe wystrzały.

– Co to?

Kierowca wyłączył silnik samochodu, aby lepiej mogli słyszeć dalekie hałasy. Przez chwilę toczyli się rozpędem, aż wreszcie samochód stanął.

– Chyba strzelają w Batna – powiedział po chwili.

W Batna stacjonował pułk artylerii i było bardzo prawdopodobne, że algierscy bojownicy rozpoczęli powstanie od ataku na tę jednostkę. Lacombe bezradnie spojrzał na teczkę.

– Trochę się spóźnię, ale te informacje i tak się przydadzą. Znajdź jakiś objazd, żebyśmy nie wjechali wprost pod lufy tych dzikusów – polecił kierowcy. Odpiął kaburę, wyciągnął pistolet i zarepetował go. Nie przydałby się do obrony, gdyby wjechali w zasadzkę, ale mógłby oszczędzić pułkownikowi straszliwych męczarni, jakim poddaliby go partyzanci, zanim litościwie ścięliby mu głowę lub powiesili za nogi na najbliższym drzewie...

Walki, jakie rozgorzały tej nocy, zaskoczyły całkowicie władze francuskie. W Algierii stacjonowały nieliczne pułki wojska, a policja i żandarmeria nie mogły odeprzeć ataków, które nastąpiły jednocześnie w wielu rejonach kraju.

Pod koniec następnego dnia pułkownik Lacombe, siedząc w swoim gabinecie, usłyszał w radiu komunikat francuskiego Ministerstwa Spraw Wewnętrznych.

Pewna liczba zamachów dokonana została poprzedniej nocy w różnych punktach Algierii. Są one dziełem pojedynczych osób lub nie zorganizowanych grup. Generalny gubernator Algierii przedsięwziął odpowiednie kroki, a minister spraw wewnętrznych oddał do jego dyspozycji dodatkowe siły policyjne.

Lacombe wzruszył ramionami i zgasił radio.

– Jeżeli ten komunikat jest prawdą, to oni nic nie rozumieją z tego, co dzieje się w Algierii – powiedział zniechęcony do adiutanta. Myślał z goryczą, że jego obawy co do sposobu, w jaki zwierzchnicy potraktują raport, okazały się uzasadnione.

Nie miał jednak racji. Komunikat wydano po to, aby uspokoić opinię publiczną. Paryż doskonale sobie zdawał sprawę z zagrożenia.

Wielka machina wojskowa zaczynała działać. Już 3 listopada na lotnisku w Algierze wylądowały pierwsze samoloty z oddziałami spadochroniarzy. Do końca miesiąca przerzucono ponad 50 tysięcy żołnierzy. Na początku 1955 roku walczyło w Algierii 80 tysięcy żołnierzy. W 1956 roku ich liczba zwiększyła się do 400 tysięcy. Rozpoczęła się regularna, okrutna wojna, wciągająca coraz więcej jednostek wojska i pochłaniająca coraz więcej ofiar.

Przywódcy Algierskiego Frontu Wyzwolenia Narodowego (FLN) zdawali sobie sprawę, że partyzanci – nie wyszkoleni i źle uzbrojeni – nie pokonają regularnego wojska. Celem walki stało się zapobieżenie utworzeniu w Algierii wielorasowego społeczeństwa. Dlatego też powstańcy zaczęli najpierw mordować działaczy algierskich i francuskich, którzy opowiadali się za kompromisem i współżyciem w jednym kraju Arabów i Francuzów. Pierwszym zamordowanym Francuzem był nauczyciel manifestujący przyjaźń wobec Arabów – Guy Monnerot, a pierwszym Arabem, który padł od kul zamachowców z FLN, był profrancuski gubernator Hadź Sakok. Front Wyzwolenia, grożąc męczeńską śmiercią wszystkim, którzy opowiadali się za współpracą z Francuzami, rozpętywał na masową skalę terror zwrócony przede wszystkim przeciwko Arabom. W ciągu pierwszych dwu i pół lat wojny FLN zamordowała pięciokrotnie więcej Arabów niż Europejczyków (6352 Arabów i 1035 Europejczyków). Uśmiercano ich w bestialski sposób; na drogach znajdowano zwłoki bez głów, które z przyszpiloną kartką „zdrajca'' wieszano na gałęziach lub ustawiano na jezdni; znajdowano rozpłatane zwłoki dzieci i zmasakrowane kobiety. W Ain-Abid dosłownie posiekano na kawałki 37 Europejczyków, w tym 10 dzieci. W odwecie francuscy spadochroniarze otrzymali rozkaz zabijania wszystkich Arabów i uśmiercili 1273 powstańców, niekiedy w równie okrutny sposób. Gwałt rodził gwałt i w ten to sposób FLN realizowała swój plan: stosując terror prowokowała wojska francuskie do równie krwawego i bezwzględnego odwetu, co wywoływało znów nienawiść i żądzę zemsty u Arabów. Wzrastała liczebność szeregów FLN. Wojna doszła do stolicy – Algieru.

Pewnego styczniowego wieczoru w gabinecie nowego gubernatora, Roberta Lacoste'a zameldował się dowódca spadochroniarzy, generał Jacques Massu. Zwalisty chłop o twarzy bez wyrazu, w której wąsko osadzone oczy patrzyły mętnie znad ogromnego, mięsistego nosa.

– Chce pan przedstawić sukcesy w zwalczaniu powstańców, generale? – Lacoste był w wyraźnie złym nastroju. – Niech pan się nie fatyguje. Zna pan zapewne rozkaz, jaki wydał dowódca FLN, Ramdane Abane: za każdego skazanego Araba ma zginąć stu Francuzów. Oto raporty z ostatnich siedmiu dni nowego roku. – Gubernator położył na biurku plik kartek. – FLN wypełnia ten rozkaz co do joty!

– Panie gubernatorze! – Massu stał na baczność. – Musi pan dać mnie i moim chłopcom wolną rękę, a oczyścimy Algier z FLN!

– Jak ma pan to zamiar zrobić?

– Ludzie, których schwytaliśmy, boją się pisnąć słówko, gdyż po wyjściu z więzienia dostają się w ręce FLN. Wszyscy wiedzą, co tam robią ze zdrajcami albo podejrzanymi o to, że udzielili nam jakichkolwiek informacji. Dlatego aresztowani milczą jak grób i nie możemy dobrać się do skóry tym z FLN. Nie wiemy, kim są ani gdzie ich szukać.

– No, a jak zmienić tę sytuację?

– Muszą bać się nas bardziej niż FLN!

– Chce pan, żebym pozwolił pańskim chłopcom stosować tortury? – W głosie Lacoste'a brzmiało raczej zaciekawienie niż oburzenie.

Prawo obowiązujące od 1789 roku we Francji zabraniało stosowania tortur. Kodeks karny groził karą śmierci każdemu, kto zastosowałby tortury wobec innego człowieka. Jednakże w Algierii prawa te nie obowiązywały. W marcu 1955 roku z Paryża przyszło polecenie stosowania tortur nadzorowanych, co miało zapobiegać nie kontrolowanemu znęcaniu się żołnierzy nad więźniami.

De Gaulle entuzjastycznie witany w 1958 roku w Algierii

Oddział partyzantów algierskich

Wskazywano, że powinny to być tortury „czyste'', a więc nie pozostawiające śladów. Autor rozporządzenia uznał, że w ten sposób będzie można zapobiegać okaleczaniu i zamęczaniu na śmierć przesłuchiwanych. Ówczesny gubernator Algierii, Jacques Soustelle odrzucił ten projekt.

– Tak, jest to jedyna metoda rozpracowania siatki FLN w Algierze – mówił dalej Massu. – Masowe przesłuchania z zastosowaniem czystych tortur. Arabowie muszą wierzyć, że gdy dostaną się w nasze ręce, możemy zrobić z nimi wszystko. Dlatego będą się bać nas, a nie FLN, i będą mówić. Mam pod swoimi rozkazami cztery tysiące sześciuset spadochroniarzy. W ciągu tygodnia wyciśniemy wszystkie informacje z kilku tysięcy podejrzanych o działalność w FLN. To jest wojna, panie gubernatorze. Albo my ich trochę przyciśniemy, albo oni wyprują nam flaki i owiną dookoła drzewa, co już parę razy zrobili.

– Zgoda, daję panu swobodę działania... – powiedział Lacoste, a po chwili milczenia dodał: – ...w ramach prawa.

Massu szybko zabrał się do dzieła. Jego żołnierze od dawna przechodzili w koszarach twardą szkołę odczłowieczania. Mycie szczoteczką do zębów latryny, a tuż potem zębów było najniewinniejszym zabiegiem stosowanym przez kaprali wobec rekrutów. Po dwóch, trzech miesiącach takiego „treningu'' stawali się oni żołnierzami doskonałymi, maszynami, na których nie robiło żadnego wrażenia zadawanie śmierci czy bólu. Massu dbał, aby wobec arabskich podejrzanych stosowano tortury nie powodujące trwałych ran i okaleczeń. Jego spadochroniarze podłączali badanych do generatorów prądu, przytykając elektrody do najbardziej czułych miejsc na ciele lub topili ich pod kranem.

Wiele lat później, w 1970 roku, Massu spotkał w Paryżu żydowskiego komunistę Henri Allega, którego torturowano w Algierze. Na widok żywej i całej ofiary spadochroniarzy Massu zawołał: „Czy tortury, które on wycierpiał, liczą się w porównaniu z obcinaniem nosa czy warg albo penisa, który stał się rytualnym prezentem *fellaghas* dla ich opornych braci? Powszechnie wiadomo, że te części ciała nie odrastają''.*) Jednakże w tym samym Algierze około 3 tysięcy więźniów zniknęło bez śladu, prawdopodobnie byli to ludzie, wobec których zastosowano „brudne'' tortury, prowadzące do śmierci.

Nowa taktyka Lacoste-Massu przyniosła rezultaty. W ciągu kilku miesięcy komórki FLN w Algierze zostały zlikwidowane. Był to jednak sukces lokalny. Poza stolicą wojna przybierała coraz większe rozmiary.

Opinia publiczna we Francji zaczynała się niepokoić. Wspomnienie Dien Bien Phu i klęski w Indochinach było bardzo świeże, a rok 1956 przyniósł znów porażki: w marcu rząd francuski musiał się zgodzić na uznanie niepodległości Maroka i Tunezji.

System władzy we Francji, naruszony pasmem klęsk na arenie międzynarodowej i grzęznący w niepowodzeniach gospodarczych, chwiał się. Społeczeństwo nie było zadowolone z kolejnych rządów, które odchodziły w wyniku porażek.

*) W swojej książce „La Vrai Bataille d'Alger'' (Paryż, 1971) Massu napisał: *Na pytanie, czy rzeczywiście torturowano, mogę odpowiedzieć tylko twierdząco, choć tortury nigdy nie były zadekretowane ani zinstytucjonalizowane.*

KLĘSKA

Wczesnym rankiem 25 lipca 1956 roku najbliższy przyjaciel Nasera, dziennikarz Mohamed Heikal, przyszedł do pałacu prezydenckiego w Kairze. Był jednym z nielicznych ludzi, którzy mieli wolny dostęp do szefa państwa. Naser siedział przy biurku, zagłębiony w lekturze licznych papierów. Na widok wchodzącego uniósł głowę.

– Znowu stałem się oficerem sztabowym – powiedział.

Heikal nie pytał o treść notatek. Rozumiał, że prezydent analizuje bardzo poważną sytuację. Nie czekał jednak długo na wyjaśnienia.

– Zdecydowałem się znacjonalizować Kanał Sueski i zastanawiam się, jak zareagują na to nasi przeciwnicy – wyjaśnił wreszcie Naser.

Heikal patrzył na niego oszołomiony. Zbyt długo znał prezydenta, aby nawet na moment wątpić w prawdziwość jego zamiarów, ale plan przejęcia własności kanału od towarzystw brytyjskich i francuskich wydawał się wręcz fantastyczny.

Przez kanał przepływało rocznie 14 660 statków. Tankowce przewoziły tamtędy 70 milionów ton ropy, z czego 60 milionów ton dla państw Europy Zachodniej. Zamknięcie tak ważnej drogi wodnej zmuszałoby statki do opływania Afryki, a wówczas armatorzy, aby utrzymać rytmiczność dostaw, musieliby podwoić tonaż tankowców. Żegluga przez kanał przynosiła rocznie jego właścicielom zysk w wysokości 100 milionów dolarów. Egipt dostawał tylko 3 miliony...

– Myślisz, że Wielka Brytania i Francja do tego nie dopuszczą? – zastanawiał się głośno Naser. – Nie, nie obawiam się o powodzenie tej operacji. Przyjmuję, że mogą zaatakować, ale nie sądzę, żeby stało się to szybko. Największe ryzyko agresji mogłoby pojawić się w ciągu najbliższych dni. W sierpniu niebezpieczeństwo zbrojnej interwencji wyniesie 90 procent, ale przygotowanie inwazji zajmie co najmniej 5–6 tygodni. W tym czasie opinia publiczna świata opowie się za Egiptem. We wrześniu zagrożenie spadnie już do 60 procent, w październiku do 40 procent, a w listopadzie już w ogóle nie będzie mowy o tym, aby Brytyjczycy odważyli się zaatakować.

Naser opierał swój optymizm na poparciu, jakiego światowa opinia publiczna udzieliła Egiptowi na wiadomość o cofnięciu przez Stany Zjednoczone i Wielką Brytanię kredytów na budowę tamy assuańskiej. Mylił się...

Następnego dnia, 26 lipca, prezydent wezwał członków rządu na naradę do swojej willi w Aleksandrii. Ministrowie przeczuwali, że coś ważnego wisi w powietrzu, ale nikt nie wiedział, o co chodzi.

Gdy zasiedli dookoła dużego owalnego stołu, Naser uprzedził, że nie przewiduje dyskusji. Zastrzegł, że zbyt jest przekonany o słuszności decyzji, którą zamierza zakomunikować, aby tracić czas na puste słowa. Jego obwieszczenie zaszokowało ministrów.

– Kanał Sueski będzie znacjonalizowany!

Wbrew zastrzeżeniu prezydenta, zebrani zaczęli zgłaszać uwagi. Uznali, że jest to bardzo ryzykowne posunięcie; doradzali stopniowe przeprowadzenie operacji przejęcia kanału.

– Kanał będzie znacjonalizowany! – Naser, rozdrażniony wątpliwościami ministrów, przeciął rozważania.

Zaczęli podnosić się z miejsc i kierować do wyjścia.

– Dokąd idziecie, panowie? – zapytał.

Odpowiedzieli, że na plac Wolności, aby zająć miejsca, z których mieli wysłuchać przemówienia prezydenta.

– Nie. Jeszcze za wcześnie – powstrzymał ich Naser. – Musicie pozostać tutaj. Na plac pójdziemy razem...

W Paryżu w biurze premiera Molleta jego osobisty sekretarz siedział w pokoju, gdzie zainstalowano teleksy łączące z Waszyngtonem i bezpośrednią linię telefoniczną do AFP w Egipcie. Korespondent z Aleksandrii miał poinformować o przebiegu wydarzeń na placu Wolności. Paryż oczekiwał na reakcje Nasera, nie wiedząc, jak daleko odważy się on posunąć...

W Aleksandrii zebrał się 150–tysięczny tłum. Naser przemawiał z balkonu: *Wracam pamięcią do roku 1854, kiedy Ferdynand Lesseps przybył do Egiptu i powiedział kedywowi: „Chcemy przekopać Kanał Sueski; przyniesie wam niewypowiedziane zyski''. 20 tysięcy synów Egiptu, robotników sprowadzonych pod przymusem przez kedywa, zmarło podczas kopania kanału. Anglia przemocą odebrała nam 44 procent akcji Towarzystwa Kanału. Nie kanał został więc przekopany dla Egiptu, ale Egipt stał się własnością kanału. (...) Dziś, o ludzie, Kanał Sueski został znacjonalizowany, a dekret nacjonalizacyjny ogłoszono w „Dzienniku Urzędowym''. Stał się prawem. Dziś, o ludzie, oświadczamy, że nasza własność powróciła do nas.*

Młody porucznik Mahmoud Younis w hotelu w Kairze wsłuchiwał się z uwagą w głos Nasera, płynący z kilku odbiorników. Bał się, że awaria radia mogłaby uniemożliwić usłyszenie najważniejszego słowa-hasła. Dlatego ustawił na stoliku kilka aparatów. Nie wysłuchał przemówienia do końca. Gdy tylko padło nazwisko twórcy Kanału Sueskiego, Ferdynanda Lessepsa, zbiegł na dół, do stojącego przed budynkiem *jeepa* z radiostacją. Stamtąd nadał sygnał dla czekających w pogotowiu grup, które miały rozkaz zajęcia biur Towarzystwa Kanału.

Atak wywołał wstrząs w Londynie i Paryżu. Francuskie Zgromadzenie Narodowe większością 422 – przeciwko 150 – głosów (notabene posłów komunistycznych) uznało decyzję nacjonalizacyjną za „groźbę dla pokoju'' i zobowiązało rząd do nieuznania faktów.

15 października do Londynu udał się generał Maurice Challe, przedstawiciel fracuskiego Sztabu Generalnego. Podczas spotkania z premierem Edenem zaproponował plan działania:

– Izraelczycy są tu. – Wskazał na półwysep Synaj. – A Egipcjanie tam. – Jego ręka powędrowała w stronę delty Nilu. – Gdzie powinna być nasza pozycja?

Oczywiście, tutaj. – Wskazywał teraz na Kanał Sueski. – Na kanale, który musimy ochraniać...

– To dobra myśl – powiedział Eden, zaskoczony precyzją i prostotą planu Francuza.

Następnego dnia premier Eden podejmował premiera Francji, Guya Molleta. Podczas rozmowy w cztery oczy zapadła decyzja o zbrojnej interwencji, zgodnie z planem generała Challe'a. Dzień pǫźniej we francuskich portach śródziemnomorskich zaczęto koncentrować oddziały wojska. Na lotniskach Malty wylądowały brytyjskie bombowce, a do brzegów Egiptu skierowały się okręty Royal Navy. Wszystko było gotowe. Mocarstwa czekały już tylko na *cassus belli*, aby uderzyć, obalić Nasera i unieważnić nacjonalizację. Francja miała dodatkowy powód do ataku: Naser wręcz ostentacyjnie wspierał działania algierskich partyzantów. Pozbycie się tego polityka pozwoliłoby zlikwidować bazy partyzantów na terytorium Egiptu, przeciąć dostawy broni i tym samym wygrać wojnę w Algierii.

29 października uderzyły wojska izraelskie, które w kilka godzin później opublikowały komunikat stwierdzający, że zbliżają się do Kanału Sueskiego. Nie było to prawdą, gdyż w tym czasie (z wyjątkiem desantu spadochronowego) główne siły izraelskie znajdowały się w odległości około 300 kilometrów od kanału, gdzie toczyły zażarte walki z wojskami egipskimi. Jednakże na podstawie tego komunikatu rządy Francji i Wielkiej Brytanii wystosowały 30 października ultimatum żądające wycofania wojsk walczących stron na odległość 10 mil (około 16 kilometrów) od obu brzegów kanału. Zagrożono, że jeżeli ultimatum nie zostanie spełnione w ciągu 24 godzin, wówczas rządy obydwu mocarstw podejmą interwencję zbrojną w celu ochrony żeglugi i urządzeń kanału.

Ani Egipt, ani Izrael nie mogły podporządkować się temu żądaniu. 2 listopada samoloty francuskie i brytyjskie uderzyły na egipskie lotniska. 5 listopada komandosi zajęli najważniejsze miasta nad kanałem: Suez i Port Said. Rząd premiera Molleta dawał Francji wyczekiwane od dawna zwycięstwo: hańba nacjonalizacji, uważanej powszechnie za policzek wymierzony mocarstwom przez prezydenta Nasera, zmierzającego w stronę komunizmu, została zmyta, a przejęcie kontroli nad sytuacją zapowiadało rychłe obalenie Nasera i szybki zwrot w wojnie w Algierii.

Radość ze zwycięstwa nie była długa. Z zachodu i wschodu dochodziły groźne pomruki. Amerykanie nie mieli zamiaru przypatrywać się bezczynnie sueskiej awanturze. Niechętnie patrzyli na pozycję Francji i Wielkiej Brytanii na Bliskim Wschodzie – najważniejszym rejonie świata. Obawiali się, że jeżeli poprą działania anglo-francuskie, zrażą sobie Arabów i stworzą Rosjanom możliwość usadzenia się na Bliskim Wschodzie. Nie mylili się.

Rząd radziecki natychmiast dostrzegł szansę upieczenia własnej pieczeni na ogniu rozpalonym przez Anglię i Francję i wstawił się za Egiptem. W nocie wystosowanej 5 listopada do rządu brytyjskiego premier Bułganin pisał:

W jakiej sytuacji znalazłaby się Wielka Brytania, gdyby zaatakowały ją silniejsze mocarstwa, uzbrojone w nowoczesną broń wszelkiego rodzaju? Istnieją państwa, które nie musiałyby wysyłać swojej floty i lotnictwa do brzegów Wielkiej Brytanii, lecz mogłyby użyć np. broni rakietowej.

Jeżeli zważymy, że w tym czasie brytyjskie siły zbrojne nie dysponowały bronią nuklearną, radziecka nota staje się czytelną groźbą.

Amerykanie postanowili przerwać awanturę, która mogła im tylko zaszkodzić. W nocy z 5 na 6 listopada do premiera Edena zadzwonił prezydent Eisenhower.

– Żądam od pana, aby wydał pan rozkaz przerwania ognia, jeśli chce pan zachować solidarność anglo-amerykańską i pokój. Nie mogę czekać ani chwili dłużej – oświadczył.

Tuż potem Eden połączył się z premierem Molletem.

– Musimy przystać na zawieszenie broni. I tak mamy prawie wszystko, czego chcieliśmy. Naser musi wkrótce upaść.

Mollet usiłował protestować, ale Eden nie ustępował:

– Jeszcze raz proszę, niech mnie pan zrozumie. Telefonował do mnie Eisenhower! Nie mogę iść sam, bez Amerykanów. To byłby pierwszy wypadek w historii Anglii. Nie, to niemożliwe!

Wojska angielskie i francuskie otrzymały rozkaz zaprzestania walk o północy z 6 na 7 listopada. Francuzi ponownie musieli przełknąć gorycz porażki. Prasa podawała wysokość strat w wojnie, która co prawda nie kosztowała wiele, ale kolejny raz udowodniła Francji, że nie znaczy nic w świecie, gdzie decydują Amerykanie i Rosjanie. To była kropla, która przepełniła czarę...

Prezydent Egiptu
Gamal Abdel Naser

VIVE SALAN!

Jeżeli rządy IV Republiki przynosiły społeczeństwu rozczarowania i upokarzające klęski, to kto mógłby poprowadzić Francję do zwycięstw? Kto zdołałby zatrzymać rozszerzający się chaos?

Był taki człowiek. Już raz obronił honor Francji; w czasie II wojny światowej, gdy marszałek Philippé Pétain – jako szef rządu Vichy – podawał rękę Hitlerowi. Wtedy tymczasowy generał (taki stopień otrzymał) Charles de Gaulle uciekł do Londynu i stamtąd zaapelował o kontynuowanie walki z Niemcami; objął przywództwo nad ludźmi, którzy nie złożyli broni. W 1944 roku wrócił triumfalnie do kraju, stanął na czele rządu, ale wkrótce, zniechęcony „partyjniactwem'', odsunął się od polityki i zamknął w swom domu w Colombey-les-Deux-Eglises. Czy mógłby teraz sformować nowy rząd? Oczywiście, tak. Lecz de Gaulle był zbyt doświadczonym i wytrawnym politykiem, aby włączać się do pochopnie podejmowanych działań. Nie zamierzał znaleźć się w sytuacji podobnej do tej z 1945 roku – gdy partie polityczne, działające na forum parlamentu, ograniczały jego kompetencje, kazały układać się i targować o każdą decyzję państwową. De Gaulle chciał władzy pełnej i wiedział, że nadejdzie moment, w którym społeczeństwo zechce mu takiej władzy udzielić. Czekał...

Generał Lachenaud, idący korytarzem szkoły oficerskiej Saint-Cyr w Coëtquidan, minął załom muru, za którym wyprężył się w postawie zasadniczej jakiś żołnierz, i skierował się do wysokich, ciężkich drzwi, prowadzących do sekretariatu jego biura. Powiesił czapkę na wieszaku, otworzył drzwi gabinetu.

– Gdy przybędą moi goście, proszę ich natychmiast wpuścić. Nie chciałbym, żeby czekali – powiedział do sekretarza.

– Już czekają, generale. Przyszli przed kilkoma minutami.

– Proszę podać koniak i kawę – rzucił Lachenaud i wszedł do pokoju.

– Cieszę się, że „Wielkie O'' znowu jest w komplecie – rzekł do kilku mężczyzn, siedzących w skórzanych fotelach i na kanapie. Przywitał się z członkami organizacji, która przyjęła nazwę Grand Organisation – w skrócie „Wielkie O''. Zawsze przy takich okazjach odczuwał dumę, że to u niego zbiera się kwiat francuskich oficerów, gotowych poświęcić życie dla dobra kraju. Spotkania tajnej organizacji często odbywały się w tym gabinecie, gdyż sławna uczelnia wojskowa nadawała dyskusjom swoistą rangę. Tym razem do Saint-Cyr przybyli szefowie organizacji, generałowie: Cherriére, Chassin i Gignac. Po chwili nadszedł jeszcze generał Miquel, dowódca okręgu wojskowego w Tuluzie.

– Czekamy tylko na Michela Debré – stwierdził Lachenaud. – Senator postanowił zwizytować naszą szkołę, co uznałem za doskonałe uzasadnienie jego obecności. – Przerwał na chwilę, gdyż do pokoju wszedł sekretarz z kawą i koniakiem. Gdy tylko wyszedł, generał znów zabrał głos:

– Jak poinformował mnie Debré, gotowość generała de Gaulle'a do przyjęcia odpowiedzialności za losy Francji jest już wyraźna...

– Jak zawsze – uśmiechnął się Cherriére. – Obawiam się jednak, że minie wiele czasu, zanim generał zdecyduje się powiedzieć o tym narodowi.

– Panowie. – W drzwiach stanął Debré. – Domyślam się, że w tak doborowym towarzystwie podejmiemy ważne decyzje. – Przywitał się ze wszystkimi i usiadł przy oknie.

– To zależy od wiadomości, jakie przywozi pan od generała de Gaulle'a...

– Stanowisko generała jest niezmienne: uważa, że nie nadszedł jeszcze czas – odparł Debré, który nieformalnie pełnił rolę łącznika między de Gaulle'em a spiskowcami.

– To bardzo komplikuje nasze plany – zauważył któryś z zebranych.

– Nie ma pan racji – obruszył się Debré. – Powrót generała do władzy to sprawa pomyślności Francji. Nie może on nastąpić w sytuacji nie różniącej się niczym od czasu, gdy generał musiał zrezygnować z funkcji premiera. Pamiętajmy ponadto, że nazwisko „de Gaulle'' nie może kojarzyć się z zamachem stanu – perorował Debré, zawsze skłonny do płomiennych przemówień.

– Czuję, że układa właśnie tekst nowego artykułu do swojego „Courrier de la Colère'' – szepnął Gignac do Chassina. Nie lubił Debré ani jego gazety, jednakże doceniał zasługi senatora.

– Skoro uzgodniliśmy, że miejscem najdogodniejszym do wywołania odpowiedniej atmosfery jest Algier, to mamy tam dwie kandydatury na przywódców wystąpienia, które obali szmatławą Republikę. – Generał Cherriére przerwał wywody Debré. – Generał Jacques Massu...

– Ależ to idiota! – wykrzyknął Debré. – Nigdy dotąd nie spotkałem tak tępego i zarozumiałego żołdaka. Czy panowie mogą sobie wyobrazić tę głupią gębę z kinolem jak burak, żołdaka w panterce, objuczonego granatami, pistoletami i Bóg wie jeszcze jaką bronią, jak zajeżdża *jeepem* na obrady rządu?

– Jest tępy i prymitywny. Zgadzam się z panem – ugodowo powiedział Cherriére. – Jest jednak bardzo popularny wśród żołnierzy i kolonów w Algierii, a pamiętajmy, że mamy tam 4/5 naszych wojsk. Ponadto jest zdyscyplinowany i całkowicie pozbawiony żądzy władzy. Może dokonać zamachu stanu, a potem bez oporu odda władzę temu, kogo wskażemy. Nie można jednak tego powiedzieć o naszym towarzyszu, generale Salanie. On nie zgodzi się być tylko przywódcą puczu mającego na celu zdobycie władzy dla kogoś innego.

– Nie możemy jednak zrobić niczego w Algierii bez wiedzy Salana, naczelnego dowódcy stacjonowanych tam wojsk – zauważył Gignac. – Wiemy doskonale, co oznacza stanowisko naczelnego dowódcy. On jest przecież administratorem Algierii. Jeżeli pominiemy Salana, to on bez skrupułów zniweczy nasze plany...

– Salan musi więc odejść – stwierdził twardo Cherriére, zdając sobie sprawę, że słowa te oznaczają wyrok śmierci, ale nikt z obecnych nie zaprotestował.

– Odejście Salana spowoduje mianowanie generała Massu naczelnym dowódcą wojsk w Algierii, a wówczas sprawy potoczą się gładko.

17 stycznia 1957 roku tuż przed godziną 19.00 w gabinecie generała Salana w gmachu gubernatorstwa w Algierze zadźwięczał telefon.

– Panie generale, gubernator prosi, żeby pan bezzwłocznie przyszedł do jego gabinetu – informowała sekretarka.

– Czego ten znowu chce? – Generał spojrzał na zegarek. Spotkania z gubernatorem przeciągały się czasami do późnych godzin nocnych, a on nie miał dzisiaj czasu. Obiecał żonie, że tego wieczora zajmie się 12-letnią córeczką. Umieścił ją w pokoju piętro wyżej, aby odrabiała lekcje, obiecując, że za kilkanaście minut, gdy tylko uporządkuje papiery, zabierze ją stamtąd.

– Niech pan przejrzy jeszcze te teczki – polecił majorowi Radierowi, z którym analizował dokumenty. – Gubernator mnie zaprasza, ale tym razem nie uda mu się zatrzymać mnie dłużej niż kwadrans.

Gabinet gubernatora mieścił się w końcu długiego korytarza białego gmachu. Droga tam trwała 2–3 minuty i Salan wszedł właśnie do sekretariatu, gdy nagle rozległy się dwa wybuchy, tak silne, że wydawało się, iż solidny budynek zatrząsł się w posadach. Na korytarzu zabrzmiały dzwonki alarmowe.

– Co się stało?! – Z gabinetu wybiegł gubernator Robert Lacoste. – Zamach?

– Nie wiem. – Salan pomyślał o córce i ruszył biegiem w stronę schodów. Na korytarzu unosiły się tumany wapiennego pyłu.

– Panie generale, bomba w pańskim gabinecie! – krzyknął żołnierz biegnący w jego stronę. Dłoń trzymał na rozciętym policzku, spomiędzy palców spływała krew. – Major Radier zginął! Kilku ludzi jest rannych!

Salan skierował się w stronę swojego pokoju. Przy wejściu, skulony na podłodze, jęczał jakiś oficer, przytrzymujący rękami rozszarpany brzuch. W miejscu okna widniała ogromna dziura. Ściany były wypalone, a wśród szczątków mebli widać było straszliwie okaleczone zwłoki majora Radiera.

– Gdzie jest moja córka? – krzyknął generał, biegnąc w stronę schodów. Nagle ujrzał, że któryś z urzędników niesie dziewczynkę na rękach. – Co jej się stało?!

– Niech się pan uspokoi, to niewielkie zranienia. Pokaleczyły ją odłamki szkła. Nic groźnego – uspokajał go mężczyzna trzymający dziecko. Salan wziął małą w ramiona. Z rozciętej główki spływała krew. Dziecko, przestraszone, płakało, rozmazując rękami krew po policzku.

– Dostanę tych drani! – wyszeptał Salan. – Zapłacą mi za to!

Gdyby ktoś usłyszał tę groźbę, odniósłby wrażenie, że Salan wie, kim są zamachowcy...

Nad ranem do nowego gabinetu Salana wszedł oficer.

– Porucznik Vivien z kontrwywiadu melduje się, panie generale.

– Co ustaliliście?

– Wiemy już wszystko o sposobie, w jaki przeprowadzono zamach. Zabezpieczyliśmy wszystkie ślady. Czy zechciałby pan to zobaczyć?

Po wyjściu z budynku przeszli na drugą stronę ulicy. Wąskimi schodami wspięli się na pierwsze piętro domu, którego front zwrócony był na budynek gubernatorstwa. Na niewielkim tarasie leżały dwie drabiny, a na nich metalowe rury o długości półtora metra każda.

– Stąd strzelano do pana gabinetu. – Vivien wskazał dziwną broń. – To zwykłe rury, które wykorzystano jako prowizoryczne pancerzownice. Do każdej z nich włożono pocisk kumulacyjny. Badamy dopiero ich typ; jestem jednak przekonany, że były to amerykańskie *bazooki.* Znaleźliśmy kawałki lontu – zwykły knot od zapalniczki. Za jego pomocą uruchomiono ładunki miotające i dwa pociski trafiły w budynek. Jeden eksplodował uderzając w ścianę, co bardzo osłabiło siłę wybuchu, a drugi przez okno wpadł do gabinetu, powodując największe zniszczenia.

– Jakie są szanse schwytania sprawców? – zapytał Salan.

– Myślę, że duże. Pozostawili wiele śladów.

– Proszę mnie na bieżąco informować o przebiegu śledztwa. Nie muszę dodawać, poruczniku, że pana kariera zależy od jego wyników. – Salan uścisnął rękę oficera i wrócił do biura.

Śledztwo rzeczywiście posuwało się szybko. Już kilka dni później agenci służby bezpieczeństwa odnaleźli sklepik z wyrobami tytoniowymi, z którego pochodziła zapalniczka *ronson.* Z niej to zamachowcy wyjęli knot, aby użyć go jako lontu do odpalenia ładunków miotających pocisków *bazooki.* Sprzedawca nie miał kłopotów z ustaleniem rysopisów nabywców zapalniczki. Ludzi tych widywano w pobliżu willi „Sources'', na przedmieściach Algieru, gdzie mieściła się kwatera główna Komitetu Francuskiego Ruchu Oporu. Wkrótce 20 osób, podejrzanych o udział w zamachu, znalazło się w areszcie. Ciągle jednak brakowało głównego sprawcy. Zeznania aresztowanych wskazywały jednoznacznie na człowieka doskonale znanego międzynarodowej śmietance towarzyskiej: doktora Kovacsa, wziętego lekarza hipnotyzera. Policja nie miała większych kłopotów z odnalezieniem go. Kovacs – przewieziony do Paryża i osadzony w więzieniu – szybko zrozumiał, że może stać się kozłem ofiarnym i zginąć na gilotynie. Wiedział, że dowody jego winy są oczywiste i wymyślił bardzo sprytny sposób obrony.

Już podczas pierwszego przesłuchania przyznał się do zorganizowania zamachu. Szybko jednak zaczął opowiadać o osobach wmieszanych – bezpośrednio lub pośrednio – w działalność spiskową. Podał, że był w kontakcie z grupą gaullistów, do której należeli między innymi były gubernator Algierii, Jacques Soustelle oraz senator Michel Debré. Sposób, w jaki Kovacs formułował zeznania, nie pozwalał jednoznacznie ocenić, czy wymienieni byli tylko ludźmi niezadowolonymi z rządów IV Republiki, czy też uczestniczyli w spisku na życie generała Salana. Wyjaśnienie tych wątpliwości wymagało objęcia śledztwem wielu wysoko postawionych polityków. Zapachniało skandalem. Gdyby zeznania zamachowca przedostały się do wiadomości opinii publicznej, zagroziłyby wstrząsem społecznym nieobliczalnym w skutkach. Jednakże minister spraw

Francuski patrol w okolicach Dien Bien Phu

Oddziały francuskie w akcji w górach Algierii

ZEMSTA OAS

Generał Jacques Massu, dowódca 10. Kolonialnej Dywizji Spadochronowej, jeden z przywódców algierskiego puczu

wewnętrznych, François Mitterrand, w porę spowodował wycofanie z akt śledztwa najbardziej bulwersujących zeznań Kovacsa. Organizator zamachu na Salana nigdy nie stanął przed sądem.

Śledztwo toczyło się wolno, nikomu nie śpieszyło się do sformułowania aktu oskarżenia i osądzenia podejrzanych o zorganizowanie i przeprowadzenie zamachu na życie dowódcy wojsk francuskich w Algierii. Kovacs nagle rozchorował się; lekarze stwierdzili konieczność operacji wyrostka robaczkowego i szybko przewieziono chorego do szpitala poza murami więzienia. Jednakże zanim doszło do operacji, Kovacs zniknął, po czym pojawił się na Majorce. Stamtąd już wydostać nie można go było, gdyż znalazł się pod opieką dyktatora Hiszpanii, generała Franco, który nie zwykł wydawać „przyjaciół swoich przyjaciół''. Poza tym nikt specjalnie nie zabiegał o sprowadzenie kłopotliwego podejrzanego do Francji.

Tak zakończyła się próba wyeliminowania ambitnego Salana z gry o władzę dla de Gaulle'a. Pozostał na polu bitwy obok generała Massu. Organizacja „Wielkie O'' musiała przystąpić do rozegrania najważniejszej batalii przy jego udziale, odkładając ostateczne rozwiązanie na później.

Sytuacja sprzyjała spiskowcom. 6 listopada urząd premiera objął Felix Gaillard. Kluczowe stanowiska w 23 rządzie IV Republiki objęli członkowie „Wielkiego O'' lub ludzie bezpośrednio z nimi powiązani. Senator Michel Debré został ministrem sprawiedliwości, były gubernator Algierii, Jacques Soustelle – ministrem informacji, Jacques Chaban-Delmas – ministrem obrony. Ich najbliższymi współpracownikami byli ludzie ściśle związani ze spiskiem. I w ten sposób zarządzanie najważniejszymi dziedzinami państwa skupione zostało w ich rękach. Spiskowcy mogli więc zrealizować każdy swój zamiar.

8 lutego 1958 roku samoloty francuskie zbombardowały Sakiet-Sidi-Jussef w Tunezji. Zginęło 69 osób, w tym 21 dzieci. Francuskie Ministerstwo Obrony stwierdziło, że nastąpiło to w wyniku pomyłki. Rząd Tunezji nie przyjął jednak wyjaśnienia i złożył skargę w Radzie Bezpieczeństwa. Premier Gaillard ugiął się pod presją międzynarodowej opinii publicznej i zgodził się na propozycję mediacji ze strony Waszyngtonu i Londynu.

W Algierii zawrzało. Koloni – ksenofobiczni, dumni i nacjonalistyczni – poczuli się dotknięci decyzją Paryża, który do sprawy włączył obce rządy. Ulice białych dzielnic Algieru wypełniły się zbuntowanymi mieszkańcami. Codziennie odbywały się demonstracje pod hasłami: „Hańba obcej mediacji!''; „Dość kapitulanckich rządów!''; „Nie będzie drugiego Dien Bien Phu!'' Tłum wzburzony, agresywny, rozhisteryzowany chętnie przyjmował wiadomości przekazywane z ust do ust i wierzył im bardziej niż oficjalnym zapewnieniom władz. Plotki zaś były niepokojące: „Rząd w Paryżu przygotowuje się do wycofania wojsk z Algierii''; „Grozi nam kapitulacja taka sama jak w Indochinach i Egipcie''. Takie wieści podgrzewały jeszcze nastroje. 15 kwietnia rząd premiera Gaillarda podał się do dymisji. Spiskowcy uznali, że kryzys gabinetowy (23 w IV Republice) stworzył warunki, na jakie od dawna czekali.

KRYPTONIM „REZUREKCJA"

Ażurowa winda zatrzymała się na drugim piętrze domu przy Avenue de l'Opera w Paryżu. Niemalże w tej samej chwili otworzyły się masywne drzwi jedynego na tym piętrze mieszkania i stanął w nich wysoki, ubrany z wyszukaną elegancją, mężczyzna. Francuski przemysłowiec Jacques Foccart wyciągnął rękę w stronę dwóch mężczyzn wychodzących z windy.

– Widzę, że punktualność nie przestała być cechą polityków – powiedział, witając pułkownika de Bonnevala, oficera przybocznego Charlesa de Gaulle'a, oraz barona Guicharda, szefa jego gabinetu. – Generał Ganeval już przybył. Szkoda, że nie spotkaliście się, panowie, w windzie. Jak wiemy, historia powstaje wszędzie – kontynuował Foccart, wprowadzając gości do salonu, którego ściany zawieszone były wspaniałymi trofeami myśliwskimi.

Ze skórzanego fotela podniósł się generał Ganeval, wojskowy sekretarz prezydenta Republiki, René Coty'ego. Po krótkim przywitaniu Ganeval wyjaśnił cel spotkania:

– Wiedzą panowie, że od 15 kwietnia trwa kryzys gabinetowy, a ogólna sytuacja jest bardzo niekorzystna. Jeżeli dołożymy do tego alarmujące wieści o nastrojach w armii, otrzymamy niepokojący obraz. Próby zażegnania kryzysu nie przyniosły rezultatu, dlatego prezydent skłonny byłby przekazać tekę premiera generałowi de Gaulle'owi, oczywiście w oficjalny sposób. Dla dalszego rozwoju sytuacji niezbędne więc jest, aby generał zechciał sprecyzować swe warunki... – Ganeval zawiesił głos. Nie spodziewał się oczywiście, że przedstawiciele de Gaulle'a udzielą konkretnej odpowiedzi, ale starał się zapamiętać ich reakcje, a zwłaszcza sposób formułowania odpowiedzi. Wiedział, że za kilkadziesiąt minut będzie musiał dokładnie zrelacjonować przebieg spotkania prezydentowi.

– Przedstawimy panu generałowi prośbę prezydenta Republiki – odparł po namyśle de Bonneval.

Obydwie strony kończyły krótkie spotkanie z poczuciem wykonania zleconej misji poprawnie, ale bez szans na sukces.

De Gaulle udzielił odpowiedzi dwa dni później, 8 maja. List dostarczony Ganevalowi przez pułkownika de Bonnevala brzmiał jak instrukcja, którą prezydent miał wykonać bez zbędnych dyskusji: powinien pisemnie zwrócić się do generała z prośbą o utworzenie rządu. Jego skład pozostałby wyłącznie sprawą de Gaulle'a, nie odbyłyby się żadne konsultacje ani dyskusje. Generał nie będzie ubiegać się o inwestyturę po przedstawieniu swojego programu.

Prezydent nie mógł przyjąć tych warunków. Kilka godzin później powierzył utworzenie rządu Pierre'owi Pflimlinowi. Ten doskonale rozumiał, jakim zagrożeniem dla IV Republiki są wojskowi z Algierii i natychmiast podjął decyzję o odwołaniu gubernatora Roberta Lacoste'a. To jednak już w niczym nie mogło zmienić sytuacji.

W Algierze generał Salan zdecydował, że 13 maja 1958 roku odbędą się uroczystości pogrzebowe trzech Francuzów zabitych przez partyzantów. Było oczywiste, że do centrum miasta ściągną tłumy kolonów, skore do manifestowania swego przywiązania do algierskiej ziemi. Wystarczyłaby drobna prowokacja albo zbyt energiczna akcja porządkowa policji, aby podekscytowany tłum zaczął demolować samochody i sklepy. Korespondenci prasowi i telewizyjni - od pewnego czasu wyczuleni na wszystkie wydarzenia w Algierii – natychmiast przesłaliby do Paryża informacje o zamieszkach. W tym samym czasie rząd otrzymałby raport Salana o skali zamieszek, ze wskazaniem, że sytuację może opanować tylko rząd ocalenia narodowego. Tuż potem do akcji wkroczyliby spadochroniarze z Legii Cudzoziemskiej, przerzuceni z Algierii do Paryża samolotami dostarczonymi na rozkaz dowódcy lotnictwa, generała Edmonda Jouhauda, który od wielu lat był członkiem „Wielkiego O''. Ich działania w Paryżu wsparliby żołnierze z Tuluzy, którzy na rozkaz innego konspiratora, generała Miquela, zajęli kilka dni wcześniej stanowiska pod Paryżem. Ponadto do akcji włączyłyby się czołgi, pułk spahisów z Senlis, a także oddziały Marokańczyków i Tunezyjczyków. Komisarz Dides ze swej strony obiecał pomoc 20 tysięcy paryskich policjantów. W sumie do przeprowadzenia pierwszego uderzenia spiskowcy przygotowali około 30 tysięcy ludzi, którzy mieli opanować stolicę Francji, dokąd triumfalnie wkroczyłby de Gaulle. Plan ten otrzymał kryptonim „Rezurekcja''.

Nie wiadomo, jak przyjął go generał de Gaulle, który zapewne miał inną wizję sięgnięcia po władzę i wątpliwe, czy zaakceptowałby projekt wjazdu do stolicy opanowanej przez rebeliantów. Jednakże pierwszy etap operacji – rewolta w Algierii – całkowicie mu odpowiadał.

13 maja o 14.00, na kilka godzin przed zaplanowanym terminem pogrzebu, na placu Forum zaczął się zbierać tłum. Ze wszystkich dzielnic napływały tysiące demonstrantów, niosących trójkolorowe flagi i transparenty z napisami: „Algieria francuska''; „Na szubienicę z kapitulantami''; „Niech żyje rząd ocalenia narodowego''. Wiele haseł zdradzało zamiary spiskowców, ale nikt na to nie zwracał uwagi. Wkrótce bowiem wydarzenia zaczęły się wymykać spod kontroli organizatorów.

Najagresywniejsze grupy zaatakowały kamieniami budynek gubernatorstwa i wdarły się na dziedziniec. Kilkunastu żandarmów usiłowało im przeszkodzić w sforsowaniu bramy, jednakże widząc rozjuszony motłoch ustąpili pola. Organizatorzy nie przewidywali takiego rozwoju wypadków, choć posługiwanie się tłumem zawsze rodzi niebezpieczeństwo utraty kontroli nad nim. Nie stanowiło to większego problemu, gdyż pozostające w odwodzie oddziały spadochroniarzy łatwo mogły spacyfikować rozgorączkowaną gawiedź.

Salan był nawet zadowolony z gwałtownego przebiegu wydarzeń, gdyż potwierdzało to jego alarmującą depeszę, którą o 21.00 przesłał do Paryża. *Sytuacja wymaga natychmiastowego działania. Tylko rząd ocalenia narodowego, z generałem de Gaulle'em na czele, może uratować sytuację.*

Nie miał zamiaru oczekiwać na odpowiedź z Paryża. Tuż po wysłaniu przez niego telegramu w gmachu gubernatorstwa ukonstytuował się komitet ocalenia narodowego.

Wiadomości o wydarzeniach w Algierze błyskawicznie dotarły do stolicy Francji. Tego wieczoru wszystkie dzienniki telewizyjne i radiowe przekazywały opisy gwałtownych demonstracji na placu Forum. Rząd premiera Pflimlina zachowywał jednak spokój. Następnego dnia nad ranem premier połączył się telefonicznie z Salanem.

– Czy panuje pan nad wojskiem? – zapytał.

– Tak. Dla zachowania Algierii francuskiej – z naciskiem odpowiedział Salan.

– Tak, tak. O nic innego nam nie chodzi. Zapewniam pana – rzekł spokojnie premier i odłożył słuchawkę. Nie miał wątpliwości co do scenariusza dalszych działań, jaki przyjęto w Algierze. Spodziewał się, że wojska z kolonii mogą szybko dotrzeć do Paryża. Dlatego podtrzymał – wydaną poprzedniego dnia – decyzję o obsadzeniu przez wojsko lotnisk, wstrzymaniu lotów do Algierii i wprowadzeniu kontroli rozmów telefonicznych z tym krajem.

De Gaulle, bacznie obserwujący sytuację, doszedł do wniosku, że czas wkroczyć na arenę wydarzeń. Nie zamierzał identyfikować się z żadną stroną konfliktu. Doskonale wiedział, że dla przeciętnego człowieka spór o władzę jest drugoplanowy. Pierwsze miejsce przypada bezpieczeństwu. Dlatego 19 maja, na konferencji prasowej, mówił:

– To, co dzieje się w Algierii – w wyniku tego, co dzieje się w metropolii oraz to, co dzieje się w metropolii – w wyniku tego, co dzieje się w Algierii, może doprowadzić do bardzo ostrego kryzysu, ale może też być początkiem swego rodzaju odrodzenia...

– Bardzo to celne słowa. Generał wskazywał na niebezpieczeństwo, a jednocześnie dawał nadzieję na zmianę sytuacji, która niepokoiła Francuzów od wielu lat, aż wreszcie doprowadziła do niezwykle ostrego kryzysu. – *...Oto dlaczego wydaje mi się, że nadeszła chwila, gdy mogę być jeszcze raz użyteczny Francji* – mówił dalej generał. I dodał na zakończenie wystąpienia:

– W jaki sposób mogę być użyteczny? Jeśli naród tego zechce, to – podobnie jak podczas poprzedniego wielkiego kryzysu – w charakterze szefa rządu Republiki Francuskiej!

Po tym oświadczeniu de Gaulle powrócił do Colombey, aby „pozostawać do dyspozycji kraju''.

Tymczasem spiskowcy nie zmniejszali tempa akcji. Sztab działający w Algierze opracował szczegóły przerzucenia do Francji 1500 żołnierzy. Ich lądowanie miało nastąpić w nocy z 27 na 28 maja. De Gaulle został o tym powiadomiony i uznał, że jest to bardzo ryzykowne przedsięwzięcie. Nikt nie potrafił bowiem przewidzieć, jak zachowają się francuscy chłopcy z Algierii, gdy staną na paryskich ulicach. Czy podniosą karabiny przeciwko innym francuskim chłopcom, którzy pozostaną wierni rządowi? Jak rozwiną się wypadki, jeżeli dojdzie do strzelaniny i jeżeli popłynie krew niewinnych? De Gaulle doskonale rozumiał niebezpieczeństwo, ale naciągał strunę. 27 maja wydał oficjalny komunikat, informujący, że działa na rzecz utworzenia rządu. Jednocześnie bardzo wyraźnie podkreślił, że nie ma nic wspólnego ze spiskowcami:

(...) Wszelka akcja zagrażająca porządkowi publicznemu, niezależnie przez kogo zostałaby podjęta, mogłaby mieć poważne konsekwencje. Biorąc pod uwagę wszelkie okoliczności, nie mógłbym jej aprobować. Oczekuję, że stacjonowane w Algierii siły lądowe, morskie i powietrzne pozostaną posłuszne rozkazom swoich dowódców: generała Salana, admirała Auboyneau, generała Jouhauda. Dowódców tych obdarzam zaufaniem oraz wyrażam chęć nawiązania z nimi natychmiastowego kontaktu.

Tak pisał człowiek, który nie piastował żadnego stanowiska państwowego, a mimo to zwracał się do zrewoltowanych dowódców i ich wojsk w tonie, na jaki mógłby sobie pozwolić tylko prezydent.

Paryż wrzał. Dni napięcia, paniki w sklepach, niepewności eksplodowały 28 maja, gdy na ulice wyszło kilkaset tysięcy ludzi. Ogromne transparenty: „Faszyzm nie przejdzie''; „Faszyści atakują''; „Massu na szubienicę'' miały szczególną wymowę dla generała Salana, który w Algierze z ogromną uwagą nasłuchiwał wszelkich odgłosów z Paryża. Nie spodziewał się tak spontanicznej reakcji Francuzów i takiej determinacji w wystąpieniach tłumu, który nie chciał, aby władza przeszła w ręce ludzi pokroju Massu. Zrozumiał, że wtargnięcie spadochroniarzy do Paryża mogłoby zmienić się w strzelaninę na ulicach, a nawet w długotrwałe walki. Spadochroniarze mogli również rzucić broń lub zwrócić ją przeciwko ludziom, którzy kazali im strzelać do Francuzów.

Ogromna manifestacja przeciw spiskowcom z Algierii zmusiła autorów planu „Rezurekcja'' do zaniechania go. Decyzję o wstrzymaniu lądowania spadochroniarzy we Francji podjęto 29 maja w ciszy gabinetu Salana w Algierze. Do Francji jednak wciąż docierały poufne informacje, że operacja przerzucenia spadochroniarzy nastąpi 30 maja. Lewica obawiała się zamachu wojskowego, co znakomicie łagodziło jej opór wobec zmian konstytucyjnych. Prawica dostrzegała konieczność usprawnienia więdnącego systemu IV Republiki, hamującego rozwój gospodarczy. De Gaulle wydawał się dynamicznym przywódcą, który może stworzyć nowe szanse dla przemysłu i handlu.

W takiej atmosferze 29 maja o godzinie 10.00 prezydent René Coty zadzwonił do generała. Poinformował go o zamiarze powierzenia mu stanowiska szefa rządu. De Gaulle zgodził się. W oświadczeniu, które wydał tuż po porannej rozmowie, zastrzegł dla swojego rządu prawo przeprowadzenia referendum i dokonania zmian w konstytucji.

1 czerwca Zgromadzenie Narodowe (329 głosami za, przy 224 przeciw) zaakceptowało skład i program rządu, którego de Gaulle został premierem i ministrem obrony narodowej. To było pierwsze zwycięstwo generała. Zwycięst-

wo podwójne: został szefem rządu i jednocześnie otrzymał specjalne uprawnienia, od których uzależniał przyjęcie urzędu. Nie miał jednak zamiaru poprzestać na tym. Wiedział, że siły, z którymi przyjdzie mu się zmierzyć, są wystarczająco potężne, aby ponownie zmusić go do wplątania się w rozgrywki partyjne i przetargi parlamentarne. Tak jak w 1946 roku. Ale w 1958 roku był mądrzejszy o lata doświadczeń i przemyśleń w swej samotni w Colombey. Wiedział już jak działać i potrafił wykorzystać sytuację, która przywróciła mu władzę. Rozpoczął się czas triumfów premiera.

We wrześniu 1958 roku w referendum na temat zmiany konstytucji, mającej na celu istotne wzmocnienie władzy wykonawczej, blisko 80 procent głosujących powiedziało „tak''. W końcu listopada wybory parlamentarne przyniosły pełny sukces de Gaulle'owi i jego partii Unia na Rzecz Nowej Republiki (UNR). 21 grudnia blisko 80 procent elektorów wskazało na de Gaulle'a jako prezydenta Francji. 8 stycznia 1959 r, generał we fraku wysiadł z samochodu, który zatrzymał się przed schodami do Pałacu Elizejskiego. Wszedł do sali, w której oczekiwał go generał Catroux, wielki kanclerz Orderu Legii Honorowej. Zawiesił on na szyi prezydenta złoty łańcuch z herbem Republiki – insygnia władzy prezydenckiej. 69-letni de Gaulle osiągnął wszystko, o co uparcie walczył.

Wiedział, że sojusznicy, którzy stworzyli sytuację umożliwiającą mu przejęcie władzy, łatwo mogą stać się zagorzałymi wrogami. Ci, którzy gotowi byli walczyć za generała, mogli walczyć i przeciw niemu, gdyby zawiódł ich zaufanie. Teraz mieli oni prawo wystawić rachunek, jakim było utrzymanie Algierii francuskiej. De Gaulle był przeciwny kolonializmowi; nie mógł więc rachunku spłacić...

Charles de Gaulle
prezydent Republiki

GENERAŁ KONTRA GENERAŁ

Prezydent zdawał sobie sprawę, że utrzymanie Algierii jako francuskiej kolonii będzie niemożliwe. Wojna trwała od czterech lat i nie przynosiła rozstrzygnięcia, a jedynie coraz większe koszty i coraz liczniejsze ofiary. W końcu 1959 roku liczba żołnierzy francuskich stacjonowanych w Algierii przekroczyła 600 tysięcy. Był to ogromny, jak na czasy pokoju, wysiłek militarny. „Specjalne metody'', czyli tortury – powszechnie stosowane do wymuszania zeznań od osób podejrzanych o współpracę z powstańcami – dawały pewne sukcesy, ale nie umożliwiły spacyfikowania ruchu wyzwoleńczego. Wojnę w Algierii trzeba było zakończyć, ale w tym kraju mieszkało około 900 tysięcy Francuzów. Było oczywiste, że ogromna ich większość będzie musiała opuścić niepodległą Algierię i przyjechać do Francji, co stawało się poważnym problemem gospodarczym i społecznym.

De Gaulle wiedział, że pośpieszne działanie, pochopne ujawnienie planów uruchomi kontrakcję ze strony kolonów. Dlatego musiał działać powoli i rozważnie. Przede wszystkim chciał zażegnać niebezpieczeństwo mobilizacji sił kolonów. Musiał ich przekonać, że nowy prezydent będzie walczył o „ich'' Algierię. De Gaulle takie stanowisko deklarował:

Niech żyje Algieria francuska! (czerwiec 1958 roku); *Niepodległość?* (dla Algierii – BW) *za dwadzieścia pięć lat!* (październik 1958); *Armia francuska nigdy nie opuści tego kraju, a ja nie będę prowadził negocjacji z ludźmi na obszarze od Kairu do Tunisu* (marzec 1959); *Nie będzie Dien Bien Phu w tym kraju. Powstańcy nie usuną nas z Algierii* (styczeń 1960); *Jak możecie słuchać kłamców i konspiratorów, którzy mówią wam, że dając Algierczykom możliwość wyboru, Francja i de Gaulle chcą was opuścić, wycofać się z Algierii i oddać władzę w ręce rebeliantów?* (styczeń 1960).

To były słowa, które miały uspokoić kolonów. Działania prezydenta były zupełnie inne. Przede wszystkim musiał usunąć z Algierii ludzi, którzy mogli tam zorganizować spisek przeciwko niemu. Jeszcze przed objęciem urzędu prezydenckiego, w grudniu 1958 roku, zadecydował o przeniesieniu generała Salana do Paryża na wysokie stanowisko gubernatora wojskowego. Był to awans, przeciwko któremu Salan nie mógł protestować. W ten sposób niebezpieczny generał znalazł się w stolicy, pod czujnym okiem ludzi prezydenta, oderwany od powiązań algierskich. Taki ruch mógł wywołać zaniepokojenie kolonów. Nie doszło do tego, gdyż do Algieru, na miejsce Salana, przybył generał Maurice Challe, reprezentujący te same poglądy co jego poprzednik. Co prawda już po kilku miesiącach, w kwietniu 1959 roku, generał Challe został przeniesiony do kwatery głównej NATO pod Paryżem, ale do Algierii przybył z kolei generał Crépin, zaciekły zwolennik utrzymania Algierii.

Postanowił nie dopuścić do jej utraty. Jego plan „Prometeusz'' polegał na pacyfikacji setek algierskich wiosek i koncentrowaniu tubylczej ludności w obozach, w straszliwych warunkach, pod lufami karabinów maszynowych. Koloni ciągle nie mieli powodów do niepokoju, gdyż działania Paryża nie wskazywały na chęć przyznania Algierii niepodległości.

We wrześniu 1959 roku de Gaulle wspomniał w przemówieniu o możliwości *zapytania Algierczyków (...), czym chcą ostatecznie być.* Takie oświadczenie nie wywołało reakcji kolonów, gdyż uważali, że jeżeli nawet dojdzie do referendum, to Algierczycy będą chcieli pozostać przy Francji. Poza tym w dalszym ciągu ufali de Gaulle'owi. Poruszyła ich dopiero sprawa generała Massu.

16 stycznia 1960 roku do Algieru przybył korespondent zachodnioniemieckiej „Süddeutsche Zeitung'', Hans Kempski. Jego przylot zorganizowało francuskie Ministerstwo Spraw Zagranicznych, a Ministerstwo Obrony zaopatrzyło go w dokument otwierający drzwi do najwyższych oficerów w Algierii; w tym również do generała Massu. Ten nie lubił dziennikarzy ani prasowych wystąpień. Uważał się za żołnierza, a wojskową cnotą jest działanie, nie zaś gadanie. Jednakże z Kempskim spotkał się naczelny dowódca wojsk francuskich; popierało go ministerstwo i Massu nie mógł odmówić rozmowy z niemieckim korespondentem.

– Wie pan, wolałbym, żeby wykorzystał pan moje informacje w artykule o Algierii, zamiast przeprowadzać ze mną wywiad. Rozumiemy się? – Massu przyjął Kempskiego w swoim biurze, ubrany, jak zwykle, w polowy mundur. Tylko kabury z pistoletami zawiesił na rogu szafki.

– Myślę, że to jest dobre rozwiązanie – odparł Kempski, gdy tylko tłumacz, major Krauss, przetłumaczył propozycję generała.

Rozmowa trwała około dwóch godzin. Rozpoczęła się od wymiany poglądów na temat siły bojowej formacji spadochronowych. Kempski był specjalistą w tej dziedzinie, gdyż w czasie II wojny światowej służył jako spadochroniarz w Luftwaffe i walczył na Krecie. Massu wypowiedział kilka zdań na temat wojny algierskiej, podkreślając, że niepotrzebnie do spraw wojskowych mieszają się politycy, gdyż utrudnia to osiągnięcie zwycięstwa. Sformułowania Massu nie mogły nikogo urazić; ot, generał stwierdził, że wojna jest sprawą żołnierzy.

Dwa dni później, gdy generał Massu zasiadł do kolacji, zadźwięczał telefon.

– Mówi Challe. Czy mógłby pan przyjść do mnie?

– Dopiero rozpocząłem kolację... Co się stało?

– Musi pan natychmiast zdementować sformułowania, jakich użył pan w wywiadzie.

– Jakim wywiadzie? Nie udzielałem żadnego wywiadu.

– Kempski opublikował jednak wywiad, w którym bardzo ostro wypowiada się pan na temat prezydenta. Niech pan przyjeżdża – powiedział Challe i odłożył słuchawkę.

Po kilkunastu minutach wściekły Massu wpadł do gabinetu generała Challe'a. Ten bez słowa podał mu tłumaczenie wywiadu zamieszczonego w „Süddeutsche Zeitung''.

– *Nie rozumiem polityki de Gaulle'a. Jesteśmy do głębi rozczarowani tym, że generał stał się człowiekiem lewicy* – czytał Massu słowa, które Kempski włożył mu w usta.

Pytanie: – *Czy armia może narzucić krajowi swoje koncepcje?*

Odpowiedź Massu: – *Armia to siła. Dotychczas nie ujawniła tego, ale dlatego że nie było okazji. W określonej sytuacji armia potrafi wziąć władzę w swoje ręce.*

Pytanie: – *Czy wojsko będzie posłuszne prezydentowi?*

Odpowiedź: – *Pewnie, że są tacy, którzy będą słuchali bez zadawania sobie pytań, co z tego wyniknie...*

Massu odłożył kartki i widać było, że oburzenie odjęło mu mowę.

– Musi pan złożyć oświadczenie stwierdzające, że niemiecki dziennikarz całkowicie wypaczył pana słowa – powiedział dobitnie Challe.

– Gówno! – wyjąkał Massu. – To pan powinien wszystko odwołać. To pan kazał mi rozmawiać z tym pismakiem! – Massu wstał i wyszedł z gabinetu, trzaskając drzwiami.

Reakcja Paryża nastąpiła bardzo szybko. Generał Massu został odwołany z Algierii. Ultrasi odpowiedzieli gwałtownymi wystąpieniami w obronie ulubionego generała. Podczas demonstracji w Algierze 24 stycznia padły strzały. Zginęło 8 manifestantów i 14 żandarmów; około 60 osób odniosło rany. Rozpoczynała się francusko-francuska wojna o Algierię.

Generał Jacques Massu

ALGIERIA FRANCUSKA?

Koledzy Pierre'a Labradora nazywali go „Żyrafą''. Pseudonim wydawał się co najmniej nieporozumieniem w wypadku człowieka, którego wzrost nie przekraczał 165 centymetrów, a krępa sylwetka i krótka szyja upodabniały go raczej do nosorożca. Jednakże Pierre potrafił zajrzeć z aparatem fotograficznym przez okno mieszkania na najwyższym piętrze. Sięgał do okien na poddaszach jak żyrafa do czubków wysokich drzew. Nie było lepszego tropiciela w II Biurze Wywiadu w Paryżu. Nigdy nie zawiódł, nawet gdy otrzymywał najtrudniejsze zadanie inwigilacyjne. Małpią zręczność łączył z ogromną pomysłowością, co pozwalało mu rejestrować najtajniejsze rozmowy i dostarczać zdjęcia ze spotkań osób, które podjęły wszelkie możliwe środki ostrożności. Pewnego wrześniowego dnia 1960 roku szef pokazał mu fotografię.

– Poznajesz go?

– Pamiętam tę twarz i sylwetkę sprzed dwóch lat. Cały Algier za nim szalał... – Labrador pokiwał głową, wpatrując się w podobiznę generała Salana. – Nic się nie zmienił. Co teraz robi?

– W grudniu 1958 roku prezydent odwołał go ze stanowiska dowódcy wojsk w Algierii i ściągnął do Paryża. W czerwcu tego roku Salan zrezygnował z funkcji gubernatora wojskowego Paryża i odszedł z czynnej służby. Zapowiedział, że osiedli się na stałe w Algierze. Wczoraj zarezerwował bilety na statek dla siebie, żony i córki. Wypłynie za dziesięć dni. Musisz pierwszy dotrzeć do jego willi „Dominique'' w Algierze. Chcę wiedzieć wszystko, co się będzie tam działo. Chcę znać treść każdej rozmowy, jaką Salan odbędzie w swoim domu. Sądzimy bowiem, że zorganizuje tam liczne spotkania.

– Jeżeli tak, to już teraz willa jest dobrze strzeżona; pewnie nawet w ogóle nie można się do niej zbliżyć, bo spadochroniarze zaczną strzelać spod palm na dziedzińcu – przypuszczał Pierre, ale nie okazywał niepokoju przed nową misją. Ta przygoda pociągała go bardziej niż zadania, jakie ostatnio otrzymywał w Paryżu.

– Dlatego właśnie wybrałem ciebie. Wiem, że sobie z tym poradzisz. Masz tutaj wszystkie materiały i bilet na samolot. Bilet jest na dzisiaj; masz cztery godziny do odlotu. Zdążysz jeszcze pożegnać się z żoną czy z kim tam chcesz. W Algierze na dworcu lotniczym podejdzie do ciebie tragarz, Algierczyk o imieniu Ferhat. To będzie twój jedyny kontakt. Nie próbuj się z nikim spotykać, z wyjątkiem osób, które wskaże ci Ferhat, ale również do niego nie miej pełnego zaufania. Pamiętaj, że będziesz działał na terenie generała Salana. To tak, jakbyś zanurzył się w oceanie, aby połaskotać rekina. Powodzenia. – Pułkownik wyciągnął rękę, nie wstając zza biurka, i zajął się papierami.

– Może mi się uda... – mruknął Pierre. Nie protestował przeciw nagłemu rozkazowi. Na nic by się to zdało. Odwrócił się na pięcie i poszedł do pokoju obejrzeć dokumenty, które otrzymał. Paszport opiewał na nazwisko Jean-Jacques Peril, lat 48, handlowiec. W teczce był jeszcze bilet pierwszej klasy na samolot i szczelnie zaklejona koperta. Zrozumiał, że kupiono mu drogi bilet, aby mógł podczas lotu spokojnie przestudiować wszystkie dokumenty.

W samolocie wydobył kopertę i wysypał na blat stolika przed fotelem kilka kartek: plan willi „Dominique'', zdjęcia pani Salan, córki, służącego i trochę informacji o zwyczajach generała. Przejrzał je starannie, potem zapakował w kopertę i wyszedł do toalety, gdzie spalił ją i popiół wrzucił do sedesu. Bardzo niewiele wiedział o warunkach, w jakich przyjdzie mu pracować. Uznał, że wszystko wie łącznik, którego spotka na lotnisku. Zasunął okiennicę, ulokował się wygodnie w rozłożystym fotelu i zasnął. Każdy, kto spojrzałby na tego człowieka, pomyślałby, że to francuski biznesmen udaje się do Algieru nabyć na przykład partię dywanów.

Ledwo wszedł do hali dworca – zatłoczonej, dusznej i gwarnej – poczuł, że ktoś wyrywa mu walizkę z ręki. Tragarz w niebieskim mundurku usiłował przejąć jego bagaż, wskazując wózek pod ścianą. Pierre odepchnął go łokciem, pamiętając, że ma poczekać na człowieka o imieniu Ferhat. Natarczywy tragarz, bełkoczący coś po arabsku, nagle uśmiechnął się.

– Jestem Ferhat – powiedział po francusku.

– Aha, to ty. Zabierz mnie do taksówki. – Pierre wyrecytował drugą część hasła.

Ferhat, pchając walizkę na wózku, szedł o pół kroku przed Pierre'em.

– Hotel jest w pobliżu interesującego cię obiektu. O 21.05 na skwerze przed hotelem będzie czekał Francuz z brodą, Paul. Zna cię dobrze, żadne hasła nie będą potrzebne. Z nim będziesz pracować. – Ferhat zaczął nagle nucić piosenkę, tak że człowiek idący nawet tuż obok nie zorientowałby się, że tragarz przekazywał jakąś wiadomość.

Hotel był elegancki, ale nie wytworny. Dokładnie taki, w jakim powinien zatrzymać się handlowiec z Paryża, który przyjechał w interesach i oszczędzając pieniądze postanowił nie trwonić ich na zbytki.

Punktualnie o 21.05 Pierre wyszedł przed hotel. Na małym skwerku nie było nikogo, kto mógłby odpowiadać rysopisowi podanemu przez Ferhata. Pierre zaczął przechadzać się po żwirowej alejce. Rozumiał, że człowiek, z którym miał się spotkać, obserwuje go, upewniając się, czy jest sam i czy nikt go nie śledzi. Rzeczywiście dopiero po kilku minutach zatrzymała się obok niebieska *simca*.

– Niech pan wsiada. – Przez okno wychylił się brodaty mężczyzna. – Jestem Paul – mówił, gdy jechali już ulicami Algieru. – Będziemy razem pracować, ale najpierw oddaj mi paszport. Jean-Jacques Peril musi za kilka dni wyjechać z Algieru. Rozumiesz sam, że przedłużający się pobyt handlowca mógłby zainteresować władze. Tu masz nowy paszport. Pojedziemy teraz w stronę willi, żebyś rzucił okiem, a potem pogadamy sobie w jakiejś kafejce.

Dom Salana – duży, biały, z wysokimi kolumnami przy wejściu – widoczny był wśród zieleni za wysokim ogrodzeniem z kutych prętów. Cały teren był jasno oświetlony i można było dostrzec dwóch ludzi z psem kroczących wzdłuż parkanu.

– I ty chcesz się tam dostać? – Paul wzruszył ramionami. – Jak? Przefruniesz i usiądziesz jak jaskółka na drutach telefonicznych?

– Jakoś sobie poradzę... – Odwrócony Pierre wpatrywał się przez ramię w willę, która pozostawała w tyle. – Zawsze mówię, że wszędzie się można dostać. Nawet do więzienia.

Przez kilka dni kręcił się w rejonie domu Salana, starając się wybrać odpowiedni punkt obserwacyjny. Przypadek sprawił, że znalazł doskonałe miejsce. Drogę przeciął mu kondukt pogrzebowy. Od chłopca, który szedł za krzyczącymi przeraźliwie kobietami, dowiedział się, że jest to pogrzeb małżeństwa – właścicieli niewielkiego baru na rogu ulicy, zamordowanych przez pijanego rabusia. Z tego baru było doskonale widać interesujący Pierre'a dom. Otwarcie drzwi od podwórza nie przedstawiało trudności i Pierre mógł, doskonale ukryty, godzinami przypatrywać się białemu domowi. Mijały dni, a on nie mógł znaleźć sposobu na dostanie się do wnętrza willi. Nie martwiło go to zbytnio. Wiedział, że w jego pracy pomysł zjawia się nagle albo trzeba go wypracować przez wiele dni, a nawet tygodni. Tak też było i teraz.

Czwartego dnia obserwacji zauważył, że do willi podjechała pomalowana na jaskrawe kolory półciężarówka z plandeką. Zatrzymała się przed drzwiami i wysiadło z niej dwóch mężczyzn w białych kombinezonach. Weszli do wnętrza, ale po chwili zjawili się z powrotem i czekali na coś przed drzwiami. Po kilkunastu minutach jacyś ludzie, zapewne należący do służby, wynieśli z domu dywany, które załadowali na ciężarówkę. Pierre zdążył zauważyć nazwę pralni, wypisaną na plandece okrywającej skrzynię samochodu. Salan miał przybyć za trzy dni. Pierre uznał więc, że dywany oddano do prania ekspresowego i następnego dnia powinny zostać dostarczone z powrotem.

Pralnia, z której korzystali domownicy Salana, okazała się jedną z największych w Algierze, co bardzo ułatwiło zadanie. Zniknięcie któregoś z firmowych samochodów nie zdziwiło właścicieli, gdyż takie wypadki zdarzały się czasami.

Następnej nocy Pierre i Ferhat włamali się do magazynu pralni. Nie bez trudu odszukali ułożone na półce cztery dywany z domu Salana. Zabrali je, a w książce wpisali, że zostały zwrócone właścicielowi. Nikt już nie powinien więc interesować się dywanami, które wróciły na swe miejsce, i wobec których nikt nie zgłaszał pretensji.

Pozostawała najtrudniejsza część zadania: dostarczenie dywanów i dostanie się do pokoju generała. Trzeba było poczekać na najlepszy moment. Skradziona ciężarówka z dywanami, przykryta szmatami i kawałkami tektury, oczekiwała od świtu na tyłach baru.

Obserwujący willę Salana Pierre dostrzegł wczesnym rankiem, że z drzwi wejściowych wychodzą kobieta i mężczyzna. Nieśli duże kosze, z czego należało wnioskować, że udają się na targ po świeże owoce. Mogli przebywać poza domem przez 2–3 godziny. Na miejscu pozostali prawdopodobnie czterej ludzie z ochrony, którzy mieli pilnować ogrodu oraz bramy i nie wolno im było opuścić stanowisk. Wewnątrz był więc tylko służący.

Podjechali z Ferhatem pod dom i czekali, aż masywne dębowe drzwi wejściowe uchyliły się i stanął w nich służący.

– Mieliście przyjechać później – powiedział do Pierre'a.

– Tak, ale zmieniliśmy trasę. Sądziliśmy więc, że lepiej zjawić się wcześniej. Przecież to ekspresowa usługa – odparł Ferhat i otworzywszy klapę ciężarówki zaczął przy pomocy Pierre'a wyciągać długi rulon dywanu.

– Zaczekajcie! – Służący był wyraźnie zdezorientowany. Wiedział, że nie może pozwolić, aby obcy weszli do środka, lecz nie chciał odsyłać pracowników pralni, którzy za wcześnie przyjechali. Walczył przez chwilę z sobą, aż wreszcie machnął ręką.

– Wnieście, ale tylko do korytarza – powiedział, otwierając szeroko drzwi.

Ułożyli starannie dwa rulony, a gdy wnosili trzeci, Ferhat zawadził o stojący na niewielkim stoliku duży wazon, który z hukiem spadł na podłogę.

Służący zmartwiał. Patrzył bezradnie na skorupy, będące dowodem, że złamał zakaz i wpuścił obcych ludzi. Mógł wprawdzie wziąć na siebie rozbicie amfory, ale obawiał się, że wówczas będzie musiał pokryć stratę z własnej kieszeni.

– Bardzo przepraszam – powiedział Pierre. – Kolega jest czasami niezgrabny. Firma oczywiście zapłaci za szkody. Musimy tylko spisać protokół.

– Nie, nie! – Służącemu wyraźnie nie spodobał się taki sposób załatwienia sprawy. Odwrócił się i skierował w drugi koniec korytarza. Najwidoczniej postanowił zatrzeć ślady i wyprzeć się wszelkich wiadomości na temat wazonu.

Pierre popchnął Ferhata.

– Idź za nim i zagadaj go przez chwilę. Powiedz, że mu sam zapłacisz, by się nie wydało, że stłukłeś wazon, bo wyrzucą cię z pracy, a ty masz dwie żony i czworo dzieci!

– O przepraszam, dziewięcioro. – Ferhat uśmiechnął się i spokojnie udał się w ślad za służącym.

Pierre wiedział, że ma około dwóch minut na działanie. To było dużo. Ruszył w stronę najbliższych drzwi. Z planu, który znał na pamięć, wynikało, że tam właśnie powinien znajdować się salon. Tak rzeczywiście było. Rozejrzał się szybko po dużym pomieszczeniu. W rogu dostrzegł na stoliku telefon. Podbiegł w jego stronę. Rozkręcenie aparatu, w którym umocował urządzenie nadawcze, i wymiana mikrofonu zajęło mu niespełna 40 sekund. Wiedział, że z salonu powinno być wejście do gabinetu pana domu. Znajdował się za dużymi oszklonymi drzwiami. Na ścianie wisiało trochę białej broni, wetkniętej za dużą okrągłą tarczę. Wydobył z torby aparat podsłuchowy. Włączył go i wsunął za tarczę. Sprawdził, czy nie zostawił śladów i kilkoma skokami dopadł drzwi. Wyprzedził o parę sekund służącego, za którym dreptał Ferhat pokazujący mu zdjęcia dzieci.

– A idźcie do diabła! – Służący miał już wyraźnie dość całej afery.

Następnego wieczoru Pierre siedział ze słuchawkami na uszach w nieczynnym barze, który został zakupiony, by nikt nie zakłócał pracy „Żyrafy'' i jego pomocnika. Aparaty, które umieścił w domu Salana, działały bezbłędnie. Szybko zorientował się, że podsłuch w aparacie telefonicznym w salonie na niewiele się przyda. Odbywały się tam nudne rodzinne kolacje i spotkania towarzyskie organizowane przez panią domu. Pierre dobrze jednak wyczuł, że najwięcej korzyści może zyskać z podsłuchu w gabinecie. Tarcza, za którą ukrył mikrofon, zniekształcała wprawdzie nieco głosy, ale pozostawały czytelne.

Salan był bardzo ostrożny w wypowiedziach. Natura konspiratora kazała mu zapewne podejrzewać możliwość podsłuchu nawet w tym dobrze strzeżonym domu. Jednakże pewnego wieczoru dał się ponieść dyskusji o przyszłości Algierii. Prawdopodobnie gościł wówczas Roberta Martella i Jean-Jacquesa Sussiniego – ludzi, którzy gotowi byli oddać życie za pozostanie Algierii przy Francji.

– De Gaulle zdradził Francję. – Taśma magnetofonowa zanotowała wypowiedź Salana. – Nikt z nas nie ma prawa przyglądać się temu bezczynnie.

– Co możemy zrobić? – zapytał jeden z gości.

– Dwa lata temu nie mieliśmy żadnych wątpliwości, gdy trzeba było walczyć o władzę dla de Gaulle'a. Nie możemy mieć żadnych wątpliwości i teraz, gdy człowiek, któremu zaufaliśmy, zdradził Francję i nas. Nikt z nas już nie wierzy, że de Gaulle będzie chciał bronić naszej sprawy!

– Czy sądzi pan, generale, że możemy zorganizować kolejny pucz?!

– Tak sądzę – twardo odparł Salan. – Wielu dawnych towarzyszy, tak jak i ja, zostało zwolnionych z kluczowych stanowisk, ale pozostało jeszcze wielu wiernych sprawie.

Paryż zareagował natychmiast na raporty Pierre'a ze spotkań w willi „Dominique''. 20 października generał Salan został wezwany do Ministerstwa Obrony. Minister Maurice Messmer przedstawił sprawę jasno:

– Ze względu na sytuację w Algierii, nie może pan tam przebywać. Oczywiście, chodzi o rozwiązanie tymczasowe. Ministerstwo gotowe jest udzielić panu wszelkiej pomocy oraz pokryć koszty tej taktycznej przeprowadzki...

Salan wiedzial, że w tej sytuacji może tylko wyjść i trzasnąć drzwiami. Pozostał przez kilka dni w Paryżu. Jak wynikało z raportów śledzących go wywiadowców, spotkał się z naczelnym dowódcą wojsk NATO, generałem Challe'em oraz szefem Sztabu Generalnego, generałem Ely. W końcu października Salan zniknął z Paryża, a w kilka dni później nadeszła wiadomość z Hiszpanii, że przebywa tam pod opieką generała Franco. W Madrycie czekał, aż jego czas ponownie nadejdzie. Nie pozostawał jednak bezczynny – tworzył OAS...

NARODZINY ZŁA

Wiadomości o rokowaniach między przedstawicielami rządu francuskiego i FLN wywołały niepokój i agresję kolonów. Ci ludzie zdawali sobie sprawę, że przyznanie niepodległości Algierii zmusi ich do wyemigrowania do Francji. Ogromna większość z nich zrosła się z krajem, do którego przed stu laty przybyli ich przodkowie, gdzie walczyli o ziemię, zagospodarowywali ją. Traktowali Algierię jako część Francji, ale tę lepszą, ważniejszą. Należało więc determinację tych ludzi doprowadzić do ostateczności i wykorzystać w rozgrywce o władzę w Paryżu. W jaki sposób? Tworząc atmosferę terroru, zagrożenia i walki.

W lutym 1961 roku na ulicach Algieru pojawiły się ulotki podpisane „OAS'' – Organisation de l'Armée Secréte (Organizacja Tajnej Armii). Nic bliżej nie wiadomo na temat grupy, która sygnowała swoje działania tą nazwą. Być może, była to niewielka grupa młodzieży? Nie wiadomo również, dlaczego później nazwę tę wybrano dla organizacji powołanej do życia 9 kwietnia 1961 roku. Zjednoczyła wiele – działających dotychczas samodzielnie na terenie Algierii – grup terrorystycznych.

Wkrótce potem w podparyskiej willi spotkali się trzej generałowie: Edmond Jouhaud, André Zeller i Maurice Challe.

– Chciałbym przekazać panom pozdrowienia od generała Salana. – Jouhaud rozpoczął spotkanie. Był łącznikiem między przebywającym wciąż w Madrycie Salanem a konspiratorami we Francji. – Nie może być tutaj z nami, ale spodziewa się, że wkrótce dołączy do nas w Algierii.

– Bez wątpienia nastąpi to bardzo szybko. – Generał Challe postanowił nadać spotkaniu jak najbardziej konkretny charakter. – Musimy podjąć decyzję w sprawie działań, które zmienią obecną sytuację. Przede wszystkim odsunięcie od władzy de Gaulle'a powinno nastąpić wyłącznie w wyniku działania wojskowych...

– Chce pan w ogóle zrezygnować z wprowadzenia do akcji cywilów? – zapytał nieco zdziwiony Zeller. – W ten sposób ograniczy pan zasięg naszej rewolucji...

– Unikajmy wielkich słów, generale. Nie „rewolucji'', lecz „zamachu'' – poprawił z naciskiem Challe. – Rewolucje rzeczywiście robią masy, zamachy – jednostki. Proszę sobie przypomnieć, co się stało w styczniu 1960 roku. – Generał nawiązywał do wydarzeń w Algierze, gdy po odwołaniu generała Massu tłumy wyszły na ulice, co dało policji pretekst do rozprawy z ultrasami. – Cywile będą nam potrzebni do wyrażenia uznania po zakończonej akcji – mówił dalej Challe. – Do tego czasu pilnujmy porządku.

– Powtarzam: ograniczamy w ten sposób wagę naszego działania! – upierał się Zeller. Miał rację, gdyż pozbawienie puczu bezpośredniego wsparcia tłumów ułatwiało działanie rządowi, który mając przeciw sobie jedynie zrewoltowanych żołnierzy mógł wykorzystać wszystkie środki.

Challe nie chciał jednak tego uwzględnić. On był szefem, decyzja należała do niego.

– 20 kwietnia rozpoczniemy działanie. – Challe przedstawił plan: – Do Algieru wkroczy wówczas 1 pułk spadochroniarzy Legii Cudzoziemskiej majora Denoix de Saint-Marca. Do niego przyłączą się inne jednostki, które opanują miasto. Następnie oddziały, w sile dywizji, zostaną przewiezione samolotami do Paryża. Tam uzyskają wsparcie ze strony jednostek pancernych i lotniczych z okręgów wojskowych, których dowódcy opowiedzieli się po naszej stronie.

– Scenariusz jest bardzo podobny do planu z 13 maja 1958 roku – zauważył Jouhaud.

– I tak jak wtedy, zwyciężymy – dokończył Challe. – Teraz musimy zdobyć deklaracje współpracy jak największej liczby dowódców jednostek w Algierii.

Okazało się to trudnym zadaniem. Co prawda udało się pozyskać paru nowych i cennych zwolenników, takich jak szef V Okręgu Lotniczego w Algierii, generał Bigot, ale dowódcy najwyższego szczebla starali się unikać zdecydowanej współpracy. Challe nie przejmował się tym. Uważał, że z chwilą wkroczenia spadochroniarzy do Algieru i opanowania strategicznych miejsc bardzo wielu wojskowych poprze rebelię. Miał rację.

22 kwietnia, w nocy z piątku na sobotę, do Algieru wkroczył pułk spadochroniarzy Legii Cudzoziemskiej. Bez trudu zajęli wszystkie strategiczne punkty miasta. Jedynie w gmachu radiostacji doszło do strzelaniny, ale nieliczna ochrona nie broniła się długo. Algier znalazł się w rękach rebeliantów. Pierwszy etap zamachu powiódł się, chociaż nie wszyscy dowódcy przyłączyli się do buntu. Dowódca marynarki wojennej na przykład, admirał de Querville, wsiadł na pokład swego okrętu flagowego i kazał odbić od brzegu.

W kilka godzin po opanowaniu Algieru Challe wiedział, że jego siły liczą dwie dywizje. Być może po opanowaniu Paryża dołączą inne jednostki? Ale drugi etap zamachu był znacznie trudniejszy.

W stolicy zaczęły działalność bojówki OAS, podkładające bomby na lotnisku Orly oraz na dworcach kolejowych; kilka osób odniosło rany, ale nie udało się stworzyć atmosfery zagrożenia. Siły OAS były jeszcze zbyt nikłe.

Tymczasem de Gaulle przeszedł do kontrnatarcia. 23 kwietnia nad ranem wydał polecenie zablokowania wszystkich lotnisk, aby uniemożliwić lądowanie samolotów z wojskiem z Algieru. Na pasy startowe wjechały samochody-cysterny. Na żadnym nadającym się do tego lotnisku francuskim nie mógłby wylądować duży samolot transportowy. Do stolicy ściągnięto oddziały wojska, które obsadziły najważniejsze obiekty. Ich zadaniem nie była jednak walka, lecz wyłącznie demonstracja siły. W czołgach, które otoczyły gmach Zgromadzenia Narodowego, nie było celowniczych. Przez ulice przejeżdżały kolumny ciężarówek, w których siedzieli tylko kierowcy. Francuskie jednostki stacjonowane w Niemczech wyruszyły na poligony bez broni i pojazdów. De Gaulle nie wiedział, jak głęboko sięgają korzenie spisku.

Obawiał się wprowadzania na ulice Paryża jednostek, które mogłyby okazać się poplecznikami rebeliantów z Algierii. Dlatego zdecydował się tylko na demonstrację siły, dbając o to, by siła ta nie obróciła się przeciwko niemu. Ten zabieg spełnił swoje zadanie. De Gaulle'owi udało się również uruchomić inną siłę, ogromną: społeczeństwo.

23 kwietnia prezydent w mundurze generalskim zasiadł przed kamerami telewizji.

– *W imieniu Francji rozkazuję, aby wszystkie środki, powtarzam: wszystkie środki, zostały użyte do zagrodzenia drogi tym ludziom, aż do ich likwidacji. Zabraniam każdemu Francuzowi, a przede wszystkim każdemu żołnierzowi, wykonywania ich rozkazów. (...) Przyszłością uzurpatorów może być tylko to, co przewiduje prawo.*

Francja stanęła po stronie prezydenta. Partie polityczne, związki zawodowe, organizacje społeczne wezwały swoich członków do akcji przeciwko zamachowcom. 24 kwietnia 12 milionów Francuzów przystąpiło do strajku powszechnego. Była to niezwykła manifestacja poparcia dla rządu i prezydenta. Tego samego dnia w największych miastach odbyły się gigantyczne pochody; w Paryżu wzięło w nich udział prawie 3 miliony ludzi.

Wiadomości z metropolii szybko rozeszły się w Algierii. Przede wszystkim dotarły do koszar. Nie wywarły żadnego wrażenia na żołnierzach z Legii Cudzoziemskiej – z których większość słabo znała francuski – ale około 60 procent żołnierzy stacjonowanych w Algierii pochodziło z metropolii. W koszarach i na poligonach żołnierze gromadzili się przy odbiornikach tranzystorowych, które dopiero co masowo pojawiły się w sklepach. Poborowi z metropolii słuchali przemówienia de Gaulle'a oraz informacji o masowych strajkach i demonstracjach przeciwko puczowi w Algierii. Dla nich przemówienie prezydenta, nadawane przez radio, było rozkazem ważniejszym niż te, które wydawali bezpośredni przełożeni. Rebelia w Algierze zaczęła się przemieniać w rebelię oficerów.

W gmachu gubernatorstwa przy placu Forum w Algierze panował nastrój przygnębienia. Challe, Zeller, Jouhaud i Salan (przybył do Algieru z Madrytu 23 kwietnia) zdawali sobie sprawę, że siły de Gaulle'a rosną z godziny na godzinę, podczas gdy ich topnieją...

– Sytuacja dojrzała do ostatecznych rozwiązań – powiedział ponuro Challe, gdy wraz z generałami zszedł z balkonu, z którego pozdrawiali zebranych na placu. Był 25 kwietnia, godzina 16.00. Przywódca rebelii zgodził się w końcu na włączenie cywilów, ale wobec milionowych demonstracji w Paryżu wiwaty kilkudziesięciotysięcznego tłumu na placu Forum niewiele znaczyły.

Salan podszedł do telefonu i przez chwilę bezskutecznie naciskał widełki. W sekretariacie nikt się nie zgłaszał.

– No właśnie – powiedział wreszcie z nutą rezygnacji. – Tę bitwę przegraliśmy, ale wojna trwa.

Zapadło milczenie. Jedynie generał Zeller mruczał coś pod nosem. Od pewnego czasu zajmował się obliczaniem zapasów wina i masła w podległych sobie jednostkach i wydawało się, że nie interesuje go rozwój wydarzeń. Zachowanie Zellera było tak dziwne, że rodziło obawy o stan jego władz umysłowych, ale przestało to już mieć znaczenie.

Salan zasalutował i wyszedł z gabinetu. W sekretariacie czekała na niego żona. Wziął ją pod rękę i przez zaśmiecone korytarze wyszli na dziedziniec, gdzie wsiedli do samochodu. Wkrótce potem Jouhaud i Zeller zmieszali się z tłumem. W opustoszałym budynku pozostał jedynie Challe. Nad ranem zgłosił się na posterunek żandarmerii, skąd odwieziono go do Paryża.

Wkrótce w stołecznym więzieniu spotkali się oficerowie, którzy organizowali zamach w Algierii i usiłowali przeprowadzić go we Francji. Generała Salana nie było wśród nich. On dalej prowadził wojnę.

Generał Raoul Salan

TAJNA ARMIA ATAKUJE

23 lutego 1962 roku generał Salan wydał bojówkarzom OAS rozkaz:

Przejść do ofensywy. Podjąć systematyczne działania przeciw policji i żandarmerii. Rzucać „koktajle Mołotowa'' na ich wozy pancerne. W dzień i w nocy niszczyć najlepszy element muzułmański, wykonujący wolne zawody, aby ludność algierska musiała odwoływać się do pomocy naszych. Paraliżować wszelkie władze i uniemożliwiać im działanie. Rozprzestrzeniać brutalne akcje, na całym terytorium, przeciwko dziełom sztuki oraz wszystkiemu, co reprezentuje władzę, aby doprowadzić do maksimum poczucie braku bezpieczeństwa i całkowicie sparaliżować życie kraju.

OAS przeszła do natarcia. Początkowo terenem jej działania była Algieria. W wielu miastach rozlegały się strzały, wybuchały prymitywne bomby, konstruowane z lasek dynamitu, kradzionego w kopalniach lub z rozmontowanych pocisków artyleryjskich. Szybko jednak terror zaczął przybierać coraz większe rozmiary. Stał się piekłem na przełomie lipca i sierpnia. Nasilenie zamachów i zabójstw w tym okresie było następstwem wznowienia, w Lugrin pod Evian, rozmów pokojowych między delegacjami rządu francuskiego i tymczasowego rządu algierskiego.

Korespondent francuskiego dziennika „France-Soir'' pisał z Algieru:

Tłum ruszył. Pierwszy sklep, w którym wyłamano rolety, należy do rodziny Loukalów. Wczoraj wieczorem obaj Loukalowie, ojciec i syn, zostali zabici przez doświadczonego strzelca strzałami z colta w tył czaszki. (...) Zaczynają się jatki. Sklep zabitych idzie w drzazgi. Tłum woła: „Algieria francuska!''; „De Gaulle na szubienicę!''; „OAS do władzy!'' Kamienie sypią się na żandarmów. Wtedy właśnie podjeżdża mały, stary citroen, w którym ciśnie się pięciu Arabów. Samochód zostaje zatrzymany. Tłum, uzbrojony w żelazne łomy z pobliskiej budowy, atakuje. Żaden z Arabów nie podniesie się z miejsca. Pojawia się skuter. Wjeżdża na plac Trzech Zegarów. Na siodełku młody Arab. Dostaje łomem w głowę, co powala go na ziemię. Następne ciosy gruchoczą mu czaszkę. Tłum podpala skuter. Trup motocyklisty wpadł między kwiaty pobliskiego straganu. Podbiega młody człowiek i kopniakami odrzuca kwiaty. „Żadnych kwiatów dla tych świń'' – krzyczy. Sypią się szyby arabskich sklepików. Nikt już nie panuje nad morderczym tłumem. Ulica Bab-el-Ued cała zwariowała. Bab-el-Ued chwyta Araba, który ukazał się na ulicy Bouzerea. Oblewają go benzyną i podpalają. Człowiek, ogarnięty płomieniami, biegnie, aż wreszcie z przeraźliwym krzykiem pada na ziemię. W innym miejscu linczują Araba, który usiłował ukryć się pod ciężarówką. Jeszcze innego rozciągają na jezdni. Sprowadzają samochód i miażdżą nieszczęśnikowi klatkę piersiową. (...) Tak było na Bab-el-Ued. Nie wydaje mi się, żeby były to spontaniczne wydarzenia. Widziałem grupy kierujące akcją. Widziałem też policję i wojsko. Słyszałem, jak ktoś błagał żołnierzy: „Do diabła, róbcie coś! Chociażby strzelajcie w powietrze!'' „Nie możemy nic zrobić. Nie mamy rozkazu!''

OAS szybko przeniosła terror do Francji. W sierpniu zaczęły wybuchać bomby pod drzwiami zwolenników przyznania Algierii niepodległości. Co kilka dni eksplodowały ładunki w Paryżu, Marsylii, Tuluzie, Tours... Ich odgłos miał zastraszyć społeczeństwo, zmusić do protestów przeciwko władzom V Republiki i obalić je.

Winda zatrzymała się na XIV piętrze hotelu „Panoramique'' w Oranie. Dwaj oparci o ścianę mężczyźni drgnęli na ten dźwięk. Stanęli naprzeciw drzwi i odsunęli poły marynarek, ujawniając pistolety wetknięte za paski spodni. Trzeci, oddalony od nich o kilka kroków, uniósł pistolet maszynowy i ze szczękiem odsunął zamek. Byli gotowi do odparcia ataku. Z windy wyszedł krępy mężczyzna, którego nie zdziwił widok trzech dryblasów gotowych do otwarcia ognia. Spokojnie postawił teczkę na ziemi i podniósł ręce do góry. Nie odezwał się ani słowem, wiedząc prawdopodobnie, że z trzema gorylami nie można rozmawiać, gdyż mogą to uznać za próbę agresywnego zachowania i strzelać. Strażnicy bardzo starannie sprawdzili zawartość teczki, obmacali przybysza, zabrali mu ciężką zapalniczkę *ronson* i przepuścili w stronę drzwi widocznych w końcu wysokiego, jasno oświetlonego hallu. Natknął się zaraz na następnego ochroniarza, który również bez słowa zabrał się do rewizji, ale z tarasu dobiegł głos:

– W porządku, Charles, znam tego człowieka. Przepuść go! – Do pokoju wszedł ubrany w jasny garnitur generał Edmond Jouhaud. – Jest pan tu po raz pierwszy, niech więc pana nie dziwią środki ostrożności. De Gaulle dałby wiele za moją głowę. – Jouhaud wyciągnął rękę w stronę pułkownika Chateau-Jaberta, jednego z najbliższych współpracowników generała Salana.

– Nie dziwi mnie to – odparł pułkownik, siadając w fotelu wskazanym przez gospodarza. – Wprost przeciwnie: cieszy, gdy widzę ludzi dobrze wykonujących swoje obowiązki.

– Tak, to najlepsi spadochroniarze; oni wiedzą co to obowiązek. Z czym pan przyjeżdża?

– Z nie najlepszymi wiadomościami. De Gaulle zaczął tworzyć specjalną policję...

– No, no... – Jouhauda wyraźnie zaciekawiły słowa pułkownika.

– Doszedł do wniosku, że OAS przeniknęła do wszystkich struktur państwowych, a zwłaszcza policji i służb specjalnych. Dlatego powstaje zupełnie nowa organizacja *barbuzów*. Tworzy ją człowiek o nazwisku Foccart. Jacques Foccart.

– Kto to jest?

– Niewiele jeszcze o nim wiemy. Prawdopodobnie jego prawdziwe nazwisko brzmi Koch. Ma 46 lat. Był w wojsku, gdzie dosłużył się stopnia plutonowego. Mówi się, że jest szarą eminencją Pałacu Elizejskiego. Zaprzysięgły gaullista, ale nie wiemy, w jaki sposób znalazł się w tym ruchu. Potrzebujemy trochę czasu, aby zebrać bliższe dane o panu Foccart i jego organizacji. Najistotniejsze jest to,

Generał Challe przemawia: „Jesteśmy tutaj, aby umrzeć, jeśli będzie trzeba''

Generał de Gaulle: „Francuzki, Francuzi! Pomóżcie mi!'' (23 kwietnia 1961)

Jeszcze francuski... Algier, 1961

że mają działać niekonwencjonalnie. To znaczy, że jeżeli któryś z naszych ludzi wpadnie im w ręce, to na pewno powie im wszystko, co wie, a potem zginie na przykład w wypadku samochodowym.

– Co Salan sądzi o tej nowej policji?

– Obawia się jej. De Gaulle umacnia swoją władzę. Czas, pod każdym względem, działa na naszą niekorzyść. Generał Salan uważa, że należy jak najszybciej uderzyć w samego de Gaulle'a.

– Rozkazy w tej sprawie zostały już wydane. – Jouhaud pokiwał głową.

OAS rzeczywiście przeniknęła do wielu władz instytucji państwa, umieszczając tam swoich członków lub znajdując sympatyków, którzy informowali o najważniejszych posunięciach rządu i władz bezpieczeństwa. Jednakże było oczywiste, że służby specjalne umieściły z kolei swoich ludzi w wielu komórkach OAS. Mogli oni kierować działalnością tych oddziałów z korzyścią dla władz.

Był piątek 8 września 1961 roku. Prezydent de Gaulle z żoną wyruszył z Paryża na weekend do swojego domu w Colombey-les-Deux-Eglises. O godzinie 21.55 czarny *citroen* prezydenta, poprzedzany przez wóz ochrony, minął niewielkie miasto Pont-sur-Seine. Dwie minuty później wjechał w duży, łagodny łuk drogi, i w chwili gdy zrównał się z pryzmą piasku, usypaną na poboczu, strzelił z niej na wiele metrów w górę słup ognia, który osmalił bok *citroena.*

Policja bardzo szybko przybyła na miejsce wypadku i zabezpieczyła wszystkie ślady. Wkrótce potem właściciel kafejki w mieście zawiadomił służbę bezpieczeństwa, że w jego lokalu znajduje się człowiek, którego zachowanie wydaje się bardzo podejrzane. Na wszelki wypadek dziwnego gościa zatrzymano. Był to Martial de Villemandy. W bagażniku jego samochodu znaleziono detonator i lont prochowy. Podczas przesłuchania nie wypierał się udziału w zamachu i wydał wspólników, wśród których znalazł się eks-spadochroniarz Armand Belvisie. Prawdopodobnie to on zdetonował ładunek.

W pryzmie piasku znaleziono resztki butelki, pozostałości plastyku i dwa przewody, które prowadziły do lasku, odległego od drogi o jakieś 200 metrów. Wkrótce wszystko stało się jasne. Zamachowcy z OAS okleili butelkę około 35 kilogramami plastyku. Do wnętrza wetknęli zapalnik, a przewody poprowadzili do pobliskiego lasu, skąd zamachowiec obserwował drogę za pomocą lornetki. Gdy zobaczył, że samochód prezydenta zrównał się z miejscem podłożenia bomby, spowodował wybuch zapalnika. Jednakże materiał wybuchowy nie mógł eksplodować, gdyż szkło butelki stłumiło efekt działania detonatora. Dlatego 35 kilogramów plastyku – materiału wybuchowego o ogromnej sile, wystarczającej do zniszczenia czołgu – zapaliło się jasnym płomieniem, lecz nie wybuchło.

Wszyscy biorący udział w zamachu byli członkami OAS. Działali na rozkaz. Otrzymali dokładne informacje, jaką drogą i o której godzinie de Gaulle będzie podróżował. Otrzymali też instrukcje, gdzie, kiedy i jak mają zaatakować. Przekazano im ładunek wybuchowy. Ale kto zorganizował zamach w taki sposób, aby prezydent nie odniósł najmniejszych obrażeń?

2 października de Gaulle, przemawiając w radiu i telewizji, zapowiedział możliwość *utworzenia suwerennego, niepodległego państwa algierskiego w drodze samookreślenia.* Odpowiedzią ze strony OAS było wzmożenie terroru. Liczba ulicznych strzelanin, morderstw, zamachów bombowych zaczęła gwałtownie rosnąć i osiągnęła największe natężenie na początku roku 1962. W ciągu pierwszych pięciu dni nowego roku w Algierii zginęło z rąk OAS 288 Algierczyków, a 489 odniosło rany. 11 stycznia w Algierze dokonano 18 zamachów bombowych, 17 stycznia – 17 zamachów w Paryżu, 23 stycznia – 24 zamachów również w Paryżu. W lutym i marcu liczba akcji OAS uległa zwielokrotnieniu.

Ludzie mieli już dość terroru. Oskarżali władze o bezczynność. 8 lutego 1962 roku policja zaatakowała w Paryżu 60-tysięczny tłum manifestujący pod hasłami zdecydowanej akcji przeciwko OAS. W ulicznych starciach zginęło 8 osób, a 80 odniosło rany. Rząd udowadniał, że panuje nad sytuacją i nie dopuści do anarchii.

W tej atmosferze nadchodził koniec wojny w Algierii. 7 marca w Evian rozpoczęła się ostatnia tura rozmów między przedstawicielami Algierii i Francji. Było już wiadomo, że w podstawowych kwestiach osiągnięto kompromis i w ciągu najbliższych tygodni, a może dni, zostanie podpisany układ dający Algierii niepodległość. 18 marca podpisano w Evian układ przewidujący przerwanie walk w Algierii, zwolnienie jeńców, amnestię dla więźniów politycznych i przeprowadzenie wśród Algierczyków referendum na temat samookreślenia. Układ zawierał wiele klauzul, które pozwalały Francji na wyjście z honorem (język francuski równouprawniony z arabskim, utrzymanie przez 15 lat bazy morskiej w Mers-el-Kebir, baz lotniczych, pozostawienie przez 3 lata w Algierii kontyngentu francuskiego w sile 80 tysięcy żołnierzy itp.), jednakże nie miały one większego znaczenia.

Trwająca 7 lat wojna dobiegła końca. Pochłonęła 20 500 zabitych i 57 200 rannych żołnierzy francuskich. Straty algierskie były znacznie wyższe: 141 tysięcy partyzantów zabitych i 275 tysięcy rannych. Francuskiej ludności cywilnej zginęło 2500 osób, algierskiej – 18 500.

TAKI ZWYKŁY KONIEC

25 marca 1962 roku w południe generał Jouhaud, zaintrygowany hałasem na ulicy, wyszedł na taras swego apartamentu na XIV piętrze hotelu „Panoramique''. Zdawał sobie sprawę, że w nowej sytuacji, powstałej po podpisaniu układów eviańskich, będzie musiał opuścić to miejsce. Nie był zadowolony. Przybył do luksusowego hotelu w kwietniu 1961 roku i od tego czasu żyło mu się tutaj bardzo wygodnie. Zawsze starał się dbać o bezpieczeństwo – przy windzie dzień i noc pełnili wartę eks-spadochroniarze, a generał wychodząc na ulicę przyklejał małą, czarną bródkę. Nic nie zakłócało jego spokoju.

– Panie generale, dyrekcja hotelu prosi o możliwość przysłania hydraulika. Podobno w łazience zepsuł się prysznic – przerwał jego rozważania porucznik będący szefem ochrony.

– Tak, rzeczywiście.

Porucznik powiadomił ochroniarzy w hallu, że wkrótce przyjedzie z dołu hydraulik.

Przy windzie zapaliło się światełko, sygnalizujące, że za moment ktoś wysiądzie na XIV piętrze. Spadochroniarze zajęli swoje pozycje. Drzwi rozsunęły się i z kabiny buchnął gryzący dym. Ochroniarz stojący najbliżej windy zakrył rękami twarz; drugi, krztusząc się, padł na kolana. Z windy wybiegło dwóch ludzi w maskach i z pistoletami w dłoniach. Strzały brzmiały cicho i Jouhaud nie usłyszał ich. Pierwszy pocisk dosięgnął strażnika z pistoletem maszynowym, zanim zdążył on nacisnąć spust. Drugi trafił w głowę klęczącego, a trzeci rozpłatał szyję strażnika, który usiłował wyciągnąć broń zza paska spodni. Tuż potem dwaj napastnicy rozbili drzwi do pokoju Jouhauda i wpadli do środka. Dowódca ochrony, widząc uzbrojonych ludzi w maskach, podniósł ręce do góry. Po chwili machinalnie zrobił to i Jouhaud.

– Generale, jest pan aresztowany. Proszę nie stawiać oporu, gdyż będziemy musieli pana zastrzelić – powiedział pierwszy z napastników, który zerwał maskę z twarzy.

Kilka tygodni później w algierskiej kryjówce generała Salana zjawił się pułkownik Godard.

– Sądzę, że nasz plan się powiedzie. – Gość mówił o kontaktach z arabskim ugrupowaniem Ruchu Nacjonalistów Algierskich (MNA). – Są zainteresowani współpracą, ale na razie powstrzymują się od wszelkich deklaracji.

Godard zrelacjonował spotkanie z przedstawicielami partii, wprawiając Salana w dobry humor. Ostatnie porażki, wśród których najpoważniejszą było aresztowanie generała Jouhauda, zachwiały potęgą OAS i zmusiły ją do defensywy. W kierownictwie organizacji dawało się słyszeć, że Algieria jest stracona, i trzeba przenieść bazy do Europy. Plan pułkownika Argouda przewidywał kontynuowanie walki w Belgii, Niemczech i Hiszpanii.

Salan zdecydowanie odrzucał takie rozwiązanie. Nie mógł pogodzić się z myślą o opuszczeniu Algierii. Dlatego szukał sojusznika w ugrupowaniach działających w tym kraju. Chęć MNA do współpracy stanowiła dobry prognostyk.

– Zgodziłem się na spotkanie pana z wysłannikiem MNA 20 kwietnia o godzinie 11.00 – mówił dalej pułkownik Godard. – Odbędzie się w pustej o tej porze restauracji.

O wyznaczonej porze generał otworzył drzwi lokalu. Trudno go było poznać. Nosił długie, uczernione włosy i zapuścił wąsy, które również starannie farbował.

W sali panował półmrok, ale w głębi generał dostrzegł siedzącego mężczyznę. Skierował się w jego stronę. Tamten podniósł się i wyciągnął rękę.

– Witam pana, generale Salan. Jest pan aresztowany i proszę nie stawiać oporu. Na nic się zda...

Generał odwrócił się gwałtownie w stronę drzwi, gdzie pozostał jego strażnik, ale ten stał z rękami podniesionymi do góry, trzymany na muszce przez dwóch mężczyzn.

Organizacja Ruchu Nacjonalistów Algierskich już od chwili powstania była pod kontrolą francuskiej policji...

Generał Edmond Jouhaud

OSTATNIE STRZAŁY

Pułkownik lotnictwa Jean-Marie Bastien-Thiry przeszedł przez podwórze między czynszowymi kamienicami i zbiegł schodami do sutereny. Nie lubił tej meliny, ale wydawała się najbezpieczniejsza ze wszystkich, jakie pozostały po ostatnich nalotach policji, gdy OAS straciła wiele broni.

Zapukał w umówiony sposób do drzwi, które po chwili otworzyły się. Wewnątrz stał jego podkomendny Watin ze *stirlingiem* wycelowanym w przybysza.

– Odłóż to. Stajesz się nerwowy. – Bastien-Thiry odsunął palcem lufę pistoletu. – Na niewiele by ci się zdał, gdyby to *barbuzi* zastukali do drzwi. Wszyscy są? – Rozejrzał się po zatłoczonym pomieszczeniu, które służyło za punkt kontaktowy i arsenał. Pomruk potwierdził, że 12 zamachowców jest w komplecie.

Pułkownik przetarł szmatką tablicę i zaczął kredą kreślić plan sytuacyjny. Uważał, że w konspiracji nie wolno posługiwać się papierem, gdyż nawet spalony zachowuje ślady. W razie niespodziewanego ataku sił bezpieczeństwa wystarczyło przejechać dłonią po kredowych rysunkach, aby nie pozostał najmniejszy ślad.

– Po raz ostatni omówimy przebieg akcji, a potem podam termin i miejsce. Od tego momentu nikomu nie będzie wolno opuścić tego pomieszczenia...

– Pułkowniku! – przerwał mu Watin. – Nowe rozkazy. Przywiozłem nowy rozkaz.

– Jaki rozkaz? – Bastien-Thiry był wyraźnie zniecierpliwiony, uważając, że dowództwo OAS wymyśliło coś nieistotnego dla sprawy.

– Prezydent ma być uprowadzony, a nie zabity.

– Co takiego? – Pułkownik zdawał się nie rozumieć rozkazu przekazywanego przez łącznika między grupą a dowództwem OAS.

– De Gaulle ma zostać uprowadzony, aby można go było postawić przed sądem. To jest rozkaz – powtórzył dobitnie Watin.

Bastien-Thiry milczał przez chwilę. To była jedna z największych bzdur, jakie usłyszał w swojej karierze oficerskiej. Jak zmusić do zatrzymania kolumnę samochodów mknących z dużą prędkością? Była jedna szansa na tysiąc, że kierowca prezydenckiego samochodu, widząc strzelających ludzi, zahamuje i będzie się starał zawrócić, a wówczas zarysuje się możliwość wyciągnięcia de Gaulle'a...

– Dobrze – powiedział po chwili namysłu. – Zachowujemy dotychczasowe ustawienie. W czterech parach stajecie po obydwu stronach drogi: tu Prevost i Watin z pistoletami maszynowymi, tu Conde i Magade z pistoletami maszynowymi, w tym miejscu Bertin i Naudin z karabinem maszynowym... – Pułkownik rysował na planie pozycje strzelców. – Strzelacie przed samochody lub w powietrze. W razie zatrzymania się samochodów z ochroną i próby ostrzelania nas odpowiecie ogniem. Marton i Sari pozostają w furgonetkach. Gdy wyciągniemy de Gaulle'a z samochodu, podjedzie furgonetka Martona. Gdyby miał kłopoty, wówczas podjeżdża Sari. Ładujemy prezydenta i samochód na pełnym gazie odjeżdża w stronę Paryża. Pozostali zajmują miejsca w trzech samochodach i jadą za furgonetką, aby powstrzymać ewentualny pościg lokalnej policji. Czy są pytania?

22 sierpnia 1962 roku 9 zamachowców – uzbrojonych w pistolety maszynowe *stirling, schmeisser* i karabiny maszynowe *vickers-bertier* – zajęło miejsca po obydwu stronach Avenue de la Liberation w Petit-Clamart. Późnym wieczorem miał tamtędy jechać samochód prezydenta kierujący się na lotnisko Villacoublay, skąd de Gaulle odlatywał do swej posiadłości.

Około 21.30 zamachowcy wysiedli z samochodów zaparkowanych w bocznych ulicach. O 21.45 dwa czarne *citroeny* ochrony pojawiły się w perspektywie ulicy. Jeden z zamachowców zapalił papierosa. Płomień zapalniczki, wyraźnie odbijający się na jego twarzy, był sygnałem do rozpoczęcia akcji. Spiskowcy przysunęli się do krawężnika i rozpięli płaszcze, pod którymi chowali broń. Gdy minął ich pierwszy samochód ochrony, zaczęli strzelać w powietrze i bruk przed samochodem de Gaulle'a. Kierowca prezydenta wielokrotnie trenował taką sytuację podczas szkolenia. Było tylko jedno wyjście: nacisnąć gaz i za wszelką cenę uciekać z miejsca zamachu. Dokładnie tak samo zachowali się kierowcy samochodów ochrony. Nie mogli zwalniać ani zatrzymywać się, gdyż zablokowaliby drogę ucieczki osobie, którą mieli ratować. Strzelanina trwała 17 sekund. Zamachowcy uświadomili sobie nagle, że cel umknął im spod luf.

Nie oczekiwali na rozkaz odwrotu. Szybko wsiedli do samochodów i ruszyli w stronę Paryża.

Kilka dni później pułkownik Bastien-Thiry został aresztowany.

– Wiedziałem, że to jest zasadzka. Nie na de Gaulle'a. Na nas – powiedział swemu obrońcy.

– Dlaczego więc pan wpadł w tę zasadzkę?

– Jestem żołnierzem. Otrzymałem rozkaz i musiałem go wykonać. Bez względu na własną ocenę tego rozkazu. Teraz wiem, że zamach był potrzebny de Gaulle'owi, a nie OAS. Prezydent, który cało uchodzi spod luf zamachowców, zawsze zyskuje poparcie społeczeństwa. To już nie pierwszy raz. Mam nadzieję, że uwzględni moje zasługi dla niego, gdy wystąpi pan o skorzystanie z prawa łaski.

Nie uwzględnił. Pułkownik Jean-Marie Bastien-Thiry został skazany na śmierć i rozstrzelany.

OAS schodziła już ze sceny politycznej. Nowa organizacja – Krajowa Rada Ruchu Oporu (CNR) – miała kontynuować terror i przejąć władzę we Francji. Jej szef, były premier Georges Bidault 22 lutego 1963 roku powiedział w wywiadzie dla prasy amerykańskiej:

– Gdy de Gaulle zniknie, władza przejdzie w nasze ręce. Pierwsi zaczęliśmy z nim walkę i CNR będzie jedyną zorganizowaną siłą. Wrócimy do Francji i zluzujemy de Gaulle'a.

Cztery dni później wojskowy szef CNR, pułkownik Argoud, wyszedł z mieszkania na drugim piętrze w centrum Monachium. Śpieszył się na spotkanie i nie zwrócił uwagi na trzech ludzi, mozolnie wspinających się po schodach z długim rulonem dywanu.

– Przepraszam pana – odezwał się jeden z tragarzy. – Mieszkanie pana Knappa to na drugim czy trzecim piętrze?

Knapp był sąsiadem Argouda, więc ten bez chwili zastanowienia udzielił informacji. Nagle zastanowiło go, że ludzie ci taszczą ciężki dywan po schodach, zamiast wpakować go do towarowej windy. Pułkownik uprzytomnił sobie również, że człowiek, który zapytał o Knappa, mówił nie po niemiecku, lecz czystą francuszczyzną... Argoud odwrócił się gwałtownie i usiłował skoczyć do przodu, ale cios pałki powalił go na schody, nie pozbawiając przytomności. Napastnik, stojący wyżej, źle wycelował i pałka ześliznęła się po potylicy. Argoud usiłował podnieść się, lecz otrzymał drugi cios, tym razem w twarz. Stracił przytomność. Napastnicy rozwinęli dywan, umieścili w nim obezwładnionego i zeszli na dół, gdzie przed wejściem do budynku stał duży samochód z napisem „przeprowadzki''. Tę metodę porywania działaczy OAS stosowano dość często.

Gdy pułkownik się ocknął, ujrzał ciemność, rozświetloną słabą lampką u sufitu. Był we wnętrzu kontenera na ciężarówce. Musieli jechać bocznymi drogami, gdyż skrzynią rzucało niemiłosiernie. Na twarzy czuł zakrzepłą krew. Miał wrażenie, że napastnicy złamali mu nos.

– Już pan się obudził, pułkowniku? – Argoud rozpoznał głos człowieka, który pytał o Knappa. – Chyba jednak za wcześnie.

Dwaj mężczyźni schwycili go za rękę, a trzeci zrobił zastrzyk. Argoud zapadł w kamienny sen. Gdy ocknął się, leżał na schodach paryskiej prefektury, a nad nim pochylali się policjanci.

Los Argouda – podobnie jak gwałtowny koniec bankiera OAS, Henriego Lafonda, który zginął od kul zamachowców na paryskiej ulicy – przestraszył pozostałych przywódców OAS-CNR. Zrozumieli, że nie mają szans w starciu z *barbuzami.* W popłochu opuścili Francję, szukając schronienia w Hiszpanii, Niemczech i Ameryce Południowej.

OAS przegrała krwawą walkę o Francję, w której zabiła około 12 tysięcy osób.

U-2
ZAGINĄŁ

START

Minęła 3.00 nad ranem, gdy Francis Garry Powers zakończył nakładanie kombinezonu. Dociągnął ostatnią sprzączkę i schwycił ciężką skrzynkę z aparaturą klimatyzacyjną. Z wysiłkiem uniósł się z krzesła, wyszedł z pokoju i ruszył w stronę szerokich drzwi hangaru.

– Zaczekaj chwilę! – W drzwiach bocznego pomieszczenia stanął kapitan, którego nazwiska Powers nie znał. – Weźmiesz to? – Podniósł rękę, tak że Powers mógł zobaczyć medalion zwisający na łańcuszku.

Dobrze wiedział, co to jest. Na pierwszy rzut oka przedmiot wyglądał na srebną monetę dolarową przerobioną na breloczek, który można było doczepić do kluczy albo zawiesić na szyi. Długo trzeba było się przyglądać, aby na obrzeżu medalionu znaleźć rysę. Po wsunięciu w nią paznokcia moneta rozpadała się na dwie połowy, ujawniając szpilkę z ruchomą główką. Wystarczyło wbić ją w ciało i nacisnąć główkę, a z wnętrza wysuwało się zatrute „żądło''. Nikt nie wiedział, jaką zawiera truciznę, ale chodziły słuchy, że na jej sporządzenie Centralna Agencja Wywiadowcza wydała trzy miliony dolarów.

Powers bez słowa wyciągnął rękę i schował breloczek do kieszeni. CIA nie nakazywała swoim pilotom korzystania z zatrutej szpilki, ale zalecała posiadanie tego przedmiotu.

– Możecie znaleźć się w sytuacji, w której lepiej będzie ukłuć się w rękę niż przez całe dnie znosić niewyobrażalne tortury – mówił kapitan Tarmen O'Rio w czasie szkolenia agentów CIA. Powers wierzył mu.

Zatrutą szpilkę traktował jako jeden z elementów ekwipunku. Miał przy sobie nóż myśliwski, pistolet z tłumikiem i jedwabną chustę, na której w czternastu językach wydrukowano deklarację: *Nie mam wobec waszego narodu złych zamiarów. Jeśli udzielicie mi pomocy, to zostaniecie nagrodzeni.* Aby nadruk nie był pustą obietnicą, wyposażono pilota w ogromną sumę 7,5 tysiąca rubli, zwitki franków, funtów i dolarów oraz złote zegarki i pierścionki.

– Jak humor? – spytał kierowca, który pomógł mu wejść do samochodu, gdyż kombinezon krępował ruchy pilota.

– W porządku... – mruknął Powers. Kłamał. Nie czuł się najlepiej, ale przed lotem nie powinien się skarżyć, gdyż zwierzchnicy mogliby nie pozwolić mu na start. Miał ponadto nadzieję, że złe samopoczucie szybko minie.

W oddali dostrzegł sylwetkę samolotu. Kilku techników stojących pod kadłubem montowało coś w otwartych komorach kamer fotograficznych. Powers wspiął się po metalowej drabince i wsunął się do ciasnej kabiny. Zawsze przy takiej okazji odczuwał zadowolenie, że jest jednym z nielicznych, którym powierzano prowadzenie tej maszyny.

Nie chodziło o pilotaż, gdyż to nie nastręczało większych trudności lotnikowi z odpowiednim doświadczeniem. Prawdziwą sztuką było samotne spędzenie nad wrogim terytorium dziesięciu godzin w locie, kiedy to ciągle powracała myśl, że w razie awarii nie ma żadnych szans ratunku. Wśród pilotów CIA często mówiło się o kolegach, którzy nagle zniknęli. Nikt nie wiedział, co się z nimi stało, ale ponieważ ich zaginięcie wiązało się z reguły z lotem nad Chinami lub Związkiem Radzieckim, podejrzewano, że zostali zestrzeleni. Najgłośniejsza była chyba sprawa Jacka Fetta, który 8 kwietnia 1950 roku pilotując *PB4Y2 Privateer* zaginął nad brzegami Republiki Łotewskiej. Osiem dni później brytyjski okręt wyłowił z morza jasnożółtą tratwę ratunkową z numerami samolotu Fetta. Nie było w niej nikogo. Rosjanie przyznali później, że myśliwiec *Ła-11* zestrzelił samolot, który wtargnął w ich przestrzeń powietrzną. Jednakże twierdzili, że nie wiedzą nic o losie Jacka Fetta i dziewięciu osób załogi. To były jednak stare czasy i *PB4Y2* był piekielnie wolnym samolotem. Nawet *B-47 Stratojet*, których od 1953 roku powszechnie używano w misjach szpiegowskich, rozwijające prędkość niewiele ponad 1000 km na godzinę, nie mogły uciec przed sowieckimi myśliwcami.

Samolot, w którego kabinie siedział Powers, był już inny. Pilot mógł czuć się bezpiecznie.

– „Czarny'', 018 odezwij się! – Usłyszał w słuchawkach głos kontrolera lotów.

– 018, zgłaszam gotowość do lotu. – Powers przycisnął laryngofon do szyi. Spojrzał w dół.

Mechanik założył klamry blokujące pokrywę kamery i klepnął ręką w kadłub. Powers założył hełm, zamknął kabinę i starał się zająć w fotelu jak najwygodniejszą pozycję.

– „Czarny'', zezwalam na kołowanie i start. Powodzenia! – Ostatnie słowa zabrzmiały w uszach pilota jak pożegnanie.

Start nastąpił punktualnie o 5.36. Mały samolot o ogromnych, rozłożystych skrzydłach przetoczył się przez betonowy pas startowy amerykańskiej bazy lotniczej w Peszawarze i wzbił się w powietrze.

Był 1 maja 1960 roku. Po godzinie lotu Francis Powers przekazał do bazy sygnał, że przekracza granicę Związku Radzieckiego...

U-2

ZESTRZELIĆ SAMOLOT!

Dochodziła 6.00 rano, gdy z gabinetu dobiegł dzwonek telefonu. Długi, natarczywy.

Nikita Chruszczow podniósł się z łóżka i wsunął stopy w ranne pantofle.

– Nie mają cię kiedy budzić! – Żona była bardzo niezadowolona. – Przecież dzisiaj święto. Święto Pracy...

– Nic, nic. – Sekretarz generalny machnął ręką. Obciągnął piżamę i skierował się do gabinetu. – Muszą mieć naprawdę ważną sprawę, skoro dzwonią tak wcześnie.

Zamknął za sobą drzwi sypialni, aby nie przeszkadzać żonie i podszedł do telefonu. Zanim podniósł słuchawkę, przetarł twarz dłonią, jakby chciał spędzić z oczu resztki snu.

– Chruszczow, słucham – powiedział do mikrofonu.

– Wybaczcie, towarzyszu sekretarzu generalny... – Usłyszał dobrze sobie znany głos marszałka Rodiona Malinowskiego, ministra obrony.

– O! Jak wy dzwonicie o tej porze, to znaczy, że wojna wybuchła – przerwał tłumaczenia ministra. – Mówcie, pogoniliśmy imperialistów?

– Jeszcze nie, towarzyszu sekretarzu... – Malinowski był wyraźnie zbity z tropu. Nie dla starego frontowca żarty z szefem państwa. Szybko przeszedł do rzeczy: – Meldują, że kilkanaście minut temu amerykański samolot naruszył naszą przestrzeń powietrzną. Wleciał od strony Pakistanu... – Malinowski zawiesił głos w oczekiwaniu na reakcję sekretarza.

Chruszczow spoważniał. Zastanawiał się przez chwilę nad odpowiedzią.

– Samolot musi zostać zestrzelony! – oświadczył dobitnie.

– Tak jest! – sapnął z przejęciem Malinowski.

Chruszczow odłożył słuchawkę i spojrzał na zegarek zastanawiając się, czy warto wracać do łóżka. Za dwie godziny powinien stać na trybunie na placu Czerwonym i przyglądać się pierwszomajowej demonstracji. Było wprawdzie jeszcze trochę czasu na odpoczynek, ale informacja ministra obrony wybiła sekretarza ze snu.

Dlaczego kazał zestrzelić amerykański samolot?

PRÓBA SIŁ

Nikt spoza Kremla, a chodzi o najściślejszy krąg ludzi decydujących o sprawach kraju, nie potrafi powiedzieć dokładnie, kiedy Związek Radziecki dorównał potęgą militarną Stanom Zjednoczonym. Datą przełomową było niewątpliwie dokonanie przez Rosjan 29 sierpnia 1949 roku pierwszej próbnej eksplozji atomowej. Dla administracji amerykańskiej stanowiła ona szok, gdyż nie spodziewano się, żeby Rosjanom udało się wyprodukować tę broń wcześniej niż w połowie lat pięćdziesiątych. Wieść o radzieckiej próbie obiegła całe Stany wywołując trwogę. Ludzie, którzy dotychczas występowali przeciwko przyśpieszeniu tempa zbrojeń nuklearnych, musieli zamilknąć, a zwolennicy budowy bomby wodorowej uzyskali ostateczny argument: Rosjanie, po skonstruowaniu bomby atomowej przystąpią niezwłocznie do pracy nad bronią wodorową.

Było to oczywiste, gdyż bomba „H'' stanowiła jakby naturalną kontynuację swej poprzedniczki. Wyzwolenie gigantycznej ilości energii w drodze syntezy izotopów wodoru może nastąpić w temperaturze około stu milionów stopni, a taką temperaturę można uzyskać w czasie eksplozji atomowej. Tak więc zapalnikiem inicjującym syntezę izotopów wodoru miała być bomba atomowa.

Dwaj naukowcy zatrudnieni w laboratorium jądrowym w Los Alamos: Vennevar Bush i James Conant obliczyli, że bombę „H'' uda się zbudować w okresie 6–12 miesięcy po skonstruowaniu bomby „A''. Prezydentowi Harry'emu Trumanowi nie pozostało nic innego jak tylko podpisanie programu nowych zbrojeń. Ostatni dokument w tej sprawie opatrzył autografem 31 stycznia 1950 roku.

31 października*) 1952 roku Amerykanie przeprowadzili pierwszy eksperyment z urządzeniem termojądrowym *Mike*. Miało ono kształt sześcianu o wysokości dwupiętrowego domu, co wynikało z konieczności umieszczenia wewnątrz zapalnika atomowego o mocy i rozmiarach znacznie większych, niż miała bomba zrzucona na Hiroszimę, oraz konstrukcji, której zadaniem było „uwięzienie'' neutronów wodoru wyzwalających się w czasie syntezy.

O godzinie 7.14 na małym atolu Eniwetok na Pacyfiku pojawiła się ognista kula, której blask rozświetlił wody oceanu w promieniu setek kilometrów. Błyskawicznie uniosła się nad powierzchnię wody ciągnąc za sobą pył drobin z raf koralowych i pary wodnej, które uformowały się w kształt monstrualnego grzyba. Jego kapelusz miał pięć kilometrów średnicy. Czasza stopniowo stygła i przekształcała się w chmurę, która rozproszyła się na wysokości około 30 kilometrów. W miejscu koralowej wysepki Eniwetok powstał lej, który natychmiast wypełniła woda. Miał on blisko dwa kilometry średnicy i 58 metrów głębokości. Takie były efekty eksplozji o mocy 10 megaton – 588 razy większej niż pierwsza próbna eksplozja bomby atomowej dokonana siedem lat wcześniej na pustyni Alamagordo.

*) Inne zródła podają datę 1 listopada.

Wydawałoby się więc, że Amerykanie odzyskali przewagę. Proste wyliczenie wskazywało, że skoro naukowcy z kraju o ogromnym potencjale militarnym i gospodarczym, nie dotkniętym w najmniejszym stopniu wojną, potrzebowali siedmiu lat na skonstruowanie bomby wodorowej, to Związek Radziecki, zrujnowany działaniami wojennymi, będzie potrzebował co najmniej lat kilkunastu. Jeżeli więc Rosjanie przeprowadzili próbny wybuch atomowy w 1949 roku, to powinni skonstruować bombę wodorową nie wcześniej niż w roku 1960.

Nic podobnego! Obliczenia Vennevara Busha i Jamesa Conanta, zakładające, że między skonstruowaniem bomby atomowej a wodorowej minie tylko 6–12 miesięcy, pozostały aktualne. System polityczny Związku Radzieckiego oszczędzał uczonym wieloletnich dyskusji i walk w parlamencie o sfinansowanie superbomby. W tym państwie nikt nie liczył się z potrzebami obywateli i nie oceniał, jak bardzo uruchomienie kosztownych prac nad skonstruowaniem nowej broni obniży poziom życia mieszkańców. Istotne było i to, że doskonale zorganizowany wywiad radziecki, którego agenci dotarli do najtajniejszych laboratoriów nuklearnych w Stanach Zjednoczonych, Kanadzie i Wielkiej Brytanii, uzyskał materiały stanowiące niebagatelną pomoc dla naukowców radzieckich; dzięki nim nie musieli tracić czasu na rozwiązywanie wielu problemów, aczkolwiek do dzisiaj nie wiadomo, w jakim stopniu materiały szpiegowskie ułatwiły zrealizowanie wielkiego zadania.

Prace nad bombą wodorową w tajnych laboratoriach umieszczonych na Syberii rozpoczęto natychmiast po udanym eksperymencie z bronią atomową w 1949 roku. Po czterech latach radzieccy uczeni odnieśli sukces.

8 sierpnia 1953 roku premier Gieorgij Malenkow oświadczył, że Stany Zjednoczone utraciły monopol nie tylko na broń atomową, lecz także wodorową. Kilka dni później, prawdopodobnie 13 sierpnia, odbył się pierwszy próbny wybuch. Radzieckie gazety podały wiadomość o tym wydarzeniu 20 sierpnia, stwierdzajac, że *próby dokonano w ciągu ostatnich kilku dni.* Siły eksplozji nie ujawniono.

Amerykanie nie wierzyli w tę informację aż do chwili, gdy nadeszły ze stacji sejsmograficznych raporty będące niezbitym dowodem, że eksplozję istotnie przeprowadzono. Co gorsza: na poligonie na Nowej Ziemi eksplodowała b o m b a wodorowa, a nie u r z ą d z e n i e wodorowe wielkości dwupiętrowego domu.

Tak więc Rosjanie wyprzedzili Amerykanów: mieli broń, którą mogli załadować do luków bombowych samolotów i zrzucić na amerykańskie miasta. Groźba stała się tym bardziej realna, że w czasie defilady na placu Czerwonym nad głowami widzów przeleciały nowe bombowce strategiczne *M-4*, które po starcie z radzieckich lotnisk, tankując w powietrzu, mogły dolecieć do Stanów Zjednoczonych.

Ameryka, która przez całą swoją historię czuła się bezpiecznie za wodami oceanów oddzielających ją od kontynentów, gdzie byli wrogowie, nagle dostrzegła, że bezpieczeństwo przestało być pewne.

W czasie gdy Rosjanie wyprzedzali Amerykanów, władza na Kremlu przeszła w ręce trójki ludzi, z których żaden nie był na tyle silny, aby zająć miejsce zmarłego dyktatora. Gierogij Malenkow, Nikołaj Bułganin i Nikita Chruszczow równo dzielili się władzą i wpływami, dopóki Chruszczow nie usunął w cień swych partnerów. Nie udało mu się jednak uzyskać władzy dyktatorskiej. Miał wprawdzie większe zaplecze polityczne i wpływy w centralnych i terenowych organizacjach partyjnych niż jego konkurenci, musiał jednak pamiętać, że daleko mu do potęgi Stalina, który nie liczył się z opiniami towarzyszy.

Chruszczow musiał zdobywać poparcie dla swej polityki, a utrzymanie stanowiska sekretarza generalnego – od 1958 roku także premiera – zależało od akceptacji jego dokonań przez kremlowską oligarchię. Przekonał się o tym w czerwcu 1957 roku, gdy kilku jego współpracowników: Gieorgij Malenkow, Wiaczesław Mołotow i Łazar Kaganowicz, niezadowolonych z destalinizacji i polityki gospodarczej Chruszczowa, zawiązało spisek mający na celu pozbawienie go stanowiska sekretarza generalnego. Chruszczow wygrał to starcie dzięki poparciu wojska, służby bezpieczeństwa i terenowej administracji partyjnej, ale zrozumiał, że niezadowoleni z jego polityki towarzysze mogą znów podjąć próbę usunięcia go z Kremla.

To przesądziło o zajęciu agresywnego stanowiska w polityce wobec Stanów Zjednoczonych, tym bardziej że Związek Radziecki odnosił coraz większe sukcesy w dziedzinie militarnej: skonstruowanie bomby wodorowej i międzykontynentalnych bombowców dawało możliwość zniszczenia europejskich sojuszników USA, a także uderzenia na amerykańskie miasta. Chruszczow zaczął grozić Zachodowi wojną.

W czasie kryzysu sueskiego, w listopadzie 1956 roku, gdy wojska brytyjskie i francuskie uderzyły na Egipt po ogłoszeniu przez prezydenta Gamala Abdel Nasera nacjonalizacji Kanału Sueskiego, premier Nikołaj Bułganin wysłał do premiera rządu brytyjskiego Anthony'ego Edena list zawierający jawną pogróżkę:

W jakiej sytuacji znalazłaby się Wielka Brytania, gdyby zaatakowały ją silniejsze państwa wyposażone w nowoczesną broń wszelkiego rodzaju? – pisał Bułganin. – *Istnieją państwa, które nie musiałyby wysyłać swojej floty i lotnictwa do brzegów Wielkiej Brytanii, lecz mogłyby użyć innych środków, jak na przykład broni rakietowej.*

Była to groźba skuteczna, gdyż dwa kolonialne mocarstwa wobec takiej postawy Chruszczowa oraz stanowczości prezydenta Eisenhowera wstrzymały działania wojenne i wycofały wojska z Egiptu.

Sekretarz generalny posunął się dalej. 9 października 1957 roku w wywiadzie udzielonym amerykańskiemu dziennikowi „The New York Times'' oskarżył Stany Zjednoczone o nakłonienie Turcji do inwazji na Syrię w celu obalenia tamtejszego proradzieckiego rządu.

– *Jeżeli wojna wybuchnie, my jesteśmy bliżej Turcji niż wy. Gdy działa zaczną strzelać, mogą pojawić się również rakiety, a wtedy będzie za późno na rozmyślania* – oświadczył Chruszczow.

Tuż potem w liście do przywódców brytyjskiej opozycyjnej Partii Pracy napisał:

Rozszerzenie konfliktu wokół Syrii może wciągnąć Brytanię w nową niszczycielską wojnę, ze wszystkimi, najgorszymi nawet konsekwencjami dla ludności Wysp Brytyjskich.

Prezydent Dwight Eisenhower z niepokojem czytał raporty na temat wystąpień radzieckiego przywódcy. Przekonywano go przy tym, że Rosjanie uzyskali dużą przewagę. Nie miał podstaw, aby wątpić w takie oceny po 4 października 1957 roku, gdy z kosmodromu Bajkonur wystartowała rakieta, która umieściła na orbicie wokółziemskiej satelitę *Sputnik I.*

– Problem wyekspediowania na określoną orbitę wokółziemską, nazwijmy to: zestawu, jest tego samego pokroju co przeniesienie zestawu między kontynentami i ulokowanie go w centrum dużego miasta...

– Chodzi panu o to, że wystrzelenie *Sputnika* dowodzi, iż Rosjanie mogą teraz trafić w Nowy Jork? – Prezydent Eisenhower przerwał ekspertowi, zniecierpliwiony pokrętnymi wywodami.

– Tak jest, sir. To miałem na myśli. – Ekspert nie dał się zbić z tropu. – Muszę dodać, że problem pokonania przez rakietę odległości międzykontynentalnej jest mniejszej wagi niż naprowadzenie głowicy na konkretny cel.

– Uważa Pan, że Rosjanie rozwiązali obydwa problemy?

– Właśnie to chciałem powiedzieć, sir...

Posiedzenie zespołu ludzi tworzących Gaither Committee, powołanego przez prezydenta w celu monitorowania radzieckich sukcesów rakietowych, ciągnęło się od kilku godzin. Eisenhower był bardzo zaniepokojony. Przewidywał, że wcześniej czy później siły strategiczne Stanów Zjednoczonych i Związku Radzieckiego wyrównają się i gotów był się z tym pogodzić jako z nieuniknionym biegiem wydarzeń, ale ostatnie wypadki dowodziły, iż Rosjanie uzyskują wyraźną przewagę.

– Ocena wydaje się jednoznaczna. – Sekretarz obrony przejął na siebie wyjaśnienia w miejsce niefortunnego eksperta, który zbyt zawile przedstawiał znaczenie wystrzelenia *Sputnika.* – Od 1959 roku Rosja będzie w stanie dokonać ataku nuklearnego na nasze miasta za pomocą setek ICBM*). Niestety, nasze siły są znacznie słabsze.

– Mister Chruszczow ma tego pełną świadomość i możemy być pewni, że wykorzysta tę przewagę w polityce wobec nas i naszych atlantyckich sojuszników. – Sekretarz stanu zdjął okulary i zaczął starannie przecierać je chusteczką. – Niestety, możliwości przeciwdziałania z naszej strony są ograniczone.

– Sygnały wywiadu świadczą, że Rosjanie wyolbrzymiają potęgę swoich sił strategicznych. – Do dyskusji włączył się Allen Dulles, szef Centralnej Agencji Wywiadowczej. – Mamy informacje, że w czasie defilady listopadowej w Moskwie nowe bombowce strategiczne latały w kółko, co miało stworzyć wrażenie ich ogromnej liczby. W nadbałtyckich republikach budowane są hangary bombowców

*) ICBM – skrót od *intercontinental ballistic missile* (międzykontynentalna rakieta balistyczna)

strategicznych z drewna i tektury, a Rosjanie są bardzo zadowoleni, gdy nasze samoloty zwiadowcze fotografują te obiekty. Chruszczow chce przestraszyć świat.

Z dalszej dyskusji wynikało, że przewaga radziecka w następnych latach znacznie powiększy się.

17 grudnia 1957 roku Amerykanie dokonali pierwszego próbnego odpalenia rakiety balistycznej *Atlas*. Jednakże nawet szybkie wprowadzenie tych rakiet do wyposażenia sił strategicznych nie gwarantowało obrony i powstrzymania Związku Radzieckiego przed uderzeniem nuklearnym. Silniki rakiet zasilało bowiem paliwo płynne, które trzeba było pompować do zbiorników tuż przed startem, a to zajmowało wiele godzin. Czas, jaki musiałby minąć, zanim można byłoby odpalić rakiety w odpowiedzi na radziecki atak, mógł przesądzić o przegranej USA.

Ponadto należało przyjąć, że szpiedzy radzieccy mają dokładne rozeznanie, gdzie w USA znajdują się stanowiska rakiet i lotniska bombowców strategicznych. Szpiedzy amerykańscy zaś, działający w policyjnym państwie radzieckim, uzyskiwali jedynie fragmentaryczne informacje, a Pentagon nie był w stanie ich zweryfikować. Wydawałoby sie, że w nuklearnym starciu Ameryka może polegać jedynie na rakietach średniego zasięgu *Thor* i *Jupiter*, rozmieszczonych w bazach leżących na terenie Wielkiej Brytanii, Turcji i Włoch.

Chruszczow zdawał sobie z tego sprawę i wiedział, w jaki sposób skłonić rządy tych państw do pozbycia się rakiet amerykańskich. Najlepszą metodą była według niego groźba. Dlatego też przy każdej okazji on sam lub inni przedstawiciele władz radzieckich grozili uderzeniem nuklearnym. Gdy parlament włoski zaakceptował budowę baz amerykańskich rakiet na terytorium swojego państwa, z Kremla nadeszła nota o treści:

W razie konfliktu bazy te staną się celem, który w drodze odwetu musi zostać zniszczony za pomocą wszystkich typów najnowszej broni. Zbyteczne byłoby mówienie, że nie tylko ludzie mieszkający w pobliżu baz rakietowych, ale i populacja całego kraju znajdzie się w śmiertelnym niebezpieczeństwie.

Wkrótce podobne ostrzeżenie wysłano do Grecji, której rząd zgodził się na składowanie na swym terytorium amerykańskich głowic nuklearnych.

Nikita Chruszczow przemawiając w Rydze wezwał Danię i Norwegię, aby dla własnego dobra zerwały zbyt bliskie kontakty z NATO i wybrały drogę Finlandii jako gwarantującą bezpieczeństwo narodowi.

Chruszczow nie miał złudzeń, że tego rodzaju pohukiwania mogą przesądzić o realizacji wielkiego celu strategicznego: przejęciu inicjatywy i zdobyciu trwałej przewagi nad Stanami Zjednoczonymi. Do tego potrzebna była wojna lub choćby realna groźba konfliktu.

W listopadzie 1958 roku stwierdził, że nadszedł czas, aby cztery mocarstwa okupujące Berlin wycofały się z miasta oddając je pod jurysdykcję rządu Niemieckiej Republiki Demokratycznej. Można było to uznać za mało realną propozycję, gdyby sekretarz generalny nie zastrzegł:

– Jeżeli w ciągu sześciu miesięcy (czyli do 27 maja 1959 roku – BW) Zachód nie uzyska w tej sprawie porozumienia ze Związkiem Radzieckim, Związek Radziecki będzie działał bez Zachodu.

W miesiąc później minister spraw zagranicznych, Andriej Gromyko oświadczył na posiedzeniu Rady Najwyższej:

– Jakakolwiek prowokacja w Berlinie Zachodnim lub próba podjęcia agresywnej akcji przeciwko Niemieckiej Republice Demokratycznej może doprowadzić do wybuchu wielkiej wojny, w której miliony ludzi zniknie z powierzchni ziemi, i która spowoduje zniszczenia nieporównywalnie poważniejsze niż ostatnia wojna światowa.

Płomienie tej wojny mogłyby bez wątpienia dosięgnąć kontynentu amerykańskiego.

Amerykańska rakieta balistyczna *Atlas*

EPICENTRUM

Konwój samochodów z białymi gwiazdami zatrzymał się przed szlabanem zagradzającym wjazd do Berlina Zachodniego. Sierżant otworzył drzwiczki *studebakera* i zaczął grzebać w raportówce, aby wyjąć dokumenty. Zerkał co chwilę w stronę baraku na poboczu autostrady, gdzie mieściła się radziecka wartownia. Stojący przy drzwiach żołnierz z pistoletem maszynowym na ramieniu ani drgnął. Można było odnieść wrażenie, że nie zauważył kolumny amerykańskich samochodów wojskowych

– Chyba im dupy do stołków przymarzły! – zwrócił się sierżant do kierowcy.

Ten rozsiadł się wygodnie w swym fotelu.

– Obawiam się, sierżancie, że to potrwa długo. Wczoraj wieczorem trzymali kilka naszych samochodów przez trzy godziny. Podobno tablice rejestracyjne były brudne i nie dawało się odczytać numerów. Kazali Hochinsowi wycierać je, a on nie chciał.

– Poczekamy, podjedź bliżej niego. – Wskazał wartownika.

Samochód podjechał do szlabanu.

– Iwan! – Sierżant wychylił się z szoferki i krzyknął do wartownika: – Powiedz swoim oficerom, że łamią porozumienie międzysojusznicze i złożę w tej sprawie protest u moich władz.

Żołnierz, jakby nie słysząc Amerykanina, odwrócił się na pięcie i miarowym krokiem zaczął przemierzać odśnieżony chodnik przed barakiem. W oknach widać było twarze oficerów, ale żaden z nich nie kwapił się do wyjścia.

– Obawiam się, sierżancie, że to trochę potrwa... – powtórzył kierowca. Odwrócił się i spojrzał na drogę, gdzie formowała się już kolejka cywilnych samochodów. – Ruskim w baraku ciepło, a nasze chłopaki w ciężarówkach przemarzną, jak tak dłużej postoimy.

– Masz jakiś pomysł? – Sierżant był czerwony ze złości.

– Rozwaliłbym tę budę, gdyby tylko nie rozpętało to wojny...

– To nie takie proste! – Sierżant wskazał na betonowe bunkry strażnicze rozmieszczone po odbydwu stronach autostrady. – Tam chyba mają granatniki. Możemy tylko czekać. Wolno palić! – krzyknął w stronę żołnierzy na skrzyni ciężarówki.

Po kilkunastu minutach z wartowni wyszedł oficer, który bez pośpiechu zbliżył się do samochodu. Wziął od sierżanta dokumenty konwoju i zaczął dokładnie je studiować.

– Czekać! – mruknął wreszcie po angielsku i ruszył w stronę wartowni.

Nie było go przez pół godziny, aż wreszcie wrócił z kilkoma żołnierzami. Zaczęli dokładnie obchodzić każdą ciężarówkę, sprawdzać numery rejestracyjne i liczyć żołnierzy. Co chwilę przerywali liczenie i odchodzili do baraku, skąd powracali po kilkunastu minutach. Okazywali wyraźnie, jak bardzo przejazd amerykańskiego konwoju zależy od ich dobrego humoru. Wreszcie po trzech godzinach oficer oddał sierżantowi dokumenty, zasalutował z uśmiechem i kazał podnieść szlaban. Skostniali z zimna żołnierze, klnący Rosjan na czym świat stoi, ruszyli w stronę Berlina Zachodniego.

To miasto stawało się najbardziej zapalnym punktem Europy. Rosjanie chcieli przekonać Amerykanów, że nie cofną się przed użyciem siły, aby zlikwidować wysepkę kapitalizmu i demokracji w centrum totalitarnego państwa Niemieckiej Republiki Demokratycznej.

Rzeczywiście Berlin Zachodni był dla nich groźny. Przez miasto to wiodła droga do wolności i wielu obywateli NRD z niej korzystało. Od 1949 roku do końca roku 1958 z kraju liczącego 17,5 miliona obywateli 2 miliony 188 tysięcy przeszło do Republiki Federalnej Niemiec. Strata była dla NRD tym dotkliwsza, że na ucieczkę decydowali się przede wszystkim ludzie wykształceni, zajmujący wysoką pozycję w społeczeństwie: naukowcy, lekarze, inżynierowie. Od momentu utworzenia Niemieckiej Republiki Demokratycznej władze tego państwa podejmowały wielkie wysiłki, aby uszczelnić granicę z Republiką Federalną Niemiec. Na całej długości wybudowano setki wież strażniczych, stanowisk karabinów maszynowych samoczynnie otwierających ogień, gdy jakiś obiekt pojawił się w zakazanej strefie, pól minowych, na których umieszczono miny o zapalnikach tak czułych, że eksplodowały nawet pod naciskiem kota, co oznaczało, że zabiją również dzieci, gdyby chciały one przedostawać się na Zachód. W końcu 1958 roku przekroczenie granicy stało się praktycznie niemożliwe.

Jednakże w gigantycznym „murze'', który przeciął Niemcy, znajdowała się szeroko otwarta brama. Wystarczyło przedostać się do Berlina Wschodniego, wsiąść do S-Bahnu (szybkiej kolei miejskiej), uśpić czujność agentów enerdowskiej służby bezpieczeństwa i wysiąść na stacji w Berlinie Zachodnim.

27 listopada 1958 roku Chruszczow zażądał wycofania wojsk alianckich z Berlina Zachodniego i „oddania'' tego miasta NRD. Nie chodziło mu tylko o zatrzymanie strumienia uciekinierów na Zachód, grożącego destabilizacją wschodnioniemieckiej gospodarki. Berlin był dla Chruszczowa tylko środkiem realizacji nowej polityki wobec Zachodu. Sekretarz generalny musiał wiedzieć, że Stany Zjednoczone nie przyjmą jego żądania i nie wycofają swoich wojsk. Byłoby to bowiem samobójcze posunięcie dla Amerykanów dbających o swój wizerunek obrońców wolności i demokracji.

Wiele państw, które opierały politykę na amerykańskich gwarancjach – takie jak: Japonia, Korea Południowa, Wietnam Południowy, Izrael – przekonałoby się, że gwarancje te są niewiele warte i musiałoby szukać innych sojuszy. Mogłyby wówczas zwrócić się w stronę Związku Radzieckiego...

Tak więc wycofanie się Amerykanów z Berlina Zachodniego nie wchodziło w grę. Jaki mógł być w takim razie scenariusz dalszych wydarzeń?

Po 27 maja 1959 roku Rosjanie przekazaliby swoje uprawnienia rządowi NRD. Na autostradzie prowadzącej do Berlina Zachodniego stanęliby żołnierze w mundurach feldgrau. Jak zachowaliby się żołnierze z amerykańskiego konwoju na widok wartowników enerdowskich? Państwa zachodnie nie uznawały wszak Niemieckiej Republiki Demokratycznej, nie mogłyby więc uznać prawa władz tego kraju do kontrolowania dróg wiodących do Berlina.

Czyżby wówczas na czele konwojów z RFN jechały czołgi, które miałyby sforsować szlabany opuszczone przez żołnierzy z NRD?

Prezydent Eisenhower na konferencji prasowej 11 marca 1959 roku powiedział:

– Oczywiście nie mamy zamiaru prowadzić wojny konwencjonalnej w Europie. Co dałoby wysłanie paru tysięcy żołnierzy, a nawet paru dywizji do Europy? Jak można wobec 175 dywizji sowieckich w sąsiedztwie (tj. sąsiedztwie Berlina i Niemieckiej Republiki Demokratycznej – BW) myśleć o wojnie konwencjonalnej?...

Eisenhower miał rację; w Berlinie Zachodnim stacjonowało 11 tysięcy żołnierzy amerykańskich, brytyjskich i francuskich. Rosjanie i Niemcy wschodni mieli w tym rejonie wojska liczące 550 tysięcy żołnierzy. Konflikt zbrojny wokół Berlina Zachodniego musiałby od razu przerodzić się w wojnę nuklearną.

Mijały miesiące i obydwie strony nie zdradzały ochoty na zmianę swoich stanowisk. Chruszczow wykonał w końcu następny ruch: 2 marca zaproponował spotkanie głów państw i szefów rządów czterech mocarstw w celu negocjacji problemu berlińskiego. To był kolejny pusty gest. Nie mogło być mowy o żadnych negocjacjach ani też o żadnych ustępstwach ze strony Zachodu. Sytuacja, w jakiej znalazły się rządy Stanów Zjednoczonych, Francji i Wielkiej Brytanii, przypominała położenie alpinisty opierającego się czubkami butów o kruchą skałę. Jakikolwiek ruch oznaczałby upadek w przepaść.

Chruszczow oczywiście spodziewał się, że Zachód odmówi uczestnictwa w negocjacjach. Jednakże on zyskiwał wiele; propaganda radziecka mogła wówczas ogłosić światu, że to mocarstwa zachodnie ponoszą wyłączną odpowiedzialność za kryzys berliński, a nawet wojnę. Nagle Chruszczow, potrząsający pięścią i wskazujący na 27 maja jako nieodwołalną datę rozstrzygnięcia berlińskiego problemu, zmienił ton. Zaczął prezentować się światu jako polityk ugodowy, któremu leży na sercu jedynie dobro Europy.

– Nie ma żadnego ultimatum ani ostatecznego terminu – oznajmił na wiecu w Lipsku 5 marca 1959 roku. – Jeżeli negocjacje rozpoczną się, wówczas możemy przesunąć termin na czerwiec, lipiec lub nawet następne miesiące.

Cztery dni później w Berlinie Wschodnim stwierdził:

– Jeżeli zajdzie taka potrzeba, jesteśmy gotowi wspólnie ze Stanami Zjednoczonymi, Brytanią, Francją lub państwami neutralnymi utrzymywać w Berlinie Zachodnim pewną liczbę żołnierzy, aby zapewnić przestrzeganie statusu wolnego miasta, jednakże bez prawa ingerowania w jego wewnętrzne życie.

Tuż potem na konferencji prasowej sekretarz generalny, który dotychczas uparcie dowodził, że mocarstwa zachodnie nie mają prawa utrzymywania swoich wojsk w Berlinie Zachodnim, stwierdził:

– Wierzę, że Stany Zjednoczone, Brytania i Francja mają pełne prawo pozostać w Berlinie.

Co się stało? Skąd ta nagła zmiana polityki?

Być może Chruszczow zorientował się, że nie uda mu się złamać solidarności i stanowczej postawy mocarstw zachodnich, i zmienił front. Być może był to manewr mający na celu pozyskanie opinii publicznej państw zachodnich, aby wywarła na swoje rządy presję zmuszając je do uległości wobec Związku Radzieckiego. Byłby to klasyczny przykład polityki kija i marchewki: grożenie wojną nuklearną i równoczesne wyciąganie ręki do zgody.

Próba zrozumienia posunięć Chruszczowa stała się bezprzedmiotowa wobec wiadomości, jaka pojawiła się 3 sierpnia 1959 roku we wszystkich serwisach agencyjnych: Moskwa i Waszyngton poinformowały świat, że Eisenhower i Chruszczow zgodzili się na złożenie wizyt przyjaźni. Najpierw miał przybyć do Waszyngtonu Nikita Chruszczow! Zapowiedź ta została odebrana tak, jakby na polu bitwy dowódcy wyczerpanych wojsk nagle wyszli sobie naprzeciw, usiedli przy stoliku pod osmaloną sosną i popijając wino zaczęli gawędzić o harmonijnej współpracy.

Berlin Zachodni – tablica informująca o zbliżaniu się do „strefy sowieckiej''

INNY CHRUSZCZOW

Nikita Chruszczow z żoną, synem, dwiema córkami i kilkudziesięcioosobowym sztabem przybył do Waszyngtonu 15 września 1959 roku, a świat z niedowierzaniem patrzył na to wydarzenie.

Na terytorium USA radziecki przywódca zachowywał się tak, jakby całe życie poświęcił kultywowaniu przyjaźni rosyjsko-amerykańskiej.

– Przyjechałem tu z sercem na dłoni! – wykrzyknął na lotnisku, gdy tylko wysiadł z samolotu

Dwa dni później, przemawiając w Organizacji Narodów Zjednoczonych, zaproponował całkowite wzajemne rozbrojenie w ciągu czterech lat.

18 września poleciał na Zachodnie Wybrzeże, aby spożyć obiad w towarzystwie Marylin Monroe, Franka Sinatry, Boba Hopa i paru innych hollywoodzkich gwiazd. Potem przemierzył Amerykę i spędził trzy dni z prezydentem Eisenhowerem w rządowej posiadłości Camp David. Tam obaj mężowie stanu mogli przechadzając się po lesie w towarzystwie tłumaczy, porozmawiać na temat najważniejszych dla świata spraw. O czym rozmawiali, co ustalili?

Na zakończenie wizyty Chruszczow udał się na prywatne rancho prezydenta w Gettysburgu, gdzie wnuki Eisenhowera, z których najmłodszy miał trzy lata, a najstarszy dziesięć, stwierdziły, że nie wyobrażają sobie niczego piękniejszego na świecie niż wyjazd z dziadkiem do Związku Radzieckiego. Sekretarz generalny uznał, że to wspaniały pomysł i gdy tylko wiosna przegoni surową rosyjską zimę, on i jego wnuczęta będą niecierpliwie oczekiwać na amerykańskich przyjaciół.

Wizyta, która zaszokowała świat, dobiegła końca. Na lotnisku w Waszyngtonie Chruszczow przed wejściem do samolotu powiedział:

– Dobranoc, amerykańscy przyjaciele. Polubiliśmy wasze piękne miasta i wspaniałe drogi, ale najbardziej polubiliśmy przyjaznych i serdecznych ludzi. Nie jest łatwo przezwyciężyć wszystko, co nagromadziło się przez wiele lat zimnej wojny. Zastanówcie się, jak wiele przemówień wygłoszono nie po to, aby polepszyć stosunki (między USA i ZSRR – BW), lecz, przeciwnie: aby je pogorszyć. Żegnajcie! Powodzenia, przyjaciele!

Chruszczow wyjeżdżał z Waszyngtonu mając zapewnienie prezydenta Eisenhowera, że jeszcze przed jego wizytą w Moskwie obaj przywódcy spotkają się w jednej ze stolic europejskich, aby w towarzystwie przedstawicieli dwóch pozostałych mocarstw – Francji i Wielkiej Brytanii – zastanowić się nad najpoważniejszymi problemami Starego Kontynentu. W wyniku późniejszych negocjacji ustalono, że spotkanie w sprawie *podstawowych problemów dotyczących utrzymania pokoju i stabilności świata odbędzie się 16 maja 1960 roku w Paryżu.*

Politycy w stolicach państw europejskich przecierali zdumione oczy.

Harold MacMillan, brytyjski premier, powiedział:

– Gdy spojrzymy na kilka ostatnich miesięcy, zrozumiemy, jak wielki postęp uczyniono. W listopadzie ubiegłego roku mówiło się językiem gróźb i stawiało ultimatum. Teraz porozumiewamy się językiem używanym na spotkaniach towarzyskich i w przyjacielskich dyskusjach...

O co chodziło? Jeżeli zachowanie Chruszczowa i jego deklaracje składane w czasie wizyty w Stanach Zjednoczonych były tylko częścią gry politycznej, to bez wątpienia posuwał się za daleko. Amerykańscy analitycy podchodzili podejrzliwie do tego, co stało się w Waszyngtonie. Gotowi byli dopatrywać się jak najgorszych zamiarów Chruszczowa. Zaczynało kiełkować podejrzenie, że polityczne zabiegi Rosjanina mają uśpić czujność USA przed nuklearnym uderzeniem.

– Pamiętajmy, że w 1941 roku Japończycy zaatakowali Pearl Harbor w czasie gdy w Waszyngtonie trwały negocjacje między rządem japońskim i amerykańskim – ostrzegał jeden z senatorów. – Japończycy wykorzystali je do odwrócenia naszej uwagi. Jakiż bowiem mógł być inny cel negocjacji, skoro nasi rozmówcy nie mogli mieć żadnych złudzeń, że uda im się uzyskać jakiekolwiek ustępstwa w sprawie Chin?!

Zapewne ten właśnie pogląd, który popierało wielu amerykańskich polityków, przesądził o dalszym rozwoju wypadków.

Kreml też patrzył ze zdziwieniem na wyczyny swojego szefa, który zapomniał, że nie jest tak potężny jak Stalin. Wielu bardzo wpływowych ludzi we władzach partyjnych oceniało Chruszczowa jako przywódcę, który co prawda zaczął prowadzić twardą politykę wobec imperialistów, lecz szybko przestraszył się i poszedł na ugodę. Już wcześniej ludzie ci mieli mu za złe krytykę stalinizmu wygłoszoną na XX Zjeździe Komunistycznej Partii Związku Radzieckiego, destalinizację, która doprowadziła do buntów w łagrach i niepokojów w republikach radzieckich. Zarzucali przywódcy nadmierną uległość wobec Polski, gdzie w 1956 roku władzę przejęli zwolennicy reform, a także brak zdecydowanych działań wobec krnąbrnej Jugosławii, której władze nie miały zamiaru zrezygnować z samodzielnej polityki i podporządkować się Moskwie. Planowane spotkanie w Paryżu uważali za wydarzenie, na którym Związek Radziecki może tylko stracić, gdyż w ocenie krytyków sekretarza generalnego zmarnotrawił on okazję, jaką było rozniecenie wojennej histerii wokół Berlina Zachodniego.

Dwa dni po powrocie z Waszyngtonu Chruszczow wyruszył do Pekinu, aby wziąć udział w obchodach dziesiątej rocznicy utworzenia Chińskiej Republiki Ludowej. Mao Tse-tung wyraźnie dał odczuć radzieckiemu gościowi, jak bardzo jest niezadowolony ze zdrady ideałów marksizmu-leninizmu i paktowania z imperialistami. Doniesienia o poklepywaniu po ramieniu prezydenta głównego mocarstwa imperialistycznego, o propozycji rozbrojenia świata i zachwycie nad osiągnięciami amerykańskiego społeczeństwa wywołały furię w Pekinie. Rozłam w stosunkach radziecko-chińskich stawał się wyraźny.

Reakcje Kremla i Pekinu musiały zaniepokoić Chruszczowa. Był zbyt przebiegłym i mądrym politykiem, aby nie dostrzec, czym grożą mu dalsze kroki zmierzające ku poprawie stosunków z USA. Musiał więc wycofać się z deklaracji złożonych w Waszyngtonie. Ale jak?

OTWARTE NIEBO

U-2 granicę radziecką przekroczył w rejonie Kirowabadu, a następnie Francis Gary Powers skierował samolot nad Jezioro Aralskie i dalej w stronę Czelabińska. Tam skręcił w kierunku Swierdłowska, milionowego miasta, stanowiącego ważny ośrodek produkcji zbrojeniowej. Dalsza trasa miała prowadzić nad portami w Archangielsku i Murmańsku, aż do bazy Bodö w Szwecji.

Powers wiedział, że radzieckie radary śledzą jego lot. Być może przypuszczał, że z ziemi wystartowały już myśliwce *Mig-19* potężnie uzbrojone w działa kal. 30 mm, ale o znacznie mniejszym niż jego maszyna pułapie. Ich załogi mogły więc jedynie z dołu, bezsilne, obserwować amerykański samolot lecący wprawdzie ze znacznie mniejszą niż one prędkością, ale na wysokości dla nich nieosiągalnej.

Gdy na początku lat pięćdziesiątych rozpoczynał się wyścig nuklearny, w którym nagrodą było panowanie nad światem, Amerykanie nie mieli samolotów nadających się do podglądania rosyjskich ośrodków nuklearnych, poligonów i baz wojskowych. A zdjęcia z powietrza były podstawową metodą zbierania informacji o ruchach wojsk, nowych obiektach militarnych, rozbudowie zakładów zbrojeniowych i o nowych typach broni testowanych na poligonach. Była to również możliwość zaobserwowania przygotowań do uderzenia nuklearnego.

Start rakiet i bombowców nie następuje z minuty na minutę. Poprzedza go wielodniowa procedura, której prologiem jest zwiększona aktywność radiowa. Potem następują przygotowania w bazach rakietowych i na lotniskach, co kamery samolotu szybującego tysiące metrów nad ziemią musiałyby zauważyć.

Amerykanie już od początku lat pięćdziesiątych zaczęli wysyłać swoje samoloty z aparaturą fotograficzną nad Związek Radziecki i inne państwa socjalistyczne. Ich samoloty wykonały w latach 50. co najmniej 10 tysięcy, a prawdopodobnie nawet 20 tysięcy lotów zwiadowczych nad terytoriami państw socjalistycznych.

Używano maszyn zdolnych do długotrwałego lotu, ale nie zabezpieczonych przed atakami myśliwców. *Dakota C-47*, transportowy *C-130, PB4Y2, RB-29* – rozpoznawcza wersja słynnego bombowca strategicznego *B-29* – łatwo padały łupem szybszych, zwrotniejszych, naprowadzanych przez stacje radiolokacyjne samolotów obrony powietrznej. 7 listopada 1957 roku uszkodzony został nad NRD samolot *RB-29*. Pilot zdołał doprowadzić go nad terytorium RFN; z jedenastu członków załogi zginął jeden lotnik, trafiony pociskiem z działka radzieckiego myśliwca. 17 kwietnia 1955 roku nad Syberią zaginął *RB-47*; los trzyosobowej załogi pozostał nieznany. 10 września 1956 roku znad Korei Północnej nie wrócił samolot *RB-50*; nie wiadomo, co stało się z szesnastoma członkami załogi.

CIA, lotnictwo marynarki wojennej i USAAF potwierdziły utratę w ciągu dziesięciu lat 31 samolotów, na pokładach których były 252 osoby. Uratowało się tylko 90, zginęło 24, a los 138 pozostał nieznany. Są to bardzo niepełne dane.

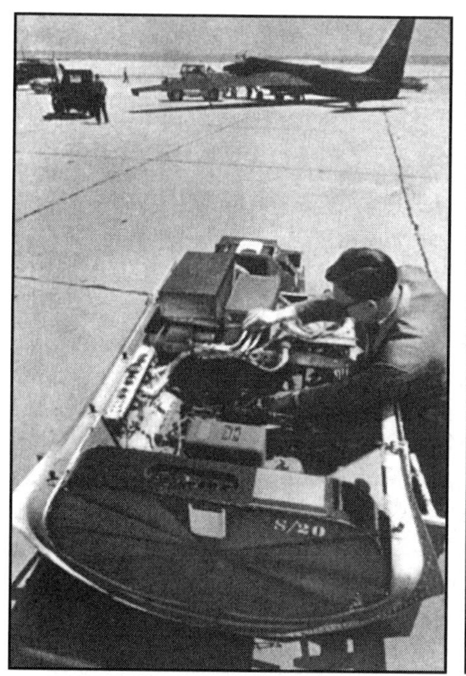

Przygotowanie pojemnika ze szpiegowską aparaturą optyczną przed startem *U-2*

Allan W. Dulles, dyrektor CIA

U-2 w locie na wysokości 20 197 metrów

CIA i US Air Force potrzebowały dla swych celów specjalnego samolotu. Założyciel i dyrektor sekcji rozwoju zaawansowanych projektów zakładów lotniczych Lockheeda, Clarence L. „Kelly'' Johnson miał rozwiązanie. Uważał, że zaprojektowany przez jego zespół samolot *XF-104* spełnia wszelkie wymagania. Była to maleńka, lekka maszyna, napędzana jednym silnikiem i pozbawiona podwozia; startowała na wózku, który odrzucała po wzbiciu się w powietrze, a lądować miała – jak szybowiec – na płozie wysuwanej z kadłuba. Choć projekt ten nie został zaakceptowany przez dowództwo US Air Force i CIA, to koncepcja samolotu przedstawiona w marcu 1954 roku spodobała się. Johnson otrzymał zamówienie na skonstruowanie nowego samolotu o zasięgu 4830 kilometrów, maksymalnym pułapie lotu 21 335 metrów i ładowności 318 kilogramów. Na wywiązanie się z tego zadania zespół konstruktorów z zakładów Lockheeda dostał osiem miesięcy.

Johnson uznał, że zamówiony samolot powinien być podobny do szybowca: długie skrzydła i niewielki kadłub. Musiał być lekki, a najlepszą metodą zmniejszenia wagi samolotu jest zmniejszenie wagi jego elementów. Najlepszą zaś metodą na zrealizowanie takiego założenia jest pozbycie się tych elementów. Tak też postąpił Johnson. Początkowo planował usunięcie klasycznego podwozia, ale wysoka komisja nie zaakceptowała tego w poprzednim projekcie. W nowym modelu zastosował więc tak zwane podwozie rowerowe: koła wysuwane z przodu i tyłu kadłuba oraz niewielkie kółka podpierające skrzydła. Aby maksymalnie zmniejszyć ciężar, kółka na skrzydłach miały być odrzucone po starcie, a w czasie lądowania końce skrzydeł miały ślizgać się na płozach po betonie pasa lotniska.

Kamery fotograficzne i instrumenty pomiarowe mogły być przewożone w komorze z tyłu kabiny pilota, zamykanej z góry i z dołu. Dawało to możliwość szybkiej wymiany sprzętu, bez naruszania charakterystyki samolotu. Dr Edwin Land z zakładów Polaroid zaprojektował specjalną kamerę fotograficzną – stosunkowo lekką, ale dającą zdjęcia doskonałej jakości.

Zespół Johnsona, pracujący w całkowitej tajemnicy, w ciągu 250 dni zaprojektował i wybudował pierwszy prototyp. 6 sierpnia 1955 roku samolot wystartował z bazy Groom Dry Lake w Newadzie. Okazał się znakomity w powietrzu, ale bardzo niefortunny przy lądowaniu. Oblatywacz pięć razy nadlatywał nad lotnisko, zanim udało mu się szczęśliwie dotknąć ziemi. Te kłopoty wynikały z nadmiernej lekkości samolotu i ogromnych rozmiarów skrzydeł. Podczas dalszych prób ujawniły się zakłócenia w locie na dużej wysokości. Jedynym wyjściem stało się rygorystyczne przestrzeganie przez pilotów instrukcji pilotażu.

Pierwszy bojowy lot *U-2* odbył się 4 lipca 1956 roku z bazy amerykańskiego lotnictwa w Wiesbaden w RFN. Kilka miesięcy później dostarczono samoloty tego typu do bazy Incirlik w Turcji, a następnie do Atsugi pod Tokio.

U-2 spełniły wszystkie pokładane w nich nadzieje. Podobno podczas czterogodzinnego lotu kamery mogły sfotografować pas ziemi o długości 4300

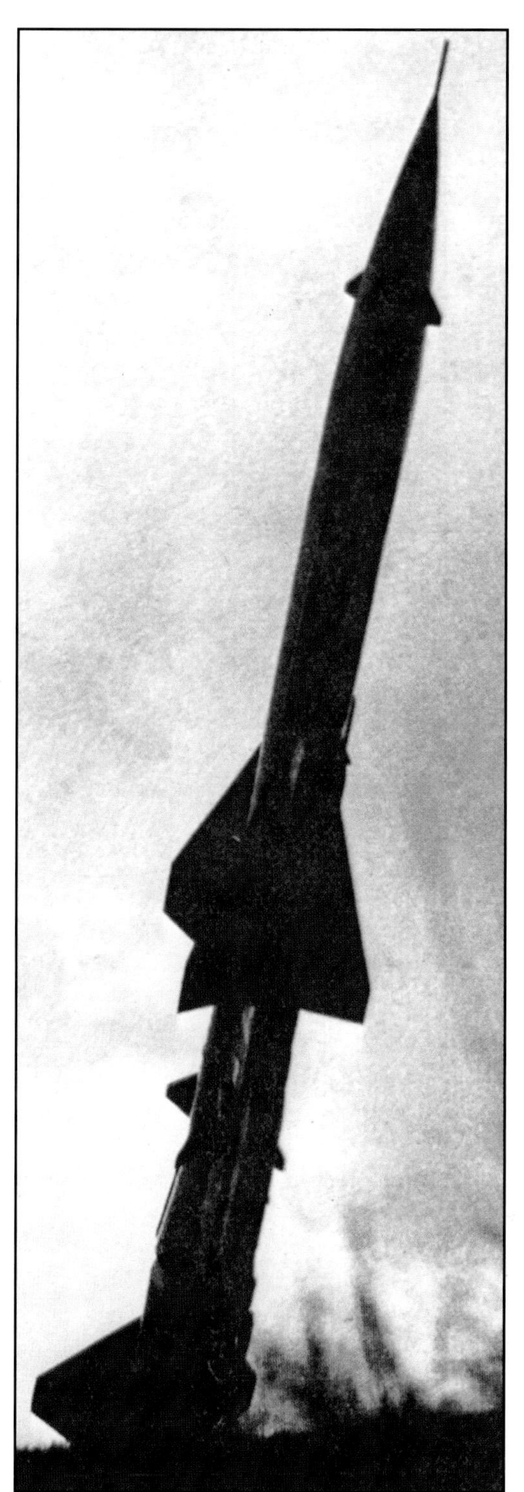

Radziecka rakieta *SA-2* na wyrzutni i w locie

Lockheed *U-2R*, jedna z wielu wersji *U-2*

LOCKHEED *U-2*

U-2 ZAGINĄŁ

10 metrów

„Intelligence Star", jedno z najwyższych odznaczeń CIA, przyznane Powersowi w 1963 roku, wręczone z przyczyn politycznych dopiero w 1965

Uroczysty pokaz pierwszego Lockheeda *TR-1*, nowej wersji *U-2*

i szerokości 780 kilometrów. Analiza setek zdjęć zrobionych w czasie misji pozwalała na wykrycie stanowisk rakiet balistycznych, koszar wojskowych, nowych typów sprzętu wojskowego, zmian w zakładach przemysłowych, rodzaju ich produkcji. Co najważniejsze zaś, był to samolot bezpieczny, gdyż leciał tak wysoko, że nie mógł go doścignąć żaden radziecki myśliwiec ani nawet żadna radziecka rakieta przeciwlotnicza.

Amerykanie zdawali sobie jednak sprawę, że pewnego dnia ta ich przewaga skończy się. Pierwszy sygnał tego typu nadszedł w 1958 roku, gdy do lecącego nad terytorium radzieckim *U-2* odpalono rakietę przeciwlotniczą. Minęła cel, ale skoro Rosjanie strzelali, to znaczyło, że mają już rakiety zdolne wzbić się na wysokość ponad 21 tysięcy metrów. Przyszło im to tym łatwiej, że osiągi *U-2* stale pogarszały się, w miarę jak ładowano w niego coraz więcej coraz cięższego sprzętu szpiegowskiego. Jedynym wyjściem było zamontowanie silnika o większym ciągu, i w 1959 roku samoloty *U-2B* wyposażono w nowe silniki *J75*. Walka o pułap została wygrana, ale pilotowanie *U-2* stało się trudniejsze. Poza tym było wiadomo, że zbliża się moment, gdy trzeba będzie wprowadzić całkiem nowy samolot. Do tego jednak czasu *U-2* musiał nadal wypełniać swoją misję...

Prezydent Eisenhower niechętnie akceptował wysyłanie samolotów szpiegowskich. Co prawda w 1955 roku wystąpił wobec Związku Radzieckiego z propozycją „otwartego nieba'', argumentując, że wolny przelot samolotów szpiegowskich przyczyni się do wzrostu międzynarodowego zaufania, ale Chruszczow odrzucił ten projekt.

Trudno mu się zresztą dziwić. W 1955 roku Związek Radziecki nie miał żadnych możliwości dokonywania lotów zwiadowczych nad terytorium Stanów Zjednoczonych, podczas gdy Amerykanie mieli w krajach graniczących z ZSRR liczne bazy, z których mogli wysyłać swe samoloty.

Skoro nie udało się zalegalizować misji szpiegowskich, prowadzono je z pogwałceniem prawa międzynarodowego. Nie wydawało się to groźne, gdyż od 1956 roku Rosjanie i Chińczycy nie mogli reagować skutecznie na amerykańskie *U-2*, lecące na wysokości 20 tysięcy metrów.

9 kwietnia 1959 roku prezydent zgodził się wysłać samolot *U-2* nad Związek Radziecki. Było to nieco ponad miesiąc przed planowanym w Paryżu spotkaniem przedstawicieli czterech mocarstw. Eisenhower musiał zdawać sobie sprawę, że niepowodzenie misji szpiegowskiej – awaria samolotu lub zestrzelenie go przez Rosjan – będzie miało bezpośredni wpływ na rokowania. Dlaczego więc zaakceptował ryzykowną misję? Czyżby przyjął argument, że Związek Radziecki szykuje się do wojny nuklearnej?

Zaraz potem wicedyrektor CIA, Richard Bissel, odpowiedzialny za koordynowanie powietrznych misji szpiegowskich, zwrócił się do prezydenta o zgodę na ponowny lot. Eisenhower wyraził zgodę, zastrzegł jednak, że lot nie może odbyć się później niż w ciągu dwóch tygodni.

– Panie prezydencie! – Bissel zadzwonił do Eisenhowera 18 kwietnia. – Nie mogliśmy dotąd wysłać samolotu nad Związek Radziecki, gdyż od dwóch tygodni szaleją tam burze śnieżne lub utrzymuje się gruba warstwa chmur. Lot musi odbyć się teraz!

Eisenhowera nie przekonał ten argument.

– Proszę przełożyć loty na koniec maja. W Paryżu chcę mieć czystą sytuację, a nie jakąś aferę!

– O aferze nie może być mowy, a lot samolotu zwiadowczego uważam za istotny dla bezpieczeństwa narodowego. – Bissel nie ustępował.

Eisenhower bez wątpienia znał pogłoski, że Zwiazek Radziecki chce wykorzystać szczyt w Paryżu jako okazję do dokonania ataku nuklearnego na Stany Zjednoczone. Wahał się przez chwilę. Wolałby wyruszając do Europy mieć jasność, czy tego rodzaju przewidywania są fantazją, czy też rzeczywiście Rosjanie prowadzą jakieś przygotowania. Lot *U-2* nad głównymi ośrodkami militarnymi ZSRR mógł rozwiać wątpliwości w tym względzie. Pamiętał, że Allen Dulles, szef CIA zapewniał go, iż nie ma możliwości, aby pilot samolotu szpiegowskiego dostał się żywy w ręce Rosjan. Prezydent nie dociekał, na jakich podstawach Dulles opiera swoje zapewnienia, ale uwierzył w nie. Jeżeli Rosjanie nie będą mieli żywego pilota, nie będą mogli udowodnić, że samolot wykonywał misję szpiegowską...

– Dobrze, zgadzam się – powiedział wreszcie. – Ale operacja nie może nastąpić później niż 1 maja.

***U-2* szykuje się do startu**

PIERWSZOMAJOWA GRA

Nikita Chruszczow wszedł na trybunę na placu Czerwonym. Wszystko odbywało się według tradycyjnego scenariusza: przemówienia, „Międzynarodówka'' i defilada różnokolorowego tłumu przelewającego się przez plac.

Samolot Powersa zbliżał się do rejonu Swierdłowska. Tam, na lotnisku Kolcowo dyżur bojowy pełnił kapitan Boris Ajwazjan i starszy lejtnant Siergiej Safronow. O 7.03 – na sygnał przekazany przez obsługę stacji radiolokacyjnej – wystartowali. Wiedzieli, że rozkaz zestrzelenia wrogiego samolotu wydał sam minister obrony, marszałek Rodion Malinowski. Jednakże rozkazu wykonać nie mogli, gdyż ich myśliwce *Mig-19* osiągały zbyt niski pułap, aby zagrozić amerykańskiej maszynie.

Na lotnisku Kolcowo stał samolot, który potrafiłby szybko doścignąć intruza, osiągnąć jego pułap i zestrzelić go, gdyby... był uzbrojony. Samolot myśliwski *Su-9* dostarczono na swierdłowskie lotnisko na początku kwietnia. Nie miał stałego uzbrojenia, lecz konstruktorzy przewidzieli, że w zależności od misji będzie można podwieszać pod jego skrzydłami wyrzutnie pocisków rakietowych lub pojemniki z działkami. Do 1 maja nie nadesłano jednak rakiet ani działek.

Mimo że *Su-9* był nie uzbrojony, jego pilot, kapitan Mitiagin otrzymał rozkaz startu. Zaraz potem usłyszał w słuchawkach:

– Zniszczyć cel! Staranować! – To był rozkaz samobójczego ataku. Po chwili oficer z punktu naprowadzania dodał: – To rozkaz „Smoka''. – Taki był wojenny kryptonim generała Sawickiego, dowódcy lotnictwa myśliwskiego.

Mitiagin włączył dopalacz i szybko zbliżał się do samolotu Powersa.

– Odległość dziesięć kilometrów, osiem... sześć... Cel przed wami! – informował oficer naprowadzający, obserwując na ekranie radaru manewry obu samolotów. Mitiagin jednak nie widział *U-2* (a może nie chciał dostrzec) i lecąc z prędkością trzykrotnie większą niż Powers zaczął go wyprzedzać.

– Mijasz cel! – krzyczał naprowadzający z ziemi nawigator. – Wyłącz dopalacz!

– Nie mogę wyłączyć dopalacza! – Mitiagin uznał to za tak oczywiste, że nie usiłował wyjaśniać dlaczego.

– To rozkaz „Smoka''! – Naprowadzający znowu powołał się na autorytet dowódcy.

– Wyłączam dopalacz – poinformował Mitiagin.

Jego samolot wraz ze spadkiem prędkości zaczął tracić wysokość. Ponowne dojście celu było już niemożliwe, gdyż bardzo szybkie *Su-9* zużywały ogromne ilości paliwa. Mitiagin nie wykonał zadania. Powrócił bezpiecznie na lotnisko.

W tym samym czasie amerykański samolot śledziły radary jednostki rakietowej. Tam akcją kierował szef sztabu, pułkownik Michaił Woronow, który na wieść, że wrogą maszyną interesuje się sam minister obrony, przygnał do stanowiska dowodzenia.

– Cel w zasięgu rakiet! – Operator stacji wykrywania i śledzenia, sierżant Władimir Jaguszkin przekazał informację Woronowowi.

Ten podszedł do pulpitu i nacisnął przycisk interkomu łączącego z działonem rakiet *SA-2* sierżanta Aleksandra Fiodorowa.

– Zniszczyć cel! – wydał rozkaz.

Powers zerknął na wysokościomierz: 68 tysięcy stóp. Z mapy i wskazań radaru wynikało, że zbliża się do Swierdłowska, najważniejszego celu misji. Pochylił lekko samolot na skrzydło, aby wejść na wyznaczony kurs, a następnie wyrównał lot i włączył kamery fotograficzne.

Na ziemi rakieta obróciła się w stronę niewidocznego celu i ciągnąc za sobą smugę ognia poszybowała w niebo.

Powers poczuł nagle silne szarpnięcie, jakby prędkość samolotu nagle wzrosła o kilkadziesiąt kilometrów. Zdziwiony zerknął na bok i zobaczył, że znajduje się w centrum pomarańczowej poświaty. W dalszym ciągu nie rozumiał, co się stało. Nie potrafił również określić, czy to całe niebo przybrało taką barwę, czy też tylko refleks światła rozlał się na pleksi kabiny. Z wolna docierała do niego świadomość, że musi to być eksplozja. Jednakże wydało mu się, że wszystko jest w porządku. Nagle samolot zaczął przechylać się na prawe skrzydło. Pilot szarpnął kierownicą*), aby wyrównać lot, lecz zanim udało się zakończyć manewr, poczuł, że dziób powoli pochyla się. Samolot nie zareagował na ruchy Powersa, który odnosił wrażenie, że linki biegnące do sterów i lotek zostały zerwane. Nie zdążył nawet zastanowić się, co było tego przyczyną, gdy zobaczył, jak skrzydło odpada i szybując oddala się od samolotu. Maszyna zwaliła się w dół.

Siła odśrodkowa wcisnęła pilota w fotel i uwięziła mu ręce. Pamiętał dokładnie instrukcję: przed katapultowaniem uruchomić przycisk, który po 70 sekundach spowoduje eksplozję i zniszczenie samolotu. Czy rzeczywiście Powers nie mógł dosięgnąć włącznika? Być może nie wierzył, że eksplozja nastąpi dopiero po 70 sekundach, lecz podejrzewał, że natychmiastowy wybuch zniszczy nie tylko tajną aparaturę szpiegowską, ale również jego samego? Otworzył kabinę, odpiął pasy i nagle gwałtowny wstrząs wyrzucił go na zewnątrz. Dlaczego nie uruchomił katapulty? Twierdził potem, że nie mógł dosięgnąć dźwigni. A może obawiał się, że uruchomienie katapulty spowoduje wybuch?

Przez kilka sekund leciał obok kadłuba, gdyż nie mógł pozbyć się maski tlenowej, której przewód wciąż łączył go z samolotem. Dopiero szarpnięcie otwierającego się spadochronu zerwało gumowy wąż i uwolniło go.

– Towarzyszu pułkowniku, zakłócenia! – meldował sierżant Jaguszkin. – Nie mogę określić, co stało się z celem.

– Jaki powód zakłoceń?

– Być może wrogi samolot rozsypuje paski aluminiowe lub stosuje inne środki

*) W samolotach *U-2* nie stosowano drążka, lecz koło sterowe

zakłócające. – Jaguszkin nie potrafił wyjaśnić, dlaczego z ekranów zniknęło echo samolotu.

– To znaczy, że rakieta nie trafiła w cel. Szugajew, przejąć akcję! – Pułkownik połączył się z dowódcą drugiego dywizjonu, majorem Aleksandrem Szugajewem.

Informacja o zakłóceniach na ekranach radarów dotarła na lotnisko i dlatego ponownie nakazano myśliwcom *MiG-19* kontynuowanie pościgu za amerykańskim samolotem.

– Widzę cel! – zameldował nagle Szugajew z drugiego dywizjonu rakiet przeciwlotniczych.

– Zniszczyć cel! – krzyknął do mikrofonu Woronow.

Dwie rakiety poszybowały w niebo.

Pilot pierwszego myśliwca, kapitan Boris Ajwazjan zobaczył nagle czarną chmurę wybuchu i gwałtownie zanurkował. To ocaliło mu życie. Pilot drugiego samolotu, starszy lejtnant Siergiej Safronow nie miał szczęścia. Wybuch drugiej rakiety nastąpił tak blisko jego maszyny, że rozpadła się na kawałki.

– Cel zniszczony! – zameldował rozpromieniony dowódca drugiego dywizjonu.

– Gratuluję, towarzyszu majorze – rzekł odprężony i uśmiechnięty Woronow. – Zaraz melduję do Moskwy.

Michaił Wasiliew, 23-letni kombajnista z kołchozu Powarnaja pod Swierdłowskiem szedł polną drogą, gdy dostrzegł białą czaszę spadochronu. Zatrzymał się i osłaniając oczy przed promieniami słońca przyglądał się opadającemu lotnikowi. Był przekonany, że to jakiś radziecki skoczek. Pognał więc przez świeżo zaorane pole do miejsca, gdzie lotnik opadał na ziemię. W oddali zobaczył idącego w tę samą stronę Leonida Czużakina, kierowcę kołchozowego.

– Dawaj, Lonia! – krzyknął. – Ten biedak ma kłopoty. Musimy mu pomóc.

Gdy podbiegli na miejsce, lotnik niezdarnie zwijał spadochron. Na ich widok wyprostował się i zamarł w bezruchu.

– Co z wami, towarzyszu? – Wasiliew zaczął pomagać w zwijaniu spadochronu. – Ranni jesteście? Coś złego się dzieje?...

Lotnik nie odpowiadał.

– Misza, on chyba nie nasz? – Czużakin patrzył podjerzliwie na mężczyznę w zielonym kombinezonie.

Rzeczywiście nie wyglądał on na Rosjanina: ciemne włosy, krótko ostrzyżone na bokach i tyle głowy, płaski nos, twarz boksera wagi ciężkiej.

– A wy skąd? Bułgar? – Wasiliew cofnął się o krok.

Lotnik milczał. Kołchoźnicy dostrzegli napisy na jego kombinezonie. Był więc cudzoziemcem. Ale w jaki sposób znalazł się nagle na Uralu?

– Nie nasza sprawa, Lonia – oświadczył Wasiliew. – Biegnij po samochód, zawieziemy go na lotnisko.

Pomógł Powersowi odpiąć uprząż spadochronu i zdjąć rękawice. Zwinęli spadochron i ruszyli w stronę szosy prowadzącej do wsi. Wkrótce nadjechał *moskwicz* prowadzony przez Anatolija Czeremsina. Wewnątrz był już Czużakin. Wrzucili sprzęt do bagażnika i wsiedli do samochodu.

– Ja jestem Rosjaninem – powoli, wyraźnie wymawiając każdą głoskę powiedział Wasiljew. – A ty?

Lotnik zrozumiał pytanie.

– I am American – odpowiedział i palcem na szybie napisał: USA.

Czużakin z niedowierzaniem pokręcił głową.

– Towarzysz z Bułgarii w naszym kołchozie, to rozumiem, ale towarzysz z Ameryki?

– Jedziemy na lotnisko – zarządził Wasiliew, którzy przejął kierowanie akcją.

Powers klepnął go w ramię i pokazał, że chciałby zapalić papierosa.

– A macie, to nasze najlepsze. – Wasiliew, zadowolony, że może pomóc przybyszowi z Ameryki, wyciągnął w jego stronę pomiętą paczkę papierosów sibir. Przez chwilę zerkał, jak pilot zareaguje na duszący dym, ale ten zaciągał się chciwie, jakby od dawna marzył o papierosie tej marki.

– Na lotnisko nie dojadę – odezwał się kierowca stukając palcem we wskaźnik paliwa. – Nie starczy benzyny, a stacja przy skrzyżowaniu zamknięta, bo dzisiaj święto.

– To jedź do dyrektora kołchozu – zadecydował Wasiliew.

Skręcili w boczną drogę prowadzącą do biura dyrekcji kołchozu. Zatrzymali się przed okazałym domem i w oddali zobaczyli dwóch milicjantów na rowerach.

– Szukamy go – powiedział jeden z nich, gdy podjechali bliżej. – To jakiś ważny człowiek, bo aż z okręgu dzwonili.

Wprowadzili pilota do biura, skąd zadzwonili do komisariatu z żądaniem przysłania samochodu. Zaraz potem zrewidowali Powersa, który spokojnie usiadł na krześle i apatycznie wpatrywał się w okno. Znaleźli przy nim dolary, franki, funty i trzy paczki banknotów 25-rublowych. Jeden z milicjantów położył na stole srebrny medalion wydobyty z kieszeni Powersa.

Powers od momentu wylądowania postępował zgodnie z instrukcją CIA, którą znał na pamięć.

a) Jeżeli nie jest możliwe uniknięcie schwytania, pilot powinien poddać się bez oporu i zastosować się do poleceń tych, którzy go schwytali.

b) *Pilot przez czas pobytu w areszcie powinien zachowywać się z godnością i z respektem wobec ludzi, którzy go schwytali.*

c) Pilot może mówić prawdę o misji z wyjątkiem podawania pewnych danych samolotu. Wskazane jest, aby przedstawił się jako cywil mający w przeszłości związek z lotnictwem wojskowym i zatrudniony obecnie w CIA. Nie powinien ukrywać prawdziwego celu wykonywanej misji.

Do Nikity Chruszczowa, który o 8.30 przybył na trybunę na placu Czerwonym, podszedł dowódca wojsk przeciwlotniczych, marszałek Siergiej Biriuzow. Pochylił się nad sekretarzem generalnym i szepnął mu do ucha:

– Intruz został zestrzelony, pilot żyje. Przesłuchujemy go.

Chruszczow uśmiechnął się szeroko. Od dawna oczekiwał na taką wiadomość. Dostawał do ręki narzędzie, za pomocą którego mógł zmienić niezręczną sytuację, w jakiej znalazł się po zbyt serdecznych wypowiedziach w czasie wizyty w Stanach Zjednoczonych. Mógł wycofać się ze wszystkich zobowiązań, zrzucając winę na Amerykanów, i cały świat musiał mu wierzyć!

Francis G. Powers w sądzie podczas odczytywania wyroku

GAMBIT CHRUSZCZOWA

Prezydent Eisenhower zakończył niedzielny spacer po lesie okalającym rezydencję w Camp David i wszedł do dużego, wyłożonego dębową boazerią, przedsionka.

– Panie prezydencie, ważna wiadomość z Waszyngtonu. – W drzwiach stanął czarnoskóry kamerdyner, John Moaney, który służył u Eisenhowera jeszcze w czasach, gdy ten był głównodowodzącym wojsk alianckich zdobywających Europę Zachodnią.

– Jeden z naszych samolotów zwiadowczych, wykonujący zaplanowany lot, jest opóźniony i prawdopodobnie stracony... – Z Waszyngtonu telefonował generał Andrew Goodpaster, sekretarz sztabowy prezydenta.

– Co z pilotem?

– Nie mamy żadnych informacji.

– Wracam natychmiast do Waszyngtonu.

Eisenhower doceniał, jak ważna jest informacja o zaginięciu samolotu szpiegowskiego. Można było mieć nadzieję, że nastąpiło to w warunkach, które umożliwiłyby rządowi amerykańskiemu tłumaczenie, że samolot wtargnął w radziecką przestrzeń powietrzną w wyniku błędu pilota lub instrumentów nawigacyjnych.

Tego samego dnia tuż po 16.00 helikopter prezydencki wylądował przed Białym Domem. Rozpoczynała się pierwsza partia gry, w której wszystkie figury znalazły się w rękach Chruszczowa, a Eisenhower musiał grać pionkami. Trzeba było czekać...

W poniedziałek, 2 maja, generał Goodpaster już z samego rana przyszedł do Gabinetu Owalnego. Wiedział, że sprawa zaginionego samolotu bardzo niepokoi prezydenta.

– Jakie wieści? – Eisenhower na widok wchodzącego generała podniósł się zza biurka z drzewa różanego i wskazał gościowi fotelik.

– Ciągle nie mamy pewnych wiadomości. Dulles informuje, że nasze stacje nasłuchowe zarejestrowały głosy radzieckich oficerów wydających rozkazy przechwycenia samolotu. Nie wiemy jednak, czy chodziło o nasz *U-2*.

– A jakiż inny mógłby przekroczyć ich granice? – Wzruszył ramionami prezydent.

– CIA przygotowała projekt oświadczenia. Stwierdza, że pilot samolotu meteorologicznego, który wystartował z lotniska w Turcji, komunikował przez radio o kłopotach z aparaturą tlenową, a następnie zaginął bez wieści. – Goodpaster położył na stoliku przed prezydentem kartkę. Eisenhower przebiegł wzrokiem jej treść.

– To dobry pomysł – powiedział bez większego entuzjazmu i podpisał polecenie rozpowszechnienia komunikatu.

Brak reakcji Rosjan uważał za dobry znak. Być może samolot rozbił się gdzieś w niedostępnych górach i łatwo będzie przekonać świat, że pilot z powodu niedotlenienia mózgu skierował samolot w głąb Związku Radzieckiego, gdzie uległ katastrofie.

4 maja Nikita Chruszczow wygłosił referat na sesji Rady Najwyższej ZSRR. Na zakończenie trzygodzinnego przemówienia powiedział:

– Z polecenia rządu radzieckiego muszę poinformować was o agresywnych akcjach, jakie w ostatnich tygodniach Stany Zjednoczone podjęły przeciwko Związkowi Radzieckiemu. Stany Zjednoczone wysłały samolot, który naruszył nasze granice państwowe i wdarł się w przestrzeń powietrzną Związku Radzieckiego. Zdarzyło się to 9 kwietnia. Amerykańscy wojskowi uznali widocznie, że są bezkarni i zdecydowali się powtórzyć swój agresywny czyn. Wybrali dzień najbardziej uroczysty dla wszystkich ludzi pracy na całym świecie: święto 1 Maja.

Tego dnia – mówił dalej Chruszczow – o godzinie 5.36 samolot amerykański przeciął naszą granicę i kontynuował lot w głąb Związku Radzieckiego. O tym agresywnym kroku minister obrony powiadomił niezwłocznie rząd. Rząd powiedział wówczas: agresor wie, na co się naraża, kiedy decyduje się wtargnąć w obce terytorium. Jeśli mu to ujdzie bezkarnie, posunie się do nowych prowokacji. Dlatego należy działać! Zestrzelić samolot! Zadanie to wykonano, samolot został zestrzelony. Przy pierwszych próbach dochodzenia okazało się, że samolot należy do Stanów Zjednoczonych, chociaż nie miał znaków rozpoznawczych. Obecnie komisja ekspertów bada wszystkie dane, jakie trafiły do naszych rąk. Stwierdzono, że samolot przekroczył granicę Związku Radzieckiego nadlatując z Turcji albo z Iranu, albo też z Pakistanu.

Ani słowa o schwytaniu pilota! To była bardzo sprytna pułapka. Pozostawało pytanie, czy Eisenhower w nią wpadnie? Wpadł.

5 maja Amerykańska Agencja Aeronautyki i Przestrzeni Kosmicznej NASA opublikowała oświadczenie o treści:

Jeden z samolotów U-2 Agencji Aeronautyki i Przestrzeni Kosmicznej, przeznaczony do celów naukowo-badawczych i używany od 1956 roku do badania warunków atmosferycznych oraz wiatrów na dużych wysokościach, zaginął bez wieści w dniu 1 maja, od godziny 9.00, po zakomunikowaniu przez pilota, że ma kłopoty z tlenem i znajduje się nad jeziorem Van w Turcji. Samolot wystartował z bazy lotniczej Incirlik w Turcji. (...) Instrumenty zainstalowane na pokładzie samolotu U-2 pozwalają uzyskać dokładne dane o ruchu mas powietrza, chmurach konwekcyjnych, sile wiatru, wysokościowych prądach powietrznych i takich zjawiskach meteorologicznych jak tajfuny.

Chruszczow czytając ten komunikat musiał być zadowolony. Amerykanie uwierzyli, że samolot został zestrzelony i pilot jest martwy. Na tej podstawie zaczęli prowadzić akcję propagandową, która miała wykazać światu, że Rosjanie zestrzelili odbywający naukową misję samolot, prowadzony przez oszołomionego brakiem tlenu pilota.

Różnica czasu między Moskwą i Waszyngtonem dawała prezydentowi Eisenhowerowi czas na podjęcie dalszych kroków. Uznał, że Departament Stanu powinien opublikować kolejne oświadczenie. Brzmiało ono:

Departament Stanu został poinformowany przez Agencję Aeronautyki i Przestrzeni Kosmicznej NASA, że badający pogodę samolot U-2, pilotowany przez cywila, zaginął 1 maja. Pan Chruszczow ogłosił, że amerykański samolot został zestrzelony w tym dniu nad ZSRR. Możliwe, że chodzi o ten właśnie zaginiony samolot.

W ten sposób rząd amerykański pozbył się wszelkiej odpowiedzialności, gdyż w każdej chwili mógł oświadczyć, że został wprowadzony w błąd przez NASA. Ale w tej rozgrywce Eisenhower nie miał nic do powiedzenia. To Rosjanie dyktowali kolejne ruchy.

Jeszcze tego samego wieczoru, 5 maja, wiceminister spraw zagranicznych, Jakub Malik w czasie przyjęcia dyplomatycznego w Hotelu Sowieckim rzekł do ambasadora szwedzkiego, tak aby usłyszał stojący obok ambasador Stanów Zjednoczonych:

– Mamy pilota.

Ambasador Llewllyn Thompson natychmiast zawiadomił Waszyngton, ale tam już działała machina propagandowa uruchomiona dwoma oświadczeniami: Departamentu Stanu i NASA, które informowały, że pilot zginął.

Chruszczow postanowił przejść do ataku. 7 maja, na zakończenie sesji Rady Najwyższej ZSRR, oświadczył:

– Muszę wam zdradzić sekret. Otóż, gdy wygłaszałem referat (4 maja – BW), umyślnie nie powiedziałem, że pilot jest cały i zdrów, a części zestrzelonego samolotu znajdują się w naszych rękach. Uczyniłem to świadomie, albowiem gdybyśmy poinformowali o wszystkim od razu, wówczas Amerykanie skomponowaliby inną wersję. Nazwisko lotnika brzmi Francis Garry Powers. Ma on 30 lat. Jak oświadczył, jest porucznikiem lotnictwa wojskowego Stanów Zjednoczonych, gdzie służył do 1956 roku, to znaczy do czasu, gdy przeszedł na służbę do Centralnej Agencji Wywiadowczej.

W dalszym ciągu wystąpienia Chruszczow podał wszystkie szczegóły lotu, wyposażenia samolotu, pilota oraz przebieg zestrzelenia.

– A teraz – mówił dalej – zastanówcie się, ile bzdur oni nagadali: jezioro Van, badania naukowe i tak dalej. Gdy się dowiedzą, że lotnik żyje, będą musieli wymyślić coś nowego, i wymyślą...

Eisenhower został przyparty do muru. Rząd amerykański musiał poważnie potraktować swe oświadczenie, a jednocześnie z twarzą wycofać się z wcześniej publikowanych kłamstw. Sekretarz stanu wystąpił z oświadczeniem, że *prezydent, zgodnie z prawem, zgadzał się na działania konieczne dla obrony USA i wolnego świata przed niespodziewanym atakiem. Zgodnie z tymi zarządzeniami* (prezydenta – BW) *opracowano i realizowano plany obejmujące również zakrojone na szeroką skalę rekonesanse powietrzne, dokonywane przez nie uzbrojone samoloty cywilne.*

Chruszczow wymachujący fotografią z kamery zestrzelonego *U-2*

Radziecka rakieta ziemia-powietrze

To był następny paskudny błąd doradców Eisenhowera. Nie mogli wyrządzić swojemu zwierzchnikowi gorszej przysługi. Do tego czasu Chruszczow nie odważył się atakować prezydenta ani oskarżać go o wiarołomstwo. Wprost przeciwnie, wydawało się, że stara się oszczędzić Eisenhowera, krytykując nieokreślone „siły zimnowojenne'' w USA.

9 maja przemawiając w ambasadzie czechosłowackiej w Moskwie oświadczył, że winę za lot szpiegowski ponosi „soldateska''.

– Ale czy tylko soldateska? Nie wiem dokładnie, jak to było, ale nie wykluczam, że rząd Stanów Zjednoczonych nie wiedział o tym fakcie.

Potem jednak przeczytał niefortunne oświadczenie Departamentu Stanu i zaczął sobie używać na Eisenhowerze.

11 maja w Parku Gorkiego urządzono pokaz szczątków *U-2*. Na zaimprowizowanej konferencji prasowej Chruszczow powiedział:

– Nie wiedziałem, że w Stanach Zjednoczonych opracowano plan wywiadu obejmujący loty szpiegowskie nad terytorium Związku Radzieckiego. Z oświadczenia Departamentu Stanu, zaaprobowanego przez prezydenta, wyraźnie wynika, że loty amerykańskich samolotów wywiadowczych nad naszym krajem bynajmniej nie są kaprysem jakiegoś nieodpowiedzialnego oficera, lecz stanowią realizację planu opracowanego przez Allena Dullesa, kierownika Centralnej Agencji Wywiadowczej, to znaczy urzędu podlegającego prezydentowi Stanów Zjednoczonych.

Militaryści amerykańscy wysyłając samolot ze szpiegowskimi zadaniami postawili mnie, jako odpowiedzialnego za przygotowanie wizyty prezydenta USA w Związku Radzieckim, w bardzo trudnej sytuacji – ciągnął dalej Chruszczow. – Szczerze mówiąc jestem zdania, że również prezydent USA to rozumie.

Była to jawna groźba, że Chruszczow gotów jest odwołać wszystkie zapowiedziane na najbliższą przyszłość spotkania z prezydentem USA. Zimna wojna, jaką toczyły obydwa mocarstwa od końca lat 40., nasilała się.

Chruszczow zdecydował się wszakże pojechać do Paryża na spotkanie z Eisenhowerem, prezydentem Charlesem de Gaulle'em i Haroldem MacMillanem. Jednakże nie zależało mu już na powodzeniu konferencji i porozumieniu ze Stanami Zjednoczonymi. Przed wyjazdem powiedział:

– A jeśli konferencja nie odbędzie się? No cóż! Żyliśmy bez niej wiele lat, przeżyjemy jeszcze i sto ...

Chciał upokorzyć prezydenta USA i uzyskać zapewnienie, że loty szpiegowskie nie będą kontynuowane. Tego oczekiwała od niego kremlowska oligarchia: zwycięstwa nad imperialistą Eisenhowerem.

NIEUDANY „SZCZYT"

Nad Atlantykiem zapadła noc. Prezydent Dwight Eisenhower rozłożył oparcie fotela w swoim gabinecie na pokładzie specjalnego samolotu *Air Force One*, którym leciał do Paryża. Nie mógł jednak zasnąć. Zawsze źle znosił powietrzne podróże, a ta nastrajała go wręcz przygnębiająco. Czuł się jak gladiator, który bez broni ma wyjść na arenę, żeby walczyć z głodnym lwem.

Drzwi do kabiny otworzyły się i stanął w nich syn prezydenta, John.

– Ty też nie możesz zasnąć? – zapytał.

Prezydent nie odpowiedział. Machnął tylko ręką i spojrzał w okno.

– Powinieneś go zwolnić – stwierdził nagle John siadając na fotelu. Doskonale odczytywał myśli ojca. Obydwaj wiedzieli, o kogo chodzi: szefa CIA, Allena Dullesa. – Przekonywał cię przecież, że pilot nigdy nie zostanie schwytany żywcem. Powinieneś go zwolnić – powtórzył.

Prezydent zerwał się z fotela i zaczął nerwowo krążyć po gabinecie.

– Nie zwalę winy na podwładnych! – krzyknął. Był bardzo rozdrażniony.

Dla Johna była to wskazówka, że nie powinien kontynuować tej przykrej rozmowy, aby nie denerwować ojca przed ważnym spotkaniem. Bez słowa wstał i wyszedł z kabiny.

Już pierwsze godziny w Paryżu potwierdziły najgorsze przewidywania prezydenta. Tuż po przyjeździe Eisenhower dowiedział się, że Nikita Chruszczow przesłał wiadomość, iż czterej przywódcy nie powinni spotkać się we własnym gronie, lecz muszą im towarzyszyć doradcy. Sekretarz stanu wysłał natychmiast wiadomość do wiceprezydenta w Waszyngtonie.

Narastające oznaki wskazują, że Rosjanie zamierzają zerwać konferencję już na sesji inauguracyjnej, z powodu U-2. Proszę poinformować wiceprezydenta.

Ta depesza świadczyła, że Amerykanie w dalszym ciągu obawiali się, iż Rosjanie mogą przeprowadzić atak nuklearny.

16 maja rozpoczęła się konferencja. Pełniący honory gospodarza prezydent de Gaulle wprowadził Nikitę Chruszczowa po szerokich pałacowych schodach do wielkiej zielono-złotej sali, w której król Ludwik XV śniadał niegdyś ze swoimi metresami. Po trzech minutach wprowadził delegację brytyjską. Po dalszych trzech – Amerykanów. Gdy tylko zamknęły się drzwi i wszyscy usiedli, prezydent de Gaulle powiedział:

– Wczoraj otrzymałem oświadczenie pana Chruszczowa, które przekazałem innym uczestnikom konferencji: prezydentowi Eisenhowerowi i panu MacMillanowi. Czy wobec tego ktoś chciałby zabrać głos?

– Tak! – krzyknął Chruszczow. – Chciałbym zabrać głos.

– Ja również chciałbym wygłosić krótkie oświadczenie – powiedział Eisenhower.

– Proszę, aby pan Eisenhower jako szef państwa i rządu zabrał głos – rzekł de Gaulle.

– Pierwszy prosiłem o głos! – Nie ustąpił Chruszczow.

De Gaulle spojrzał pytająco na Eisenhowera, który skinął głową.

Chruszczow wyjął z kieszeni okulary i założył je na nos. Jeden ze współpracowników podał mu kartki. Sekretarz generalny zaczął odczytywać oświadczenie, co trwało 45 minut. Potępiał *agresywny, nie sprowokowany akt, jakim było naruszenie przez samolot U-2 radzieckich granic,* co uznał za wykalkulowaną politykę Stanów Zjednoczonych.

Eisenhower poczerwieniał ze złości. Napisał coś na kartce i podał ją sekretarzowi stanu, Christianowi Herterowi. Ten rozłożył kartkę: *Chyba zacznę znowu palić* – przeczytał.

– Jak można efektywnie negocjować, gdy rząd USA i sam prezydent nie tylko nie potępili tego prowokacyjnego aktu, lecz oświadczyli, że tego rodzaju działania będą kontynuowane?! – Chruszczow zaczął krzyczeć.

– Akustyka w tym pokoju jest znakomita – przerwał mu de Gaulle. – Wszyscy słyszymy pana przewodniczącego.

Chruszczow spojrzał na niego znad okularów i wrócił do czytania oświadczenia.

– *Ubolewamy, że spotkanie to zostało storpedowane przez reakcyjne koła Stanów Zjednoczonych. Żałujemy, że nie osiągnięto rezultatów oczekiwanych przez wszystkie narody świata. Niechaj hańba i wina za to spadnie na tych, którzy podjęli bandycką politykę wobec Związku Radzieckiego!* – Te słowa musiały podobać się tym na Kremlu, którzy dotychczas krytykowali sekretarza generalnego za ugodową postawę wobec imperialistów.

Eisenhower mówił krótko. Stwierdził, że przewodniczący Chruszczow został źle poinformowany.

– Przybyłem do Paryża, aby dążyć do porozumienia ze Związkiem Radzieckim, które wyeliminowałoby potrzebę wszelkich form szpiegostwa, łącznie z lotami. Nie widzę powodu, żeby wykorzystywać ten incydent do zakłócenia konferencji.

Wystąpienie Chruszczowa zdenerwowało też de Gaulle'a. W pewnym momencie zwrócił się do niego:

– Satelita wystrzelony przez was dla zaimponowania nam, tuż przed wyjazdem pana z Moskwy, przeleciał nad francuską ziemią osiemnaście razy, bez mojego zezwolenia. Skąd mam wiedzieć, że nie ma na nim kamer robiących zdjęcia mojego kraju?

– Nasz najnowszy sputnik nie ma żadnych kamer – odparł Chruszczow.

– A więc jak uzyskaliście zdjęcia drugiej strony Księżyca, które pokazywaliście nam z uzasadnioną dumą? – spytał poirytowany prezydent Francji.

– Ale w tym sputniku nie ma kamer!

– Aha, tylko w tamtym miał pan kamery... Proszę łaskawie kontynuować.

Chruszczow chyba zorientował się, że nieco przesadził i postanowił zmienić ton. Po raz pierwszy od rozpoczęcia konferencji zwrócił się bezpośrednio do Eisenhowera:

– Co, u diabła, skłoniło pana do popełnienia tego prowokacyjnego aktu tuż przed szczytem?! Gdyby nie było żadnego incydentu, przybylibyśmy tu w przyjaźni i obradowali w możliwie najlepszej atmosferze. Bóg mi świadkiem, że przybywam z czystymi rękami i czystą duszą.

Usłyszawszy te słowa Eisenhower o mało się nie zakrztusił.

De Gaulle patrzył rozbawiony na Chruszczowa.

– Na świecie jest wiele diabłów i zadaniem tej konferencji jest egzorcyzowanie ich – rzekł.

Eisenhower zwrócił się do Chruszczowa:

– Loty nie będą wznowione nie tylko podczas tej konferencji, lecz przez cały okres sprawowania przeze mnie funkcji prezydenta USA.

Zobowiązanie to nie mogło zadowolić Chruszczowa; kadencja Eisenhowera miała trwać jeszcze pół roku...

– To nam nie wystarcza – odpowiedział Rosjanin. – Nie ukazała się żadna wzmianka potępiająca lub choćby wyrażająca ubolewanie w związku z tym, że nas obrażono. Nie chcemy zaostrzać stosunków, które i tak wymagają naprawy. Proszę zrozumieć wymogi naszej polityki wewnętrznej.

Ambasador Charles Bohlen drgnął. Nie spodziewał się takiego wyznania. Chruszczow wprost wyjaśniał prezydentowi, że musi działać pod naciskiem kremlowskich jastrzębi.

– Proszę mnie zrozumieć – mówił dalej Chruszczow. – Jak mogę zaprosić jako drogiego gościa przywódcę kraju, który dokonał tak agresywnego aktu? Nie chcemy przychodzić w roli ubogich krewnych, aby błagać członków NATO o łaskę, jak również o nienaruszanie naszych granic.

Dyskusja zakończyła się o 14.06. Chruszczow zszedł do swojej limuzyny stojącej przed pałacem. Usiadł z tyłu i klepnął kierowcę po ramieniu. Był zadowolony.

Prezydent USA wrócił do rezydencji rozwścieczony. Gdy syn wszedł do pokoju ojca, zastał go krążącego wokół dużego stołu.

– Można by pomyśleć, że to my zrobiliśmy coś takiego jak interwencja na Węgrzech (w 1956 roku, gdy czołgi radzieckie zdusiły powstanie – BW) – powiedział do Johna. – Mam tego dosyć. Mam po prostu dosyć! Chruszczow jest skurwysynem, który usiłuje zaimponować Kremlowi. Nieprzejednany i obraźliwy wobec Stanów Zjednoczonych.

John dawno już nie widział ojca tak wyprowadzonego z równowagi.

– Cofnął zaproszenie do odwiedzenia Rosji – mówił dalej Eisenhower krążąc wciąż po pokoju. – Oszczędził mi tylko kłopotu odmówienia!

Następny dzień, czwartek 17 maja, przyniósł złe wieści. O 10.00 przywódcy mocarstw zachodnich spotkali się w Pałacu Elizejskim. Nie było jednak Chruszczowa. Podobno przed swoją rezydencją powiedział on dziennikarzom, że nie przybędzie na rokowania, jeżeli prezydent Eisenhower nie wyrazi ubolewania i nie przyzna, że Ameryka dokonała agresywnego aktu wobec Związku Radzieckiego. Eisenhower, de Gaulle i MacMillan postanowili wysłać do Chruszczowa pisemne zaproszenia na godzinę 15.00.

Gdy wrócili do sali posiedzeń, Chruszczowa nadal nie było. Po dwudziestu minutach z radzieckiej ambasady zadzwonił jeden z dyplomatów i poinformował, że Chruszczow nie weźmie udziału w rokowaniach, jeżeli jego warunki nie zostaną spełnione.

– Proszę mu przekazać, że w krajach cywilizowanych istnieje zwyczaj udzielania pisemnych odpowiedzi na pisemne zawiadomienia! – zagrzmiał de Gaulle, którego oburzyła arogancja radzieckiego przywódcy.

Pisemna odpowiedź Chruszczowa nadeszła o 16.15. Potwierdził w niej ustnie zgłoszone warunki.

Trzej przywódcy napisali więc komunikat informujący o fiasku konferencji.

Następnego dnia rano dziennikarze zebrali się w pałacu Chaillot. Chruszczow siedział za stołem na niewielkim podwyższeniu. Obok niego zajęli miejsca Andriej Gromyko, minister spraw zagranicznych, i Rodion Malinowski, minister obrony. Sekretarz generalny wstał i huknął pięścią w stół tak mocno, że przewróciła się butelka wody mineralnej.

– Zostałem poinformowany – krzyknął – że kanclerz Adenauer wysłał tu niektórych spośród tych faszystowskich drani, których nie zdążyliśmy wykończyć pod Stalingradem. Uderzyliśmy ich tak mocno, że od razu znaleźli się trzy metry pod ziemią. Jeżeli będziecie nas znów straszyć i atakować, uważajcie. Uderzymy was tak, że nie zdążycie pisnąć. Zadamy druzgocące ciosy bazom, z których samoloty szpiegowskie przybywają oraz tym, którzy założyli te bazy!

Konferencja została zerwana.

Premier Wielkiej Brytanii ze łzami w oczach mówił:

– Dwa lata pracy poszło na marne w warunkach najgorszego kryzysu, jakiego mój kraj doświadczył od czasów drugiej wojny światowej.

Eisenhower powiedział szeptem do sekretarza stanu:

– Zbyt dobrze znam Harolda, aby nie wiedzieć, że to tylko jego gra.

Gromyko, Chruszczow, Malinowski

OSKARŻONY POWERS

W sierpniu 1960 roku w Moskwie rozpoczął się proces Francisa Garry'ego Powersa.

Oskarżał prokurator generalny, Roman Rudenko. Oczywiście skierował oskarżenie przeciwko prezydentowi Stanów Zjednoczonych, CIA, kołom militarystycznym i imperializmowi.

Obrońca Powersa, adwokat z urzędu, Griniew od razu podkreślił, że znalazł się w wyjątkowo trudnej i skomplikowanej sytuacji.

– Nasz obowiązek obywatelski i zawodowy polega na tym, aby dopomóc oskarżonemu, który pragnie skorzystać z prawa do obrony, zapewnianego przez konstytucję ZSRR.

Griniew odciął się od chęci pomocy człowiekowi, którego miał bronić i przystąpił do atakowania go oraz jego mocodawców.

– W imię zysku, w imię dolara, moralność burżuazyjna uważa odstępstwa od honoru i uczciwości za w pełni dopuszczalne. Pod wpływem tej moralności Powers żył w błędnym przekonaniu, że pieniądze nie śmierdzą i nie rozumiał, że dwa i pół tysiąca dolarów pensji z CIA bardzo źle pachnie – mówił obrońca Griniew.

Oczywiście ani jego wystąpienie, ani popisy prokuratora nie miały żadnego znaczenia.

Na zakończenie głos zabrał oskarżony, który stwierdził:

– Zdaję sobie sprawę, że ludzie radzieccy uważają mnie za wroga. Pragnąłbym jednak podkreślić fakt, że osobiście nie żywię i nigdy nie żywiłem wrogich uczuć wobec ludzi radzieckich. Zwracam się do sądu z prośbą o traktowanie mnie nie jako wroga, lecz jako człowieka, który nie jest wrogiem Rosjan, człowieka, który nigdy nie stawał przed sądem i który w pełni pojął swoją winę.

O 12.45 sąd udał się na naradę, choć doskonale wiedział, jaki wyrok ma wydać, zanim jeszcze proces rozpoczął się. Mimo to „naradzał się'' przez 4 godziny i 35 minut

Jak głosił oficjalny komunikat, sąd – uwzględniając szczerą skruchę i żal oskarżonego – skazał go na 10 lat więzienia.

Jednakże Powers nie odbył tej kary, w Berlinie zaczął działać bowiem jeden z najbardziej tajemniczych ludzi drugiej połowy XX wieku – adwokat Wolfgang Vogel.

Urodził się na Śląsku i w 1945 roku przybył do Berlina. Po czterech latach uzyskał dyplom na Wydziale Prawa Uniwersytetu Karola Marxa w Lipsku. Tuż potem podjął pracę w Ministerstwie Sprawiedliwości, gdzie jego przełożonym był Rudolf Reinartz. Gdy w 1953 roku w Berlinie doszło do walk robotników z radzieckimi wojskami, Reinartz był prawdopodobnie zamieszany w przygotowania do powstania i obawiając się konsekwencji uciekł do Berlina Zachodniego. Stamtąd skontaktował się z Voglem. 4 listopada 1953 roku napisał do niego:

Mam parę interesujących spraw dla ciebie. Dlatego proszę, abyś przyjechał do mnie w niedzielę, 8 listopada o godzinie 11.00.

Vogel obawiał się, że list może być próbą wciągnięcia go w zasadzkę i zawiadomił o jego nadejściu tajną policję Stasi. Jej funkcjonariusze mieli adwokata na oku od chwili ucieczki na Zachód jego przełożonego, Reinartza. Zaproponowali jasny układ – jeżeli zgodzi się informować Stasi, oni zapomną o powiązaniach z Reinartzem i zapewnią swemu współpracownikowi ochronę. Zgodził się.

W czasie spotkania w Berlinie Zachodnim Reinartz zaproponował byłemu podwładnemu udział w przemycaniu ludzi na Zachód i wyciąganie z enerdowskich więzień tych, którzy znaleźli się tam za przekonania lub współpracę z zachodnim wywiadem.

Zręczność, z jaką Vogel wywiązywał się z zadań, zyskała mu zaufanie na Zachodzie i wysoką ocenę Stasi. Awansowano go nawet ze stopnia informatora do tajnego współpracownika.

W 1957 roku jeden z wyższych oficerów enerdowskiej służby bezpieczeństwa Heinz Volpert (jest to zapewne pseudonim) zaproponował Voglowi kolejny awans: zakończenie współpracy ze Stasi i podjęcie o wiele ciekawszej działalności łącznika między tajnymi służbami Wschodu i Zachodu. Ta propozycja wynikała zepewne z potrzeby wydobycia z amerykańskiego więzienia pułkownika Rudolfa Aberla, aresztowanego za szpiegostwo.

KGB posłużyła się w tej akcji rzekomą żoną Aberla, która apelowała do władz amerykańskich o zwolnienie męża. Vogel stał się jej oficjalnym doradcą prawnym i przedstawicielem. Funkcja ta doskonale maskowała jego prawdziwe zadanie.

Jednakże przez dwa lata Amerykanie nie zgadzali się na zwolnienie radzieckiego szpiega. Sytuacja taka trwała do 1960 roku, kiedy to Powers znalazł się w radzieckim więzieniu. To właśnie Vogel doprowadził do wymiany więźniów. W 1962 roku Francis Garry Powers powrócił do domu.

W USA otrzymał 50 tysięcy dolarów jako rekompensatę za czas stracony w radzieckim więzieniu.

Zginął w 1977 roku w katastrofie śmigłowca należącego do rozgłośni radiowej.

Powers podczas procesu

Ekspert radziecki demonstruje zatrutą igłę ukrytą w srebrnym dolarze – trucizna zabija człowieka w kilka sekund

Szczątki strąconego *U-2* wystawione przy placu Gorkiego w Moskwie

DWAJ PANOWIE M.

W grudniu 1959 roku dwaj kryptolodzy z Agencji Bezpieczeństwa Narodowego (National Security Agency – NSA): 32-letni Bernon F. Mitchell oraz 28-letni William H. Martin pojechali na Kubę. Nikt nie zauważył ich wyjazdu ani szybkiego powrotu do Stanów Zjednoczonych. Dzisiaj wiemy, że w czasie krótkiego pobytu w Hawanie ci dwaj ludzie zgłosili się do ambasady radzieckiej, gdzie zaproponowali współpracę wywiadowi KGB.

Nie wiadomo, dlaczego to zrobili. Z reguły w takich przypadkach głównym motywem były komunistyczne przekonania i wiara, że Związek Radziecki jest jedynym państwem sprawiedliwych. W zachowaniu Martina i Mitchella dawały się widzieć idealistyczne motywy. Na przykład na początku 1959 roku zgłosili się do kongresmena Wayne'a Haysa ze skargą, że amerykańskie samoloty naruszają radziecką przestrzeń powietrzną. Władze NSA nie ukarały ich jednak za rażące naruszenie przepisów dotyczących zachowania tajemnicy służbowej.

26 czerwca 1960 roku obydwaj wyjechali na trzytygodniowy urlop do Meksyku. I tyle ich widziano. Udali się bowiem do Hawany, skąd na pokładzie radzieckiego statku popłynęli do ZSRR. Gdy minął tydzień po terminie, w którym obydwaj powinni stawić się do pracy, oficerowie z NSA zaczęli szukać ich. W sejfie Mitchella znaleźli klucz do boksu depozytowego jednego z banków. Tam uciekinierzy zdeponowali list oskarżający Stany Zjednoczone o wrogie działania wobec Związku Radzieckiego.

6 września 1960 roku Mitchell i Martin wystąpili na konferencji prasowej w Domu Dziennikarza w Moskwie. Opowiadali, jak to NSA gromadzi i odczytuje szyfrogramy sojuszników: Włoch, Turcji, Francji, Urugwaju.

Nie wspomnieli wszakże o jednym: o tym, że obydwaj pracowali nad przygotowaniem lotów szpiegowskich samolotów nad Związkiem Radzieckim. To oni informowali prowadzącego ich oficera KGB w Waszyngtonie o przygotowaniach do lotu 9 kwietnia 1960 roku i do następnego – lotu Francisa Powersa. Gdy pilot wystartował z bazy w Peszawarze, Rosjanie dokładnie wiedzieli, jaką trasą będzie lecieć, i gdzie mają na niego czekać...

NA KRAWĘDZI

LOT NAD DŻUNGLĄ

Samolot obniżył lot. Major Steve Heyser sięgnął do przycisków błyskających czerwonym światłem. Odsunął metalową ramkę uniemożliwiającą przypadkowe naciśnięcie guzików i po kolei przycisnął je. Światełka zgasły sygnalizując, że kamery fotograficzne przerwały pracę. W dole rysowało się północne wybrzeże Kuby, gdzie nad portowym miastem Sagua la Grande major kończył misję zwiadowczą. W ciągu sześciu minut lotu nad wyspą wykonał 928 zdjęć obszaru między San Cristobal i Sagua la Grande. Odruchowo spojrzał do góry i natychmiast uzmysłowił sobie bezsens takiego zachowania; żaden kubański myśliwiec nie mógł lecieć wyżej. Jednakże z czasów, gdy Steve Heyser pełnił służbę w lotnictwie myśliwskim, pozostał mu nawyk bacznego rozglądania się po niebie.

Wprowadził samolot w ciasny zakręt i skierował się na północny zachód, w stronę bazy McCoy w stanie Teksas. Jeszcze raz rozejrzał się lustrując morze, by przekonać się, czy na jego tle nie dostrzeże kubańskich samolotów. Jednakże na lazurowej tafli rysowały się jedynie białe kreski kilwaterów kilku dużych statków. Od paru miesięcy na każdej odprawie przed lotem ostrzegano pilotów o zagrożeniu ze strony nowych radzieckich rakiet przeciwlotniczych i myśliwców sprowadzanych na Kubę, a po zestrzeleniu nad Związkiem Radzieckim w maju 1960 roku samolotu *U–2*, pilotowanego przez Francisa G. Powersa, nikt już nie ośmielił się lekceważyć ostrzeżeń.

W 1961 roku amerykańska agencja wywiadowcza CIA uzyskała od swoich ludzi na Kubie informacje, że do portów przybywają statki radzieckie. Nie udało się dowiedzieć, jaki jest ich ładunek, aczkolwiek szpiedzy wskazywali na wojskowy charakter dostaw. Wkrótce samoloty zwiadowcze dokonujące lotów na małych wysokościach zaczęły dostarczać zdjęcia kubańskich portów, na podstawie których wyraźnie można było określić charakter radzieckich dostaw. 6 listopada 1961 roku kamery samolotu McDonnel *RF–101C* sfotografowały w porcie Casilda radziecki statek z pojemnikami, które mogły zawierać rakiety balistyczne. To był pierwszy sygnał alarmowy. W sierpniu 1962 roku szef CIA, John McCone zażądał od prezydenta Kennedy'ego zgody na zwiększenie liczby lotów wywiadowczych nad Kubą. 29 sierpnia samolot *U–2* startujący z bazy McCoy w Teksasie sfotografował dwie wyrzutnie rakiet przeciwlotniczych *SA–2* oraz budowę sześciu innych. Tego odkrycia nie można było zlekceważyć. Co prawda *SA–2* były bronią defensywną i w najmniejszym stopniu nie mogły zagrozić Ameryce, jednak wiedziano, że w Związku Radzieckim ich stanowiska lokowano wokół silosów rakiet balistycznych. Sposób, w jaki rozmieszczono *SA–2* na Kubie był taki sam jak w bazach rakiet z głowicami nuklearnymi w Związku Radzieckim. Czyżby oznaczało to, że Rosjanie przystąpili do instalowania na Kubie rakiet balistycznych? Amerykanie ciągle nie mieli na to dowodów.

Wykrycie rakiet przeciwlotniczych miało jeszcze inny skutek. CIA uznała, że wysokość lotu nie chroni już samolotów *U–2* i nie chcąc narażać swoich cywilnych pilotów na konsekwencje, jakie czekały ich po zestrzeleniu, przekazała zadanie prowadzenia zwiadu lotnictwu wojskowemu. Oczywiście piloci z US Air Force też mogli zostać zestrzeleni, ale po wylądowaniu ze spadochronem i schwytaniu przez Kubańczyków musieli być traktowani jako jeńcy, a nie szpiedzy, których można było skazać na śmierć.

Major Heyser zatoczył krąg nad lotniskiem, oczekując aż inna lądująca maszyna zwolni pas. Przez trzy ostatnie dni huragan ''Ella'' unieruchomił samoloty i gdy tylko pogoda poprawiła się, na lotnisku rozpoczął się wzmożony ruch, jakby wszyscy chcieli nadrobić stracony czas. Uzyskał wreszcie pozwolenie na lądowanie i posadowił samolot na betonowym pasie z taką gracją, jakby chciał się popisać przed obsługą lotniska. Odkołował na bok i wyłączył silniki. Z daleka widział mknący w jego stronę samochód z obsługą techniczną.

– Złe wieści, majorze? – Technik pomógł mu wstać z fotela.

– Nie, wszystko w porządku. Nie reagowali. – Heyser zdjął hełm, wygramolił się z kabiny i powoli zaczął schodzić po metalowej drabince dostawionej do kadłuba. Pod samolotem otwarto luki kamer i ludzie z obsługi wyładowywali wielkie kasety z materiałem nakręconym w czasie lotu. Nikt jeszcze nie wiedział, że rozpoczął się najbardziej niebezpieczny czas w powojennej historii świata. Zdjęcia przywiezione przez majora Steve'a Heysera miały wstrząsnąć Ameryką. Dobiegał końca pierwszy etap wielkiej gry prowadzonej przez wywiady mocarstw.

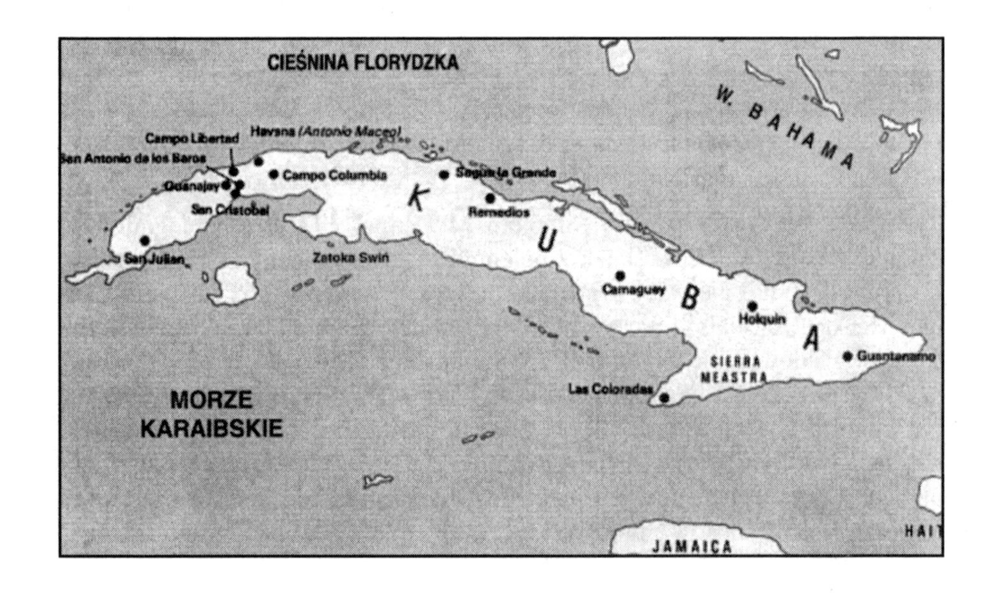

DECYZJA PUŁKOWNIKA

– Doskonale pan mówi po angielsku. – Szczupły mężczyzna w szarym garniturze podszedł do Olega Pienkowskiego, przedstawiciela Państwowego Komitetu Nauki i Techniki ZSRR, uczestnika przyjęcia w ambasadzie brytyjskiej w Moskwie. – Musi pan czytać dużo naszych książek...

– Tak, zwłaszcza lubię książki Bernarda Shawa. – Pienkowski, który stał przy bufecie i nakładał kanapki na talerz, odwrócił się do nieznajomego. Ten mówił coś o pięknie rosyjskiego języka, ale słowa te nie miały już żadnego znaczenia. Liczyły się tylko trzy pierwsze zdania, gdyż pozwalały na nawiązanie kontaktu.

Kilkanaście dni wcześniej, na początku marca 1962 roku, Pienkowski zaparkował samochód w bocznej uliczce, z której mógł obserwować drzwi budynku ambasady brytyjskiej. Czekał długo, ale w jego zawodzie cierpliwość była nieodzowna i oczywista; był pułkownikiem radzieckiego wywiadu wojskowego GRU. Mijały godziny, a człowiek, na którego czekał, nie pojawiał się. W pewnym momencie podszedł milicjant zainteresowany samochodem od tak dawna tkwiącym w jednym miejscu.

– Dokumenty! – zaczął władczym tonem, jaki zwykł stosować wobec potulnych kierowców.

– Guzik – wycedził przez zęby Pienkowski.

Milicjant zaniemówił z wrażenia na reakcję, której się nie spodziewał.

– Co wy, obywatelu?! Opór... – Podciągnął pasek, niezdecydowany, czy wydobyć bloczek z mandatami, czy pałkę.

– Guzik, mówię, zapnijcie! – Pienkowski nie zmienił nawet pozycji za kierownicą. – I zmiatajcie stąd, sierżancie.

Milicjant nie odzywał się, zaczynając rozumieć, że zaczepił silniejszego od siebie. Stał jednak nadal przy samochodzie. Pienkowski sięgnął do wewnętrznej kieszeni marynarki i wysunął legitymację w ciemnoczerwonej oprawie, tak aby milicjant mógł zobaczyć jej róg.

– Wystarczy wam, czy otworzyć?

W tym momencie zauważył, że w drzwiach ambasady pojawił się człowiek, na którego czekał od paru godzin. Zapomniał o milicjancie. Przekręcił kluczyk w stacyjce i ruszył szybko, aby czarna *wołga* ze śledzonym człowiekiem nie zniknęła wśród pojazdów.

Jechał za Francisem Chisholmem, o którym wiedział, że jest pracownikiem wywiadu brytyjskiego. Z raportów na jego temat dowiedział się, że każdego piątku jeździ on na bazar, gdzie kupuje mięso i owoce. Pienkowski uznał, że będzie to najlepsze miejsce do nawiązania kontaktu bez zwracania uwagi otoczenia. Raporty o zwyczajach pracowników ambasady były precyzyjne. Chisholm rzeczywiście skierował się na targ. Zostawił samochód w bocznej uliczce i po chwili zmieszał się z tłumem przy straganach. Pienkowski odnalazł go bez większych kłopotów, gdyż wśród jednolicie ubranych ludzi kłębiących się na targu Anglik wyróżniał się jasnym kożuszkiem. Stanął obok i wsunął mu do kieszeni kartonik wielkości wizytówki, z informacją o treści: *Na najbliższym przyjęciu w ambasadzie będę miał w kieszeni marynarki błękitną chusteczkę. Wasz człowiek powie: ''Doskonale pan mówi po angielsku. Musi pan czytać dużo naszych książek''. Odpowiem: ''Tak, zwłaszcza lubię książki Bernada Shawa''. Mam bardzo* (podkreślił to słowo) *ważne materiały.*

Tylko w ten sposób mógł nawiązać kontakt z zachodnim wywiadem. Wszystkie ambasady były pod nadzorem, a szczególnie starannie pilnowano ambasady amerykańskiej. Dlatego też Pienkowski wybrał placówkę brytyjską, gdzie sytuacja wydawała się odrobinę lepsza. Nie mógł zadzwonić, gdyż telefony były podsłuchiwane. Nie mógł wysłać listu, gdyż całą korespondencję poddawano kontroli. Postanowił więc wsunąć Anglikowi kartkę do kieszeni.

Czasami jako przedstawiciela Państwowego Komitetu Nauki i Techniki wysyłano go do ambasady brytyjskiej na oficjalne przyjęcia. Spodziewał się, że brytyjski wywiad zainteresuje się jego propozycją spotkania i w czasie najbliższego przyjęcia kontakt zostanie nawiązany. Wszystko potoczyło się zgodnie z planem, jednakże Pienkowski popełnił błąd upokarzając milicjanta. Nienawidził tych ludzi i mając okazję zaprezentowania niechęci, zrobił to. Nie przewidywał jednak, że milicjant zapisze numer jego samochodu.

Wchodząc do sali recepcyjnej ambasady Pienkowski zastanawiał się, kto nawiąże z nim kontakt; możliwe, że będzie to Chisholm. Jednakże przypuszczał, że raczej ktoś mu nie znany. Gdy usłyszał hasło od człowieka, którego widział pierwszy raz w życiu, uśmiechnął się zadowolony. Oznaczało to, że jego sprawą zajęli się zawodowcy, a nie partacze.

Wiedzieli, że wśród zaproszonych gości zawsze jest co najmniej jeden pracownik kontrwywiadu bacznie obserwujący zachowanie swoich współziomków. Bez wątpienia zwróciłby on uwagę na rozmowę Pienkowskiego z dyplomatą podejrzewanym o działalność wywiadowczą.

– Jestem Greville Wynne. Przyjeżdżam do Rosji w interesach. – Mężczyzna wyciągnął rękę.

– Oleg Władimirowicz Pienkowski – powiedział półgłosem.

Człowiek przyglądający się z boku tej scenie nie mógł nabrać podejrzeń, że jest to coś więcej niż rozmowa ludzi, którzy spotkali się pierwszy raz w życiu. Odeszli parę kroków od stołu, aby zrobić miejsce innym cisnącym się do kanapek z czerwonym kawiorem. Stanęli przy oknie, tak że nikt nie mógł podsłuchać ich rozmowy.

– Jestem pułkownikiem wywiadu wojskowego. Mogę wam przekazywać bardzo, powtarzam: bardzo ważne materiały – oświadczył Pienkowski bacznie rozglądając się po sali, by stwierdzić, czy jego spotkanie z Anglikiem nie wywołało zainteresowania któregoś z rodaków.

– Cena?

Pienkowski (drugi od prawej) w otoczeniu attachés wojskowych USA, ZSRR i Jugosławii

Paszport Pienkowskiego z 1960 roku

– Komunizm. – Pienkowski dodał z naciskiem: – Nienawidzę komunizmu. Chcę, żebyście dokonali ataku nuklearnego na siedzibę KGB. Dostarczę wam plany.

– Czego pan potrzebuje?

– Miniaturowego aparatu i mikrofilmów.

– Dobrze. Kontakt z panem będzie utrzymywał porucznik Bready. To ten krępy facet przy kominku. – Wynne zrobił nieznaczny ruch głową.

– Za długo już rozmawiamy. – Pienkowski odstawił talerzyk na parapet okna. – To może zwrócić uwagę.

– Pojutrze wieczorem. Czternasty kilometr Szosy Wołokołamskiej, po prawej stronie tablicy z napisem ''Wyprzedzamy kapitalizm!'' Tam będzie leżał kamień. W nim znajdzie pan wszystko. Miło było mi pana poznać.

Skinęli głowami i rozeszli się w przeciwległe końce zatłoczonej sali.

Anglik przedstawił podstawową metodę komunikowania się z agentami na terenie Związku Radzieckiego, nazywaną przez wywiad zachodni ''Dead–letter boxes (DLB)''. Polegała ona na stosowaniu wydrążonych kamieni polnych, dziupli w drzewach, sekretnych pojemników w deskach ławek parkowych. Tam obydwie strony, agenci i prowadzący ich oficerowie wywiadu, przekazywali sobie materiały szpiegowskie, nie widząc się nawzajem, a często nawet nie znając. Metoda ta była tak bardzo rozpowszechniona, że radziecki kontrwywiad uważał, iż do 1959 roku był to jedyny sposób kontaktowania się szpiegów. Jednakże w październiku 1959 roku aresztowano Piotra Popowa, podpułkownika GRU podejrzanego o współpracę z wywiadem amerykańskim. Przyznał się, że zwerbowano go w Wiedniu sześć lat wcześniej, a w Moskwie materiały szpiegowskie przekazywał głównie na ulicy, „potrącając'' w tłumie znaną sobie osobę (dlatego w slangu zachodnich służb ta metoda nazywana była ''siniakową'', choć żadnemu z uczestniczących we wpadaniu na siebie siniaki nie groziły).

Pienkowski wkrótce opuścił przyjęcie. Był bardzo podniecony i podenerwowany. Odczuwał wielką ulgę i radość z nawiązania kontaktu, o którym przemyśliwał od dawna. Jednakże z drugiej strony czuł niepokój. Idąc opustoszałą ulicą do przystanku trolejbusowego oglądał się parę razy za siebie sprawdzając, czy nikt go nie śledzi. Ochłonął dopiero gdy wsiadł do rozklekotanego trolejbusu, który piszcząc pantografami na łączeniach linii elektrycznych wiózł go w stronę domu.

Anglicy nie zdawali sobie sprawy, jak wiele bezcennych informacji Pienkowski ma im do przekazania. Od lat przyjaźnił się z marszałkiem Siergiejem Siergiejewiczem Warencowem, dowódcą wojsk rakietowych i artylerii lądowej. Często przebywali z sobą, polowali, Pienkowski spędzał wolny czas w podmoskiewskiej daczy marszałka, który ufał mu bezgranicznie. Opowiadał o planach rozwoju wojsk rakietowych, o zmianach kadrowych, radził się w sprawach personalnych i wspominał o problemach z nowymi konstrukcjami. Często, gdy po tęgiej pijatyce marszałek zwalał się na otomanę w pokoju myśliwskim, a Pienkowski przechodził do gościnnego pokoju przez gabinet pana domu, widział niedbale wetknięte do szuflady biurka teczki z napisem ''Tajne'' i złamanymi pieczęciami. Pewnego razu, gdy jeszcze nie myślał o współpracy z zachodnim wywiadem, zwrócił na to uwagę przyjaciela. Ten machnął ręką.

– Wartownik za oknem, wojsko dookoła. Wróg się tu nie wedrze.

Późnym wieczorem 15 marca 1962 roku Pienkowski zatrzymał swojego służbowego *moskwicza* na czternastym kilometrze Szosy Wołokołamskiej. Od chwili, gdy tylko minął rogatki Moskwy, zerkał w lusterko sprawdzając, czy nikt za nim nie jedzie. Droga była pusta o tej porze, i szybko uspokoił się, gdyż przez wiele kilometrów jego samochód był jedynym zmierzającym w tę stronę.

W świetle reflektorów dostrzegł pochyloną tablicę z napisem''Wyprzedzamy kapitalizm!''

Zjechał na pobocze uważając, żeby nie wpaść w głębokie koleiny wyżłobione w miękkim piasku przez ciężarówkę. Odczekał, aż minie go autobus i wysiadł z kabiny. Noc była ciemna, bezksiężycowa, więc zostawił włączone reflektory. Miał co prawda latarkę, ale uznał, że użycie jej byłoby ostatecznością. Przeskoczył rów i stanął tuż za tablicą. Wyglądał jak kierowca, który zatrzymał się na chwilę zmuszony do tego naturalną potrzebą.

Po chwili oczy przyzwyczaiły się do słabego oświetlenia i dostrzegł duży obły kamień. Obejrzawszy się nie ujrzał żadnych samochodów. Pochylił się i usiłował rozpołowić kamień, ale nie było to łatwe. Dopiero gdy wymacał wgłębienie, w które mógł wsunąć palec, kamień otworzył się. Pienkowski wyciągnął z wnętrza niewielki pakunek owinięty w brezent i szybko schował do kieszeni. Złożywszy obydwie części kamienia odłożył go. Wyprostował się i zamarł w bezruchu instynktownie oczekując krzyku. To napięte nerwy podsuwały wyobraźni obrazy żołnierzy Ministerstwa Bezpieczeństwa Państwowego wybiegających z lasu z wycelowanymi w jego stronę karabinami. Nadal jednak było cicho, tylko na horyzoncie pojawiły się światła samochodu. Pobiegł do *moskwicza* i ruszył gwałtownie. Zapomniał o koleinach i próg samochodu zazgrzytał o brzeg asfaltu. Jechał przez kilka kilometrów w kierunku odwrotnym niż Moskwa, aż upewnił się, że nadal nikt go nie śledzi. Wówczas zawrócił i skierował się w stronę domu.

Mieszkał samotnie w dwupokojowym mieszkaniu odziedziczonym po rodzicach. Seksualna słabość do mężczyzn nie pozwalała mu na założenie rodziny.

Gdy tylko wszedł do mieszkania, zapalił światło i zdjął płaszcz. Z kieszeni wydobył pudełko szczelnie owinięte w brezent. Rozciął je nożem i z wnętrza wyjął maleńki aparat *minox* oraz kilkanaście niewielkich kasetek z filmami. Usiadł przy biurku, tyłem do okna. Nie zaciągnął zasłon. Jego dom stał przy szerokiej dwujezdniowej ulicy i do budynku po drugiej stronie było tak daleko, że nie obawiał się, iż ktokolwiek z przeciwka może podglądać. Popełnił następny błąd.

Pułkownik rozpoczął działalność, która zagrażała bezpieczeństwu świata.

PREZYDENT JEST ZADOWOLONY

– Proszę, wejdźcie panowie! – Duże białe drzwi prowadzące do Gabinetu Owalnego otwarły się i stanął w nich prezydent John Kennedy. Kilkunastu mężczyzn, którzy oczekiwali w sekretariacie, ruszyło w stronę sali konferencyjnej mieszczącej się obok gabinetu.

Kennedy był wyraźnie zmęczony. Poszarzała twarz i obrzmiałe powieki wskazywały, że przez ostatnie parę dni niewiele miał czasu na odpoczynek.

– Chyba w takim stanie nie będzie się pokazywał na konferencji prasowej... – mruknął sekretarz obrony Robert MacNamara do idącego obok szefa połączonych sztabów. Był to wyraźny przytyk do szczególnej dbałości, jaką prezydent wykazywał wobec własnego wizerunku, uznając, że ma wielkie znaczenie dla jego kariery politycznej. Bez wątpienia miał rację. Amerykanie cenili jego młodość i dynamizm, wyraźnie kontrastujące z polityczną nieudolnością poprzednika, generała Dwighta Eisenhowera. Tamten miał 63 lata, gdy obejmował urząd prezydencki i stracił już ochotę do walki z przeciwnościami świata. Prezentował nienaganny styl, dyplomatyczny takt i zdrowy rozsądek, ale to było za mało jak na konfrontację ze Związkiem Radzieckim.

Kennedy miał 43 lata, gdy wygrał wybory obiecując Amerykanom ''Nową Granicę'', co oznaczało polityczny dynamizm, rozwiązanie najbardziej niepokojących problemów wewnętrznych i światowych. Największy zaś problem stanowiła potęga nuklearna Związku Radzieckiego. 26 marca 1962 roku odbyła się narada, w czasie której najwyżsi dowódcy i członkowie władz mieli ocenić, co udało się osiągnąć w czasie rocznej prezydentury Kennedy'ego.

– Panie prezydencie, chciałbym przedstawić najnowsze oceny sił nuklearnych – powiedział Robert McNamara, gdy wszyscy zajęli już miejsca przy dużym owalnym stole. Chodziło oczywiście o porównanie sił USA i Związku Radzieckiego.

Głos zabrał jeden z ekspertów*) towarzyszących sekretarzowi obrony.

– Dwa lata temu Centralna Agencja Wywiadowcza oraz służby wywiadowcze sekretariatu stanu i obrony przygotowały raport, który mógł doprowadzić najwyższe władze Ameryki do niebezpiecznego przeświadczenia, że pozostaliśmy daleko w tyle za Związkiem Radzieckim pod względem technologii i produkcji (rakiet nuklearnych – BW). Obecnie te same organy uznały, że wcześniejsze oceny oparto na poważnym błędzie. Konkluzja dzisiejsza jest następująca: liczba rakiet posiadanych przez nich (tj. Związek Radziecki – BW) została bardzo, bardzo poważnie zmniejszona.

Kennedy słuchał uważnie.

*) Z opublikowanych stenogramów usunięto nazwisko mówcy

– Istotne zmiany nastąpiły również w radzieckich wojskach konwencjonalnych – mówił dalej ekspert. – Dwa lata temu przyjmowaliśmy, że Związek Radziecki ma 200 dywizji gotowych do boju. Oficerowie z NATO uważali, że nie będziemy w stanie dorównać Rosjanom pod względem sił konwencjonalnych i dlatego zmuszeni jesteśmy polegać na broni nuklearnej, w pełni rozumiejąc, jak niebezpieczne może to być dla świata.

Obecnie amerykańskie służby wywiadowcze oceniają, że Związek Radziecki nie byłby w stanie wystawić więcej niż 60 dywizji do przeprowadzenia agresji na Europę Zachodnią. Ta liczba obejmuje 26 dywizji w Europie centralnej, z których 22 stacjonują w Niemieckiej Republice Demokratycznej oraz po dwie w Polsce i na Węgrzech.

To były zaskakujące słowa. Oznaczały, że w ciągu dwóch lat obraz radzieckich sił zbrojnych uległ całkowitej przemianie. Co prawda Nikita Chruszczow dążył do ograniczenia liczebności sił konwencjonalnych, ale zdemobilizowanie 140 dywizji było wręcz niemożliwe. Również wywiad amerykański szacując siłę ZSRR nie mógł się pomylić o 140 dywizji. A więc w 1960 roku władze amerykańskie otrzymywały nieprawdziwe dane lub fałszywie informowały społeczeństwo. Ba, budowa całej amerykańskiej koncepcji odstraszania nuklearnego oparta była na fikcji.

– Oczywiście, w Związku Radzieckim jest wiele innych dywizji – mówił ekspert – ale nie należy ich brać pod uwagę, gdyż muszą pozostać na miejscu w celu ochrony linii zaopatrzeniowych, granic z Iranem, Turcją, Finlandią, Norwegią, a także z Chinami. Natomiast sytuacja w NATO uległa istotnej poprawie. Liczebność dywizji wzrosła do 25, a w razie konfliktu możemy liczyć nawet na 30.

Powoli cel konferencji stawał się jasny: do Amerykanów miał dotrzeć obraz przełamywania nierówności sił między dwoma mocarstwami, jaką zastał John F. Kennedy obejmujący urząd prezydencki. Mówiło się wówczas powszechnie o ogromnej przewadze liczebnej radzieckich wojsk rakietowych. Nadano temu określenie ''luki rakietowej'' (''Missail gap''), a była ona bezpośrednią konsekwencją lęku, jaki pojawił się w 1955 roku, kiedy to na dorocznym pokazie lotniczym w Moskwie nad tłumami widzów i obserwatorów zachodnich przelatywały chmary nowych bombowców dalekiego zasięgu *Mi–4* oraz bombowców średniego zasięgu *Tu–16*. Prawdopodobnie Rosjanie zastosowali sprytny manewr każąc pilotom latać wkoło, ale cel został osiągnięty. Prasa zachodnia uznała pokazy moskiewskie za *jedną z najbardziej udanych demonstracji wojskowych w czasach pokoju*, a zachodni planiści zaczęli poważnie zastanawiać się nad radziecką przewagą.

Do tego czasu praktycznie nie brano jej pod uwagę, gdyż Rosjanie dysponujący od 1949 roku bombami atomowymi nie mieli nosicieli, za pomocą których mogliby zaatakować amerykańskie miasta. Już w 1944 roku znakomity radziecki konstruktor Andriej Tupolew otrzymał od Stalina rozkaz skopiowania amerykańskich bombowców strategicznych *B–29*, z których cztery, uszkodzone w locie nad Japonią, musiały lądować na radzieckim lotnisku na Dalekim Wschodzie. To zadanie, na którego zrealizowanie Stalin wyznaczył dwa lata, okazało się karkołomne.

Ogromnym problemem były jednostki miary. Na przykład grubość blachy kadłuba samolotu amerykańskiego wynosiła 1/16 cala, tj. 1,5875 mm, a takiej blachy nie mógł wyprodukować żaden z radzieckich zakładów, gdyż nie miał odpowiedniego oprzyrządowania. Wydawało się, że nic prostszego niż zwiększyć lub zmniejszyć grubość blachy. To jednak nie było proste. Gdyby zwiększono grubość do 1,6 mm, wzrosłaby masa samolotu i spadły jego osiągi. Zmniejszenie grubości do 1,5 mm zagrażało z kolei wytrzymałości konstrukcji kadłuba. Podobnie trudne okazało się zastąpienie amerykańskich przewodów elektrycznych, których grubość po przeliczeniu z cali wynosiła np. 0,88 mm lub 1,93 mm. Gdy użyto kabli produkowanych przez radziecki przemysł, masa samolotu wzrosła o 8–10 procent.

I tak po trzech latach skomplikowanych zabiegów (zakończonych pełnym powodzeniem, gdyż masa radzieckiego *B–29* była tylko o 1 procent większa od oryginału), w maju 1947 roku zbudowano pierwsze seryjne egzemplarze samolotów[*)] nazwanych *Tu–4* (sam A. Tupolew chciał je nazwać *B–4*, ale Stalin zadecydował inaczej). Utworzyły trzon radzieckich sił strategicznych, ale zasięg *Tu–4* wynosił zaledwie 5100 kilometrów, a więc do Stanów Zjednoczonych dolecieć nie mogły. Szybko wprowadzono system tankowania paliwa w locie (giętki przewód łączył końcówki skrzydeł dwóch samolotów: bombowca i cysterny), ale dzięki temu radzieckie bombowce mogły zaatakować jedynie amerykańskie bazy na terenie Wielkiej Brytanii. Kariera tych samolotów szybko dobiegła końca, gdyż w czasie wojny koreańskiej (1950–1953) okazało się, że uzbrojenie obronne amerykańskich *B–29* nie daje odpowiedniej ochrony przed odrzutowymi myśliwcami *MiG,* używanymi przez wojska północnokoreańskie; tym samym należało uznać, że równie łatwo amerykańskie myśliwce rozprawią się z radzieckimi *Tu–4*.

Prawdziwą groźbą dla Amerykanów stały się dopiero bombowce *Mi–4*, które z bombą nuklearną o wadze 4,5 tony bez tankowania w powietrzu mogły przebyć 11 265 kilometrów.

Jednakże Rosjanie skupili wysiłki na konstruowaniu rakiet balistycznych, wychodząc ze słusznego założenia, że to jest broń przyszłości, przed którą Ameryka obronić się nie zdoła. W niemieckich fabrykach i na poligonach Rosjanie zajęli dość dużo rakiet *V–2*; udało im się również schwytać wielu naukowców pracujących przy konstruowaniu i produkcji tych rakiet, chociaż główny konstruktor, Werner von Braun oddał się w ręce amerykańskie. Już w 1947 roku radzieckie zakłady wyprodukowały pierwsze egzemplarze rakiet krótkiego zasięgu, nazwane na Zachodzie[**)] *SS–1 Scunner* (''Odraza''), które były nieco zmodyfikowanymi niemieckimi *V–2*. Wkrótce zastąpiły je *Sibling* (''Brat'' lub ''Siostra'') o nieco powiększonym zasięgu. W 1955 roku wprowa-

*) Pierwszy prototyp, pilotowany przez N. Rybkę, oblatany został 19 maja 1947 roku.

**) Związek Radziecki nie zdradzał nazw swoich rakiet i przez dziesiątki lat znano je pod nazwami nadawanymi w NATO.

dzono do uzbrojenia rakiety średniego zasięgu *SS–3 Shyster* (''Kanciarz''), w dalszym ciągu oparte na konstrukcji rakiet niemieckich.

Był to już czas, gdy w radzieckiej doktrynie wojennej zwyciężał pogląd o konieczności uprzedzenia amerykańskiego ataku. Jeden z twórców tej tezy, generał Nikołaj Talenski uważał, że wynalezienie broni nuklearnej całkowicie zmieniło sytuację militarną. Tradycyjne podpory rosyjskiej potęgi – ogromne rezerwy ludzkie i surowcowe, wielkie przestrzenie będące pierwszą zaporą przed nacierającymi wojskami wroga – przestawały istnieć w dobie nuklearnej. Wybuchy kilkudziesięciu głowic jądrowych mogły spopielić przemysłowe miasta pozbawiając wojska na froncie dostaw broni i żywności, zniszczyć węzły komunikacyjne uniemożliwiając przewóz żołnierzy i zaopatrzenia. Dlatego – argumentowal generał Talenski – w razie zagrożenia wojną należy pierwszemu wykonać uderzenie nuklearne, aby obezwładnić wroga.

Poglądy generała nie znajdowały uznania u Gieorgija Malenkowa, który objął przewodnictwo partii komunistycznej po śmierci Stalina, w 1953 roku. Uważał, że wojna nuklearna oznacza zagładę dla obydwu stron i żaden przywódca Wschodu ani Zachodu nie wyda rozkazu użycia broni, która zniszczy świat. Bardziej realna – w ocenie Malenkowa – była wojna konwencjonalna i do niej przygotowywały się radzieckie siły zbrojne.

Nikita Chruszczow, który przejął pełnię władzy w lutym 1955 roku, uznał wszakże, że należy jak najszybciej rozbudować siły nuklearne. Za jego panowania radziecka machina wojenna nabrała nowego rozpędu.

26 sierpnia 1957 roku wystrzelono rakietę *SS–6 Sapwood*, która przeleciała 12 tysięcy kilometrów i spadła do Oceanu Spokojnego. Była to pierwsza międzykontynentalna rakieta balistyczna. O ile krótka informacja podana przez agencję prasową TASS nie wywarła na świecie specjalnego wrażenia, to wystrzelenie w październiku 1957 roku pierwszego sztucznego satelity Ziemi *Sputnik* zatrwożyło Amerykę.

Było oczywiste, że rakieta, która wyniosła satelitę na orbitę wokółziemską, może przenieść głowicę nuklearną nad oceanem i zrzucić ją na dowolne miasto amerykańskie. Rok 1958 przyniósł następne niepokojące Amerykanów wieści: na poligonie na Nowej Ziemi przeprowadzono próbny wybuch ładunku nuklearnego o gigantycznej mocy 58 MT, czyli 58 milionów ton trotylu (dla porównania: bomba zrzucona na Hiroszimę miała moc 17 KT, czyli 17 tysięcy ton trotylu).

Rok później radzieckie wojska rakietowe otrzymały rakiety średniego zasięgu *SS–4 Sandal* (''Sandał'') z głowicami o mocy 1 MT. Amerykańskie źródła wywiadowcze informowały o błyskawicznej rozbudowie radzieckiego potencjału, a tworzone na tej podstawie porównania wykazywały ogromną przewagę militarną Związku Radzieckiego nad Stanami Zjednoczonymi. Dlatego stający do wyborów John Kennedy obiecał Amerykanom zlikwidowanie ''luki rakietowej''. Wiele w tej dziedzinie zrobił już jego poprzednik, Dwight Eisenhower i Kennedy mógł na swoje konto zapisać jego zasługi, ale bezsprzecznie największym osiągnięciem nowego prezydenta stało się znaczne zwiększenie budżetu wojskowego, który od 1961 do 1962 roku wzrósł o 8 miliardów dolarów (z 44 do 52 miliardów). Efekt był natychmiast widoczny w statystykach.

Liczba rakiet międzykontynentalnych

	rok 1960	rok 1961	rok 1962	rok 1963
ZSRR	35	50	75	100
USA	18	63	294	424

Co ważniejsze, Amerykanie szybko uzyskiwali przewagę w innych dziedzinach sił strategicznych.

W 1955 roku rozpoczął służbę pierwszy okręt podwodny świata o napędzie atomowym. Był to trzypokładowy USS *Nautilus* o długości 99 metrów. W jego kadłubie reaktor atomowy zamieniał wodę w parę napędzającą dwie turbiny, które nadawały okrętowi podwodną prędkość około 20 węzłów. Najważniejsze było to, że reaktor nie potrzebował powietrza. Ten system, w połączeniu z aparatami usuwającymi z wnętrza toksyczne gazy i uzdatniającymi powietrze, pozwalał pozostawać w zanurzeniu przez trzy miesiące, co w podwodnej wojnie miało ogromne znaczenie. *Nautilus* dokonał niezwykłego wyczynu przebywajac łącznie w zanurzeniu 80 tysięcy mil morskich (tj. około 144 tysięcy kilometrów), bez uzupełniania nuklearnego paliwa. Następcy *Nautilusa* bili rekordy podwodnej prędkości, przekraczając 35 węzłów, i długotrwałości pozostawania w zanurzeniu. W 1960 roku USS *Triton*, napędzany dwoma nuklearnymi reaktorami, opłynął świat bez wynurzania się na powierzchnię; przebył 66 400 kilometrów ze średnią prędkością 18 węzłów. A zbliżał się czas, gdy okręty zadziwiające świat rekordowymi możliwościami miały zostać wyposażone w broń o niezwykłej sile, zdolnej niszczyć miasta odległe o tysiące kilometrów.

W drugiej połowie lat 50. w Stanach Zjednoczonych zakończono próby z rakietami *Polaris*. Okręty nie potrafiły jednak wystrzeliwać rakiet z głębi morza, lecz musiały się wynurzyć, aby oddać salwę. I to był najsłabszy punkt, gdyż wychodząc na powierzchnię dekonspirowały się i umożliwiały wrogowi rozpoczęcie pościgu. W końcu lat 50. wadę tę usunięto. 30 grudnia 1959 roku w stoczni Groton w stanie Connecticut spłynął na wodę pierwszy okręt podwodny USS *George Washington* z rakietami z głowicami nuklearnymi, który mógł otworzyć pokrywy wyrzutni na głębokości 30 metrów (90 stóp). Sprężone powietrze wypychało pociski, które w gazowym pęcherzu wydostawały się nad wodę, a siła rozpędu unosiła je na kilkanaście metrów. Dopiero wówczas włączał się silnik rakietowy.

Ta broń szczególnie niepokoiła Rosjan. Okręty podwodne mogły bowiem nie zauważone zbliżyć się do ich wybrzeży i odpalić rakiety, które po 4–5 minutach spadłyby na cel. Tak krótki czas wykluczał możliwość obrony: ewakuację mieszkańców czy nawet ukrycie się w schronach. Ponieważ załoga okrętu podwodnego nie miała możliwości precyzyjnego ustalenia położenia okrętu, wystrzeliwane rakiety były bardzo niecelne; musiały zostać skierowane przeciwko obiektom tak dużym, że rozrzut kilku kilometrów nie czynił różnicy, czyli przeciw miastom!

Rosjanie nie mogli szybko podjąć tego wyzwania. Co prawda admirał Siergiej Gorszkow, który w 1956 roku objął stanowisko szefa radzieckiej marynarki wojennej, doskonale rozumiał charakter nowych czasów i postawił na szybką rozbudowę floty podwodnej, to jednak musiało minąć wiele lat, zanim Rosjanie mogli nadrobić opóźnienia. Stocznie były zrujnowane przez wojnę, a Stalin żądał budowy potężnych okrętów nawodnych; okręty podwodne nie interesowały go. Niemniej jednak już na początku 1957 roku w radzieckich okrętach nazwanych na Zachodzie *Zulu* zainstalowano wyrzutnie rakiet *SSN–4* o zasięgu około 630 kilometrów.

Amerykanie szybko rozbudowywali swoją potęgę nuklearną. 24 maja 1960 roku wystrzelili satelitę *Midas* wykrywającego odpalenie rakiet międzykontynentalnych. Od tego momentu Stany Zjednoczone mogły odpowiedzieć uderzeniem jądrowym na pierwszy sygnał o odpaleniu radzieckich rakiet.

W tym samym roku w teksaskiej bazie wybudowano pierwszy silos międzykontynentalnej rakiety balistycznej nowej generacji *Minuteman*.

W bazach brytyjskich zainstalowano amerykańskie rakiety średniego zasięgu *Thor*. Samoloty i rakiety startujące z terytorium tego państwa mogły dotrzeć do 80 procent wszystkich radzieckich miast o ludności ponad 60 tysięcy. Rakiety średniego zasięgu wprowadzono do amerykańskich baz w Turcji i we Włoszech; łacznie w Europie było 45 amerykańskich rakiet balistycznych *Jupiter* oraz 60 *Thor*.

W tej sytuacji Chruszczow postanowił wyciągnąć kartę atutową: Kubę. Liczył, że prezydent Kennedy, który raz już poniósł dotkliwą porażkę na Kubie, będzie bardzo ostrożny i, pomny klęski, nie zdecyduje się stanąć ponownie do boju.

Wyrzutnie rakiet *A-3 Polaris* (z lewej) i *Posejdon* w amerykańskim okręcie podwodnym

CASTRO KONTRA STANY ZJEDNOCZONE

Dwudziestosześcioletni adwokat, syn zamożnej rodziny kubańskiej, Fidel Castro rzucił najpierw wyzwanie dyktatorowi Fulgencio Batiście. Tamten miał wojsko i tajną policję bezwzględnie niszczące każdy przejaw buntu przeciwko władzy, która przynosząc niewyobrażalny luksus niewielkiej grupie obywateli wyspy trzymała w ubóstwie miliony pozostałych.

26 lipca 1953 roku Castro zebrał dwustuosobową grupę młodych ludzi, głównie kolegów z uniwersytetu, uzbroił ich w pistolety, karabiny i granaty, i uderzyli na koszary w Moncada w prowincji Oriente. Atak zakończył się klęską. Fidel Castro, schwytany, uratował głowę dzięki wpływom rodziny, ale został skazany na karę piętnastu lat więzienia. Miał jednak szczęście. Wkrótce dyktator usiłując zdobyć poparcie społeczeństwa ogłosił amnestię i młody buntownik już po dwóch latach wyszedł z więzienia z nakazem natychmiastowego opuszczenia kraju. Pojechał do Meksyku, lecz nie zrezygnował z przygotowań do rewolucji, która miała zmieść Batistę. Zrozumiał już, że bez pomocy z zewnątrz nie zdoła zgromadzić oddziału na tyle silnego, aby zwyciężyć liczną i dobrze uzbrojoną armię rządową.

Castro – marksista uznał za rzecz naturalną zwrócenie się o pomoc do ambasady radzieckiej, gdzie spotkał młodego urzędnika Nikołaja Siergiejewicza Leonowa. Nie wiedział, że Leonow jest oficerem KGB. Przedstawił mu swoje plany powrotu na Kubę i obalenia Batisty. Leonow uznał je za niedojrzałe i niezborne, ale spodobał mu się ten młody, pełen entuzjazmu człowiek. Przekazał do Moskwy prośbę o broń i pieniądze. Została odrzucona, lecz Leonow pozostał z Fidelem Castro w bliskim kontakcie.

W 1956 roku Castro z grupą 82 straceńców wynajął niewielki jacht, przeznaczony dla ośmiu pasażerów i kilku członków załogi. Załadowali trochę broni (po jednym karabinie i jednej ładownicy na każdego), nieco żywności i ruszyli do walki z trzydziestotysięczną armią Batisty. Lądowanie było fatalne. Kilka kilometrów od wybrzeży Kuby przeciążony jacht zaczął tonąć. Pasażerowie musieli ratować się skacząc do wody, a potem przez całą noc przedzierali się przez błotnistą mieliznę trzymając nad głowami karabiny i niewielkie zapasy. Na brzegu dostali się pod ogień karabinów policjantów ukrytych w trzcinach.

Z 82 żołnierzy ocalało zaledwie 22, z których dziesięciu wpadło następnie w ręce policji. Castro uratował się i przystąpił do organizowania partyzantki. Wraz z pozostałymi towarzyszami zaszył się wysoko w górach Sierra Maestra i stamtąd atakowali.

Oddział rozrastał się bardzo szybko, gdyż nienawiść do dyktatora, odpowiedzialnego za terror i niewyobrażalną nędzę narodu, była ogromna. Nienawiść kierowała w góry zdesperowanych mężczyzn, którzy nie widzieli innego sposobu poprawienia losu swoich rodzin jak tylko walkę. Kto im dawał broń? Związek Radziecki zapewne nie, gdyż nie wierzył w to, że grupa zapaleńców może obalić Batistę. A jednak w 1958 roku liczebność oddziałów Castry przekroczyła 5 tysięcy żołnierzy. W tym czasie liczebność wojsk Batisty malała w wyniku masowych dezercji.

1 stycznia 1959 roku wojska powstańcze wkroczyły do Hawany, a już w lutym Fidel Castro stanął na czele rządu i bardzo szybko przejął całkowitą władzę.

Po Batiście pozostał nie tylko ogrom nędzy, ale także olbrzymi kapitał: plantacje trzciny cukrowej i przemysł cukrowniczy. Kuba pod względem produkcji cukru zajmowała trzecie miejsce na świecie. Na tej małej wyspie znajdowały się także ogromne złoża niklu, stanowiące 1/10 światowych zasobów. Wydobywano również złoto, srebro, chrom i kobalt. Jednakże największym bogactwem kraju była turystyka, przynosząca właścicielom hoteli, kasyn, restauracji i domów publicznych krociowe zyski.

Castro, niemalże natychmiast po dojściu do władzy, zlikwidował przemysł rozrywkowy i znacjonalizował dużą część zakładów przemysłowych. Amerykańscy przedsiębiorcy stracili blisko dwa miliardy dolarów. Nowy przywódca zdawał sobie sprawę, że wcześniej czy później dojdzie do zatargu ze Stanami Zjednoczonymi. Dlatego skierował się w stronę innego protektora – Związku Radzieckiego, aczkolwiek pierwsze kontakty miały bardzo ograniczony charakter.

Przełom nastąpił na początku roku 1960, gdy na Kubę przybyła delegacja z pierwszym wicepremierem ZSRR, Anastasem Mikojanem. Zaoferował on pożyczkę w wysokości 100 milionów dolarów i zakup pięciu milionów ton kubańskiego cukru. Oczywiście, nie były to bezinteresowne gesty. Rosjanie doskonale wiedzieli, jakie korzyści mogą odnieść popierając Fidela Castro. Przede wszystkim zyskiwali nowe możliwości penetrowania tajemnic Stanów Zjednoczonych, gdzie schroniło się tysiące uchodźców z Kuby. Pozostawili oni na wyspie rodziny, które można było wykorzystać jako zakładników i zmusić w ten sposób emigrantów do współpracy z wywiadem.

W lipcu 1959 roku szef wywiadu kubańskiego, major Ramiro Valdes odbył serię tajnych spotkań z rezydentem KGB i ambasadorem ZSRR w Mexico City. W wyniku podjętych tam ustaleń na Kubę przyjechało ponad stu radzieckich doradców i instruktorów, którzy przystąpili do organizowania służb wywiadowczych i kontrwywiadowczych. Jeden z nich, syn hiszpańskiego komunisty, który po wojnie domowej osiadł w Związku Radzieckim, Enrico Lister Farjan stanął na czele Komitetu Obrony Rewolucji. Inny potomek hiszpańskiego bojownika, generał Alberto Bajar zaczął organizować obozy szkoleniowe dla terrorystów. Jednakże Rosjanie nie byli skłonni do udzielenia Kubie otwartej pomocy militarnej, gdyż obawiali się, że może to pogorszyć ich stosunki ze Stanami Zjednoczonymi. Dlatego zadanie takie zlecili innym państwom socjalistycznym. W celu omówienia zakresu pomocy wojskowej do Pragi przyjechał we wrześniu 1960 roku brat Fidela, Raul Castro. Choć szokował gospodarzy zwyczajem spania w butach i niezwykłym zamiłowaniem do prostytutek o blond włosach, to uznano go za rzeczowego przedstawiciela rządu kubańskiego i omówiono dość szczegółowo zasady współpracy wojskowej.

Fidel Castro poczuł się silny. Tak jak przed laty wyzwał Batistę, tak w 1960 roku rzucił wyzwanie prezydentowi Stanów Zjednoczonych. Oskarżył CIA o organizowanie sabotażu, co było zresztą zgodne z prawdą. Nakazał znacjonalizowanie amerykańskiego koncernu Texaco, a w sierpniu 1960 roku ogłosił nacjonalizację wszystkich przedsiębiorstw USA.

Amerykańscy specjaliści zaczęli opuszczać Kubę. Nie martwiło to Castry, gdyż wiedział, że ich miejsce zajmą Rosjanie. Waszyngton zareagował nerwowo. Pierwszym pomysłem, jaki prezydentowi podsunęła Centralna Agencja Wywiadowcza (CIA), była likwidacja Castry. Bez wątpienia Dwight Eisenhower zaakceptował takie rozwiązanie, choć nie istnieją (lub nie zostały ujawnione) dokumenty, które pozwalałyby oskarżyć prezydenta o takie działanie. Były zastępca dyrektora do spraw wywiadu w CIA, Ray Cline sugerował, że zezwolenie na akcję przyszło „z góry'', czyli z Białego Domu, w pierwszych miesiącach 1960 roku. Bez względu na to, kto podjął decyzję o zamordowaniu Castry, to przebieg operacji określonej kryptonimem ''Mangusta'' jest jednym z najbardziej komicznych przedsięwzięć wywiadowczych na świecie. Spece z CIA, zdali sobie nagle sprawę, że ich siatki na Kubie zostały rozbite i zebranie ludzi zdolnych dotrzeć do bezpośredniego otoczenia dyktatora oraz przeprowadzić atak stało się niemożliwe.

Uznano jednak, że na Kubie pozostało dużo ludzi, którzy za czasów Batisty blisko współdziałali z mafią trzymającą żelazną ręką wszystkie kasyna, domy publiczne i hotele. Postanowiono więc wykorzystać wpływy przestępców, którzy wydawali się idealnymi wykonawcami zamachu na głowę państwa. Takie rozwiązanie miało tę dobrą stronę, że zlikwidowanie Castry powszechnie łączono by z zemstą mafii, która utraciła majątek na Kubie, a nikt nie miałby podstaw, aby podejrzewać wywiad amerykański.

Pośrednikiem między agencją rządową CIA a mafią był multimilioner Howard Hughes*), silnie powiązany ze światem przestępczym. To jego asystent wybrał organizatorów i realizatorów wielkiej akcji pozbawienia życia kubańskiego przywódcy: Johnny'ego Rossellego z Chicago i Sama Giancanę, szefa mafii chicagowskiej, oraz Trafficante, który za czasów Batisty zarządzał większością kasyn na Kubie. CIA zaakceptowała ten plan wychodząc z założenia, że ludzie ci wystarczająco silnie nienawidzą Castry, aby podjąć się zadania zgładzenia go.

Było to mylne założenie. Jak się okazało, szefowie mafii mieli nadzieję, że uda im się dogadać z kubańskim dyktatorem i uzyskać od niego koncesje o wiele

*) Howard Hughes (1905-1976) – jeden z najbogatszych ludzi świata. Majątek odziedziczył po ojcu, który opatentował urządzenie wiertnicze stosowane później powszechnie w szybach naftowych. Howard zajmował się bez większego powodzenia konstruowaniem i produkowaniem samolotów oraz produkcją filmową. Kilka filmów z jego wytwórni („Hell's Angels'', 1930, „Scarface'', 1932 i „The Outlaw'', 1944) odniosło duży sukces. W latach 50. osiadł w swojej posiadłości i unikał wszelkich kontaktów z prasą.

bardziej korzystne niż za czasów Batisty. Z drugiej strony nie chcieli zadzierać z potężną agencją wywiadowczą i wybrali drogę pośrednią: nie kończące się przygotowania. Z ogromnym tupetem oszukiwali CIA przedstawiając raporty o rozbudowie siatki, plany uśmiercenia Castry i kolejne terminy wykonania zamachu. Szefowie CIA dawali się nabierać jak dzieci na opowieści o kocie w butach i płacili tysiące dolarów (prawdopodobnie dwa miliony) oraz dostarczali rzekomym zamachowcom kolejne rodzaje „cudownej broni'': wieczne pióro z zatrutym ostrzem, bombę, która miała zabić Castrę podczas nurkowania, truciznę działającą z trzydniowym opóźnieniem, a nawet proszek powodujący wypadanie włosów, co miało pozbawić Castrę brody i złamać w ten sposób jego charyzmę. Specjaliści z CIA w supertajnych laboratoriach pracowali nad skonstruowaniem dla Castry specjalnego kombinezonu do nurkowania, który nasączony byłby prątkami gruźlicy i grzybicą. Wymyślono też piękną muszlę, która napełniona materiałem wybuchowym miała być podrzucona w rejonie, gdzie Castro często nurkował. Większość tych wynalazków lądowała na śmietniku, gdy tylko dostarczano je ludziom mafii.

Ta zabawa trwała jeszcze podczas prezydentury Kennedy'ego; prawdopodobnie w 1962 roku CIA zaniechała zabicia kubańskiego przywódcy. Szczegóły pozostaną ukryte zapewne na zawsze, gdyż bezpośredni wykonawcy operacji „Mangusta'' – Giancana i Roselli – zginęli w połowie lat 70., zanim zdołali powiedzieć cokolwiek o swoim udziale w akcji CIA.

Brak efektów operacji „Mangusta'' skłonił prezydenta Eisenhowera do zdecydowanych działań politycznych przeciwko Kubie. 3 stycznia 1961 roku, w ostatnim tygodniu swojej prezydentury, Eisenhower zerwał stosunki dyplomatyczne z Kubą, wprowadził całkowite embargo na eksport do tego państwa i zakazał importu kubańskiego cukru. Były to decyzje szczególnie dotkliwe dla gospodarki wyspy, która bez reszty zależała od eksportu cukru i dostaw amerykańskich towarów. Castro nie miał już wyjścia – musiał wpaść w szeroko rozwarte ramiona Moskwy.

Nowy prezydent, John Kennedy zdawał sobie sprawę, że próba zbrojnej interwencji może doprowadzić do zaognienia stosunków ze Związkiem Radzieckim oraz z państwami Trzeciego Świata. Prawdopodobnie nie wiedział, że Centralna Agencja Wywiadowcza postanowiła na własną rękę rozwiązać ten problem i w 1960 roku rozpoczęła przygotowania do obalenia Fidela Castro. Akcja miała być przeprowadzona tak, żeby nikt nie łączył jej z administracją amerykańską. W Gwatemali założono bazę treningową dla uchodźców kubańskich. W Stanach Zjednoczonych powstały dwie firmy: Double–Check Corporation, która wynajmowała pilotów, oraz Zenith Technical Enterprises Inc., zajmująca się wynajmowaniem sprzętu wojskowego od armii amerykańskiej, m.in. bombowców *B–26*, latających łodzi *Catalina*, *C–46 Comandos* oraz samolotów transportowych.

Przeprowadzenie operacji powierzono generałowi Reidowi Dosterowi. Był on dobrym żołnierzem, ale słabym strategiem. Opracowany przez niego plan przewidywał, że rebelianci przedostaną się łatwo i szybko do nadbrzeżnych wsi kubańskich, gdzie ludność powita ich jako wyzwolicieli od krwawego jarzma komunistów. Generał nie wziął pod uwagę, że w ciągu dwóch lat nowy rząd zorganizował i uzbroił całkiem pokaźną armię, a ludność nie była skłonna popierać wracających właścicieli plantacji i zakładów przemysłowych, których działalność była dla niej równoznaczna ze skrajną nędzą.

Castro, mając pieniądze od Rosjan, zapewnił Kubańczykom dach nad głową, bezpłatną służbę zdrowia i szkolnictwo. W tej sytuacji operacja CIA była z góry skazana na niepowodzenie. Wszystkie przygotowania odbywały się w roku 1960, a więc w czasie gdy prezydentem był Dwight Eisenhower. Jednakże zdał on urząd w styczniu 1961 roku, a decyzja o inwazji na Kubę zapadła dwa miesiące później. Czy nowy prezydent, John Kennedy wiedział o tym? CIA prawdopodobnie działała na podstawie decyzji wydanej przez Eisenhowera, tając całą sprawę przed Kennedym.

15 kwietnia 1961 roku z lotniska Puerto Cabezas w Nikaragui wystartowały samoloty *B–26B* uzbrojone w rakiety kal. 127 mm oraz 118-kilogramowe bomby. W trzech lotach zaatakowały lotniska w San Antonio de los Banos, Campo Libertad i Antonio Maceo, ale nie udało im się zniszczyć wszystkich samolotów kubańskich, co miało istotne znaczenie dla przebiegu inwazji.

O godz 5.30 17 kwietnia 1400 kontrrewolucjonistów wyskoczyło z pięciu okrętów desantowych, które dobiły do plaży w Zatoce Świń. Operacja udała się, aczkolwiek na lądzie wojska inwazyjne napotkały dobrze zorganizowaną obronę i z trudem przedarły się do nadbrzeżnych lasów. Jednocześnie do akcji przystąpiły samoloty kubańskie, które ocalały z pogromu 15 kwietnia. W czasie lądowania oddziałów inwazyjnych kubańskie Lockheed *T–33* zatopiły statek *Houston* i tuż potem posłały na dno *Rio Escondido*. Mimo tych strat i braku zaopatrzenia kontrrewolucjoniści odnieśli sukces: uchwycili przyczółki na plaży i opanowali lotnisko, na które miały przybyć samoloty z zaopatrzeniem. Wynik dalszych zmagań zależał od wsparcia lotniczego, ale wobec silnej obrony kubańskiej przestarzałe samoloty wynajęte przez CIA nie mogły zapewnić niezbędnej pomocy.

Użycie amerykańskich samolotów z lotniskowców wymagało aprobaty prezydenta Kennedy'ego. Wobec rozwoju wypadków zgodził się, aby samoloty bez znaków narodowych wystartowały z lotniskowca *Essex* i przez godzinę osłaniały naloty dokonywane przez bombowce CIA.

19 kwietnia o godzinie 3.30 z lotniska Puerto Cabezas wystartowało pięć bombowców *B–26*. Nad Kubą miały dołączyć do myśliwców Douglas *A4D–2* z *Essexa*. Jednakże błąd w synchronizacji sprawił, że samoloty z lotniskowca spóźniły się o pół godziny i przestarzałe bombowce *B–26* musiały atakować bez osłony. W rezultacie dwa z nich zostały strącone przez naziemną i powietrzną obronę przeciwlotniczą, a pozostałe w popłochu uciekły. Inwazja załamała się.

W czasie tej operacji z 24 samolotów amerykańskich Kubańczycy zniszczyli 12. Na ziemi było jeszcze gorzej. Z 1400 uchodźców, którzy wzięli udział w inwazji, 120 zginęło, a 1200 dostało się do niewoli. Nielicznym udało się powrócić na Florydę.

CIA natychmiast rozesłała do swoich placówek na całym świecie instrukcję, że wydarzenia w Zatoce Świń należy uznać za próbę udzielenia pomocy powstańcom w górach Escambray.

Nikt w to nie uwierzył. Dowody prezentowane przez Kubańczyków: amerykańska broń z demobilu, wraki spalonych bombowców *B–26* i zatopionych barek desantowych, wreszcie zeznania schwytanych kontrrewolucjonistów były jednoznaczne.

Prezydent Kennedy, choć niewiele wiedział o całej hecy, honorowo wziął na siebie winę za działanie służb USA, a w rezultacie prasa nie zostawiła na nim suchej nitki.

„Frankfurter Neue Presse'' pisał: *Należy uznać Kennedy'ego za moralnie i politycznie pokonanego.*

W „Corriere della Sera'' pojawił się komentarz: *Jednego dnia prestiż Ameryki spadł niżej niż w czasie ośmiu lat bojaźliwości i braku zdecydowania prezydenta Eisenhowera.*

W tym tonie wypowiadała się większość komentatorów światowej prasy.

Członkowie Kubańskiego Sądu Rewolucyjnego podczas procesu 1179 kontrrewolucjonistów wziętych do niewoli w Zatoce Świń, Hawana, 1962

NIEBEZPIECZNY WYŚCIG

John Kennedy oryginalnie zareagował na porażkę w Zatoce Świń. Następnego dnia wezwał wiceprezydenta Lyndona Johnsona, któremu polecił:

– Proszę ustalić, czy mamy możliwość pokonania Związku Radzieckiego umieszczając laboratorium w przestrzeni kosmicznej lub dokonując lotu dookoła Księżyca, a może wysyłając rakietę z człowiekiem na pokładzie, która wyląduje na Księżycu lub poleci na Księżyc i wróci na Ziemię. Czy istnieje jakiś program kosmiczny, którego spektakularne rezultaty pozwoliłyby nam odnieść zwycięstwo nad Związkiem Radzieckim?

Chyba właśnie wtedy prezydent zdał sobie sprawę z nieuniknionego starcia z Chruszczowem i gwałtownie poszukiwał możliwości rzeczywistego lub tylko propagandowego zwycięstwa w kosmosie. Tym bardziej że i na tym polu czuł się pokonany.

12 kwietnia 1961 roku Rosjanie wysłali w niebo rakietę z Jurijem Gagarinem na pokładzie, wyprzedzając Amerykanów o cztery tygodnie. W czasie narady w Białym Domu rozwścieczony Kennedy krzyczał na swoich współpracowników:

– Czy my w ogóle możemy ich dogonić? Jakie są nasze możliwości? Czy wykonamy lot dookoła Księżyca? Czy wylądujemy przed nimi na Księżycu? A może będziemy sobie skakać przez plecy? Czy ktoś może mi powiedzieć, jak ich dogonić?

Nikita Chruszczow, który bacznie obserwował kubańską hecę i zachowanie nowego prezydenta, doszedł do wniosku, że Kennedy to mięczak, z którym łatwo sobie poradzi.

Bardzo znamienny artykuł amerykańskiego komentatora Johna Restona ukazał się na osobiste polecenie Chruszczowa w radzieckiej „Prawdzie''.

Kennedy przypomina młodego boksera, który z wdziękiem igrał ze swym przeciwnikiem, od czasu do czasu częstując go ciosami i przyjmując aplauz od widzów, a nagle i nieoczekiwanie sam dostał silny cios w szczękę. To go mocno dotknęło. Oczarowanie dwóch pierwszych miesięcy minęło.

Kennedy wydawał się nastrojony ugodowo. Uznał, że osobiste spotkanie z Chruszczowem może przyczynić się do rozwiązania paru najważniejszych problemów, a przede wszystkim zahamowania wyścigu zbrojeń i stabilizacji sytuacji w Niemczech. Już w lutym 1961 roku (a więc w miesiąc po objęciu urzędu) odbył w Waszyngtonie rozmowę z ambasadorem amerykańskim w Moskwie Llewllynem Thompsonem i trzema byłymi ambasadorami w tym kraju: Averellem Harrimanem, Charlesem Bohlenem i George'em Kennanem. Wszyscy dyplomaci byli zdania, że spotkanie z Chruszczowem jest bardzo potrzebne. Ambasador Thompson wrócił do Moskwy z listem od prezydenta, datowanym 22 lutego, zawierającym propozycję spotkania w stolicy jednego z neutralnych państw europejskich. Dopiero 9 marca udało mu się doręczyć ten list Chruszczowowi, który przyjął zaproszenie. Chciał osobiście poznać człowieka, którego miał zamiar zwyciężyć w grze o panowanie nad światem.

Spotkali się w czerwcu 1961 roku w Wiedniu. Rozmowy trwały dwa dni. Już na samym początku Kennedy popełnił błąd. Dał się wciągnąć w dyskusję ideologiczną, a na tym polu Chruszczow miał o wiele więcej do powiedzenia. Utraconego na początku gruntu nie udało się już prezydentowi odzyskać. Spotkanie w Wiedniu umocniło Chruszczowa w przekonaniu, że w starciu z prezydentem Kennedym będzie mógł sobie pozwolić na dużo więcej, niż początkowo przewidywał.

Zależało mu przede wszystkim na załatwieniu sprawy Niemiec i Berlina będącego wyrwą w żelaznej kurtynie, jaką po zakończeniu wojny Stalin zaciągnął wokół państw socjalistycznych. W Berlinie nie było granicy. Mieszkańcy Berlina Zachodniego bez przeszkód przechodzili do Wschodniego. Obywatele Niemieckiej Republiki Demokratycznej jeździli po zakupy do zachodniej części miasta, a gdy chcieli wyrwać się z socjalizmu, po prostu nie wracali do Wschodniego Berlina. Każdego dnia tą ''bramą na Zachód'' przemykało się około tysiąca obywateli NRD. W ostatnim tygodniu lipca 1961 roku do biur uchodźców w Berlinie Zachodnim zgłosiło się dziesięć tysięcy obywateli NRD, a 7 sierpnia liczba ich przekroczyła dwa tysiące. W mieście tym funkcjonowało 80 central szpiegowskich oraz kilkadziesiąt organizacji antykomunistycznych i antysowieckich, między innymi: Rosyjska Agencja Informacyjna, Komitet Uchodźców Prawosławnych itp.

Rosjanie patrzyli na Berlin jak na ranę na zdrowym ciele socjalistycznego organizmu, przez którą przenikały „zarazki'' demokracji i wolności.

Chruszczow był twardy i nieustępliwy.

– Wojna zakończyła się 16 lat temu, a ciągle brak traktatu pokojowego – mówił na spotkaniu z Kennedym. – Niemcy Zachodnie stały się państwem dominującym w NATO, co zagraża światu trzecią wojną. Jeżeli Stany Zjednoczone odmówią podpisania z Niemcami traktatu pokojowego, Związek Radziecki zrobi to sam, i to jeszcze w tym roku.

– Chce pan jednostronnie zmienić istniejącą sytuację? – spytał Kennedy. – Czy to jest metoda zachowania pokoju?

– Związek Radziecki nie zaakceptuje amerykańskich praw do Berlina Zachodniego po podpisaniu traktatu pokojowego – oświadczył Chruszczow. – Ja chcę pokoju, a jeżeli pan chce wojny, to już pana problem.

– To pan, nie ja, chce zmian – odparł Kennedy.

Chruszczow wrócił do Moskwy z poczuciem zwycięstwa. Był przekonany, że może sobie pozwolić na następny ruch, gdyż Kennedy nie zrobi nic, aby się mu przeciwstawić. Postanowił zaatakować na dwóch frontach: w Berlinie i na Kubie. Jego plan był bardzo niebezpieczny, ale wart wypróbowania. Zwycięstwo ugruntowałoby pozycję Związku Radzieckiego i zepchnęło Stany Zjednoczone do defensywy.

WIELKI SZLEM

Latem 1962 roku do Moskwy przybyła delegacja kubańska, której przewodniczył Raul Castro. 8 i 9 lipca w rozmowach wziął udział Chruszczow. Możemy przyjąć, że wówczas to zapadła decyzja o wysłaniu na Kubę radzieckich rakiet średniego zasięgu *SS–4* i *SS–5*.

Fidel Castro przyznał kilka lat później w rozmowie z francuskimi dziennikarzami: „Pierwotny pomysł zrodził się u Rosjan i tylko u nich. (...) Nie chodziło bynajmniej o to, by zapewnić nam bezpieczeństwo, lecz by umocnić socjalizm na świecie''.

Castro wyraził zgodę, gdyż inne rozwiązanie nie wchodziło w grę. Wiedział, że to Rosjanie utrzymują państwo i jego dyktaturę. Musiał okazać wdzięczność. Wspominał: „Nie można było nie przyjąć na siebie części ryzyka, jakie podejmował dla nas Związek Radziecki''.

Rosjanie zaplanowali, że do końca grudnia 1962 roku na Kubie zostaną zainstalowane 42 pociski *SS–4,* a następnie 24 nowocześniejsze, o większym zasięgu rakiety *SS–5.* Bazy rakiet balistycznych miały być chronione przez 24 zestawy rakiet przeciwlotniczych i obsługiwane przez 22 tysiące radzieckich żołnierzy i techników. To było wielkie przedsięwzięcie, które mogło zmienić układ sił między obydwoma mocarstwami.

Bazy na Kubie, odległej zaledwie o 90 mil od wybrzeży Florydy, były ogromnym zagrożeniem dla Stanów Zjednoczonych. W ciągu paru minut rakiety mogły osiągnąć cele na wschodnim wybrzeżu USA. Cała akcja miała być przeprowadzona w największej tajemnicy i Kennedy miał dowiedzieć się o wszystkim dopiero wtedy, gdy rakiety stałyby na wyrzutniach, gotowe do odpalenia. Prawdopodobnie na początku sierpnia ze Związku Radzieckiego wyruszyły statki z rakietami i niezbędnymi urządzeniami startowymi.

Jednocześnie Chruszczow uderzył w Berlinie, co miało odwrócić uwagę Amerykanów od Kuby i zlikwidować zagrożenie, jakim dla socjalizmu były „berlińskie wrota''.

13 sierpnia 1961 roku kilka minut po północy oddziały enerdowskiego wojska i policji zablokowały drogi prowadzące do Berlina Zachodniego. Ulice zostały przecięte kozłami z drutem kolczastym i betonowymi blokami. Gdy wstał świt, tłumy berlińczyków zmierzających do zachodniej części miasta stanęły przed policyjnymi posterunkami. Tego dnia około półtora tysiąca ludzi uciekło na zachód korzystając z dróg, jakich nie udało się jeszcze odciąć: ogrodów, kanałów, przejść wybitych w murach piwnic. Jednakże policja i wojsko bardzo szybko uszczelniały betonową granicę. Mur, nazwany przez berlińczyków „chińskim murem Ulbrichta''*) rósł w oczach zdumionych mieszkańców.

Równie zaskoczony był Kennedy i rządy państw zachodnich. 17 sierpnia wystosowały protest, ale wówczas wszystkie drogi prowadzące na zachód były

*) Chodziło o Waltera Ulbrichta (1893-1973), przewodniczącego Rady Państwa i I sekretarza partii komunistycznej SED.

już zamknięte murem wysokim na trzy metry, zwieńczonym drutem kolczastym. Próby sforsowania go kończyły się z reguły śmiercią śmiałków.

Kennedy przysłał do Berlina Zachodniego wiceprezydenta Lyndona Johnsona, któremu towarzyszył głównodowodzący wojskami amerykańskimi w Republice Federalnej Niemiec, generał Lucius Clay oraz specjalista od spraw radzieckich w Departamencie Stanu, Charles Bohlen.

– Przybyłem do Berlina na polecenie prezydenta Kennedy'ego – mówił Johnson. – Chce, żebyście wiedzieli, i ja chcę, żebyście wiedzieli, że obietnica zachowania wolności Berlina Zachodniego i dostępu do Berlina z zachodu jest aktualna.

W tym też czasie do miasta przysłano 1500 amerykańskich żołnierzy i 250 pojazdów. Był to gest, który nie zaniepokoił Rosjan, co wykazali dobitnie w punkcie kontrolnym Helsted na autostradzie prowadzącej z Niemiec Zachodnich do Berlina Zachodniego, gdzie zatrzymano amerykański transport wojskowy. Utarł się zwyczaj, że gdy w samochodzie było więcej niż dwudziestu żołnierzy, opuszczali pojazd, by łatwiej ich było policzyć. Tego dnia dowódca konwoju zabronił żołnierzom wysiadania, twierdząc, że w każdej ciężarówce jest dziewiętnastu żołnierzy oraz kierowca i pomocnik, którzy się nie liczą. Rosjanie nie otworzyli szlabanu i przez 22 godziny transport stał na granicy. Dopiero w wyniku najwyższych interwencji obie strony zgodziły się na kompromis i konwój przejechał.

Protesty przeciwko budowie muru odniosły tylko ten dobry skutek, że Chruszczow zrezygnował z pomysłu podpisania z NRD traktatu pokojowego, gdyż uznał, że nie należy przeciągać struny. Poza tym chciał zrealizować ważniejszy plan.

Miał wszelkie podstawy, aby wierzyć, że w następnym starciu – na Kubie, decydującym – też będzie górą.

Budowa berlińskiego muru, sierpień 1961

JAK NA SCENIE

– I jeszcze jeden raport. – Sekretarz podsunął generałowi Iwanowi Sierowowi, szefowi wywiadu wojskowego, kartkę z nadrukiem KGB.

– O co chodzi?

– Kontrwywiad melduje, że pułkownik Pienkowski był dwa dni temu w ambasadzie brytyjskiej...

– Co w tym dziwnego? Taka jego praca.

– Jednakże nie zameldował o tym w Drugim Zarządzie ani też nie złożył wymaganego raportu. Sprawa musi być poważna, skoro ten raport podpisał sam generał Gribanow. – Sekretarz wskazał na dokument.

– Dla nich wszystko jest poważne! – Sierow machnął ręką z wyraźnym zniecierpliwieniem. Konflikt między KGB i GRU utrzymywał się od momentu powstania tych instytucji i ich szefowie nie przegapiali żadnej okazji, żeby wytknąć konkurentowi błędy lub oskarżyć o nieudolność. – Zostawcie ten raport, sam odpiszę Gribanowowi.

List, który przesłał szefowi kontrwywiadu, Olegowi Gribanowowi, wzburzył adresata. Sierow wyraźnie dawał do zrozumienia, że kontrwywiad powinien zajmować się łapaniem szpiegów, a nie zawracać głowę ludziom zajętym ciężką służbą dla komunizmu. Gdyby nie impertynencka odpowiedź, szef kontrwywiadu nie wracałby zapewne do drobnego uchybienia służbowego popełnionego przez pułkownika Pienkowskiego. Jednakże, gdy przeczytał list Sierowa, postanowił dokuczyć jego pupilowi.

Najpierw kazał sobie dostarczyć wszystkie informacje, jakie w KGB przechowywano o pułkowniku. Wyłaniał się z nich tak kryształowy obraz, że Gribanow na moment zwątpił, czy jest sens podejmować jakiekolwiek kroki przeciwko Pienkowskiemu: Rosjanin, urodzony w roku 1919, członek partii komunistycznej od 1940 roku, trzynaście odznaczeń, osiem medali, duże sukcesy w pracy zawodowej. Jednakże Gribanow nakazał rozpoczęcie inwigilacji. Być może natura łapacza podpowiadała mu, że w tej drobnej na pozór sprawie nie wszystko jest w porządku. Uczono go, że w takich wypadkach nie należy nigdy oddalać podejrzeń. Należy wszelkie wątpliwości wyjaśniać! Tym bardziej że raport ludzi obserwujących ambasadę brytyjską wskazywał, iż w Moskwie zaczęła działać dobrze zorganizowana siatka szpiegowska.

Agenci kontrwywiadu zauważyli, jak z ambasady wyszła pani Janet Chisholm. Wiedzieli, że jest żoną oficera wywiadu i prawdopodobnie sama również pracuje w branży. Ruszyli za nią, starając się jednak zachowywać bezpieczny odstęp. W pewnym momencie dostrzegli, że na rogu ulicy, gdy Angielka oczekiwała na zmianę świateł, stanął przy niej wysoki Rosjanin. Zamienił z obserwowaną parę słów, a następnie podał jej coś, co ona szybko schowała do torebki. Gdy światło zmieniło się, Janet Chisholm w tłumie podała torebkę innej kobiecie, która w zamian wręczyła jej identyczną. Wymiana była tak błyskawiczna, że tylko dzięki zbiegowi okoliczności jeden z agentów w ogóle ją zauważył.

Instrukcja, jaką otrzymał, zabraniała jednak ujawniania się i zatrzymywania którejkolwiek kobiety. Poza tym agenci nie mieli pewności, czy torebka za chwilę ponownie nie zmieni posiadaczki i zatrzymanie kobiet mogło jedynie skompromitować kontrwywiad, a zarazem ostrzec przeciwników. Janet Chisholm skierowała się z powrotem do ambasady. Dwaj agenci poszli za nią zachowując odpowiednią odległość. Dwaj inni podążali za Rosjaninem, ale po dwudziestu minutach zdołał umknąć im na jednym z pięter domu towarowego GUM. Jak wynikało z relacji, śledzony mężczyzna zachowywał się jak zawodowiec. Gribanow umocnił się w podejrzeniu, że w Moskwie działa brytyjska siatka szpiegowska.

Stare, skuteczne metody wypracowane przez KGB nakazywały w takiej sytuacji zarzucenie sieci, jak największych i jak najgłębiej sięgających. Nie miało znaczenia, jak wiele osób w nie wpadnie; więzienia były pojemne, a obozy na Syberii jeszcze rozleglejsze. Ważne było tylko to, że pojawiła się szansa złapania właściwej osoby. Gribanow nie podejrzewał nawet, że to Pienkowski jest mężczyzną, który przekazał pani Chisholm tajemniczy pakiet.

W lipcu 1962 roku naprzeciwko domu, w którym mieszkał Pienkowski, zatrzymał się samochód, a z niego wysiadło dwóch mężczyzn. Z bagażnika wyjęli dwie skrzynki na kwiaty i skierowali się do bramy. Po kilku minutach okno na drugim piętrze otworzyło się, a mężczyźni zaczęli pieczołowicie ustawiać skrzynki na parapecie. Nie wiadomo, w jaki sposób z mieszkania zostali usunięci lokatorzy. Może powiedziano im, że lokal będzie remontowany, gdyż wykryto wadę budowlaną zagrażającą bezpieczeństwu mieszkańców? Może pewnego dnia po prostu przyszedł milicjant, kazał podpisać dokument o zachowaniu tajemnicy i lokatorów przeniesiono do innej dzielnicy?

Od początku lipca w opróżnionym mieszkaniu osiedlili się agenci kontrwywiadu. Z okien wychodzących na szeroką ulicę mieli doskonały widok na mieszkanie Pienkowskiego. W skrzynkach ze sztucznymi kwiatami zainstalowano dwa aparaty fotograficzne z teleobiektywami. Stale pracował tylko jeden, uruchamiany automatem zegarowym. Druga kamera miała być użyta w razie awarii pierwszej lub wymiany filmu.

Przyzwyczajenia Pienkowskiego ułatwiały pracę agentów: nie zasłaniał okien i wchodził zwykle do gabinetu o tej samej porze. Jednakże przez pierwszy tydzień nie zaobserwowano niczego ważnego. Dopiero ósmego dnia na zdjęciu zrobionym o 23.00 można było dostrzec, że Pienkowski usiadł w fotelu przy radiu. Fotel stał bokiem do okna i obserwujący mogli bardzo dokładnie widzieć, co pułkownik robi. Na zdjęciu wykonanym trzy minuty później nie było go w fotelu; przy analizowaniu fotografii uznano, że poszedł do biurka, aby wziąć kartkę i ołówek. O 23.06 ponownie usiadł przy radiu i trzymając na kolanie kartkę coś notował. Na bardzo dużym zbliżeniu można było dostrzec, że wskazówka radiowej skali była ustawiona na stację BBC. Obraz był jednak słabo czytelny i na podstawie tego zdjęcia nie można było postawić Pienkowskiemu żadnego zarzutu.

Jednakże fotografia potwierdziła przeczucia Gribanowa, zwłaszcza że do jego rąk trafił meldunek milicjanta o niewłaściwym zachowaniu funkcjonariusza KGB (milicjant sądził, że miał do czynienia z pracownikiem KGB, a nie GRU), który zza kierownicy służbowego samochodu obserwował ambasadę brytyjską. Sprawdzono numery wozu i ustalono, że owego dnia jeździł nim Pienkowski. Gribanow zarządził ścisłą obserwację podejrzanego. Od tego momentu jak cienie towarzyszyli pułkownikowi ludzie z KGB.

W końcu lipca zaobserwowali, że taksówką pojechał on do hotelu „Ukraina''. Jeden z agentów wszedł za nim do windy. Pienkowski wysiadł na 25. piętrze. Agent pojechał wyżej. Odczekał parę chwil i wrócił na piętro, na którym wysiadł Pienkowski. Biurko etażowej ustawione było tak, że mogła obserwować ludzi, którzy wysiadali z windy, a jednocześnie widziała, w który z czterech korytarzy, ułożonych w kształcie litery ''H'', kierują się. Przy odrobinie dobrej woli lub w wyniku polecenia mogła sprawdzić, do którego pokoju wchodzi przybysz.

Agent podszedł do niej i wysunął z kieszeni róg legitymacji.

– Przed chwilą przyjechał tu mężczyzna w szarym garniturze...

– Widziałam, skierował się w tamten korytarz. Zapisałam. – Wyciągnęła z szuflady zeszyt, gdzie starannie opisała sytuację związaną z przybyciem pułkownika.

– Zauważyłyście, do którego pokoju poszedł?

– Nie było takiego polecenia... – Kobieta wydawała się wyraźnie speszona.

– Ile jest pokoi w tamtym korytarzu?

– Osiemnaście. Dwa są wolne, od dwunastu ja mam klucze. Musiał wejść do któregoś z czterech pozostałych.

– Są tam jacyś zagraniczni?

– Tak, Anglik. – Etażowa spojrzała do zeszytu z listą gości. – To jego nazwisko. Mieszka w pokoju 2508.

– Greville Wynne. – Agent zapisał nazwisko w notesie. – Gdy tylko ten obywatel, który przyjechał przed chwilą, wyjdzie, zadzwońcie do mnie do recepcji. Powiedzcie, że to wiadomość dla Wowy. Jak wyjdzie Anglik, również mnie informujcie.

– Tak jest, towarzyszu Wowa! – Kobieta poderwała się z miejsca, ale agent nie zwracał już na nią uwagi. Jednakże przed wejściem do windy odwrócił się na chwilę.

– Przekażę, żeby dali wam pochwałę! – obiecał.

W rozległym hallu na parterze, gdzie kłębił się tłum ludzi zamieszkujących ten ogromny, trzydziestopiętrowy hotel, Wowa odnalazł dwóch pozostałych agentów.

– Jest w pokoju 2508, u Anglika o nazwisku Wynne. Sprawdźcie, czy podsłuch działa, a taśmy niech dzisiaj prześlą do ''Smoka''. – To był pseudonim Gribanowa. – Będzie siedział u tego Anglika przez kilkanaście minut, więc niech przyślą tu nową zmianę. Czas, żebyśmy zniknęli.

Człowiek, któremu Wowa przekazał polecenie, podszedł do kontuaru recepcji.

MI–4 podczas tankowania w locie

Radziecki atomowy okręt podwodny

WYRZUTNIE
RAKIETY POD NAMIOTEM
CIĘŻARÓWKI – CYSTERNY

BAZA RAKIETOWA W OKOLICACH SAN CRISTOBAL SFOTOGRAFOWANA Z MAŁEJ WYSOKOŚCI
CIĘŻARÓWKI
CYSTERNY Z PŁYNNYM TLENEM

John Kennedy

Odsunął na bok jakiegoś Azjatę, który wrzeszczał na recepcjonistkę i bezceremonialnie sięgnął po telefon. Widocznie ten gest miał swoje znaczenie, gdyż urzędniczka, która przerwała kłótnię z Azjatą i już nabierała tchu, aby zwymyślać nowo przybyłego za omijanie kolejki, nagle zwróciła się znów do Azjaty i na nim wyładowała całą złość.

Generał Gribanow nie ukrywał zadowolenia, gdy przeczytał raport agentów śledzących Pienkowskiego. Był już pewny, że zarzucona przed kilku tygodniami sieć zaczyna się zapełniać.

– Towarzyszu generale, to zawodowiec – odezwał się w słuchawce szef wydziału podsłuchu badającego taśmy magnetofonowe z hotelu ''Ukraina''. – Niewiele możemy zrozumieć.

– Przyjdźcie do mnie z taśmami.

Kierownik zjawił się w gabinecie Gribanowa po kilku minutach. Włączył magnetofon do gniazdka i przekręcił gałkę. Z głośnika słychać było tylko głośną muzykę i jakiś szum.

– Co to za szum? – zainteresował się Gribanow.

– Włączyli radio i odkręcili krany nad wanną i umywalką. Sądzę, że nawet podstawili miskę pod strumień wody, aby był większy hałas.

Słuchali przez chwilę w milczeniu. Z głośnika czasami dały się słyszeć głosy, ale pozostałe dźwięki maskowały brzmienie słów.

– Chytrus! – mruknął z uznaniem Gribanow. – Zawsze może powiedzieć, że jak przyszedł do Anglika, to ten słuchał radia i przygotowywał sobie kąpiel. Wydobędziecie coś z tych taśm?

– Będzie ciężko. Musimy popracować, ale i tak nie mogę zagwarantować skutku.

– Jestem przekonany, że to nagranie jest kluczem do ważnej, bardzo ważnej sprawy. – Gribanow wyłączył magnetofon, gdyż dalsze wsłuchiwanie się w hałas nie miało sensu. – Musicie to ujawnić!

Jednakże niewiele udało się odtworzyć z rozmowy. Pojedyncze słowa mogły wskazywać, że spotkanie w hotelowym pokoju miało charakter szpiegowski, ale wciąż nie były to dowody, które Gribanow musiał przedstawić, aby uzyskać nakaz aresztowania wysokiego rangą oficera z wywiadu wojskowego. W tej sprawie nie mógł sobie pozwolić na najmniejszy nawet błąd, gdyż jego rywal z GRU, Iwan Sierow natychmiast by to wykorzystał. Ponadto Sierow, ratując przyjaciela mógł stwierdzić, że ujawnione akty zdrady były tylko grą prowadzoną przez GRU, a KGB niewczesną interwencją pomieszała wywiadowi wojskowemu szyki. Gribanowowi pozostało tylko cierpliwe czekanie na niezbite dowody.

W sierpniu 1962 roku sąsiedzi Pienkowskiego, mieszkający pietro wyżej, wyjechali na wakacje nad Morze Czarne. Byli tak uradowani z otrzymania przydziału na wczasy do domu związków zawodowych, że podzielili się wiadomością o tym z pułkownikiem. Nie zwrócił on jednak uwagi na nagłe powodzenie sąsiadów, choć mogło się wydać dość dziwne, gdyż nie należeli do związków zawodowych. Następnego ranka, gdy Pienkowskiego nie było w domu, do mieszkania szczęśliwych wczasowiczów weszli specjaliści z kontrwywiadu. W podłodze wywiercili dziurę i umieścili w niej miniaturowy aparat fotograficzny z obiektywem o tak dużym kącie widzenia, że obejmował cały pokój położony niżej. Od tego momentu każdy krok Pienkowskiego miał być zarejestrowany. Nie czekano długo. Już najbliższego wieczora zdjęcie ukazało, jak pułkownik wydobywa z sekretnej szufladki w biurku bibułkę (jak się okazało później, zawierała jednorazowy szyfr otrzymany od Janet Chisholm podczas spotkania obserwowanego przez agentów kontrwywiadu), jak studiuje ją przez duże szkło powiększające i następnie sporządza meldunek. Następnego dnia sfotografowano obserwowanego podczas wyjmowania kasety z miniaturowego aparatu fotograficznego.

Gribanow z upodobaniem wpatrywał się w zdjęcia dostarczone przez agentów. Niejasne podejrzenie, jakie w nim zakiełkowało kilkanaście dni wcześniej, okazało się uzasadnione. Nikt nie mógł już mieć cienia wątpliwości, że Pienkowski pracuje dla wywiadu brytyjskiego. Gribanow nie zdecydował się jednak na aresztowanie szpiega. Nie wiedział jeszcze nic o jego kontaktach. Spotkanie w hotelu ''Ukraina'' zdekonspirowało wprawdzie Wynne'ego, który po bliższym sprawdzeniu okazał się kurierem brytyjskich tajnych służb, jednakże następnego dnia opuścił on Związek Radziecki. Komu i w jaki sposób Pienkowski teraz przekazywał informacje? Jakie to były informacje? Od kogo je otrzymywał? Tego kontrwywiad jeszcze nie wiedział. Gribanow czuł jednak, że cała sprawa jest ogromnie ważna.

Należało więc pozbyć się Pienkowskiego na parę dni z Moskwy i dokładnie przeszukać jego mieszkanie. Najprostszym wyjściem byłoby wysłanie go w podróż służbową, ale wówczas miałby czas, żeby materiały szpiegowskie ukryć lub zabrać ze sobą. Poza tym Gribanow nie chciał wtajemniczać w działanie swej instytucji nikogo z GRU, gdyż nie wiedział, kto jeszcze należy do brytyjskiej siatki. Należało zmusić Pienkowskiego do natychmiastowego opuszczenia mieszkania. Ale jak?

Rozwiązanie zaproponowali spece z wydziału technicznego KGB, i okazało się bardzo skuteczne. Poręcze fotela w biurze Pienkowskiego posmarowano substancją wywołującą gwałtowne torsje i gorączkę. Nie czekano długo. Pienkowski, gdy wypalił kilka papierosów, za pośrednictwem których środek chemiczny z dłoni dotykającej poręczy dostał się do ust, poczuł się bardzo źle. Silne skurcze żołądka, potem torsje i wreszcie gorączka zmusiły go do udania się do lekarza przyjmującego w gmachu Państwowego Komitetu Nauki i Techniki. Ten, poinstruowany wcześniej przez KGB, zalecił hospitalizację. Wezwał karetkę i przekonał pułkownika, że natychmiastowa obserwacja szpitalna jest kwestią jego życia lub śmierci.

Tego wieczora ludzie Gribanowa weszli do opuszczonego mieszkania. Pienkowski nie spodziewał się zapewne rewizji, gdyż bez większego kłopotu znaleziono materiały szpiegowskie. Agent był tak nieostrożny i pewny siebie, że prowadził ścisłą ewidencję swej działalności. Z tajnych, choć łatwych do rozszyfrowania notatek wynikało, że dwoma aparatami *minox* wykonał 5 500 zdjęć*). Na szczęście dla ludzi, którzy z nim współpracowali, nie pozostawił żadnych zapisków na ich temat.

Ale dotarcie do nich było tylko kwestią czasu. Pienkowskiemu również nie pozostało go wiele...

*) Według innych źródeł – 10 tysięcy

Anglo-amerykańska grupa współpracująca z Pienkowskim, Londyn, 1961

PIERWSZE STARCIE

– Panie prezydencie! – John McCone, szef Centralnej Agencji Wywiadowczej, który wrześniowego ranka wszedł do Gabinetu Owalnego, był wyraźnie poruszony. – Doniesienia z Kuby są alarmujące!

Kennedy wskazał mu fotel pod ścianą. Sam usiadł naprzeciwko i w milczeniu patrzył, jak McCone rozkłada na niewielkim stoliku kartki i zdjęcia.

– Raporty wywiadowcze wskazują, że na Kubie jest już pięć tysięcy radzieckich specjalistów...

– Zawsze było ich wielu – przerwał mu Kennedy.

– Ich obecność jest związana bezpośrednio z instalacjami militarnymi. Oto zdjęcia! – McCone położył na wierzchu kilka fotografii, które Kennedy zaczął z uwagą studiować.

– Zidentyfikowaliśmy ponad wszelką wątpliwość budowę wyrzutni rakiet przeciwlotniczych *SAM* o zasięgu 25 mil.

– Trochę za mało, żeby doleciały do nas. Poza tym są to rakiety obronne. – Kennedy odłożył zdjęcia.

– Materiały, jakie otrzymujemy ze Związku Radzieckiego, wskazują niezbicie, że rakiety tego typu stosowane są do obrony wyrzutni rakiet balistycznych. – McCone mówił o informacjach przekazywanych przez Pienkowskiego. – Na planach baz radzieckich widać pozycje rakiet przeciwlotniczych ustawionych w identyczny sposób jak na Kubie.

– Chce pan powiedzieć, że wkrótce Rosjanie będą mieli na Kubie rakiety z głowicami nuklearnymi? – Kennedy był wyraźnie zaskoczony.

– Tak, sir! – z naciskiem powiedział szef CIA. – Co do tego nie mam najmniejszej wątpliwości. To sprawa tygodni. Prace w dżungli trwają i mają zakres znacznie większy, niż potrzeba do zainstalowania rakiet przeciwlotniczych. Porównanie z materiałami ze Związku Radzieckiego wskazuje, że na Kubie budowane są wyrzutnie dla rakiet średniego zasięgu *SS–4*.

– Dziękuję panu. – Kennedy wstał z miejsca. – Proszę mnie na bieżąco informować o rozwoju sytuacji. Ma to najwyższe znaczenie dla bezpieczeństwa Stanów Zjednoczonych.

Prezydent nie chciał jednak czekać na kolejne raporty. Postanowił działać, aby nie dopuścić do wybudowania pod bokiem swego kraju baz rakiet nuklearnych. 4 września wygłosił przemówienie telewizyjne zawierające pierwsze ostrzeżenie pod adresem Związku Radzieckiego.

Powstanie najpoważniejszy problem, jeżeli wyjdą na jaw dowody oczywistych możliwości broni ofensywnych w rękach kubańskich lub pod zarządem radzieckim – mówił.

Rosjanie zlekceważyli to ostrzeżenie. Tydzień później, 11 września, agencja TASS opublikowała oświadczenie:

Władze Związku Radzieckiego upoważniły TASS do wydania oświadczenia, że Związek Radziecki nie potrzebuje przenosić swojej broni, w celu przeciwdziałania agresji, do innego kraju, jak na przykład na Kubę. Nasza broń nuklearna jest tak potężna i Związek Radziecki ma tak potężne rakiety, że nie istnieją powody do poszukiwania dla nich miejsc poza granicami ZSRR. Twierdziliśmy zawsze i powtarzamy, że jeżeli zostanie rozpętana wojna, jeżeli agresor dokona ataku na takie lub inne państwo lub jeżeli jakieś państwo poprosi o pomoc, Związek Radziecki ma możliwości udzielenia z własnego terytorium pomocy każdemu państwu miłującemu pokój, nie tylko Kubie.

To była twarda odpowiedź, gdyż Chruszczow w dalszym ciągu uważał Kennedy'ego za mięczaka, który boi się zdecydowanego tonu i nie będzie miał ochoty stawać do otwartej walki. Pomylił się...

Cztery dni później, 15 września 1962 roku, załoga samolotu Lockheed *P–2 Neptune* sfotografowała radziecki statek *Omsk* zmierzający do kubańskiego portu. Na jego pokładzie widoczne były dwa obłe pojemniki, które bez wątpienia zawierały rakiety balistyczne. 19 września wywiad amerykański wykrył, że na Kubę przybył następny transport tego typu pojemników.

Radzieckie statki z rakietami w kubańskim porcie Mariel

POJEDYNEK GIGANTÓW

Major Steve Heyser odpoczywał po locie nad Kubą, nie mając pojęcia, jak ważne materiały zawierają kasety z filmami wykonanymi podczas sześciominutowego lotu nad wyspą.

Eksperci z US Air Force, dzięki informacjom dostarczonym przez Pienkowskiego, bez trudu odnaleźli na zdjęciach dżungli zarysy baz rakietowych, zidentyfikowali pojazdy używane do przewozu rakiet, cysterny, dźwigi i wiele innych urządzeń. Obraz, jaki wydobywali z lotniczych zdjęć, dokładnie pokrywał się z planami baz, opisem rakiet, miejsc ich rozmieszczenia, typami instalacji używanymi w bazach na terenie Związku Radzieckiego, których plany i zdjęcia przesyłał Oleg Pienkowski.

14 października o godzinie 20.30 John McCone ponownie wszedł do Gabinetu Owalnego. Obok prezydenta zastał jego brata Roberta, prokuratora generalnego i najbliższego doradcę Johna.

– Nie myliłem się ani o włos, sir! – z wyraźną dumą oznajmił szef CIA kładąc na biurku prezydenta zdjęcia zrobione przez majora Heysera.

Bracia Kennedy'owie pochylili się nad odbitkami formatu 20 na 30 centymetrów. Były już dokładnie rozpracowane i białe napisy objaśniały kształty widoczne na wyciętych w dżungli polanach.

– Pojemniki z rakietami... ciężkie pojazdy transportowe... cysterny na wodę... baraki dla załogi... – odczytywał prezydent.

– Następna grupa zdjęć zrobionych nad bazą lotniczą w Camilo Cienfuegos przedstawia samoloty bombowe *Ił–28* zdolne do przenoszenia bomb nuklearnych. – McCone położył na biurku kilka fotografii lotniczych.

Kennedy wyprostował się. Widok baz z rakietami z głowicami nuklearnymi sto kilkadziesiąt kilometrów od granic Stanów Zjednoczonych wzburzył go.

– Proszę rozpocząć loty na niedużej wysokości. Muszę mieć niezbite dowody. Jutro o 9 rano proszę przybyć na konferencję.

W naradzie, obok szefa CIA, wzięli udział ludzie, od których zależało bezpieczeństwo Stanów Zjednoczonych i los świata: wiceprezydent Lyndon B. Johnson, sekretarz stanu Dean Rusk, sekretarz obrony Robert McNamara, prokurator generalny Robert Kennedy i kilku innych najwyższych urzędników. Utworzyli oni ExCom, co było skrótem od Executive Committee of the National Security Council (Komitet Wykonawczy Narodowej Rady Bezpieczeństwa) – organizację, która miała doradzać prezydentowi i decydować o działaniach w czasie narastającego kryzysu.

Według sekretarza obrony Rosjanie potrzebowali co najmniej dziesięciu dni na zakończenie prac instalacyjnych na Kubie. Do tego momentu ich rakiety nie były groźne dla USA. Dawało to prezydentowi trochę czasu na przemyślenie decyzji i przystąpienie do działania. Jednakże było go za mało, aby zwrócić się do Organizacji Narodów Zjednoczonych. Rosjanie mogli łatwo opóźnić debatę do czasu uzyskania możliwości odpalenia rakiet. Również na konsultacje z sojusznikami prezydent nie mógł liczyć, gdyż nie starczyłoby czasu na dyskusje i spory. Decyzje o najbliższych przedsięwzięciach musiał podjąć sam.

Uderzyć na radzieckie bazy? To było bardzo ryzykowne posunięcie. Specjaliści z CIA nie mogli zagwarantować, że wykryto wszystkie bazy. Jeżeli więc amerykańskie samoloty nie zniszczyłyby choć jednej, startujące stamtąd rakiety mogły obrócić w ruinę kilka amerykańskich miast. Gdyby zaś udało się zlikwidować wszystkie bazy za jednym uderzeniem (obliczono, że samoloty musiałyby wykonać 500 lotów), należało uwzględnić wysokie ofiary wśród ludności cywilnej oraz radzieckich specjalistów. To z kolei obróciłoby przeciwko Stanom Zjednoczonym państwa Ameryki Środkowej i Południowej. Śmierć Rosjan mogłaby doprowadzić do bezpośredniej konfrontacji militarnej ze Związkiem Radzieckim. Należało znaleźć inne wyjście.

Podsunął je Robert Kennedy: blokada Kuby! Uniemożliwienie zaopatrywania radzieckich baz. Pomysł wydał się dobry, ale jak go zrealizować? Żadne państwo nie miało prawa zatrzymywania na wodach międzynarodowych jednostek obcych bander.

Późnym wieczorem do domu profesora prawa międzynarodowego Nicolasa Katzenbacha przyjechał Robert Kennedy. Wcześniej dzwonił prosząc o szybkie spotkanie, ale nie chciał przez telefon ujawnić celu wizyty.

– Byłbym panu wdzięczny za opracowanie podstaw prawnych blokady morskiej Kuby. Oczywiście blokady pokojowej – powiedział, gdy tylko wszedł do gabinetu w podmiejskiej willi profesora.

– Takie pojęcie nie mieści się w kategoriach prawa międzynarodowego. – Katzenbach wzruszył ramionami, zaskoczony, że prokurator generalny wyznacza mu zadanie, którego nie da się rozwiązać.

– Chodzi właśnie o to, aby się mieściło – oświadczył z naciskiem Kennedy.

Jeszcze tej nocy Katzenbach zaprosił do siebie trzech znakomitych prawników.

– Sytuacja na Kubie uległa pogorszeniu. Musimy zbadać możliwości wprowadzenia czegoś na kształt blokady morskiej. Wiem, że to koliduje nieco z normami prawa czasu pokoju, ale musimy znaleźć jakąś formułę w tej trudnej sytuacji.

To się nie udało. Ani zespół Katzenbacha, ani drugi zespół, pracujący w Departamencie Stanu nie znalazł podstaw prawnych sankcjonujących izolację suwerennego państwa i zatrzymywanie na pełnym morzu statków innego suwerennego państwa. Mimo to Katzenbach i jego trzej doradcy naszkicowali tekst proklamacji, którą przekazali prezydentowi 20 października.

Mimo wielu niebezpieczeństw Kennedy wyczuwał, że w tej rozgrywce będzie górą. Cała akcja miała rozegrać się tuż u wybrzeży Stanów Zjednoczonych, pod bokiem amerykańskiej potęgi morskiej i lotniczej. Związek Radziecki wysyłając okręty tysiące mil od swoich portów nie miał żadnych szans zapewnienia im osłony. Rosjanom pozostawało uruchomienie machiny strategicznej, ale w 1962 roku Amerykanie uzyskali przewagę w tej dziedzinie. Wojna nuklearna musiałaby zakończyć się przegraną Związku Radzieckiego. Tę świadomość miał również

Chruszczow. Jednakże parł do przodu, dopóki był przekonany, że Kennedy będzie się usuwał z drogi.

Prezydent wciąż nie podejmował decyzji. Oczekiwał na ostateczne dowody i ocenę liczebności radzieckich sił nuklearnych na Kubie i starał się wysondować, jak daleko mogą posunąć się Rosjanie.

15 września samoloty McDonnel *RF–101C* startujące z bazy Shaw w Arkansas dokonały lotów na wysokości stu kilkudziesięciu metrów nad bazami w rejonie San Cristobal. Zdjęcia z ich kamer nie pozostawiały żadnej wątpliwości: wyraźnie widoczne były długie wiaty osłaniające pociski rakietowe, drogi do wyrzutni, wiązki kabli biegnące do bunkrów, z których rakiety miały zostać odpalone.

18 października do Białego Domu przyjechał Andriej Gromyko, radziecki minister spraw zagranicznych. Drobny, szczupły, bardzo opanowany – co bez wątpienia było wynikiem doskonałej stalinowskiej szkoły – nie miał zamiaru zdradzać prezydentowi radzieckich planów.

– Kuba obawia się amerykańskiej inwazji – oznajmił siedząc naprzeciw prezydenta. – Radziecka pomoc militarna dla tego kraju ma charakter czysto obronny i nigdy nie będzie niczym innym.

Kennedy zawahał się na moment. Wystarczyło wydać polecenie, aby dostarczono zdjęcia radzieckich wyrzutni. Jednakże nie zrobił tego. Nie chciał ujawniać, jak dużo wie o radzieckich działaniach na wyspie. Rozmowa miała jedynie dać do zrozumienia przedstawicielowi radzieckiego rządu, że prezydent nie da się zastraszyć. Czy udało się zrealizować ten cel? Zapewne tak, gdyż Gromyko w raporcie dla Chruszczowa wspomniał o determinacji Kennedy'ego. Nie wiadomo natomiast, w jakim stopniu ta opinia wpłynęła na decyzje Chruszczowa.

Obydwaj przywódcy starali się utrzymać tradycyjne kanały łączności, chociaż po raz pierwszy z całą siłą ujawnił się brak możliwości bezpośredniego komunikowania się i wymiany opinii. W pewnym niewielkim stopniu taką funkcję spełniali specjalni ludzie, rezydujący w Stanach Zjednoczonych i Związku Radzieckim. W Waszyngtonie łącznikiem między Kennedym i Chruszczowem był agent KGB zatrudniony jako dziennikarz, Gieorgij Nikitowicz Bolszakow. W maju 1961 roku przedstawiono go bratu prezydenta, Robertowi i od tego czasu co dwa tygodnie odbywali regularne spotkania. Robert Kennedy oceniał Rosjanina dość wysoko:

Był przedstawicielem Chruszczowa i dobrze wywiązywał się z tej funkcji. Za każdym razem, gdy miał jakąś wiadomość dla prezydenta (od Chruszczowa) lub gdy prezydent chciał przekazać wiadomość Chruszczowowi, posługiwaliśmy się Gieorgijem Bolszakowem. Spotykałem się z nim przy okazji najrozmaitszych spraw.

John Kennedy cenił możliwość porozumiewania się z szefem drugiego mocarstwa bez zbędnego protokołu krępującego ruchy dyplomatów. W opinii Bolszakowa *dialog Chruszczow–Kennedy nabierał szczerości i bezpośredniości z każdą nową wiadomością.*

Posiedzenie komitetu wykonawczego Narodowej Rady Bezpieczeństwa

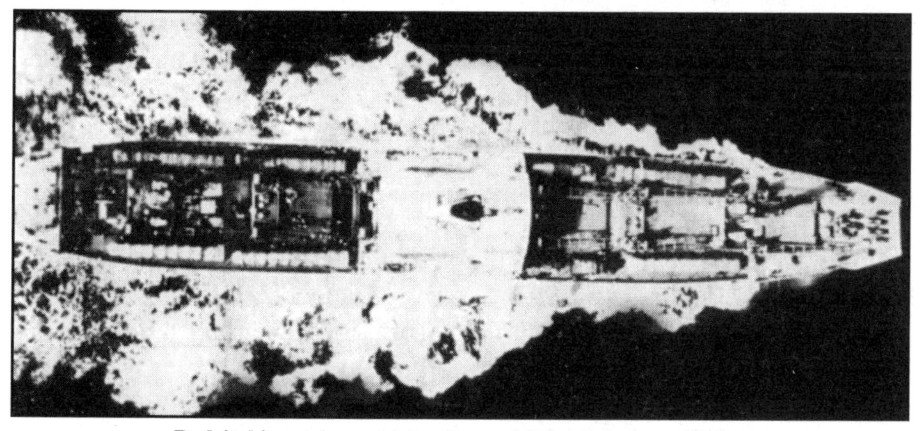

Radziecki statek z rakietami na pokładzie płynie na Kubę

Robert Kennedy zapewne nie zdawał sobie sprawy z powiązań Bolszakowa z KGB. Radziecki dziennikarz funkcjonował nie tylko jako sumienny pośrednik między przywódcami obydwu mocarstw, ale także wypełniał zadania nakazane przez KGB. W czasie kryzysu jego zwierzchnicy kazali mu wprowadzać Amerykanów w błąd w sprawie rakiet. Zależało im, żeby cała sprawa pozostała tajna do momentu zainstalowania rakiet i przygotowania ich do odpalenia. Wówczas dialog między Chruszczowem i Kennedym nabrałby innego charakteru. Prezydent Stanów Zjednoczonych musiałby pójść na ustępstwa wiedząc, że przy granicy jego kraju stoi kilkadziesiąt rakiet nuklearnych.

6 października 1962 roku Bolszakow zadzwonił do Roberta Kennedy'ego i poprosił o spotkanie, gdyż chciał przekazać ważną wiadomość od Chruszczowa. Z reguły, gdy wchodził do gabinetu prokuratora generalnego, zastawał go w koszuli z podwiniętymi rękawami, z niedbałą fryzurą, bezpośredniego i niemalże serdecznego. Tym razem Kennedy miał na sobie ciemny garnitur, był chłodny i bardzo oficjalny.

– Premier Chruszczow jest zaniepokojony sytuacją, jaką Stany Zjednoczone tworzą w sprawie kubańskiej. – Bolszakow był wyraźnie zbity z tropu, ale dokładnie przekazywał wyuczoną na pamięć wiadomość. – Powtarzamy, że Związek Radziecki dostarcza na Kubę wyłącznie defensywną broń przeznaczoną dla ochrony interesów kubańskiej rewolucji...

– Czy mógłby pan powtórzyć tę wiadomość powoli? – Kennedy usiadł za biurkiem i wziął pióro. Dokładnie zanotował każde słowo. – Przekażę wiadomość pana premiera Chruszczowa prezydentowi, a on zakomunikuje przeze mnie odpowiedź, jeżeli zaistnieje taka potrzeba.

Bolszakow wyczuł, że jego misja dobiega końca. Jeszcze nie wiedział, z jakiej przyczyny. Starał się przecież jak najdokładniej wypełniać zadania, które mu powierzono. Nie rozumiał, dlaczego brat prezydenta zachowuje się tak oficjalnie, a na pożegnanie nawet nie wyciągnął ręki.

Następnego dnia do Bolszakowa zadzwonił Charles Bartlett, dziennikarz i bliski przyjaciel prezydenta. Umówili się na lunch w klubie prasy.

– Prezydent chciałby otrzymać dokładny zapis wiadomości, którą przekazałeś wczoraj. Na piśmie, a nie w relacji jego brata.

– Tak, to normalne... – Bolszakow powtórzył słowo w słowo posłanie, które przekazał Robertowi Kennedy'emu.

Spotkali się ponownie w National Press Club 24 października.

Wtedy Bartlett wydobył z teczki kilka zdjęć, na których w prawym górnym rogu widniał napis ''For Presidents Eyes Only'' (tylko do wglądu prezydenta). Położył je na stole i odczekał, aż Bolszakow je obejrzy.

– I co powiesz na to, Gieorgij? Założę się, że wiedziałeś o tych rakietach na Kubie.

– Nigdy nie widziałem tych zdjęć i nie mam pojęcia, co przedstawiają! – Bolszakow usiłował wymigać się od odpowiedzi. – Może boiska baseballowe?

Bartlett zgarnął zdjęcia z powrotem do teczki. Wiedział, że to ostatnie spotkanie z przedstawicielem Chruszczowa. Bolszakow nadużył zaufania, jakim dotychczas darzył go prezydent. Rozumiał jednak, że jego radziecki kolega nie miał innego wyjścia, gdyż musiał działać według instrukcji z Moskwy, a ta zabraniała przyznania, nawet nieoficjalnie, że na Kubie są rakiety.

Tego dnia przed kamerami telewizji stanął prezydent. Stwierdził, że dysponuje niepodważalnymi dowodami, iż Związek Radziecki zainstalował na Kubie rakiety średniego zasięgu z głowicami nuklearnymi.

Działając na podstawie władzy powierzonej mi przez konstytucję i popartej uchwałą Kongresu, wydałem polecenie, aby natychmiast podjęto następujące kroki:

Po pierwsze (...), ścisłe embargo na wszelki ofensywny sprzęt wojskowy znajdujący się w drodze na Kubę. Wszelkie okręty jakiegokolwiek rodzaju udające się na Kubę, z jakiegokolwiek kraju lub portu, zostaną zawrócone, jeśli stwierdzi się, że przewożą broń. (...)

Po drugie, zarządziłem nieprzerwaną i wzmożoną ścisłą kontrolę nad Kubą i rozbudową jej sił wojskowych. (...)

Po trzecie, każdą rakietę jądrową wystrzeloną z Kuby przeciwko jakiemukolwiek krajowi półkuli zachodniej Stany Zjednoczone uznają za atak Związku Radzieckiego na Stany Zjednoczone wymagający pełnego odwetu.

Następnego dnia, gdy prasa amerykańska zamieściła lotnicze zdjęcia baz na Kubie, w mieszkaniu Bolszakowa zadzwonił telefon.

– I co teraz powiesz, Gieorgij? – To Bartlett telefonował, aby dokończyć rozmowę z poprzedniego dnia. – Macie rakiety na Kubie czy nie?

– Nie mamy!

– OK. Bobby (tj. Robert Kennedy – BW) prosił mnie, bym przekazał ci, że macie tam rakiety. Chruszczow przyznał to dzisiaj. Prezydent właśnie otrzymał telegram z Moskwy. – Bartlett odłożył słuchawkę.

Misja Bolszakowa była zakończona.

Prezydent Kennedy podpisał dokument, który zezwalał na użycie siły wobec radzieckich statków i okrętów.

Każdy statek lub okręt płynący w stronę Kuby może zastać zatrzymany w celu ustalenia jego tożsamości, sprawdzenia ładunku, wyposażenia oraz portu przeznaczenia. Może otrzymać polecenie rzucenia kotwicy i zostać poddany rewizji lub otrzymać polecenie udania się do wyznaczonego miejsca. Każdy statek lub okręt, który nie wykona lub odmówi wykonania albo podporządkowania się otrzymanej instrukcji, będzie wzięty w areszt. (...) Ogłaszam, że siły pozostające pod moim dowództwem otrzymały rozkaz wprowadzenia w życie, począwszy od godziny 14.00 czasu Greenwich dnia 24 października 1962 roku, zakazu dostaw na Kubę broni ofensywnej.

W ten sposób prezydent Kennedy ożywiał doktrynę swojego poprzednika z ubiegłego wieku, prezydenta Jamesa Monroe'a. W 1823 roku Monroe przemawiając w Kongresie powiedział:

Jest niemożliwe, aby mocarstwa mogły rozciągnąć na jakąkolwiek część tego kontynentu swój system polityczny, nie wystawiając na niebezpieczeństwo naszego spokoju i szczęścia.

Jego następcy sięgali po tę doktrynę, gdy dostrzegali zagrożenie interesów Stanów Zjednoczonych lub chcieli uzasadnić amerykańską ekspansję. W październiku 1945 roku prezydent Truman mówił przed Kongresem:

Uważamy, że suwerenne państwa półkuli zachodniej powinny współpracować jak dobrzy sąsiedzi nad rozwiązaniem wspólnych problemów bez ingerencji spoza tej półkuli.

John Kennedy sięgnął po doktrynę Monroe'a, aby za pomocą blokady ruchu na międzynarodowych wodach nie dopuścić do zagrożenia bezpieczeństwa Stanów Zjednoczonych.

Tego samego dnia, gdy prezydent ogłosił wprowadzenie blokady, poszła w ruch wielka machina wojenna. Natychmiast z amerykańskiej bazy Guantanamo na Kubie ewakuowano 3 190 cywilów, a na ich miejsce przybyło 8 tysięcy żołnierzy piechoty morskiej i marynarzy. W pobliżu bazy stanęły dwa lotniskowce USS *Enterprise* i USS *Independence*, których samoloty miały bronić Guantanamo w razie kubańskiego ataku. Załogi bombowców strategicznych *B–52* postawiono w stan gotowości i przeniesiono wraz z samolotami na lotniska cywilne, gdzie były mniej narażone na zniszczenie przez głowice radzieckich rakiet nuklearnych i bombowce wycelowane w bazy wojskowe. 800 bombowców *B–47*, 550 *B–52* i 70 *B–58* gotowych było do nuklearnego uderzenia na bazy radzieckie w ZSRR i państwach socjalistycznych. Sztaby dowódcze otrzymały rozkaz ''Defcon–2'', co oznaczało stan najwyższej gotowości, poprzedzający wojnę.

Wyruszył w morze lotniskowiec USS *Essex* oraz 180 innych okrętów wojennych, które w odległości 500 mil (805 kilometrów) od Kuby stworzyły pierścień blokady. Instrukcja, jaką otrzymali dowódcy amerykańskich okrętów, nakazywała wezwanie do zastopowania maszyn każdego statku lub okrętu, wobec którego istniało podejrzenie, że przewozi broń. Po zatrzymaniu na pokład mogła wejść grupa amerykańskich marynarzy, aby przeprowadzić rewizję. Gdyby znaleźli broń, statek musiał udać się pod eskortą do portu wybranego przez kapitana, poza Kubą. Gdyby jednak załoga statku wzywanego do zatrzymania nie zareagowała na sygnały amerykańskiej jednostki, wówczas można było oddać strzał ostrzegawczy ponad masztami, a w razie dalszego braku reakcji zatopić uciekającą jednostkę.

Rosjanie zareagowali twardo. W siłach zbrojnych wstrzymano wszystkie urlopy i przepustki, w bazach rakietowych, lotniczych i morskich ogłoszono stan gotowości. Raporty wywiadu z Kuby i zdjęcia dostarczane przez samoloty wywiadowcze wskazywały, że w bazach rakietowych gwałtownie zwiększono tempo prac, aby jak najszybciej osiągnąć gotowość bojową. Agencja TASS ogłosiła oświadczenie rządu radzieckiego potępiające imperialistyczne poczynania Stanów Zjednoczonych, a szczególnie prowokacyjny akt wprowadzenia blokady suwerennego kraju.

Cała broń, jaką dysponuje Związek Radziecki, służy i służyć będzie obronie przed agresorami.

Stało się oczywiste, że obydwa mocarstwa dotarły do krawędzi, poza którą była już tylko wojna nuklearna. Można było przy tym odnieść wrażenie, że żadne nie zamierza się wycofać z konfliktu.

John Kennedy zdobywał przewagę polityczną nad Chruszczowem; umacniał swoją pozycję. Członkowie Organizacji Państw Amerykańskich niemalże jednomyślnie (tylko Urugwaj wstrzymał się od głosu) poparły działania USA i zdecydowały, że Rosjanie powinni usunąć rakiety z Kuby.

W Radzie Bezpieczeństwa Organizacji Narodów Zjednoczonych przedstawiciel USA, Adlai Stevenson krzyczał do radzieckiego ambasadora, Waleriana Zorina:

– Czy zaprzeczy pan, że Związek Radziecki rozmieścił rakiety na Kubie? Tak czy nie? – Widząc, że Rosjanin zawahał się, Stevenson kontynuował atak: – Niech pan nie czeka na tłumaczenie! Tak czy nie?!

Gdy Zorin zaczął zawile i okrężnie odpowiadać na pytanie, Stevenson wyciągnął powiększone zdjęcia lotnicze baz na Kubie.

Do stolic państw sojuszniczych dotarli specjalni wysłannicy prezydenta USA. W Paryżu Dean Acheson został przyjęty przez prezydenta Charlesa de Gaulle'a. Kennedy obawiał się reakcji francuskiego sojusznika, który prowadził zdecydowanie niezależną politykę i nie zwykł liczyć się z amerykańskimi interesami.

Tym razem de Gaulle zajął stanowisko, jakie spodobało się Waszyngtonowi. – Jeżeli będzie wojna, będę z wami – powiedział. – Ale wojny nie będzie.

W Bonn kanclerz Konrad Adenauer poparł politykę Kennedy'ego.

W Londynie premier Harold Macmillan miał pewne wątpliwości, czy za cenę wycofania rakiet z Kuby prezydent Kennedy nie odda Rosjanom Berlina Zachodniego, ale słysząc jednoznaczne zapewnienia amerykańskiego ambasadora wycofał zastrzeżenia i również poparł akcję Waszyngtonu.

Obydwaj przeciwnicy, Kennedy i Chruszczow, czuli się bardzo pewnie i wydawało się, że żaden nie ma zamiaru ustąpić.

Świat zaczęła ogarniać panika. Na Kubie powołano pod broń 300 tysięcy rezerwistów, a w fabrykach i na polach ich miejsca zajęli starcy i kobiety. Armia przystąpiła do intensywnych ćwiczeń i przygotowań do odparcia inwazji.

W Stanach Zjednoczonych panika zaczęła ogarniać przede wszystkim największe miasta. W Dallas zamknięto sklepy z bronią, gdyż natłok klientów groził zdewastowaniem pomieszczeń. W Los Angeles dowództwo obrony cywilnej ogłosiło, że w razie wojny sklepy będą zamknięte przez pięć dni, co spowodowało oblężenie stoisk. Z półek zniknęła czekolada, mleko w proszku, biszkopty, a nawet proszek do prania, który uznano za potrzebny do likwidowania skażenia radioaktywnego. W Nowym Jorku przeprowadzono próbne alarmy przeciwlotnicze.

W państwach Europy Zachodniej nie zanotowano objawów paniki, ale atmosfera napięcia i zagrożenia była widoczna na każdym kroku.

W Polsce przed sklepami ustawiały się długie kolejki ludzi godzinami czekających na dostawy mąki, cukru, masła, soli i gdy tylko dostarczano te towary, natychmiast znikały z lad. W zakładach pracy organizowano wiece potępiające ''knowania amerykańskich imperialistów''.

Na Morzu Karaibskim sytuacja pogarszała się z godziny na godzinę. 26 października wieczorem z pomostu amerykańskiego niszczyciela dostrzeżono sylwetkę radzieckiego statku. Niszczyciel całą mocą silników ruszył w jego stronę i po dwudziestu minutach odczytano na burcie nazwę *Winnica*. Na pokładzie nie było żadnych ładunków, które mogłyby wzbudzić niepokój Amerykanów. Nie można było jednak wykluczyć, że w ładowniach znajdują się części do rakiet.

– Co wieziecie? – Z pokładu amerykańskiego niszczyciela błysnęła lampa aldisa.

– Ropę naftową – odpowiedział kapitan radzieckiego statku.

Dowódca amerykańskiej jednostki zawahał się. Instrukcje, jakie otrzymał, nakazywały wezwanie do zastopowania maszyn i wysłanie motorówki z grupą marynarzy, aby przeszukali ładownie. A jeżeli Rosjanie odmówią i stawią opór? Dowódca niszczyciela nie chciał być pierwszym, który odda strzały.

– Radziecki tankowiec zatrzymany 485 mil na północny wschód od Kuby. Kapitan oświadczył, że przewożą ropę naftową. Co mamy robić? – Dowódca niszczyciela nadał wiadomość do bazy marynarki wojennej w Norfolk.

Odpowiedź przyszła po paru minutach.

– Przepuścić!

Niszczyciel zrobił zwrot, a z mostku jego dowódca zasalutował radzieckiemu kapitanowi. Był zadowolony, że otrzymał taki rozkaz. Ale jak przebiegnie kolejne spotkanie?

Radziecki statek z rakietami na pokładzie, obok niego amerykański okręt, nad nimi samolot amerykański

KROK DO PRZODU, KROK DO TYŁU

26 października po południu na biurku Johna Scalego w redakcji stacji telewizyjnej ABC zadzwonił telefon. W słuchawce rozległ się głos Aleksandra Fomina, Rosjanina, którego amerykański dziennikarz zajmujący się sprawami rządowymi dość często spotykał na oficjalnych przyjęciach. Był świadom, że Fomin ma bliskie powiązania z ambasadą radziecką, jednakże nic bliższego o nim nie wiedział.

– Spotkaliśmy się niedawno na briefingu w Departamencie Stanu – przypomniał Fomin. Prawdziwe nazwisko tego doświadczonego pracownika KGB brzmiało: Aleksandr Siemionowicz Feklisow. Karierę w dyplomacji rozpoczął w końcu lat 40., gdy był rzecznikiem prasowym ambasady radzieckiej w Londynie. Od 1960 roku przebywał w Waszyngtonie, zatrudniony oficjalnie w ambasadzie, a w rzeczywistości był rezydentem KGB. – Zapraszam pana do Occidental Restaurant na Pennsylvania Avenue. Przyjęcie tego zaproszenia jest ważne.

– Kiedy?

– Za dziesięć minut. Mam ważną wiadomość.

Scali odłożył słuchawkę. Jako specjalista od spraw rządowych, miał wielu przyjaciół w najbliższym otoczeniu prezydenta. Sądził, że telefon od radzieckiego dyplomaty jest bezpośrednio związany z jego pracą i koneksjami.

– Mam ważną wiadomość – powtórzył Fomin, gdy usiedli przy stoliku. – Czy w zamian za wycofanie rakiet radzieckich z Kuby Stany Zjednoczone są gotowe publicznie zobowiązać się, że nie dokonają inwazji na Kubę?

Scali zrozumiał, że znalazł się w centrum najważniejszej sprawy świata, która przy jego udziale może przybrać nowy bieg.

– Chcielibyśmy prosić pana, aby zechciał pan skonsultować tę propozycję z wysoko postawionymi osobistościami Departamentu Stanu – kontynuował Fomin.

Scali nie pytał, skąd Rosjanin wie o jego powiązaniach i dlaczego wybrano go do tej misji. Nigdy by takiej odpowiedzi nie uzyskał. Pożegnał się szybko z Fominem, złapał taksówkę i ruszył do Departamentu Stanu.

Spotkali się ponownie o 19.35 w kawiarni przy Stadtler Hilton.

– Skonsultowałem tę sprawę z Deanem Ruskiem, sekretarzem stanu – oznajmił Scali. – Jest zainteresowany pana sugestią.

To wystarczyło. Kilka słów przekazanych przez amerykańskiego dziennikarza uruchomiło nowe mechanizmy wielkiej polityki.

Jeszcze tego dnia długi telegram od premiera Chruszczowa dotarł do Białego Domu. Radziecki przywódca pisał, że jeżeli Amerykanie zaprzestaną blokady Kuby i zobowiążą się, że nie dokonają inwazji na to państwo, znikną powody, dla których Rosjanie sprowadzili na wyspę rakiety i samoloty.

Kennedy poczuł, że wygrał najważniejsze starcie. Tej nocy mógł spać spokojnie.

Następny dzień, 27 października, przyniósł jednak bardzo niepokojące wydarzenia. Z lotu zwiadowczego nad Kubą nie powrócił do bazy major Rudolph Anderson. Wkrótce stało się jasne, że jego *U–2* został zestrzelony przez radziecką rakietę *SAM–2*.

Z Dalekiego Wschodu nadeszła wiadomość, że radzieckie myśliwce rozpoczęły pościg za *U–2* dokonującym zwiadu nad bazami rakietowymi. Chociaż nie odważyły się go zestrzelić, to sam fakt wykrycia samolotu szpiegowskiego mógł utwierdzić Rosjan w przekonaniu, że Amerykanie dokonują ostatecznego sprawdzenia celów przed rozpoczęciem ataku nuklearnego.

Na domiar złego Kennedy otrzymał kolejną depeszę od Chruszczowa, który zmienił swoje stanowisko. Proponował, że wycofa rakiety z Kuby, jeżeli Amerykanie usuną swoje z baz w Turcji. Radio moskiewskie przekazało w świat tekst listu Chruszczowa w tym samym czasie, gdy czytał go Kennedy.

O ile prezydent był zdecydowany przyjąć pierwszą propozycję radzieckiego premiera, o tyle druga ustawiała go na znacznie gorszej pozycji. Wyjście z sytuacji znalazł Robert Kennedy, który zaproponował, żeby prezydent odpowiedział na pierwszą depeszę, tak jakby nie otrzymał drugiej. John poszedł za radą brata. W oświadczeniu, jakie wydał tego dnia, nawiązywał wyłącznie do pierwszej depeszy Chruszczowa. Pochwalił go za pojednawczy krok i zgodził się na zniesienie blokady oraz udzielenie gwarancji, że Stany Zjednoczone nie dokonają inwazji na Kubę, co miało być rewanżem za wycofanie stamtąd radzieckich rakiet.

Pierwsza rzecz, którą należy zrobić, to wycofać ofensywne rakiety z Kuby, a wszystkie systemy broni ofensywnej na Kubie unieruchomić pod nadzorem Organizacji Narodów Zjednoczonych – oświadczył prezydent. Pomimo pojednawczego tonu ostatnie stwierdzenie należało uznać za swego rodzaju ultimatum. I tak było w istocie.

W tym samym czasie ExCom ustalił, że jeżeli w ciągu 24 godzin Rosjanie nie przystąpią do demontażu rakiet, to dwa dni później samoloty amerykańskie zaatakują bazy na Kubie. Oceniano, że może to pociągnąć bardzo wysokie ofiary wśród ludności cywilnej (dochodzące do 25 tysięcy zabitych) oraz wśród radzieckiego personelu wojskowego. Aby wzmóc przekonanie o swej determinacji, rząd amerykański poufnie poinformował sojuszników, aby ewakuowali swoich obywateli z Kuby.

Brytyjski ambasador w Hawanie, sir Herbert Marchant przystąpił natychmiast do opracowania planu ewakuacji 40 tysięcy obywateli Brytyjskiej Wspólnoty Narodów. Taka akcja nie mogła ujść uwagi wywiadu kubańskiego, który bezzwłocznie powiadomił o tym Rosjan.

Wieczorem Robert Kennedy osobiście pojechał do ambasady radzieckiej, aby oddać list prezydenta i ustnie przekazać ambasadorowi tekst ultimatum. Gdy zapadła noc, nikt w Waszyngtonie nie wiedział, jak rozwinie się sytuacja.

Rozstrzygnięcie miało zapaść w niedzielę. Jak zachowa się Chruszczow? Kennedy mógł mieć jedynie nadzieję, że jego decyzje i słowa były tak stanowcze, że radziecki premier stracił ochotę do dalszego napinania mięśni i uznał, że nadszedł czas podjęcia ostatecznej decyzji: wojna albo pokój.

Prezydent Kennedy z bratem Robertem

ZAŻEGNANA APOKALIPSA

Odpowiedź Chruszczowa nadeszła w niedzielę o godzinie 10.00. Radziecki premier nie wspomniał o swojej propozycji wycofania rakiet amerykańskich z Turcji. Skoncentrował się na ostatnim przypadku naruszenia radzieckiej przestrzeni powietrznej przez samolot *U–2*, który wtargnął nad terytorium Syberii.

Co mamy o tym sądzić? Co to jest? Prowokacja? Wasz samolot narusza naszą granicę i to w czasie tak niespokojnym, jakiego teraz i wy, i my doświadczamy – gdy wszystko zostało postawione w stan gotowości.

Nie było w tym śladu agresywności i bojowości, jaką dotychczas Chruszczow przejawiał w kontaktach z Kennedym. Rosjanin przyjął spokojny, pojednawczy ton. Pisał o odpowiedzialności Amerykanów i Rosjan za pokój na świecie. Najważniejsze było ostatnie zdanie, w którym Chruszczow wyraził gotowość wstrzymania prac przy budowie wyrzutni rakietowych, rozmontowanie broni ''uważanej za ofensywną'' i zabranie jej do Związku Radzieckiego.

Kennedy dostosował się do tonu Chruszczowa. Określił list radzieckiego przywódcy jako ''krok godny wielkiego męża stanu''. Przeprosił za incydent z samolotem *U–2*, który uznał za wypadek spowodowany błędem nawigacyjnym pilota i zobowiązał się do szybkiego zniesienia blokady oraz zaniechania planów inwazji na Kubę.

Było to wielkie zwycięstwo Kennedy'ego, który jednak rozumiał, że nie może wykorzystać w pełni sukcesu, gdyż podrażni Chruszczowa. Tuż po zakończeniu kryzysu wydał instrukcję, by nie rozdmuchiwać amerykańskiego zwycięstwa. Tym bardziej że wkrótce, w wyniku dalszych negocjacji, musiał zgodzić się na wycofanie rakiet z Turcji.

5 listopada 1962 roku port Mariel opuścił radziecki statek *Diwinogorsk* z czterema rakietami na pokładzie. 7 listopada wyruszył w morze *Metalurg Anosow* przewożący osiem rakiet. Dwa dni później *Brack* wywiózł z Kuby sześć rakiet.

Związek Radziecki zwlekał jednak z ewakuacją bombowców *Ił–28* i dlatego amerykańskie okręty pozostały na pozycjach aż do 20 listopada, kiedy to Rosjanie zaczęli rozmontowywać samoloty i ładować je na statki. Blokada zakończyła się. 15 grudnia pierwsze bombowce *Ił–28* opuściły Kubę w skrzyniach na pokładzie statku *Kasimow*.

Świat odetchnął.

Kennedy i Chruszczow, Wiedeń, 1961

WIĘZIEŃ NR 845

Sam Parkins szedł wolno Prospektem Kalinina w stronę rzeki Moskwy. Był już wieczór i Sam na chodnikach nie spotykał wielu osób. Jedynie szeroką jezdnią ciągnęły sznury ciężarówek. Ten niezwykły ruch zawsze zastanawiał Amerykanina, tym bardziej że ogromna większość samochodów jeździła bez ładunku. Wkrótce przestał jednak zwracać na to uwagę i gdy doszedł do Arbatu, zaczął liczyć latarnie. Przy ósmej miał skręcić w wąską uliczkę. Zrobił to i znów odliczył trzy latarnie. Na czwartej dostrzegł kawałek drutu wystający z ledwo przymkniętych drzwiczek zamykających dostęp do połączeń elektrycznych. To był znak dla niego.

Rozejrzał się. Po drugiej stronie ulicy szła grupka młodych ludzi osłaniających twarze przed zacinającym lodowatym deszczem. Oprócz nich nie dostrzegł nikogo. Podszedł szybko do latarni i udając, że poprawia sznurowadło, pochylił się i otworzył szerzej drzwiczki, za którymi powinno znajdować się zawiniątko pozostawione przez Pienkowskiego. Jednakże Parkins nie znalazł niczego. Wyprostował się i w tym momencie poczuł silne uderzenie w plecy, które rzuciło go na latarnię. Usiłował odwrócić się, ale ktoś złapał go za kark i przycisnął twarzą do latarnianego słupa, a ktoś inny wykręcił mu ręce i nałożył kajdanki.

Dopiero teraz, gdy został obezwładniony, pozwolono mu odwrócić się. Dostrzegł trzech mężczyzn, z których jeden podsunął mu pod nos lufę pistoletu.

– Tylko spokojnie, obywatelu Angliku, bo was zastrzelę – ostrzegł łamaną angielszczyzną.

– Jestem dyplomatą, pracownikiem Ambasady Stanów Zjednoczonych. Żądam zwolnienia.

– Każdy przestępca tak mówi, obywatelu Angliku – powiedział człowiek z pistoletem. – Wsiadajcie.

Napastnicy wepchnęli Parkinsa do czarnej *wołgi*, która wyjechała z bramy. Przez szparę w materiale zasłaniającym okno mógł zauważyć, że przy wylocie Arbatu stoi następny czarny samochód. Wpadł w zasadzkę, bardzo dobrze przygotowaną. Mężczyzna, który siedział obok, zauważył, że zasłonka nie przylega szczelnie do szyby i zaciągnął materiał, tak aby Parkins nie mógł widzieć, dokąd go wiozą.

Strach, który opanował go na początku, ustąpił. Parkins nie sądził, aby Rosjanie zdecydowali się naruszyć immunitet dyplomatyczny, zwłaszcza po ostatnich wydarzeniach kubańskich, gdy stosunki między obydwoma państwami zaczęły się poprawiać. Nie mieli mu nic do zarzucenia. Nie mogli przecież oskarżyć go o to, że poprawiał sznurowadło w pobliżu latarni ze szpiegowską skrytką. Poza tym miał doskonale przygotowane alibi: szedł do przyjaciół mieszkających na Arbacie pod numerem 18.

Samochód zatrzymał się i Parkins wyszedł na dziedziniec wybrukowany granitową kostką. Zatrzymał się nagle, oślepiony jaskrawymi smugami reflektorów. Zorientował się, że jest na dziedzińcu więziennym. Idący za nim mężczyzna popchnął go lekko w kierunku drzwi wysokiego szarego budynku.

– Nazywam się Sam Parkins, jestem dyplomatą zatrudnionym w Ambasadzie Stanów Zjednoczonych – powiedział do pilnującego go mężczyzny, gdy tylko usiedli na drewnianej ławce w wąskim, zakratowanym korytarzu.

Tamten nie odpowiedział. Czekali. Parkins wciąż miał ręce skute za plecach i stracił w końcu poczucie czasu. Przypuszczał, że postanowili go zmiękczyć przed przesłuchaniem. A może zrobili zdjęcia i starali się teraz ustalić jego tożsamość?

W pewnym momencie otworzyły się drzwi i stanął w nich mężczyzna w cywilu. Skinął głową i na ten znak wprowadzono zatrzymanego do pokoju.

– Zostaliście zatrzymani za działalność na szkodę Związku Radzieckiego – zaczął groźnym tonem cywil, gdy tylko Parkins usiadł na krześle.

– Nie wiedziałem, że spacer do przyjaciół jest działalnością na szkodę waszego państwa. Nie interesuje mnie to zresztą. Jestem dyplomatą i żądam natychmiastowego zwolnienia! – Parkins był już zdenerwowany długim oczekiwaniem i arogancją przesłuchującego go oficera.

– Sądziłem, że wy, Anglicy, macie silniejsze nerwy.

– Coście się do mnie przyczepili z tymi Anglikami?! Powtarzam po raz szósty: jestem A m e r y k a n i n e m i dyplomatą!

Oficer był wyraźnie zbity z tropu pewnością w głosie Parkinsa.

– Macie dokumenty?

– Nie chodzę bez nich po Moskwie. W lewej górnej kieszeni.

Oficer skinął głową do kogoś, kto stał za skutym człowiekiem. Ten zdjął mu kajdanki. Parkins wyciągnął z kieszeni paszport. Oficer studiował go długo, wreszcie wstał i wyszedł do drugiego pokoju. Wrócił po kilku minutach, jakby odmieniony.

– Przepraszamy was. Nastąpiło nieporozumienie – przemówił ugodowym tonem. – Możecie oczywiście złożyć skargę i ludzie winni zostaną ukarani, ale, wiecie, w naszym fachu zdarzają się takie pomyłki.

Parkins wstał.

– Odwieźcie mnie do domu. Już za późno na wizytę u przyjaciół.

Zrozumiał, że Rosjanie byli przekonani, iż Pienkowski działa tylko na korzyść Anglików. Dlatego oczekiwali, że po odbiór materiałów ze skrzynki w latarni zgłosi się ktoś z brytyjskiej siatki. Nie mogli wiedzieć, że brytyjski SIS przekazał Pienkowskiego CIA. Dowody, które zebrali przeciwko Brytyjczykom, zupełnie nie miały zastosowania do Amerykanów. Dlatego Parkinsa szybko zwolniono.

Wracał do domu w nie najlepszym nastroju. Pienkowski został aresztowany. Zapewne nie zdradził z własnej woli miejsca, w którym miał zostawić materiały. Torturowano go więc. Los najlepszego agenta, jakiego Amerykanom i Brytyjczykom udało się kiedykolwiek zdobyć w Związku Radzieckim, został przesądzony. Miał rację.

Generał Oleg Gribanow dość długo zwlekał z aresztowaniem Pienkowskiego, ciągle licząc na to, że doprowadzi on do całej brytyjskiej siatki szpiegowskiej. Jednakże pewnego dnia na zdjęciu zrobionym przez kamerę w suficie zauważono, że Pienkowski trzyma w ręku paszport. Było to w końcu października 1962 roku i Gribanow uznał, że dłużej nie należy czekać, gdyż lada moment szpieg może zniknąć z Moskwy. Wydał rozkaz aresztowania.

Przesłuchiwano pułkownika długo, przez kilka miesięcy. Wiadomo, że był straszliwie torturowany. Co ujawnił, tego nie wiadomo. Zapewne jednak KGB uznała, że Pienkowski wie o wiele więcej, niż udało się z niego wydobyć w czasie długotrwałych przesłuchań. Pokazowy proces rozpoczął się w maju 1963 roku. Trwał krótko, gdyż liczba dowodów zdrady była wystarczająco duża, aby nikt nie miał wątpliwości co do istoty sprawy.

Po krótkim procesie zapadł wyrok śmierci i następnego dnia gazety radzieckie poinformowały o jego wykonaniu.

To było kłamstwo. Pienkowski żył. Przesłuchujący go oficer, podsuwając mu gazetę z informacją o wykonaniu wyroku, powiedział:

– Umarłeś dla świata. Nie jesteś już człowiekiem, więc możemy z tobą zrobić wszystko. Opowiesz nam o swoich najgłębszych tajemnicach, tylko po to, by jak najszybciej umrzeć. Tym razem naprawdę...

Przewieziono go do tajnego obozu KGB gdzieś w głębi Rosji, aby dalej prowadzić przesłuchania.

Pewnego wieczoru strażnicy zajęci rozmową nie zwrócili uwagi, że więzień chodzący przez kilka minut wzdłuż drutów kolczastych niewielkiego obozowego wybiegu usiadł na ziemi. Zdarzało się to często, nie było więc powodem do szczególnego zainteresowania.

Dopiero po kilkunastu minutach, gdy nie odpowiedział na wezwanie, podeszli do niego. Zobaczyli, że leży w kałuży krwi płynącej z żył otwartych w nadgarstkach. Rozerwał je kawałkiem drutu kolczastego. Było za późno na ratunek.

Nikt w tym obozie, nawet komendant, nie znał nazwiska więźnia nr 845.

Tragiczny los spotkał również człowieka najbliżej związanego z Pienkowskim. Iwan Sierow, zwolniony ze służby, popełnił samobójstwo strzelając sobie w głowę w moskiewskim zaułku.

Greville Wynne został aresztowany 2 listopada 1962 roku na Węgrzech i przekazany do Związku Radzieckiego. Skazany na wieloletnie więzienie, wrócił szybko do Londynu, wymieniony na radzieckiego szpiega aresztowanego w Wielkiej Brytanii.

DRAMATIS PERSONAE

WIKTOR ABAKUMOW (1908–1954)
generał pułkownik
Urodzony w Moskwie; prawdopodobnie w końcu lat 20. wstąpił do partii komunistycznej. W 1932 roku rozpoczął służbę w NKWD, początkowo w Moskwie, a następnie w Zagłębiu Donieckim i Rostowie. W latach 1938–1941 prawdopodobnie pracował w wywiadzie wojskowym GRU.

Od 25 lutego 1941 roku zastępca komisarza NKWD; po wybuchu wojny z Niemcami prowadził akcję likwidacji najwyższych dowódców wojskowych oskarżonych przez Stalina o tchórzostwo i zdradę.

W grudniu 1942 roku stanął na czele kontrwywiadu Smiersz. Bezpośrednio po wojnie na polecenie Stalina zbierał materiały obciążające marszałka Gieorgija Żukowa i osobiście aresztował w Berlinie jego współpracowników, aczkolwiek nie na długo, gdyż na rozkaz marszałka musiał ich zwolnić.

Od 10 października 1946 roku minister bezpieczeństwa państwowego; na polecenie Stalina przystąpił do organizowania terroru (m.in. „sprawy leningradzkiej'').

7 grudnia 1951 roku, zadenuncjowany przez Michaiła Riumina, został (wraz z żoną i synem) aresztowany jako zachodni szpieg. Więziony w Lefortowie, Butyrkach i na Łubiance, nie został osądzony za życia Stalina. Dopiero 19 grudnia 1954 roku skazano go na śmierć w Leningradzie za udział w „sprawie leningradzkiej''.

DEAN ACHESON (1893–1971), polityk
W latach 1945–47 pełnił funkcję podsekretarza stanu w administracji Harry'ego Trumana. Współpracował wówczas z sekretarzem stanu George'em Marshallem w przygotowaniu planu pomocy gospodarczej dla Europy, nazwanego później planem Marshalla. W 1949 roku zastąpił Marshalla na stanowisku sekretarza stanu i sprawował ten urząd do roku 1953.

FULGENCIO BATISTA (1901–1973)
polityk
Sierżant armii kubańskiej, w 1933 roku stanął na czele wojskowego zamachu stanu przeciwko prezydentowi Gerardo Machado y Moralesowi. Objął funkcję szefa Sztabu Generalnego, a w 1940 roku – prezydenta. W 1944 roku emigrował do Stanów Zjednoczonych. Na Kubę powrócił w 1952 roku, aby przechwycić władzę, którą sprawował do końca 1958 roku opierając ją na terrorze. Powszechna nędza i represje obróciły przeciwko niemu większość mieszkańców Kuby i umożliwiły zwycięstwo partyzantom, na czele których stał Fidel Castro. 1 stycznia 1959 roku Batista uciekł z Hawany i zamieszkał na Florydzie.

ŁAWRENTIJ BERIA (1899–1953)
polityk
Wieloletni pracownik radzieckiego aparatu policyjnego (od 1921 roku w WCzeKa, a od 1922 roku w GPU). W 1938 r. objął stanowisko komisarza spraw wewnętrznych (NKWD). Jego pierwszym zadaniem było uporządkowanie chaosu wywołanego Wielką Czystką z lat 1937–1938. Uważał, że eksterminacja więźniów w łagrach stanowi marnotrawstwo siły roboczej i dlatego doprowadził do pewnej poprawy ich warunków życia (większe racje żywnościowe, możliwość otrzymywania paczek od rodzin itp.).

30 lipca 1941 roku wszedł w skład Państwowego Komitetu Obrony. Kierowany przez niego resort organizował masową eksterminację ludności cywilnej (obywateli radzieckich i polskich) oraz jeńców wojennych (Katyń); z jego polecenia od 1939 roku organizowano deportację ludności polskiej z terenów zajętych przez wojska radzieckie na mocy układu Ribbentrop-Mołotow oraz przeprowadzano przymusowe przesiedlenie Tatarów krymskich, Czeczeńców i innych mniejszości narodowych – podczas tej akcji setki tysięcy ludzi zmarło; nadzorował również działalność partyzancką i funkcjonowanie obozów jenieckich.

W 1945 roku został marszałkiem Związku Radzieckiego. Po śmierci Stalina usiłował przechwycić władzę; występował jako zwolennik reform gospodarczych i liberalizacji życia w ZSRR, wstrzymał m. in. realizację kilku wielkich, a całkowicie nieopłacalnych inwestycji; domagał się amnestii dla 90 procent więźniów, samodzielności republik radzieckich, co stało się głównym powodem zawiązania spisku przeciwko niemu przez innych czołowych przedstawicieli władzy: Nikitę Chruszczowa i Gieorgija Malenkowa.

26 czerwca 1953 roku aresztowany podczas posiedzenia prezydium KC, prawdopodobnie osądzony i skazany na karę śmierci jako „wróg partii i narodu''. Według innych relacji (np. głównego uczestnika tych wydarzeń Nikity Chruszczowa) został zamordowany w miejscu aresztowania, gdyż usiłował się bronić.

Beria i Stalin na pokładzie okrętu wojennego

NIKOŁAJ BUŁGANIN (1895–1975)
polityk
Członek partii komunistycznej od 1917 roku, po rewolucji rozpoczął służbę w CzeKa. W 1922 roku przeszedł do pracy w aparacie gospodarczym. W 1931 roku został przewodniczącym Moskiewskiego Komitetu Wykonawczego. W 1937 roku objął stanowisko przewodniczącego Rady Komisarzy Ludowych Rosyjskiej Federacyjnej Republiki Radzieckiej, a następnie wiceprzewodniczącego Rady Komisarzy Ludowych ZSRR (wicepremiera). W czasie wojny członek rad wojennych wielu frontów.

W 1944 roku został mianowany pierwszym zastępcą ludowego komisarza obrony oraz przedstawicielem przy Polskim Komitecie Wyzwolenia Narodowego. Od 1947 do 1949 roku sprawował urząd ministra obrony i równocześnie (do 1953 roku) wicepremiera. Po śmierci Stalina ponownie objął urząd ministra obrony oraz wicepremiera. W czerwcu 1953 roku pomoc, której udzielił Chruszczowowi, umożliwiła obalenie Ławrentija Berii.

Od 1955 roku był premierem. W 1957 roku opowiedział się przeciwko Chruszczowowi, za co rok później pozbawiono go stanowisk państwowych, zdegradowano do stopnia generała pułkownika i wysłano do Stawropola na stanowisko dyrektora Sownarchozu. Od 1960 roku na emeryturze.

Mao Tse-tung, Stalin, Chruszczow i Bułganin w prezydium akademii z okazji 70-lecia urodzin Stalina

FIDEL CASTRO RUZ (ur. 1926), polityk
Syn plantatora trzciny cukrowej; w 1947 roku wstąpił do Kubańskiej Partii Ludowej. Po ukończeniu wydziału prawa uniwersytetu w Hawanie w 1953 roku stanął na czele ruchu skierowanego przeciwko dyktatorowi Kuby, Fulgencio Batiście i 26 lipca tego roku pokierował atakiem 200 młodych ludzi na koszary wojskowe Moncada w Santiago de Cuba. Skazany na 15 lat więzienia, po dwóch latach, w wyniku amnestii, wyszedł na wolność i wyjechał do Meksyku, gdzie zorganizował grupę rewolucjonistów gotowych kontynuować walkę z Batistą.

W 1956 roku na pokładzie jachtu "Granma" powrócił na Kubę i przystąpił do organizowania walki partyzanckiej. Poparcie ludności i demoralizacja armii rządowej umożliwiły mu zwycięstwo. 1 stycznia 1959 roku Castro na czele zwycięskich oddziałów wjechał do Hawany i szybko przejął całość władzy: w 1959 roku stanął na czele rządu, będąc jednocześnie naczelnym dowódcą sił zbrojnych; od 1962 roku przejął kierowanie połączonymi Organizacjami Rewolucyjnymi, a od 1965 roku – Komunistyczną Partią Kuby; od 1976 roku sprawuje funkcję przewodniczącego Rady Państwa.

Natychmiast po zajęciu Hawany rozprawił się ze zwolennikami poprzedniego reżimu, co stało się bezpośrednią przyczyną masowego eksodusu z Kuby ludzi obawiających się represji. Do dzisiaj utrzymuje totalitarny charakter władzy, nie zezwalając na działalność organizacji opozycyjnych.

Zwycięstwo nad wojskami kontrrewolucjonistów w 1961 roku, a następnie kryzys rakietowy w 1962 roku podniosły prestiż Castry wśród państw Trzeciego Świata jako bezkompromisowego przeciwnika imperializmu Stanów Zjednoczonych. Ta jego pozycja wzmocniła się jeszcze w latach 70., gdy kierował ekspansją komunistyczną w wielu państwach rozwijających się; szczególny rozgłos przyniosło mu wysłanie w 1976 roku żołnierzy kubańskich do Angoli, gdzie działali pod rozkazami radzieckimi.

Socjalistyczna polityka gospodarcza doprowadziła do załamania ekonomii Kuby, a upadek państw socjalistycznych sprawił, że Castro działa w całkowitym osamotnieniu, starając się utrzymać na Kubie ostatni bastion przegranego systemu pod hasłem "socjalizm albo śmierć".

Fidel Castro Ruz

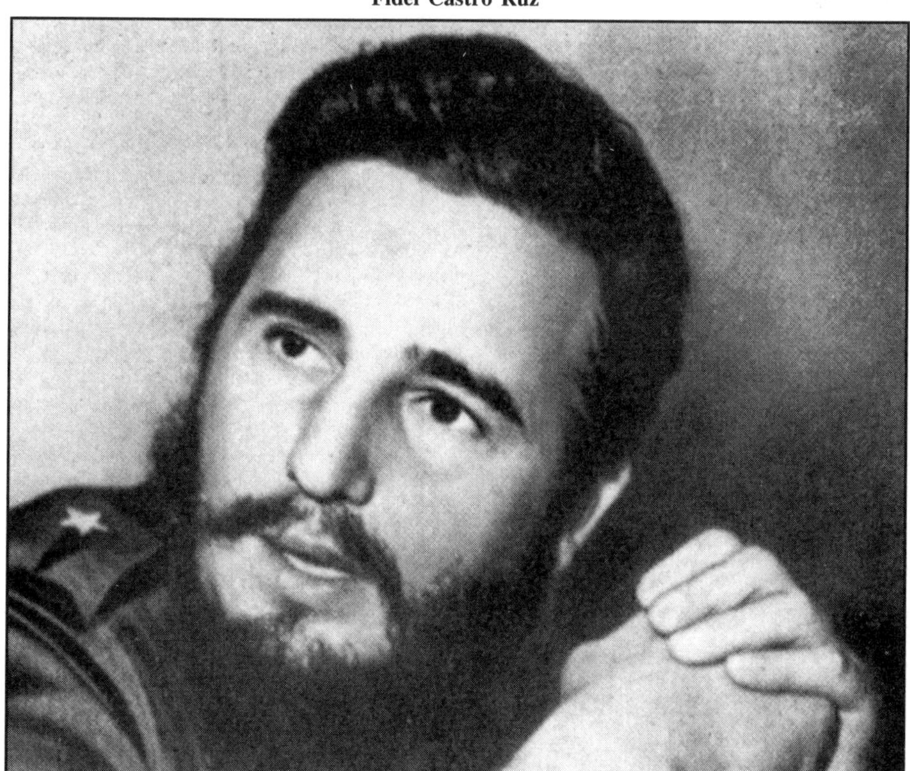

DWIGHT DAVID EISENHOWER
(1890–1969), polityk
Absolwent szkoły wojskowej West Point, w 1915 roku rozpoczął służbę w piechocie. W latach 1933–1939 służył pod komendą gen. Douglasa MacArthura na Filipinach, gdzie zyskał doskonałą opinię wśród żołnierzy. Po ataku japońskim na Pearl Harbor (grudzień 1941) został wezwany do sztabu w Waszyngtonie, gdzie prowadził studia nad zorganizowaniem operacji desantowej na Francję.

W czerwcu 1942 roku został mianowany dowódcą sił amerykańskich na europejskim teatrze działań wojennych (ETOUSA). W listopadzie 1942 roku dowodził wojskami amerykańskimi w czasie lądowania w Afryce Północnej (operacja „Torch''). Po zwycięstwie uczestniczył w planowaniu operacji inwazyjnej na Sycylię i dowodził wojskami amerykańskimi w pierwszej fazie walk we Włoszech. Po powrocie w grudniu 1943 roku do Waszyngtonu, wziął udział w decydującej fazie planowania inwazji na Europę.

15 stycznia 1944 roku jako najwyższy dowódca alianckich ekspedycyjnych sił zbrojnych w Europie przybył do Londynu, gdzie zorganizował kwaterę główną alianckich sił ekspedycyjnych (SHAEF), której zadaniem było bezpośrednie planowanie, kierowanie przygotowaniami i dowodzenie inwazją. W czerwcu 1944 roku kierował operacją lądowania w Normandii, a następnie działaniami wojsk sprzymierzonych w Europie Zachodniej.

Dwight David Eisenhower

Po wojnie sprawował funkcję naczelnego dowódcy amerykańskich sił zbrojnych w Europie. W grudniu 1945 roku objął stanowisko naczelnego dowódcy wojsk NATO.

W 1952 roku został wybrany prezydentem USA i sprawował ten urząd przez dwie kadencje, tj. do roku 1963. Nie zdobył jednak uznania na arenie międzynarodowej, gdzie oceniano go jako polityka chwiejnego, pozbawionego dynamizmu i energii koniecznej dla przeciwstawienia się radzieckiej ekspansji politycznej i militarnej.

EMIL JULIUSZ KLAUS FUCHS
(1911–1988), naukowiec
Pierwsze kroki w dziedzinie fizyki nuklearnej stawiał na uniwersytecie w Lipsku. Tam też zapisał się do partii socjaldemokratycznej – SPD, z której usunięto go w roku 1932 za opowiedzenie się w kampanii prezydenckiej za kandydaturą komunisty Ernsta Thaelmanna, a nie Hindenburga – kandydata SPD. To zdecydowało o wstąpieniu Fuchsa do partii komunistycznej – KPN.

W 1933 roku przybył do Anglii, gdzie został asystentem znanego fizyka Neville'a Motta na uniwersytecie w Bristolu, a po 4 latach, z tytułem doktora, zaczął pracę u słynnego Maxa Borna na uniwersytecie w Edynburgu.

Jako obywatel niemiecki, Fuchs w lipcu 1940 roku został internowany i wywieziony do obozu na Isle of Man, u wybrzeży Anglii, a następnie do Kanady. Po wielu interwencjach Maxa Borna w końcu roku powrócił do Szkocji.

Wówczas to zdecydował się poinformować władze ZSRR o pracach nad bombą atomową prowadzonych w Wielkiej Brytanii (tzw. projekt Tube Alloy).

W 1942 roku otrzymał obywatelstwo brytyjskie. W roku 1943, na mocy porozumienia zawartego między USA i W. Brytanią o współpracy nad stworzeniem bomby atomowej, wyjechał do Stanów Zjednoczonych, gdzie pracował w różnych laboratoriach atomowych (m.in. w Los Alamos).

Przez cały ten czas utrzymywał kontakt z wywiadem radzieckim przekazując ważne informacje o postępach nad konstrukcją nowej broni oraz dokumenty, rysunki itp.

W lipcu 1946 roku powrócił do Anglii.

W sierpniu 1949 roku kontrwywiad amerykański wpadł na trop jego działalności szpiegowskiej. 2 lutego 1950 roku Fuchs został aresztowany, a następnie skazany przez sąd brytyjski na 14 lat pozbawienia wolności.

Wyszedł z więzienia w 1959 roku i samolotem LOT odleciał do Berlina Wschodniego. Zamieszkał w NRD.

De Gaule w Brazzaville

Charles de Gaulle

CHARLES DE GAULLE
(1890–1970), polityk
Absolwent szkoły oficerskiej Saint–Cyr, na froncie I wojny światowej odniósł rany i wykazał się niebywałą odwagą. W lutym 1916 roku dostał się do niewoli pod Verdun; przebywał w 5 obozach jenieckich i z każdego próbował ucieczki, aż trafił do karnego obozu–twierdzy Ingolstadt. Latem 1919 roku przybył do Polski w składzie misji wojskowej i w czasie wojny polsko–bolszewickiej w roku 1920 był oficerem zwiadu VI Armii.

W maju 1922 roku został przyjęty do Wyższej Szkoły Wojennej (Ecole de Guerre) w Paryżu. Dwa lata później napisał pierwszą książkę „Niezgoda u nieprzyjaciela'' („La Discorde chez l'ennemi''), w której przeanalizował przyczyny klęski Niemiec w I wojnie światowej. W kolejnej książce, wydanej w 1934 roku, „W stronę armii zawodowej'' („Vers l'armée de métier'') wyłożył swoje poglądy na temat funkcjonowania i kształtu armii francuskiej, twierdząc, że powinna to być mała armia zawodowa, dysponująca silną bronią pancerną. Przeciwstawiał się dominującej wówczas koncepcji obrony na Linii Maginota. Uwagi jego nie znalazły zrozumienia u najwyższych władz politycznych i wojskowych Francji.

W styczniu 1940 roku rozesłał do 80 przedstawicieli rządu i partii politycznych memorandum „Narodziny siły mechanicznej'', w którym przedstawił wnioski z analizy przebiegu działań wojennych w Polsce. Uwagi te jednak nie spotkały się z większym zainteresowaniem.

11 maja 1940 roku de Gaulle objął dowodzenie 4. dywizją pancerną (jedną z czterech, jakimi dysponowała armia francuska) i kilka dni później został mianowany (tymczasowo) generałem brygady. Jego dywizja wsławiła się atakiem na czołówkę XIX Korpusu gen. Heinza Guderiana, ale – pozbawiona łączności radiowej i osłony lotnictwa – musiała się wycofać spod Montcornet.

5 czerwca generał został powołany przez premiera Paula Reynauda do rządu jako podsekretarz stanu ds. obrony, ale niewiele mógł zdziałać wobec powszechnego nastroju klęski, a nawet planów kapitulacji, do których przychylała się część najwyższych dowódców. Bezskutecznie proponował ewakuowanie rządu i 900 tysięcy żołnierzy do Afryki Północnej i prowadzenie dalszej walki z Niemcami z posiadłości zamorskich.

17 czerwca 1940 roku, po objęciu urzędu premiera przez marsz. Petaina, udał się do Wielkiej Brytanii i następnego dnia wieczorem przez radio BBC wygłosił apel o kontynuowanie wal- ki: „Ja, generał de Gaulle, znajdujący się obecnie w Londynie, wzywam francuskich oficerów i żołnierzy (...) inżynierów i robotników, specjalistów w dziedzinie przemysłu zbrojeniowego, którzy znajdują się na terytorium brytyjskim do nawiązania kontaktu ze mną. (...) Płomień francuskiego oporu nie powinien zgasnąć i nie zgaśnie''. Dziesięć dni później został przez rząd angielski uznany szefem wszystkich wolnych Francuzów (traktatowe potwierdzenie stanowiska rządu brytyjskiego nastąpiło 7 sierpnia 1940 roku). Był natomiast nieprzy-

chylnie traktowany przez rząd amerykański, który na stanowisko szefa rządu francuskiego typował gen. Henri Girauda.

Pozycja de Gaulle'a wyraźnie wzmocniła się (czego Amerykanie nie mogli zlekceważyć), gdy zaczął tworzyć siły militarne Wolnej Francji i nawiązał kontakt z organizującym się w kraju zbrojnym podziemiem. Podjęta przez de Gaulle'a we wrześniu 1940 roku próba przeciągnięcia na stronę wolnych Francuzów władz Dakaru zakończyła się fiaskiem i doszło do walki między wojskami alianckimi i wojskami francuskimi wiernymi rządowi Vichy. To wydarzenie nie podważyło jednak pozycji de Gaulle'a i wkrótce do Wolnej Francji przyłączyła się część władz wojskowych i cywilnych, głównie z Francuskiej Afryki Równikowej.

W czerwcu 1943 roku w Algierze powstał Francuski Komitet Wyzwolenia Narodowego (CFLN), któremu de Gaulle współprzewodniczył (z gen. Giraudem). Jego zwolennicy przejęli większość stanowisk, zmuszając gen. Girauda do ustąpienia. Rok później, po przekształceniu komitetu w Tymczasowy Rząd Republiki Francuskiej, de Gaulle objął jego kierownictwo i koordynował współdziałanie ruchu oporu i regularnych jednostek wojskowych z wojskami alianckimi wyzwalającymi Francję.

W 1945 roku został wybrany przez Zgromadzenie Konstytucyjne szefem rządu tymczasowego, ale zrezygnował z tego stanowiska w styczniu 1946 roku. Powrócił do czynnego życia politycznego w roku 1958, początkowo jako premier, a od 8 stycznia 1958 roku – jako prezydent. Zrezygnował ze stanowiska w 1968 roku, po niepomyślnych wynikach referendum. Do śmierci przebywał w swojej posiadłości Colombey-les-Deux- -Eglises, gdzie pochowano jego zwłoki na wiejskim cmentarzu.

SIERGIEJ GOGLIDZE (?–1953)
generał pułkownik
Na początku lat 30. dowodził oddziałami straży granicznej na Zakaukaziu. Od listopada 1934 roku kierował NKWD na Zakaukaziu. W 1938 roku brał udział w organizowaniu czystek w Samodzielnej Armii Dalekowschodniej. Tuż potem objął stanowisko szefa NKWD w Gruzji.

Od listopada 1938 roku – szef NKWD w Leningradzie, a w lipcu 1941 roku objął takiež stanowisko na Dalekim Wschodzie.

Na początku lat 50. – wiceminister w Ministerstwie Bezpieczeństwa Państwowego. Od mar- ca 1953 roku – wiceminister spraw wewnętrznych (MWD).

Aresztowany po obaleniu Berii, 18 grudnia 1953 roku skazany na śmierć.

29 października 1984 roku wdowę po nim i jego córkę zamordowano w domu we wsi Małachowka.

SIERGIEJ IGNATIEW (1904–1976)
polityk
Od 1939 roku członek Centralnej Partyjnej Komisji Rewizyjnej, a następnie sekretarz Komitetu WKP(b) Baszkirskiej ASRR.

Od 1946 roku drugi sekretarz WKP(b) na Białorusi oraz członek Biura Organizacyjnego partii białoruskiej, a następnie przewodniczący Komitetu Centralnego Uzbeckiej SRR.

Od grudnia 1951 roku minister bezpieczeństwa państwowego. 4 maja 1953 usunięty ze stanowiska sekretarza Komitetu Centralnego KPZR. Od grudnia 1953 do października 1960 roku zajmował wysokie stanowiska partyjne w republikańskich organizacjach KPZR.

JOHN FITZGERALD KENNEDY
(1917–1963), polityk
Potomek zamożnej i wpływowej rodziny amerykańskiej; w czasie II wojny światowej walczył na Pacyfiku jako żołnierz marynarki wojennej. W 1943 roku dowodził okrętem torpedowym, który w nocy z 1 na 2 sierpnia 1943 roku został staranowany przez japoński niszczyciel, a załoga spędziła w wodzie kilkanaście godzin. Po tym wypadku Kennedy został zdemobilizowany i powrócił do Stanów Zjednoczonych.

W 1946 roku, na życzenie ojca, rozpoczął karierę polityczną, zgłaszając swoją kandydaturę do Izby Reprezentantów. Szybko zdobył bardzo dużą popularność. W listopadzie 1952 roku zwyciężył w wyborach na stanowisko senatora. Sukces ten powtórzył w 1958 roku, tym razem zdobywając ogromną przewagę nad konkuren-

Kennedy z żoną Jacqueline

tem (73,6 procent głosów), co bez wątpienia było wynikiem ogromnych pieniędzy, jakie klan Kennedych wydał na kampanię propagandową. Nie odznaczył się niczym szczególnym jako kongresmen i senator, ale stanowiska te miały ważne znaczenie dla kampanii prezydenckiej.

2 stycznia 1960 roku oficjalnie zgłosił swą kandydaturę na prezydenta, jednakże jego szanse wyglądały blado ze względu na fakt, że był katolikiem i nie sprawował żadnego stanowiska wykonawczego (nie był gubernatorem ani nawet szefem dużego przedsiębiorstwa). Mimo to zdołał zdobyć nominację z ramienia Partii Demokratycznej. 8 listopada 1960 roku odniósł zwycięstwo nad najsilniejszym konkurentem – Richardem Nixonem – większością zaledwie 0,16 procent głosów (Kennedy – 34 227 096, tj. 49,71 procent głosujących, Nixon – 34 107 646, tj. 49,55 procent). 20 stycznia 1961 roku został zaprzysiężony jako 35 prezydent Stanów Zjednoczonych i był najmłodszym prezydentem w czasie wyboru (Teodor Roosevelt był młodszy o 275 dni, gdy obejmował fotel prezydencki po zabójstwie McKinleya).

Pięć dni po objęciu urzędu odbył pierwszą w historii USA konferencję prasową transmitowaną na żywo przez telewizję; od tego czasu bardzo chętnie i zręcznie posługiwał się najnowocześniejszymi mediami, co znakomicie podnosiło jego popularność.

W polityce wewnętrznej był rzecznikiem zreformowania wielu dziedzin życia społecznego i gospodarczego, m.in.: zniesienia dyskryminacji Murzynów, zmian w szkolnictwie wyższym i opiece społecznej. W polityce zagranicznej podjął działania mające na celu rozwój potęgi militarnej Stanów Zjednoczonych, co wyrażało się przede wszystkim w gwałtownym zwiększeniu wydatków zbrojeniowych; budżet obronny wzrósł z 44 mld do 52 mld dolarów w pierwszym roku prezydentury Kennedy'ego. Zdecydowany był nie ustępować przed agresywnymi działaniami Chruszczowa, które doprowadziły do kryzysu berlińskiego w sierpniu 1961 roku (budowa muru) i kubańskiego w październiku 1962. Zmierzał równocześnie do złagodzenia napięcia między mocarstwami. Dowodem tego była propozycja spotkania z Nikitą Chruszczowem, z jaką wystąpił już w lutym 1961 roku, a więc w miesiąc po objęciu urzędu, oraz podjęcie rokowań na temat częściowego zakazu doświadczeń z bomba jądrową.

Zginął zastrzelony 22 listopada 1963 roku w czasie przejazdu przez Dallas. Okoliczności zamachu nie zostały nigdy wyjaśnione

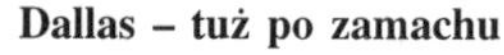

Dallas – tuż po zamachu

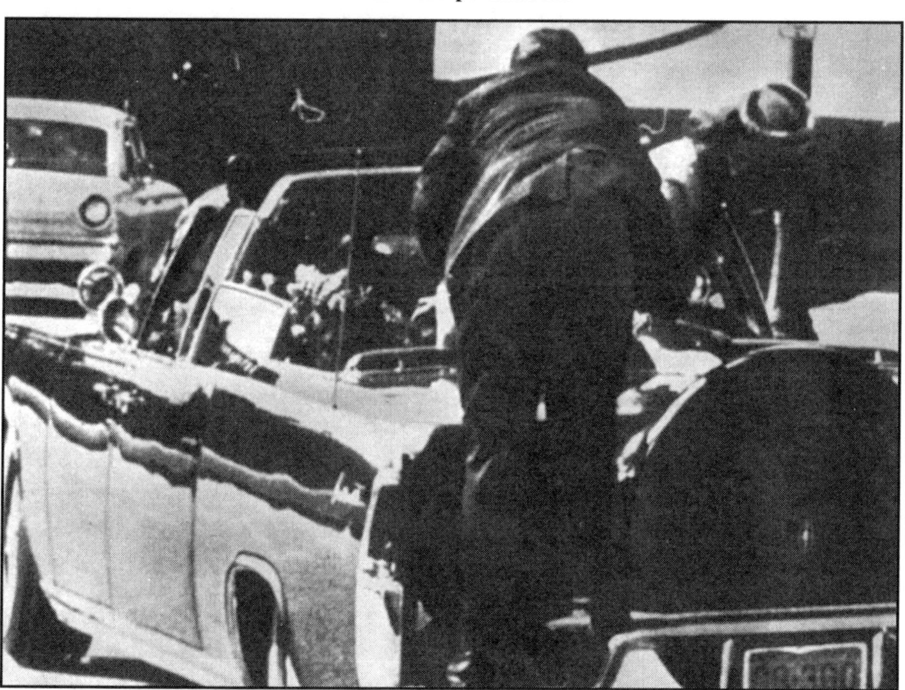

ROBERT FRANCIS KENNEDY
(1925–1968), polityk
W czasie wyborów prezydenckich w 1960 roku kierował kampanią brata – Johna Kennedy'ego. Po wygranej objął urząd prokuratora generalnego, pozostając najbliższym współpracownikiem i doradcą prezydenta. Odegrał szczególnie istotną rolę w kształtowaniu jego decyzji w czasie kryzysu kubańskiego. Dwa lata po zamachu w Dallas złożył rezygnację ze sprawowanej funkcji.

Zginął w czasie zamachu, gdy prowadził kampanię wyborczą do urzędu prezydenckiego. Okoliczności zamachu nie zostały wyjaśnione, lecz istnieją uzasadnione podejrzenia, że morderca działał na polecenie CIA.

Bracia Kennedy: John, Bob (Robert) i Ted

KIM IR SEN (1912–1995), polityk
W wieku 14 lat wstąpił do komunistycznego związku młodzieży, a w 1931 roku do partii komunistycznej. W latach 30. w północno-wschodnich Chinach i północnej części Korei walczył w oddziale partyzanckim przeciwko wojskom japońskim. Od 1937 roku dowodził partyzancką Armią Ludowo-Rewolucyjną. Po kapitulacji wojsk japońskich w Korei zorganizował w północnej części kraju partię komunistyczną.

Po utworzeniu Koreańskiej Republiki Ludowo-Demokratycznej objął urząd premiera, a następnie I sekretarza komunistycznej Partii Pracy, której był współorganizatorem. Działał usilnie na rzecz zjednoczenia Korei pod swoimi rządami. W 1949 roku udało mu się zyskać zgodę Józefa Stalina na podbój Republiki Korei.

W czasie wojny, która wybuchła w 1950 roku, dokonał czystki w partii usuwając wszystkich przeciwników, co umożliwiło mu zdobycie władzy dyktatorskiej.

W latach 50. i 60. tworzył kult własnej osoby jako „wielkiego wodza narodu koreańskiego''. W 1972 roku objął urząd prezydenta.

Po rozpadzie Związku Radzieckiego i upadku ustroju socjalistycznego doprowadził do całkowitej izolacji Korei na arenie międzynarodowej. Przed śmiercią wskazał swojego syna Kim Dzong Ila jako sukcesora nieograniczonej władzy w KRL-D.

Kim Ir Sen w fabryce

P. KOSYNKIN (?–1953)
generał major
Od maja 1940 roku funkcjonariusz NKWD, prawdopodobnie brał udział w rozstrzeliwaniu polskich oficerów w Katyniu. W czasie II wojny objął stanowisko komendanta ochrony Kremla, które sprawował do końca 1952 roku lub stycznia 1953 roku.

IGOR KURCZATOW (1903–1960)
naukowiec
Radziecki fizyk jądrowy, od 1938 roku kierował laboratorium fizyki jądrowej w Leningradzie.

W 1943 roku został wyznaczony przez Stalina na kierownika zespołu naukowców, którym zlecono skonstruowanie bomby nuklearnej. Od tego momentu jego praca i życie osobiste zostało całkowicie utajnione.

20 sierpnia 1945 roku wszedł w skład Specjalnego Komitetu ds. Bomby Atomowej (przewodniczący – Ł. Beria), który miał koordynować działania naukowe, militarne i gospodarcze zmierzające do zbudowania bomby „A''.

Jego praca zakończyła się pełnym sukcesem, czego dowodem było przeprowadzenie na poligonie na Nowej Ziemi próbnej eksplozji nuklearnej ładunku o mocy (prawdopodobnie) 17 kiloton. Nastąpiło to zapewne 29 sierpnia 1949 roku. W listopadzie tegoż roku Kurczatow podjął prace nad skonstruowaniem bomby wodorowej, co zakończyło się sukcesem w 1953 roku.

LI SYNG-MAN (1875–1965), polityk
Uczestnik ruchu niepodległościowego końca XIX wieku, był więziony przez Japończyków w latach 1897–1904. Zmuszony do emigracji do Stanów Zjednoczonych, ukończył tam studia uniwersyteckie. W 1919 roku utworzył w Chinach niepodległościowy rząd emigracyjny. W roku 1945 powrócił do kraju i po wyborach przeprowadzonych trzy lata później w Republice Korei objął urząd prezydenta, który sprawował do 1960 roku, kiedy to fala protestów przeciwko dyktatorskim metodom rządów zmusiła go do rezygnacji ze sprawowanej funkcji i ponownego udania się na emigrację.

DOUGLAS MacARTHUR (1880–1964)
generał
Jeden z najwybitniejszych i najbardziej kontrowersyjnych dowódców amerykańskich, absolwent akademii wojskowej West Point (1903). W czasie I wojny światowej był szefem sztabu, a następnie dowódcą 42. dywizji piechoty walczącej we Francji.

W okresie międzywojennym pełnił między innymi funkcję doradcy wojskowego prezydenta

MacArthur powraca na Filipiny

MacArthur z cesarzem Japonii Hirohito w ambasadzie USA w Tokio, 1945

Filipin Manuela Quezona oraz dowodził niewielką amerykańsko-filipińską armią. W 1938 roku przeszedł w stan spoczynku.

Powrócił do służby w lipcu 1941 roku jako dowódca wojsk amerykańsko-filipińskich. Mimo zapewnień, jakie otrzymywał z Waszyngtonu, że „polityką Stanów Zjednoczonych jest obrona Filipin'', dostawy uzbrojenia i posiłki były niewystarczające dla zorganizowania skutecznej obrony. Od grudnia 1941 roku objął dowodzenie amerykańskimi siłami lądowymi na Dalekim Wschodzie i kierował obroną Filipin przed wojskami japońskimi.

22 lutego 1942 roku, na rozkaz prezydenta Franklina D. Roosevelta, opuścił swoje oddziały i udał się do Australii, gdzie objął dowodzenie alianckimi siłami zbrojnymi w południowo–zachodniej części Pacyfiku. W latach 1943–1944 dowodził operacjami inwazyjnymi na Nową Gwineę, Nową Brytanię, Nową Georegię, Wyspy Admiralicji i Wyspy Salomona. Opracował i rozwinął strategię „żabich skoków'', w której umiejętnie wykorzystywał siły morskie i lotnicze w inwazjach na kolejno zdobywane wyspy Pacyfiku. W 1944 roku zaplanował największą (do tego czasu) operację inwacyjną na Leyte i dowodził nią.

W kwietniu 1945 roku objął dowodzenie siłami sprzymierzonych na Dalekim Wschodzie. 2 września 1945 roku na pokładzie pancernika *Missouri* w imieniu przywódców państw alianckich przyjął kapitulację Japonii. Do 1951 roku był naczelnym dowódcą alianckich sił okupacyjnych w Japonii.

Od roku 1950 dowodził wojskami Organizacji Narodów Zjednoczonych w wojnie koreańskiej. Planował wówczas atak nuklearny na Chiny (co ujawniono w 1964 roku).

11 kwietnia 1951 roku, ze względu na samowolę i podejmowanie działań wbrew zaleceniom rządu Stanów Zjednoczonych, został odwołany ze wszystkich stanowisk.

GIEORGIJ MALENKOW (1902–1988) polityk

Członek partii komunistycznej od 1920 roku. Od 1934 roku był kierownikiem Wydziału Kadr KC WKP(b). W latach 1937–1938 brał czynny udział w organizowaniu Wielkiej Czystki w partii i wojsku. W 1938 roku opowiedział się przeciwko Nikołajowi Jeżowowi, z którym blisko współpracował w przeprowadzaniu czystki, i poparł kandydaturę Ławrentija Berii na stanowsko komisarza NKWD. Od 1939 roku członek KC i sekretarz KC. W czasie II wojny światowej nadzorował produkcję lotniczą.

Po wojnie, w wyniku konfliktu ze Żdanowem, zwolniony ze stanowiska sekretarza KC i wysłany do Kazachstanu. Po powrocie z politycznego zesłania w lutym 1949 roku, razem z Berią, zmierzając do pozbycia się najbliższych współpracowników zmarłego Żdanowa (m.in. wicepremiera Nikołaja Wozniesienskiego i sekretarza KC do spraw bezpieczeństwa, Aleksieja Kuzniecowa) zainicjował tzw. sprawę leningradzką, w której wydano sześć wyroków śmierci, a następnie uwięziono 200 wyższych funkcjonariuszy.

W 1952 roku uważano go za następcę Stalina, po śmierci dykatora w marcu 1953 roku objął stanowisko sekretarza generalnego KPZR (z którego szybko zrezygnował) i premiera.

W czerwcu tego roku poparł Chruszczowa w walce o władzę z Berią. W 1955 roku zdegradowany, objął stanowisko ministra energetyki. Dwa lata później, za udział w nieudanym spisku przeciw Chruszczowowi, usunięto go z Prezydium KC i mianowano dyrektorem elektrowni. W 1961 roku, pod pretekstem udziału w zbrodniach stalinowskich, został wykluczony z partii.

MAO TSE-TUNG (1893–1976), polityk.

Jeden z założycieli Komunistycznej Partii Chin, był również jednym ze współtwórców partii Kuomintangu i działał w niej do 1927 roku, gdy usunięto z niej komunistów. W czasie tzw. Wielkiego Marszu, będącego odwrotem komunistów z południowej części kraju (październik 1934 – październik 1935) Mao stanął na czele tej operacji i objął kierownictwo KPCh. Od 1943 roku przewodził tej partii.

Po II wojnie światowej odegrał główną rolę w tzw. trzeciej rewolucyjnej wojnie domowej, trwającej od 1946 do 1949 roku.

Po zwycięstwie komunistów nad wojskami Kuomintangu proklamował 1 października 1949 roku Chińską Republikę Ludową. Do 1954 roku był przewodniczącym najwyższego organu władzy – Centralnego Rządu Ludowego, a następnie zajmował stanowisko przewodniczącego ChRL.

Wobec coraz większego znaczenia grupy weteranów partyjnych usiłował odzyskać inicjatywę proklamując Wielki Skok – kampanię na rzecz przyspieszenia rozwoju przemysłu i produkcji rolnej. Po fiasku tej operacji został usunięty w cień.

Ponowną próbę odzyskania znaczenia, tym razem udanie, podjął w 1966 roku proklamując „rewolucję kulturalną'', dzięki czemu uzyskał pełnię władzy, której nie oddał już do końca życia.

Podpisanie układu między ZSRR a Chinami, 1950
Pośrodku Stalin i Mao Tse-tung, po prawej, w jasnym trenczu, klaszczący Malenkow - obraz

WIACZESŁAW RUDOLF MIENŻYNSKI (?–1934), polityk
Działacz lewicowy od 1895 roku. W roku 1889 roku ukończył wydział prawa na uniwersytecie w Petersburgu. W 1903 roku wstąpił do partii bolszewickiej i prowadził aktywną działalność w Jarosławiu.

Po aresztowaniu w roku 1906 zbiegł za granicę i przebywał w Belgii, Szwajcarii, USA i Francji.

Po wybuchu rewolucji w 1917 roku powrócił do Rosji i brał czynny udział w walkach. Wkrótce objął stanowisko komisarza finansów, a następnie wyjechał jako pracownik dyplomatyczny sowieckiej misji do Berlina. Prawdopodobnie od grudnia 1917 roku był członkiem kolegium CzeKa.

W 1919 roku objął stanowisko zastępcy szefa CzeKa i szefa wydziału specjalnego zajmującego się bezpieczeństwem granic państwa. Prawdopodobnie był również szefem Tajnego Wydziału Politycznego.

Od 1923 do 1926 roku był zastępcą przewodniczącego CzeKa. 8 lutego 1926 roku, po przekształceniu WCzeKa w GPU (później OGPU), objął stanowisko przewodniczącego tej instytucji.

WSIEWOŁOD MIERKUŁOW
(1900–1953), generał
W latach 1918–1920 studiował razem z Ławrentijem Berią na politechnice w Baku i ta znajomość miała istotny wpływ na jego dalszą karierę. W 1920 roku podjął w Baku służbę w CzeKa.

W 1921 roku, prawdopodobnie, wszedł w skład osobistego sekretariatu Stalina. Następnie był szefem wydziału transportu przemysłowego KC gruzińskiej partii komunistycznej.

Od 17 grudnia 1938 roku pierwszy zastępca komisarza NKWD. Główny organizator kaźni polskich oficerów w roku 1940.

Od 3 lutego 1941 roku na czele NKGB. Od 14 kwietnia 1943 roku, po rozłączeniu organów bezpieczeństwa, ponownie kierował NKGB do 18 października 1946 roku W latach 1946–1950 kierował radziecką komisją repatriacyjną działającą w Polsce i Niemczech.

Od października 1950 minister kontroli państwowej. 18 grudnia 1953 roku, sądzony przez trybunał specjalny, został skazany na śmierć.

WIACZESŁAW MOŁOTOW
(1890–1986), polityk
Działacz rosyjskiego ruchu rewolucyjnego, w 1921 roku został sekretarzem KC RKP (b), a w 1926 roku – członkiem Biura Politycznego WKP (b). W tym okresie poparł Stalina w walce o władzę, co później zagwarantowało mu najwyższe stanowiska państwowe. W 1930 roku objął urząd premiera Związku Radzieckiego (przewodniczący Rady Komisarzy Ludowych) i wiernie realizował stalinowską politykę kolektywizacji. Jeden z głównych organizatorów Wiel-

kiej Czystki w wojsku i partii; jego podpis widnieje na setkach list osób zamordowanych w latach 30.

W maju 1939 roku, zachowując stanowisko premiera, zastąpił na stanowisku komisarza do spraw zagranicznych Maksima Litwinowa, uważanego za polityka o sympatiach prozachodnich. W sierpniu 1939 roku podpisał układ o nieagresji z Niemcami, a 29 września układ o przyjaźni i granicy z Niemcami, będący w istocie czwartym rozbiorem Polski. W listopadzie 1940 roku przybył do Berlina, aby negocjować warunki przystąpienia Związku Radzieckiego do „osi'' Berlin–Rzym–Tokio, ale przedstawił żądania terytorialne, których Hitler nie mógł zaakceptować. Po wybuchu wojny niemiecko-radzieckiej

Gorące powitanie Mołotowa w Berlinie, 12 listopada 1940

22 czerwca 1941 roku pierwszy wygłosił przemówienie do narodu informujące o rozpoczęciu wojny. Wobec konieczności zmiany radzieckiej polityki zagranicznej w lipcu 1941 roku podpisał układ o pomocy wzajemnej z Wielką Brytanią i następnie w październiku protokół o pomocy wojskowej Stanów Zjednoczonych (Lend–lease).

W październiku 1943 roku przewodniczył moskiewskiej konferencji ministrów spraw zagranicznych, w czasie której ustalono zasady konferencji Wielkiej Trójki w Teheranie. W latach 1943–1945 brał udział we wszystkich najważniejszych konferencjach. Był jednym z twórców tzw. ładu jałtańskiego gruntującego hegemonię Związku Radzieckiego w Europie Wschodniej.

Po wojnie popadł w niełaskę Stalina, na którego polecenie w 1949 roku aresztowano jego żonę Polinę Żemczużynę, z pochodzenia Żydówkę. W tym samym roku został odwołany ze stanowiska ministra spraw zagranicznych. Po śmierci Stalina w 1953 roku wszedł w skład tzw. I triumwiratu (Beria, Malenkow, Mołotow) i ponownie objął stanowisko ministra spraw zagranicznych.

W czerwcu 1957 roku na plenum KC KPZR podjął nieudaną próbę obalenia sekretarza generalnego, za co został usunięty z Komitetu Centralnego i wysłany jako ambasador do Mongolii. Później był szefem misji ZSRR przy Międzynarodowej Agencji Energii Atomowej w Wiedniu. W 1961 roku za wydanie krytycznego oświadczenia został usunięty z partii i wysłany na emeryturę.

ROBERT OPPENHEIMER (1904–1967)
naukowiec

Fizyk nuklearny, jeden z twórców amerykańskiej bomby atomowej. Od 1927 roku pracował na University of California w Berkeley i California Institute of Technology w Pasadenie, gdzie sławę przyniosły mu odkrycia z dziedziny kwantowej teorii atomu oraz fizyki jądrowej.

Od lipca 1943 roku jako dyrektor laboratoriów w Los Alamos kierował pracami nad skonstruowaniem bomby atomowej (co później przyniosło mu miano „ojca amerykańskiej bomby atomowej").

W październiku 1945 roku zrezygnował ze stanowiska dyrektora.

Od 1947 roku stał na czele Komisji ds. Energii Atomowej, która sprzeciwiła się skonstruowaniu bomby wodorowej; z tego powodu 23 grudnia 1953 roku oskarżono Oppenheimera o nielojalność oraz zarzucono mu utrzymywanie kontaktów z komunistami (w latach 30. należał do organizacji lewicowych).

W maju 1954 roku uchwałą Wydziału Bezpieczeństwa Personalnego Komisji Energii Atomowej został pozbawiony dostępu do spraw tajnych, co równało się zakazowi dalszej pracy w komisji.

W 1963 roku otrzymał od Komisji ds. Energii Atomowej nagrodę im. Fermiego, co oznaczało pełną rehabilitację.

Robert Oppenheimer

ALEKSANDR POSKRIEBYSZOW
(1891–1965)

Od 1917 roku w partii bolszewickiej; sprawował wysokie stanowiska partyjne m.in w Swierdłowsku i Ufie. Prawdopodobnie brał udział w wymordowaniu rodziny carskiej.

Od marca 1922 roku asystent sekretarza Komitetu Centralnego, później zastępca kierownika partyjnego Biura Kontroli; jego zadaniem była inwigilacja i zbieranie materiałów obciążających członków najwyższych władz partyjnych. W 1929 roku stanął na czele Wydziału Administracyjnego KC WKP(b).

Na początku lat 30. wszedł w skład osobistego sekretariatu Stalina. W 1934 roku, po śmierci dotychczasowego szefa sekretariatu, objął to stanowisko. Wkrótce stał się najbliższym i niezastąpionym współpracownikiem dyktatora, który cenił jego wiedzę o stosunkach personalnych wśród członków najwyższych władz partyjnych i państwowych oraz fenomenalną pamięć. Nie uratowało to żony Poskriebyszowa, pasierbicy Trockiego, którą na rozkaz Stalina uwięziono po II wojnie światowej. W kwietniu 1953 roku, w wyniku intryg Berii, usunięty ze stanowiska szefa sekretariatu. Po śmierci dyktatora był członkiem Prezydium Rady Najwyższej. Od 1960 roku na emeryturze.

MICHAIŁ RIUMIN (1913–1954)
W okresie przedwojennym był księgowym, zatrudnionym m.in w dziale finansowym budowy kanału Moskwa–Wołga. W 1941 roku, powołany do wojska, rozpoczął służbę w kontrwywiadzie w Archangielsku.

W 1944 roku przeszedł do Smierszu. Po wojnie prawdopodobnie był członkiem osobistego sekretariatu Stalina, odpowiedzialnym za sprawy bezpieczeństwa państwowego. Następnie kierował Wydziałem Śledztwa w Specjalnie Ważnych Sprawach w MGB. Od 1951 roku wiceminister bezpieczeństwa państowego (MGB). Prawdopodobnie na krótko był aresztowany przez swojego szefa Abakumowa, lecz na rozkaz Stalina zwolniono go i przywrócono do pracy. Jeden z głównych organizatorów „spisku lekarzy'', wsławił się okrutnym traktowaniem aresztowanych.

Po śmierci Stalina zwolniony ze stanowiska, aresztowany, 7 lipca 1954 roku skazany na śmierć.

JULIUS ROSENBERG (1918–1953)
Urzędnik rządu USA wraz z żoną ETHEL (z domu Greenglass;1915–1953) kierował radziecką siatką szpiegowską przejmującą od amerykańskich naukowców informacje i dokumenty na temat budowy bomby nuklearnej.

Aresztowany w 1950 roku, został uznany winnym i skazany (wraz z żoną) na karę śmierci na krześle elektrycznym. Wyrok wykonano w 1953 roku.

RAOUL SALAN (1899–1984), generał
Syn lekarza, w 1918 roku ukończył wojskową uczelnię Saint-Cyr. Podczas I wojny światowej został odznaczony Croix de Guerre. W okresie międzywojennym pracował w Ministerstwie ds. Kolonii. W latach 1941–1943 opowiedział się za kolaboracyjnym rządem marsz. Philippe Pétaina i służył we Francuskiej Afryce Zachodniej. W 1945 roku skierowano go do Indochin, gdzie w 1952 roku objął dowodzenie wojskami francuskimi. W końcu wojny stanął na czele Stowarzyszenia Kombatantów Wojny Indochińskiej, stawiającego sobie za cel niedopuszczenie do wycofania wojsk francuskich z Indochin.

Po kryzysie sueskim w roku 1956 został mianowany naczelnym dowódcą wojsk francuskich w Algierii. W 1958 roku przewodził spiskowi wojskowemu zmierzającemu do obalenia rzadów IV Republiki i przekazania władzy w ręce gen. de Gaulle'a. Uznał, że prezydent zgadzając się na przyznanie niepodległości Algierii zawiódł zaufanie wojska i zdradził honor Francji. W rezultacie Salan stanął na czele terrorystycznej organizacji OAS, zmierzającej do zmiany władzy we Francji. Kierował 22 kwietnia 1961 roku wojskowym zamachem, który nie udał się i w tym samym roku został oskarżony o zdradę stanu i zaocznie skazany na śmierć. Rok później, 20 kwietnia 1962 roku, aresztowany, stanął przed sądem, który skazał go na dożywotnie więzienie. W 1968 roku (razem z innymi przywódcami OAS: gen. Maurice Challe'em, Edmondem Jouhaudem oraz André Zellerem) został zwolniony na mocy amnestii. W 1982 roku prezydent François Mitterrand przywrócił mu wszystkie odznaczenia, stopień wojskowy i pełną emeryturę.

Raoul Salan (pierwszy z lewej)

IWAN SIEROW (1905–1962), generał
W 1926 roku wstąpił do partii komunistycznej. Dwa lata później rozpoczął naukę w szkole artylerii w Leningradzie. Wkrótce zatrudniono go w osobistym sekretariacie Stalina, gdzie pracował do 1939 roku. Wówczas rozpoczął studia w akademii im. Frunzego. Od września 1939 roku działał w NKWD na Ukrainie i prawdopodobnie związany był z organizowaniem egzekucji polskich oficerów w Katyniu.

W 1941 roku objął stanowisko pierwszego zastępcy ludowego komisarza spraw wewnętrznych (NKWD). W tym okresie organizował masowe deportacje mniejszości narodowych (m.in. Niemców nadwołżańskich i Czeczeńców), był również członkiem komitetu powołanego w celu przeprowadzenia zniszczenia Moskwy, gdyby Niemcom udało się wedrzeć do miasta.

Po wojnie działał w Polsce organizując sieć wywiadowczą. Od 21 lutego 1947 roku był pierwszym zastępcą ministra spraw wewnętrznych (MWD). 13 marca 1954 roku stanął na czele Komitetu Bezpieczeństwa Państwowego (KGB), którym kierował do 1958 roku. W tym czasie przewodniczył również Komitetowi do Spraw Rehabilitacji Ofiar Represji. W grudniu 1958 toku stanął na czele wywiadu wojskowego GRU. W 1962 roku popełnił samobójstwo.

HARRY TRUMAN (1884–1972), polityk.
Od 1935 do 1945 roku był senatorem stanu Missouri. W 1940 roku zorganizował komisję, która energicznie zajęła się walką z marnotrawstwem w amerykańskim przemyśle zbrojeniowym i do 1944 roku doprowadziła do zaoszczędzenia około 15 miliardów dolarów.

W listopadzie 1944 roku wygrał wybory na stanowisko wiceprezydenta, a 12 kwietnia 1945 roku, po śmierci Franklina D. Roosevelta został zaprzysiężony jako trzydziesty trzeci prezydent Stanów Zjednoczonych.

Był przeciwny kontynuowaniu linii politycznej swojego poprzednika wobec Związku Radzieckiego, co w sposób spektakularny ujawniło się podczas spotkania (23 kwietnia 1945) z ludowym komisarzem spraw zagranicznych ZSRR, Wiaczesławem Mołotowem, który stwiedził: „Nigdy w życiu nikt do mnie nie mówił takim językiem''. W maju 1945 wstrzymał dostawy Lend-lease'u do Związku Radzieckiego.

5 kwietnia 1945 roku podjął decyzję o zrzuceniu bomby atomowej na Japonię.

Brał udział w konferencji w Poczdamie, która zadecydowała o kształcie powojennej Europy. W orędziu do Kongresu Stanów Zjednoczonych, wygłoszonym 12 marca 1947 roku, stwierdził: „Stany Zjednoczone winny wesprzeć wolne narody, które stawiają opór próbom ich ujarzmienia przez zbrojne mniejszości lub presję zewnętrzną''. Był to wyraz spóźnionej reakcji na radziecką politykę podporządkowywania ZSRR państw Europy środkowej i południowej.

Tzw. doktryna Trumana umożliwiła Stanom Zjednoczonym ostateczne zerwanie z odradzającym się izolacjonizmem i aktywne podjęcie spraw globalnego bezpieczeństwa.

W 1948 roku Truman wygrał wybory prezydenckie i sprawował ten urząd do 20 stycznia 1953 roku.

Harry Truman na spotkaniu z oficerami przed Białym Domem

NIKOŁAJ WŁASIK (1896–?)
generał porucznik
W 1918 roku wstąpił do partii komunistycznej, a dwa lata później rozpoczął służbę w CzeKa.

W 1931 roku rekomendowany przez szefa GPU, Mienżynskiego, został ochroniarzem Stalina. Od 1936 do 1943 roku pracował w Wydziale Operacyjnym, a od 1943 do 1946 roku kierował tym wydziałem.

W lutym 1947 roku objął kierownictwo Wydziału Ochrony Przywódców MGB. W grudniu 1952 roku, w wyniku intryg Berii, zdymisjonowany, wykluczony z partii i mianowany zastępcą komendanta obozu w Swierdłowsku. Wkrótce jednak aresztowano go pod zarzutem utrzymywania kontaktów z W. Stenbergiem podejrzanym o szpiegostwo.

17 stycznia 1955 roku skazany na dziesięć lat zesłania do Krasnodaru (wyrok skrócono na mocy amnestii do pięciu lat) oraz degradację i utratę odznaczeń wojskowych.

GIEORGIJ ŻUKOW (1896–1974)
marszałek Związku Radzieckiego
Najwybitniejszy radziecki strateg i dowódca, uczestnik I wojny światowej i wojny domowej, służbę w Armii Czerwonej rozpoczął w 1918 roku. W roku 1939 dowodził 1. grupą armijną w walkach z Japończykami nad rzeką Chałchyn-goł na Dalekim Wschodzie i odniósł zwycięstwo, które miało znaczący wpływ na zaniechanie przez Japonię dalszej agresji w stronę Syberii.

W 1940 roku dowodził Kijowskim Okręgiem Wojskowym. W styczniu 1941 roku został szefem Sztabu Generalnego. W lipcu tego roku, po konflikcie ze Stalinem, powrócił do służby liniowej. Ze względu na wybitne zdolności dowódcze kierowany na najtrudniejsze odcinki wojny: obronił Leningrad (St. Petersburg), wygrał bitwę pod Moskwą, koordynował działania frontów w czasie bitwy stalingradzkiej i pod Kurskiem. W czasie wojny dowodził Frontem Odwodowym, Leningradzkim (od września 1941 roku), Zachodnim (od października 1941 roku), 1. Ukraińskim (od marca 1944 roku) i 1. Białoruskim (od listopada 1944 roku do maja 1945 roku); jednocześnie od 28 lipca 1942 roku zastępca naczelnego wodza.

Gieorgij Żukow

8 maja 1945 roku w imieniu Związku Radzieckiego przyjął bezwarunkową kapitulację Niemiec. Do marca 1946 roku był dowódcą radzieckich wojsk okupacyjnych w Niemczech, jednakże został ściągnięty do Moskwy, gdyż Stalin obawiał się jego wpływów i popularności.

Przygotowywana przeciwko niemu akcja organów bezpieczeństwa nie powiodła się; Stalin nie odważył się osadzić Żukowa w więzieniu, zmusił go jedynie do wyjazdu do Odessy, gdzie marszałek objął dowodzenie okręgiem wojskowym.

W 1951 roku został przywrócony do łask, zapewne z powodu zaostrzenia sytuacji międzynarodowej i wojny w Korei, grożącej przeistoczeniem się w konflikt światowy, w którym Stalin potrzebowałby doświadczonych strategów.

W czerwcu 1953 roku wziął czynny udział w aresztowaniu Ławrentija Berii, którego uważał za osobistego wroga. Od 1955 roku minister obrony, w 1957 roku został usunięty przez Nikitę Chruszczowa.

DOKUMENTY

Fulton, 1946

Winstona Churchilla
Deklaracja zimnej wojny

Za publiczną deklarację zimnej wojny historycy uznają przemówienie, które Winston Churchill wygłosił 5 marca 1946 roku na uniwersytecie w Fulton, w stanie Missouri, gdzie został zaproszony przez ówczesnego prezydenta Stanów Zjednoczonych Harry'ego Trumana. Oto fragmenty tego przemówienia:

Kiedy amerykańscy wojskowi mają się zmierzyć z trudną sytuacją, w nagłówku odpowiedniego zarządzenia piszą zazwyczaj „ogólna koncepcja strategiczna''. W tych słowach zawiera się mądrość, ponieważ prowadzi to do jasności myśli. Jaką zatem powinniśmy dziś przyjąć ogólną koncepcję strategiczną? Programem minimum jest bezpieczeństwo i pomyślność, wolność i postęp, obejmujące wszystkie domy i rodziny, wszystkich mężczyzn i kobiety we wszystkich krajach. (...)

By tym niezliczonym ogniskom domowym dać poczucie bezpieczeństwa, trzeba je ochraniać przed dwiema ponurymi zmorami – wojną i tyranią. (...)

Powstała już światowa organizacja, której głównym zadaniem jest zapobieganie wojnie. Byłoby jednak błędem i nieroztropnością powierzyć tajną wiedzę czy doświadczenia z bombą atomową, będącą dziś w posiadaniu Stanów Zjednoczonych, Wielkiej Brytanii i Kanady, światowej organizacji, która jest jeszcze w powijakach. Byłoby zbrodniczym szaleństwem powierzyć tę wiedzę łasce losu w tym wciąż niespokojnym i podzielonym świecie. Nikt w żadnym kraju nie śpi gorzej z tego powodu, że ta wiedza, metoda i stosowane surowce pozostają w rękach Amerykanów. Nie sądzę jednak, że wszyscy powinniśmy spokojnie spać, gdyby sytuacja się odwróciła i niektóre komunistyczne czy neofaszystowskie państwa chwilowo zmonopolizowały owe straszliwe moce. (...)

Bóg chciał, żeby tak nie było, i mamy przynajmniej czas na oddech, zanim zetkniemy się z tym niebezpieczeństwem, a jeśli nie zaniedbamy wysiłków, powinniśmy w dalszym ciągu mieć tak znaczną przewagę, by podjąć skuteczne działania odstraszające od użycia broni lub groźby użycia jej przez innych. Kiedy ostatecznie braterstwo ludzi ucieleśni się i wyrazi w postaci światowej organizacji, jej będzie można powierzyć ową siłę.

Teraz przechodzę do drugiego zagrożenia, które zawisło nad domami zwyczajnych ludzi, to znaczy do tyranii. Nie możemy być ślepi na fakt, że wolność, którą się cieszą obywatele Stanów Zjednoczonych i Imperium Brytyjskiego, nie jest uznawana w bardzo wielu krajach, wśród których nie brak mocarstw. Rządy tych państw narzucają swoją wolę ludziom, poddając ich różnym rodzajom wszechogarniającej kontroli, która jest sprzeczna z wszelkimi zasadami demokracji. Dziś, gdy istnieją tak liczne trudności, naszym obowiązkiem nie jest wtrącanie się do wewnętrznych spraw krajów, których nie podbiliśmy w czasie wojny, jednak nie możemy przestać głosić nieustraszenie zasad wolności i praw człowieka, które są wspólnym dziedzictwem anglojęzycznego świata, i które – poprzez Magna Carta, akt swobód obywatelskich, *habeas corpus* oraz angielskie prawo zwyczajowe – znajdują wyraz w Deklaracji Niepodległości. (...)

Jak dotychczas, w pełni się ze sobą zgadzamy. Teraz, kiedy wciąż poszukujemy metody realizacji naszej ogólnej koncepcji strategicznej, przechodzę do sedna sprawy, która mnie tutaj przywiodła. Ani zapobieżenie wojnie, ani stały wzrost roli światowej organizacji nie będą możliwe bez tego, co nazwałem braterską współpracą anglojęzycznych narodów. To oznacza specjalne stosunki między Brytyjską Wspólnotą i Stanami Zjednoczonymi. To nie jest czas na ogólniki. Spróbuję sprecyzować swoje poglądy.

Braterska współpraca wymaga nie tylko zacieśnienia przyjaźni między dwoma naszymi pokrewnymi systemami społecznymi oraz wzajemnego zrozumienia, lecz także kontynuowania zażyłych stosunków między naszymi doradcami wojskowymi, prowadzącego do wspólnych analiz potencjalnych zagrożeń, do podobnego uzbrojenia i regulaminów oraz wymiany oficerów i kadetów w uczelniach wojskowych. Trwałość obecnych środków bezpieczeństwa powinno zapewnić wspólne wykorzystywanie wszystkich baz marynarki wojennej i sił lotniczych znajdujących się w posiadaniu obu krajów na całym świecie. Mogłoby to być może dwukrotnie zwiększyć ruchliwość amerykańskiej marynarki wojennej i sił powietrznych. Bardzo chciałbym podobnie rozbudować siły zbrojne Imperium Brytyjskiego. (...)

Stany Zjednoczone mają już stały układ obronny z Kanadą, która jest tak blisko związana z Brytyjską Wspólnotą i Imperium. Układ ten jest bardziej skuteczny niż wiele innych, które często zawierali formalni sojusznicy. Tę zasadę należy rozszerzyć na całą Wspólnotę Brytyjską, z zachowaniem pełnej wzajemności. Dzięki temu, jeśli cokolwiek się zdarzy, i jedynie dzięki temu, będziemy bezpieczni i zdolni do współpracy na rzecz wzniosłych i prostych celów, które są nam drogie i nikomu nie wróżą zła...

Mogą powrócić mroczne czasy, na połyskujących skrzydłach nauki może powrócić epoka kamienna, i to, co może dziś obsypać ludzkość niezmierzonymi zdobyczami cywilizacji, może też spowodować całkowite jej zniszczenie. Mówię: miejmy się na baczności; może już wkrótce... (...)

Od Szczecina nad Bałtykiem do Triestu nad Adriatykiem w poprzek całego kontynentu zapadła żelazna kurtyna. Poza tą linią leżą wszystkie stolice starych państw Europy Środkowej i Wschodniej. Warszawa, Berlin, Praga, Wiedeń, Budapeszt, Belgrad, Bukareszt i Sofia, wszystkie te sławne miasta i ludność wokół nich znajdują się w strefie sowieckiej i wszyscy w tej czy innej formie podlegają nie tylko sowieckim wpływom, ale także w bardzo dużym i ciągle zwiększającym się stopniu są kontrolowani przez Moskwę. Jedynie Ateny ze swą nieśmiertelną sławą mogą swobodnie decydować o swej przyszłości w wyborach przeprowadzanych z udziałem angielskich, amerykańskich i francuskich obserwatorów...

Jednak w bardzo wielu krajach oddalonych od rosyjskich granic i rozsianych po całym świecie są zorganizowane komunistyczne piąte kolumny, które działają zgodnie z instrukcjami otrzymywanymi z centrum komunizmu i są mu absolutnie posłuszne. Wszędzie, z wyjątkiem Wspólnoty Brytyjskiej i Stanów Zjednoczonych, gdzie komunizm jest w powijakach, partie komunistyczne lub piąte kolumny stanowią coraz większe wyzwanie i zagrożenie dla chrześcijańskiej cywilizacji. (...)

Z drugiej strony odrzucam pogląd, że wojna jest nieunikniona, a tym bardziej – że jest bliska. A to dlatego, że jestem pewny, iż nasze losy są w naszych rękach i że dysponujemy siłą zdolną ocalić przyszłość, że uważam za swój obowiązek mówić głośno to, co teraz mówię. Nie wierzę, że Rosja sowiecka pragnie wojny. Rosjanie pragną zebrać owoce wojny i rozbudowywać bez ograniczeń swoją potęgę i doktryny. Na podstawie tego, co widziałem, spotykając się podczas wojny z naszymi rosyjskimi przyjaciółmi i sojusznikami jestem przekonany, że niczego oni tak nie podziwiają jak siłę, i niczego mniej nie szanują niż słabości militarnej. Z tego powodu stara doktryna równowagi sił jest błędna. Nie możemy sobie pozwolić, jeśli potrafimy temu zaradzić, na działania na wąskim marginesie, stwarzając pokusę próby sił.

Jeżeli zachodnie demokracje zajmą wspólne stanowisko zgodne z zasadami Karty Narodów Zjednoczonych, ich wpływ na utrwalanie tych zasad będzie ogromny i najpewniej nikt nie będzie się im naprzykrzał. Jeśli jednak nie będzie wśród nich zgody lub zaczną się wahać podczas wykonywania swych obowiązków, i jeśli dopuści się do tego, by umknęły nam te wszystkie ważne lata, wówczas wszystkim nam może zagrozić prawdziwa katastrofa.

Przełożył **Adam Budzyński**

„Prawda'', 13 marca 1946

Józef Stalin: *przemówienie Churchilla jest wezwaniem do wojny z Rosją*

Przemówienie Winstona Churchilla w Fulton spotkało się z ostrą reakcją Józefa Stalina. W wywiadzie opublikowanym 13 marca 1946 roku na łamach „Prawdy'' Stalin przedstawił niektóre motywy sowieckiej polityki, oskarżył Anglików i Amerykanów o knucie spisku przeciwko interesom Rosji i stwierdził, że zdominowanie Europy Wschodniej przez komunizm jest faktem w pełni zgodnym z logiką historii. Oto fragmenty wywiadu:

– Jak oceniacie ostatnie przemówienie pana Churchilla, wygłoszone w Stanach Zjednoczonych?

– Oceniam je jako niebezpieczny akt, obliczony na to, by siać niezgodę między sojusznikami i utrudnić ich współpracę.

– Czy można uważać, że przemówienie Churchilla zaszkodzi sprawie pokoju i bezpieczeństwa?

– Niewątpliwie tak. W gruncie rzeczy pan Churchill zajmuje dzisiaj stanowisko podżegacza wojennego i nie jest w tym osamotniony. Ma przyjaciół nie tylko w Wielkiej Brytanii, ale także w Stanach Zjednoczonych.

Należy zaznaczyć, że pod tym względem pan Churchill i jego przyjaciele zdumiewająco przypominają Hitlera i jego przyjaciół. Hitler rozpoczął wojnę od proklamowania teorii rasistowskiej, oświadczając że pełnowartościowym narodem są jedynie ludzie mówiący po niemiecku. Pan Churchill planuje rozpętanie wojny również od głoszenia teorii rasistowskiej, stwierdzając, że narody mówiące po angielsku są narodami górującymi nad innymi i powołanymi do rozstrzygania o losach całego świata. Niemiecka teoria rasistowska doprowadziła Hitlera i jego przyjaciół do wniosku, że Niemcy jako jedyny pełnowartościowy naród powinni panować nad innymi narodami. Angielska teoria rasistowska doprowadza pana Churchilla i jego przyjaciół do wniosku, że narody mówiące po angielsku, jako jedyne pełnowartościowe narody, powinny panować nad pozostałymi narodami świata.

W rzeczywistości pan Churchill i jego przyjaciele w Anglii i w Stanach Zjednoczonych proponują narodom nie mówiącym po angielsku coś w rodzaju ultimatum: „Uznajcie dobrowolnie nasze panowanie i wówczas wszystko będzie w porządku; w przeciwnym wypadku wojna jest nieunikniona''.

Ale te narody przelewały krew w ciągu pięcioletniej okrutnej wojny, walcząc o wolność i niezależność swych krajów, a nie o to, by zastąpić panowanie Hitlerów panowaniem Churchillów. Wobec tego jest całkiem prawdopodobne, że narody nie mówiące po angielsku, które stanowią olbrzymią większość mieszkańców świata, nie zgodzą się na nową niewolę. Tragedia pana Churchilla polega na tym, że jako zagorzały torys nie rozumie on tej prostej i oczywistej prawdy.

Nie ma wątpliwości, że stanowisko pana Churchilla jest stanowiskiem wojowniczym, wezwaniem do wojny z ZSRR. Jest także jasne, że takie stanowisko nie da się pogodzić z istniejącym układem sojuszniczym pomiędzy Anglią i Związkiem Radzieckim. To prawda, że Churchill, chcąc wprowadzić w błąd czytelników, mówi mimochodem, że ważność radziecko–angielskiego układu o wzajemnej pomocy i współpracy można by przedłużyć do 50 lat. Ale jak pogodzić to oświadczenie pana Churchilla z jego stanowiskiem zmierzającym do wojny i propagującym wojnę przeciwko ZSRR? Oczywiście, tych rzeczy nie da się w żaden sposób ze sobą pogodzić...

– Jak oceniacie tę część przemówienia pana Churchilla, w której atakuje on demokratyczny ustrój graniczących z nami państw wschodnioeuropejskich i krytykuje dobrosąsiedzkie stosunki między tymi państwami i Związkiem Radzieckim?

– Ta część przemówienia pana Churchilla jest mieszaniną oszczerstw, nieuprzejmości i braku taktu. Pan Churchill twierdzi, że „Warszawa, Berlin, Praga, Wiedeń, Budapeszt, Belgrad, Bukareszt, Sofia – wszystkie te sławne miasta i mieszkańcy wokół nich – znajdują się w sowieckiej sferze i są podporządkowane w tej czy innej formie nie tylko sowieckim wpływom, ale także w bardzo dużym i ciągle zwiększającym się stopniu są kontrolowani przez Moskwę". Pan Churchill opisuje to wszystko jako „nie mające granic tendencje ekspansjonistyczne" Związku Sowieckiego.

Nie trzeba wielkiego wysiłku, by udowodnić, że pan Churchill prostacko i bezceremonialnie spotwarza zarówno Moskwę, jak i państwa sąsiadujące z ZSRR.

Po pierwsze, jest zupełnym absurdem mówić o wyłącznej kontroli ZSRR nad Wiedniem i Berlinem, gdzie znajdują się Sojusznicze Rady Kontrolne, składające się z przedstawicieli czterech państw, i w których ZSRR rozporządza jedynie jedną czwartą głosów. Zdarza się, że niektórzy ludzie nie potrafią wstrzymać się od rzucania oszczerstw. Jednak wszystko ma swoje granice.

Po drugie, nie można zapomnieć o następujących okolicznościach: Niemcy mogli dokonać inwazji na ZSRR poprzez Finlandię, Polskę, Rumunię, Bułgarię i Węgry, ponieważ w owym czasie istniały w tych państwach rządy wrogo nastawione wobec Związku Radzieckiego. W wyniku niemieckiej agresji Związek Radziecki stracił w walkach, wskutek okupacji niemieckiej i wskutek wywiezienia na roboty przymusowe obywateli radzieckich, około siedmiu milionów ludzi. Inaczej mówiąc, Związek Radziecki stracił kilkakrotnie więcej ludzi niż Anglia i Stany Zjednoczone razem wzięte. Możliwe, że w niektórych rejonach świata istnieje skłonność do zapominania o tym olbrzymim poświęceniu Związku Radzieckiego, o ofiarach, które zapewniły Europie wyzwolenie spod niemieckiego jarzma. Ale Związek Radziecki nie może o nich zapomnieć. Co może zatem być zaskakujące w tym, że Związek Radziecki, pragnąc zabezpieczyć się na przyszłość, zabiega o to, by w tych krajach istniały rządy lojalne wobec Związku Radzieckiego? Jak można, nie postradawszy zmysłów, określić te pokojowe dążenia ZSRR jako „ekspansjonistyczne tendencje" naszego państwa? (...)

Pan Churchill jest oburzony, że Polska dokonała zwrotu w swej polityce, dążąc do przyjaźni i sojuszu z ZSRR. Był czas, kiedy w stosunkach między Polską i Związkiem Radzieckim dominowały elementy konfliktów i rozbieżności. Ten stan rzeczy umożliwił mężom stanu w rodzaju pana Churchilla wygrywanie tych rozbieżności, podporządkowanie sobie Polski pod pretekstem obrony przed Rosjanami, straszenie Związku Radzieckiego upiorem wojny z Polską i zachowanie dla siebie roli arbitra. Ale ten czas minął, ponieważ wrogość między Polską i Związkiem Radzieckim ustąpiła przyjaźni, a Polska – dzisiejsza demokratyczna Polska – nie chce już być igraszką w obcych rękach...

Jeśli chodzi o wypad pana Churchilla przeciwko ZSRR w związku z rozszerzeniem zachodnich granic Polski kosztem obszarów zagarniętych w przeszłości przez Niemców – to tutaj wydaje mi się, że popełnia on jawne oszustwo. Jak wiadomo, postanowienie dotyczące zachodnich granic Polski było powzięte na konferencji trzech mocarstw w Berlinie (konferencja poczdamska w lipcu 1945 roku) na podstawie żądań wysuwanych przez Polskę. Związek Radziecki wielokrotnie oświadczał, że uważa żądania Polski za słuszne i sprawiedliwe. Jest całkiem prawdopodobne, że pan Churchill jest urażony z powodu tej decyzji. Ale dlaczego pan Churchill, nie szczędząc słów krytyki przeciwko radzieckiemu stanowisku w tej sprawie, ukrywa przed swymi czytelnikami fakt, że ta decyzja została podjęta na konferencji berlińskiej jednomyślnie, że głosowali za nią nie tylko Rosjanie, ale także Anglicy i Amerykanie? Dlaczego pan Churchill uważa, że trzeba wprowadzać ludzi w błąd? (...)

Jak wiadomo, w Anglii rządzi obecnie jedna partia, Labour Party, a partie opozycyjne są pozbawione prawa do udziału w rządzeniu Wielką Brytanią. I to pan Churchill nazywa prawdziwą demokracją. W Polsce, Rumunii, Jugosławii, Bułgarii i na Węgrzech władzę sprawują bloki koalicyjne – składające się z 4 do 6 partii – a opozycja, bardziej czy mniej lojalna, ma prawo udziału w rządach. Pan Churchill nazywa to totalitaryzmem, tyranią i systemem policyjnym. Dlaczego? Na jakiej podstawie? Nie od pana Churchilla oczekuję odpowiedzi...

Pan Churchill zbliża się do prawdy, gdy mówi o wzrastających wpływach partii komunistycznych w Europie Wschodniej. Trzeba jednak zauważyć, że popełnia pewną nieścisłość. Wpływy partii komunistycznych zwiększyły się nie tylko w Europie Wschodniej, lecz niemal we wszystkich krajach europejskich, w których uprzednio panował faszyzm – we Włoszech, Niemczech, na Węgrzech, w Bułgarii, Rumunii, Finlandii – lub gdzie rządzili niemieccy, włoscy lub węgierscy okupanci (Francja, Belgia, Holandia, Norwegia, Polska, Dania, Czechosłowacja, Jugosławia, Grecja, Związek Radziecki itp).

Nie można uważać wzrostu wpływów komunistów za przypadek. Jest to zjawisko zgodne z logiką. Wpływy komunistów wzrosły dlatego, że w latach panowania faszyzmu w Europie komuniści okazali się godnymi zaufania, odważnymi i ofiarnymi bojownikami o wolność narodów i przeciwnikami reżimu faszystowskiego... Ci prości ludzie mają swoje poglądy, swoją politykę i potrafią się bronić. To oni, miliony tych prostych ludzi, odrzucili w Anglii pana Churchilla i jego partię, oddając swoje głosy na labourzystów. To oni, miliony tych prostych ludzi, izolowali w Europie reakcjonistów i zwolenników współpracy z faszyzmem, dając pierwszeństwo lewicowym partiom demokratycznym.

To oni, miliony prostych ludzi, poznawszy komunistów w ogniu walki z faszystami, doszli do wniosku, że komuniści w pełni zasługują na zaufanie narodu. W ten właśnie sposób wzrosły wpływy komunistów w Europie.

Oczywiście, panu Churchillowi nie podoba się taki rozwój wydarzeń i bije na alarm, odwołując się do siły. Ale nie podoba mu się także powstanie ustroju radzieckiego w Rosji po I wojnie światowej. Także wówczas bił on na alarm i organizował zbrojną wyprawę na Rosję, wytyczając sobie jako cel zawrócenie koła historii. Ale historia okazała się silniejsza od churchillowskiej interwencji, i donkiszoteria Churchilla doprowadziła go wówczas do całkowitej klęski. Nie wiem, czy panu Churchillowi i jego przyjaciołom uda się po II wojnie światowej zorganizować nową zbrojną wyprawę przeciwko Europie Wschodniej; lecz jeśli się uda – co jest mało prawdopodobne, ponieważ miliony prostych ludzi stoją na straży pokoju – to można powiedzieć z całą pewnością, że jej uczestnicy zostaną tak samo pobici jak 26 lat temu.

Moskwa, 1956

Referat Nikity Chruszczowa na XX Zjeździe KPZR (fragmenty)

Towarzysze! W referacie sprawozdawczym Komitetu Centralnego partii na XX zjeździe w szeregu przemówień delegatów na zjazd, jak również poprzednio na posiedzeniach plenarnych KC KPZR mówiono niemało o kulcie jednostki i o jego szkodliwych następstwach.

Po śmierci Stalina Komitet Centralny partii zaczął ściśle i konsekwentnie prowadzić politykę wyjaśniania, że niedopuszczalne jest i obce duchowi marksizmu-leninizmu wywyższanie jednej osoby, przekształcanie jej w jakiegoś nadczłowieka posiadającego cechy ponadnaturalne na podobieństwo boga. Człowiek ten rzekomo wszystko wie, wszystko widzi, za wszystkich myśli, wszystko potrafi zrobić, jest nieomylny w swym postępowaniu.

Takie mniemanie o człowieku, a mówiąc konkretnie – o Stalinie, kultywowane było u nas przez wiele lat.

Zadaniem niniejszego referatu nie jest wszechstronna ocena życia i działalności Stalina. O zasługach Stalina napisano jeszcze za jego życia zupełnie wystarczająco dużo książek, broszur, studiów. Znana jest powszechnie rola Stalina w przygotowaniu i dokonaniu rewolucji socjalistycznej, w wojnie domowej, w walce o zbudowanie socjalizmu w naszym kraju. O tym wszyscy wiedzą dobrze. Obecnie chodzi nam o kwestię mającą ogromne znaczenie dla partii w teraźniejszości i w przyszłości – o to, jak stopniowo kształtował się kult osoby Stalina, który to kult stał się na określonym etapie źródłem całego szeregu niezmiernie poważnych i ciężkich wypaczeń zasad partyjnych, demokracji partyjnej, praworządności rewolucyjnej.

Wobec tego, że nie wszyscy jeszcze zdają sobie sprawę, do czego prowadził w praktyce kult jednostki, jak ogromną szkodę wyrządziło pogwałcenie zasady kolegialnego kierownictwa w partii i skupienie niezmiernej, nieograniczonej władzy w rękach jednej osoby, Komitet Centralny partii uważa za konieczne podać do wiadomości XX Zjazdu Komunistycznej Partii Związku Radzieckiego materiały dotyczące tej sprawy. (...)

W grudniu 1922 roku w liście do zjazdu partii Włodzimierz Iljicz pisał:

Tow. Stalin po objęciu stanowiska sekretarza generalnego skupił w swych rękach niezmierną władzę i nie mam pewności, czy zawsze potrafi korzystać z tej władzy z należytą ostrożnością.

Ten list – dokument polityczny ogromnej wagi, znany w historii partii jako „testament'' Lenina – rozdany został delegatom XX zjazdu partii. Czytaliście go i będziecie prawdopodobnie czytać jeszcze nieraz. Zastanówcie się nad prostymi słowami Leninowskimi, w których znajduje wyraz troska Włodzimierza Iljicza o partię, o naród, o państwo, o dalszy kierunek polityki partii.

Włodzimierz Iljicz mówił:

Stalin jest zbyt brutalny, i wada ta, którą można w zupełności tolerować w naszym środowisku i w stosunkach między nami, komunistami, staje się wadą nie do zniesienia na stanowisku sekretarza generalnego. Wobec tego proponuję towarzyszom, by rozważyli sposób przeniesienia Stalina z tego stanowiska i wyznaczenia na to miejsce innego człowieka, który by pod wszystkimi względami różnił się od tow. Stalina jedną tylko zaletą, a mianowicie większą tolerancyjnością, większą lojalnością, większą uprzejmością i bardziej uważnym stosunkiem do towarzyszy, mniej kapryśnym usposobieniem itd.

Ten dokument leninowski został podany do wiadomości delegacjom na XIII zjazd partii, które omawiały sprawę przeniesienia Stalina ze stanowiska sekretarza generalnego. Delegacje wypowiedziały się za pozostawieniem Stalina na tym stanowisku, spodziewając się, że będzie się on liczył z krytycznymi uwagami Włodzimierza Iljicza i potrafi przezwyciężyć swe braki, które budziły poważne obawy Lenina.

Towarzysze! Zjazd partii powinien zaznajomić się z dwoma nowymi dokumentami, które uzupełniają charakterystykę Stalina, dokonaną przez Włodzimierza Iljicza Lenina w jego „testamencie''. Dokumenty te to list Nadieżdy Konstantynowny Krupskiej do Kamieniewa, który był wówczas przewodniczącym Biura Politycznego, oraz list osobisty Włodzimierza Iljicza Lenina do Stalina.

Odczytuję te dokumenty.

LIST N. K. KRUPSKIEJ:

Lwie Borysowiczu!

Z powodu króciutkiego listu, który napisałam pod dyktando Włodzimierza Iljicza za zezwoleniem lekarzy, Stalin pozwolił sobie wczoraj na niezwykle grubiański wybryk w stosunku do mnie. Jestem w partii nie od dzisiaj. W ciągu całych trzydziestu lat nie słyszałam od żadnego towarzysza ani jednego grubiańskiego słowa. Interesy partii i Iljicza są mi drogie nie mniej niż Stalinowi. Potrzebuję obecnie maksimum panowania nad sobą. O czym można, o czym nie można mówić z Iljiczem – wiem lepiej od każdego lekarza, wiem bowiem, co go denerwuje, a co nie, a w każdym razie lepiej od Stalina. Zwracam się do Was i do Grigorija jako do bardzo bliskich towarzyszy W.I. i proszę uchronić mnie od grubiańskiego ingerowania w moje życie osobiste, od niegodziwych wymyślań i pogróżek. Nie wątpię, jaka będzie jednomyślna decyzja Komisji Kontroli, którą pozwala sobie grozić mi Stalin, ale nie mam ani sił, ani czasu, bym miała marnować je na tę głupią kłótnię. I ja jestem żywym człowiekiem, a moje nerwy są napięte do ostatnich granic.

N. Krupska

List ten Nadieżda Konstantynowna napisała 23 grudnia 1922 roku. Po upływie dwóch i pół miesiąca, w marcu 1923 roku. Włodzimierz Iljicz Lenin przesłał do Stalina następujący list:

Do Towarzysza Stalina.
Odpisy otrzymują: Kamieniew i Zinowiew.
Szanowny t. Stalin!
Pozwoliliście sobie na grubiańskie wezwanie mojej żony do telefonu i zwymyślanie jej. Chociaż oświadczyła Wam, że zgadza się zapomnieć o tym, co zostało powiedziane, to jednak dowiedzieli się od niej o tym fakcie Zinowiew i Kamieniew. Nie mam zamiaru zapominać tak łatwo o tym, co się robi przeciwko mnie, a nie potrzebuję tu podkreślać, że uważam za skierowane również przeciwko sobie to, co się czyni przeciwko mojej żonie. Proszę więc, abyście rozważyli, czy jesteście skłonni cofnąć swoje słowa i przeprosić, czy też wolicie zerwanie stosunków pomiędzy nami.

Z poważaniem: Lenin

Towarzysze! Nie będę komentował tych dokumentów. Mówią one wymownie same za siebie. Skoro Stalin mógł zachowywać się w ten sposób za życia Lenina, mógł tak odnosić się do Nadieżdy Konstantynowny Krupskiej, którą partia dobrze zna i wysoko ceni – jako wiernego przyjaciela Lenina i aktywnego bojownika o sprawę naszej partii od chwili jej powstania – to można sobie wyobrazić, jak traktował Stalin innych ludzi. Te jego ujemne cechy rozwijały się coraz bardziej i w ostatnich latach nabrały charakteru zupełnie nieznośnego.

Jak dowiodły późniejsze wydarzenia, niepokój Lenina był uzasadniony – w pierwszym okresie po zgonie Lenina Stalin liczył się jeszcze z jego wskazaniami, ale potem zaczął lekceważyć poważne przestrogi Włodzimierza Iljicza.

Jeżeli przeanalizujemy praktykę stosowaną przez Stalina w kierowaniu partią i krajem, jeżeli zastanowimy się nad tym wszystkim, czego dopuścił się Stalin, przekonamy się, że obawy Lenina były słuszne. Ujemne cechy Stalina, które za czasów leninowskich były tylko w zarodku, przekształciły się w ciągu ostatnich lat w ciężkie nadużycie władzy przez Stalina, co wyrządziło niezliczone szkody naszej partii. (...)

Nie zwoływano prawie plenarnych posiedzeń Komitetu Centralnego. Wystarczy powiedzieć, że w ciągu wszystkich lat Wielkiej Wojny Narodowej nie odbyło się praktycznie ani jedno plenum KC. Co prawda była próba zwołania plenum KC w październiku 1941 roku, gdy z całego kraju specjalnie wezwano do Moskwy członków KC. Dwa dni czekali oni na otwarcie plenum, lecz nie doczekali się. Stalin nie chciał nawet spotkać się i porozmawiać z członkami Komitetu Centralnego. Fakt ten świadczy, jak zdemoralizowany był Stalin w pierwszych miesiącach wojny i jak wyniośle i lekceważąco traktował członków KC.

W praktyce tej znalazło wyraz ignorowania przez Stalina norm życia partyjnego, podeptanie przez niego leninowskiej zasady kolegialnego kierownictwa partyjnego.

Samowola Stalina wobec partii i jej Komitetu Centralnego ujawniła się w szczególności po XVII zjeździe partii, który odbył się w 1934 roku.

Komitet Centralny, dysponując licznymi faktami świadczącymi o brutalnej samowoli wobec kadr partyjnych, wyłonił komisję partyjną z ramienia Prezydium KC, której polecił dokładne zbadanie, w jaki sposób stały się możliwe masowe represje przeciwko większości członków i kandydatów Komitetu Centralnego partii, wybranego przez XVII Zjazd WKP (b).

Komisja zaznajomiła się z bardzo licznymi materiałami w archiwach NKWD, z innymi dokumentami oraz ustaliła wiele faktów fabrykowania spraw przeciwko komunistom, fałszywych oskarżeń, krzyczących naruszeń praworządności socjalistycznej, w wyniku czego zginęli niewinni ludzie. Wychodzi na jaw, że wielu pracowników partyjnych, radzieckich i gospodarczych, których uznano w latach 1937–38 za wrogów, w rzeczywistości nigdy nie było wrogami, szpiegami, szkodnikami itp., że w istocie zawsze byli oni uczciwymi komunistami, ale ich oczerniono i czasem, nie wytrzymując barbarzyńskich tortur, sami siebie oskarżali (pod dyktando sędziów śledczych–fałszerzy) o wszelkie ciężkie i nieprawdopodobne przestępstwa. Komisja przedstawiła Prezydium KC obszerny udokumentowany materiał w sprawie masowych represji przeciwko delegatom na XVII zjazd partii i członkom Komitetu Centralnego wybranego przez ten zjazd. Materiały te zostały rozpatrzone przez Prezydium Komitetu Centralnego.

Ustalono, że spośród 139 członków i kandydatów na członków Komitetu Centralnego partii, wybranych na XVII zjeździe zostało aresztowanych i rozstrzelanych (głównie w latach 1937–38) 98 osób, to znaczy 70 proc. (...)

Taki sam los spotkał nie tylko członków KC, lecz również większość delegatów na XVII zjazd partii. Spośród 1966 delegatów na zjazd z głosem decydującym i doradczym – aresztowano na podstawie oskarżeń o przestępstwa kontrrewolucyjne znacznie więcej niż połowę – 1108 osób. Już sam ten fakt świadczy, jak niedorzeczne, dzikie, sprzeczne ze zdrowym rozsądkiem były oskarżenia o przestępstwa kontrrewolucyjne, wysunięte, jak się obecnie wyjaśnia, wobec większości uczestników XVII zjazdu partii (...)

Po zbrodniczym zamordowaniu S.M. Kirowa rozpoczęły się masowe represje i nastąpiły brutalne akty naruszania praworządności socjalistycznej. Wieczorem 1 grudnia 1934 roku z inicjatywy Stalina (bez uchwały Biura Politycznego – uczyniono to dopiero po dwóch dniach, obiegiem) sekretarz Prezydium CIK (Centralny Komitet Wykonawczy – najwyższy organ państwowy – wyd.), Jenukidze podpisał następujące zarządzenie:

I. Władzom śledczym poleca się prowadzić w trybie przyspieszonym sprawy oskarżonych o przygotowanie lub dokonanie aktów terroru.

II. Organom sądowym poleca się nie wstrzymywać wykonywania wyroków śmierci w związku z prośbą przestępców tej kategorii o zastosowanie prawa łaski, ponieważ Prezydium CIK ZSRR nie uważa za możliwe przyjmowanie tego rodzaju próśb do rozpatrzenia.

III. Organom Komisariatu Spraw Wewnętrznych poleca się wykonywać wyroki śmierci na przestępcach wymienionej wyżej kategorii natychmiast po wydaniu wyroków.

Zarządzenie to stało się podstawą masowych faktów naruszania praworządności socjalistycznej. W wielu sfabrykowanych sprawach sądowych oskarżonym przypisywano przygotowanie aktów terroru, a to pozbawiało oskarżonych jakiejkolwiek możliwości rewizji ich spraw nawet wówczas, gdy przed sądem odwoływali wymuszone na nich zeznania i w sposób przekonywający obalali wysunięte wobec nich oskarżenia. (...)

Masowe represje wzmogły się gwałtownie od końca 1936 roku po depeszy Stalina i Żdanowa z Soczi z 25 września 1936 roku, adresowanej do Kaganowicza, Mołotowa i innych członków Biura Politycznego. Treść depeszy była następująca:

Uważamy za absolutnie konieczne i pilne mianowanie t. Jeżowa na stanowisko komisarza ludowego spraw wewnętrznych. Jagoda wyraźnie nie stanął na wysokości zadania w sprawie zdemaskowania bloku trockistowsko-zinowiewowskiego. OGPU spóźnił się w tej sprawie o 4 lata. Mowią o tym wszyscy pracownicy partyjni i większość obwodowych przedstawicieli NKWD.

Właściwie należy podkreślić, że z pracownikami partyjnymi Stalin nie spotykał się i dlatego nie mógł znać ich opinii.

To stalinowskie sformułowanie, że „NKWD spóźnił się o 4 lata'' w stosowaniu masowych represji, że należy szybko „nadrobić'' zaniedbania, bezpośrednio pchało pracowników NKWD na drogę masowych aresztowań i egzekucji. (...)

Kiedy fala masowych represji w 1939 roku zaczęła słabnąć, kiedy kierownicy terenowych organizacji partyjnych zaczęli oskarżać pracowników NKWD o stosowanie metod fizycznego oddziaływania wobec aresztowanych, Stalin wystosował 20 stycznia 1939 roku szyfrowaną depeszę do sekretarzy komitetów obwodowych i krajowych, do KC narodowych partii komunistycznych, komisarzy ludowych spraw wewnętrznych i naczelników urzędów NKWD. Depesza ta brzmiała:

KC WKP(b) wyjaśnia, że stosowanie metod fizycznego oddziaływania w praktyce NKWD jest dopuszczalne od 1937 r na mocy zezwolenia KC WKP(b). Wiadomo, że wszystkie wywiady burżuazyjne stosują metody oddziaływania fizycznego wobec przedstawicieli proletariatu socjalistycznego i stosują je przy tym w formach najbardziej skandalicznych. Powstaje pytanie, dlaczego wywiad socjalistyczny powinien być bardziej humanitarny wobec zaciekłych agentów burżuazji, wobec śmiertelnych wrogów klasy robotniczej i kołchoźników. KC WKP(b) uważa, że metoda oddziaływania fizycznego powinna być obowiązkowo stosowana również nadal jako wyjątek wobec jawnych i zaciętych wrogów ludu, jako metoda całkowicie słuszna i celowa.

Tak więc najbardziej brutalne łamanie praworządności socjalistycznej, torturowanie i znęcanie się, prowadzące, jak wyżej stwierdzono, do szkalowania i samooczerniania się niewinnych ludzi, były sankcjonowane przez Stalina w imieniu KC WKP(b). (...)

Jednoosobowa władza Stalina doprowadziła do ciężkich następstw w czasie Wielkiej Wojny Narodowej.

Jakie są fakty w tej sprawie?

Przed wojną w naszej prasie i w całej pracy polityczno-wychowawczej górował chełpliwy ton: jeśli wróg napadnie na świętą ziemię radziecką, to na cios wroga odpowiemy potrójnym ciosem, a wojnę będziemy prowadzić na terytorium wroga i wygramy ją ponosząc nieduże straty. Ale te deklaratywne oświadczenia bynajmniej nie we wszystkich dziedzinach poparte były konkretnymi czynami, które by rzeczywiście zapewniły nietykalność naszych granic.

W toku wojny i po wojnie Stalin wysunął tezę, że tragedia, którą przeżył nasz naród w pierwszym okresie wojny, jest rzekomo wynikiem „niespodziewanej" napaści Niemców na Związek Radziecki. Ale przecież, towarzysze, to całkowicie nie odpowiada rzeczywistości. Hitler natychmiast po dojściu do władzy w Niemczech postawił sobie zadanie rozgromienia komunizmu. Faszyści mówili o tym otwarcie, nie ukrywając swych planów. Dla zrealizowania tych agresywnych celów zawierano wszelkiego rodzaju pakty, bloki, osie, takie jak osławiona oś Berlin–Rzym–Tokio. Liczne fakty z okresu przedwojennego wymownie świadczyły, że Hitler poświęca wszystkie swe siły temu, by rozpętać wojnę przeciwko państwu radzieckiemu i że skoncentrował wielkie jednostki wojskowe, w tym także jednostki pancerne, w pobliżu granic radzieckich.

Z opublikowanych obecnie dokumentów wynika, że już 3 kwietnia 1941 roku Churchill za pośrednictwem ambasadora angielskiego w ZSRR, Crippsa, uprzedzał osobiście Stalina, że wojska niemieckie rozpoczęły nową dyslokację przygotowując się do napaści na Związek Radziecki. Rozumie się samo przez się, że Churchill nie zrobił tego bynajmniej z powodu przyjaznych uczuć wobec narodu radzieckiego. Miał on w tym swoje imperialistyczne cele – zderzyć Niemcy i ZSRR w krwawej wojnie i umocnić pozycje imperium brytyjskiego. Niemniej jednak Churchill stwierdził w swym piśmie, że prosi o *ostrzeżenie Stalina, by zwrócić jego uwagę na grożące mu niebezpieczeństwo.* Churchill uporczywie podkreślał to również w depeszach z 18 kwietnia i w następnych dniach. Jednakże Stalin nie brał pod uwagę tych ostrzeżeń. Co więcej, Stalin polecał, by nie dowierzano informacjom tego rodzaju, by rzekomo nie sprowokować rozpoczęcia działań wojennych.

Trzeba stwierdzić, że tego rodzaju informacje o grożącym niebezpieczeństwie wtargnięcia wojsk niemieckich na terytorium Związku Radzieckiego nadchodziły również z naszych placówek wojskowych i dyplomatycznych, ale ponieważ kierownictwo było z góry uprzedzone do tego rodzaju informacji, za każdym razem wysyłano je z obawą i zaopatrywano w zastrzeżenia.

Tak np. w doniesieniu z Berlina z 6 maja 1941 roku attaché wojskowo–morski w Berlinie, kpt. Woroncow komunikował: *Obywatel radziecki Bozer zakomunikował zastępcy naszego attaché morskiego, że według słów pewnego oficera niemieckiego z kwatery Hitlera, Niemcy przygotowują na 14 maja napaść na ZSRR przez Finlandię, kraje nadbałtyckie i Łotwę. Równocześnie mają nastąpić wielkie naloty na Moskwę i Leningrad oraz wysadzenie desantów spadochronowych w miastach nadgranicznych.*

W swym doniesieniu z 22 maja 1941 roku zastępca attaché wojskowego w Berlinie, Chłopow, komunikował, że *atak wojsk niemieckich wyznaczono rzekomo na 15.6., ale możliwe jest, iż rozpocznie się w pierwszych dniach czerwca.*

W depeszy naszej ambasady z Londynu z 18 czerwca 1941 roku komunikowano: *Co się tyczy bieżącej chwili, to Cripps jest głęboko przekonany o nieuchronności zbrojnego starcia między Niemcami a ZSRR i to nie później niż w połowie czerwca. Według słów Crippsa Niemcy skoncentrowali do dnia dzisiejszego na granicach radzieckich (włączając w to siły lotnicze i jednostki pomocnicze) 147 dywizji.*

Mimo tych niezwykle ważnych sygnałów nie podjęto dostatecznych kroków, by dobrze przygotować kraj do obrony i wykluczyć moment zaskoczenia.(...)

Gdyby przemysł nasz został w porę i należycie zmobilizowany do zaopatrzenia armii w broń i niezbędny sprzęt, to ponieślibyśmy niepomiernie mniej strat w tej ciężkiej wojnie. Jednakże mobilizacji takiej nie przeprowadzono na czas. I już w pierwszych dniach wojny okazało się, że armia nasza jest źle uzbrojona, że nie mieliśmy dostatecznej ilości artylerii, czołgów i samolotów dla odparcia wroga. (...)

A do czego doprowadziła taka niefrasobliwość, takie ignorowanie oczywistych faktów? Doprowadziło do tego, że już w pierwszych godzinach i dniach wróg zniszczył w naszych nadgranicznych rejonach olbrzymią ilość lotnictwa, artylerii i innego sprzętu wojskowego, unicestwił znaczną liczbę naszych kadr wojskowych, zdezorganizował kierowanie wojskami; toteż nie byliśmy w stanie zagrodzić mu drogi w głąb kraju.

Bardzo ciężkie następstwa, zwłaszcza dla początkowego okresu wojny, miała także ta okoliczność, że w ciągu lat 1937–1941 wskutek podejrzliwości Stalina unicestwiono na podstawie oszczerczych oskarżeń wielu dowódców wojskowych i pracowników politycznych. W ciągu tych lat zastosowano represje wobec kilku warstw kadr dowódców, począwszy dosłownie od kompanii czy batalionu, a skończywszy na wyższych ośrodkach wojskowych, w tym prawie całkowicie zlikwidowano te kadry dowódców, które zdobyły pewne doświadczenie w prowadzeniu wojny w Hiszpanii i na Dalekim Wschodzie.

Polityka zakrojonych na szeroką skalę represji wobec kadr wojskowych prowadziła także do tego, że podważała podstawę dyscypliny wojskowej, ponieważ w ciągu kilku lat dowódców wszystkich stopni, a nawet żołnierzy w komórkach partyjnych i komsomolskich uczono, by „demaskowali'' swoich dowódców jako ukrytych wrogów. Jest rzeczą naturalną, że wywarło to ujemny wpływ w pierwszym okresie wojny na stan dyscypliny wojskowej. (...)

Wiele krwi kosztowała nas także taktyka, na którą nalegał Stalin, nie znając istoty prowadzenia operacji bojowych, gdy udało się powstrzymać przeciwnika i przejść do ofensywy.

Wojskowi wiedzą, że już od końca 1941 roku, zamiast prowadzenia wielkich operacji manewrowych z obchodzeniem przeciwnika z flanek i przenikaniem na jego zaplecze, Stalin domagał się nieustannych ataków czołowych i zdobywania jednej wsi za drugą. Ponosiliśmy z tego powodu olbrzymie straty, dopóki naszej generalicji, na której barkach spoczywał cały ciężar prowadzenia wojny, nie udało się zmienić sytuacji i przejść do prowadzenia elastycznych operacji manewrowych, co natychmiast doprowadziło do poważnej zmiany na frontach na naszą korzyść.

Tym bardziej haniebny był fakt, że po naszym wielkim zwycięstwie nad wrogiem, które kosztowało nas tak wiele, Stalin zaczął gromić wielu spośród dowódców, którzy wnieśli niemały wkład do sprawy zwycięstwa nad wrogiem, ponieważ Stalin wykluczał wszelką możliwość, by zasługi zdobyte na frontach były przypisywane komukolwiek poza nim samym.

Stalin interesował się bardzo oceną tow. Żukowa jako dowódcy wojskowego. Pytał się mnie często, jakie jest moje zdanie o Żukowie. Odpowiadałem mu wówczas:

– Żukowa znam od dawna, jest on dobrym generałem i dobrym dowódcą.

Po wojnie Stalin zaczął opowiadać o Żukowie wszelkiego rodzaju bajdy, mówiąc między innymi:

– Chwaliliście Żukowa, a przecież on na to nie zasługuje. Powiadają, że Żukow na froncie przed każdą operacją postępował w ten sposób: brał garść ziemi, wąchał ją i następnie mówił: można rozpoczynać atak, albo przeciwnie: nie można przeprowadzić planowanej operacji.

Odpowiedziałem wówczas:

– Nie wiem, tow. Stalin, kto to wymyślił, ale to nieprawda.

Prawdopodobnie sam Stalin wymyślał takie rzeczy, by pomniejszyć rolę i zdolności wojskowe marszałka Żukowa.

W związku z tym sam Stalin bardzo gorliwie popularyzował siebie jako wielkiego dowódcę, wszelkimi sposobami wpajał w świadomość ludzi wersję, że wszystkie zwycięstwa odniesione przez naród radziecki w Wielkiej Wojnie Narodowej są wynikiem męstwa, odwagi i geniuszu Stalina i nikogo więcej. Zupełnie jak Kuźma Kriuczkow nadziewał na włócznię od razu 7 osób.

Towarzysze! Sięgnijmy do niektórych innych faktów. Związek Radziecki słusznie uważany jest za wzór państwa wielonarodowego, albowiem w praktyce zapewniona została u nas równość i przyjaźń wszystkich narodów zamieszkujących naszą wielką ojczyznę.

Tym potworniejsze są akcje, których inicjatorem był Stalin i które stanowią brutalne pogwałcenie podstawowych leninowskich zasad polityki narodowościowej państwa radzieckiego. Mowa jest o masowym przesiedlaniu z miejsc ojczystych całych narodów, w tym również wszystkich komunistów i komsomolców bez żadnego wyjątku, przy czym tego rodzaju akcja wysiedleńcza nie była dyktowana żadnymi względami wojskowymi.

Tak więc już pod koniec roku 1943, gdy na frontach Wielkiej Wojny Narodowej nastąpił trwały przełom na rzecz Związku Radzieckiego, powzięto decyzję w sprawie wysiedlenia z zajmowanego terytorium wszystkich Karaczajewców. W tym samym okresie, w końcu grudnia 1943 roku, taki sam los spotkał całą ludność Autonomicznej Republiki Kałmuckiej. W marcu 1944 roku wysiedlono wszystkich Czeczeńców i Ingušów, a Autonomiczna Republika Czeczeńsko–Inguska została zlikwidowana. W kwietniu 1944 roku z terytorium Autonomicznej Republiki Kabardyńsko-Bałkarskiej wysiedlono do odległych miejsc wszystkich Bałkarów, sama zaś republika przemianowana została na Autonomiczną Republikę Kabardyńską. Ukraińcy uniknęli tego losu dlatego, że jest ich zbyt wielu i nie było ich dokąd wysłać. W przeciwnym razie wysiedliłby on również ich.

Samowola Stalina występowała nie tylko przy decydowaniu o sprawach wewnętrznego życia kraju, lecz również w dziedzinie międzynarodowych stosunków Związku Radzieckiego.

Na lipcowym plenum KC szczegółowo rozpatrywano przyczyny powstania konfliktu z Jugosławią. Podkreślano przy tym niegodną rolę Stalina. Przecież w „sprawie jugosłowiańskiej'' nie było takich problemów, których nie można byłoby rozstrzygnąć w drodze partyjnej dyskusji wśród towarzyszy. Nie było poważnych podstaw dla powstania tej „sprawy'', było całkowicie możliwe niedopuszczenie do zerwania z tym krajem. Nie oznacza to jednak, że przywódcy jugosłowiańscy nie popełniali błędów lub nie mieli niedociągnięć. Ale błędy te i niedociągnięcia zostały w sposób potworny wyolbrzymione przez Stalina, co doprowadziło do zerwania stosunków z zaprzyjaźnionym krajem.

Przypominam sobie pierwsze dni, gdy sztucznie zaczęto rozdmuchiwać konflikt między Związkiem Radzieckim a Jugosławią.

Pewnego razu, gdy przyjechałem z Kijowa do Moskwy, zaprosił mnie do siebie Stalin i wskazując na kopię listu, niedawno wysłanego do Tito, zapytał:

– Czytałeś?

I nie czekając na odpowiedź powiedział:

– Kiwnę małym palcem – i nie będzie Tito. Zleci...

Drogo nas kosztowało to „kiwanie małym palcem''. Oświadczenie to odzwierciedlało manię wielkości Stalina, wszak tak właśnie postępował: kiwnę małym palcem – i nie ma Kosiora, kiwnę jeszcze raz małym palcem – nie ma już Postyszewa, Czubaria, kiwnę znowu małym palcem – i znikają Wozniesienski, Kuzniecow i wielu innych.

Ale z Tito tak się nie stało. Bez względu na to, ile kiwał Stalin nie tylko małym palcem, ale i wszystkim, czym mógł. Tito nie zleciał. Dlaczego? A dlatego, że w tym sporze z towarzyszami jugosłowiańskimi Tito miał za sobą państwo i naród, który przeszedł surową szkołę walki o swą wolność i niepodległość, naród, który udzielał poparcia swym przywódcom.

Oto do czego doprowadziła mania wielkości Stalina. Zatracał on całkowicie poczucie rzeczywistości, wykazywał podejrzliwość i wyniosłość nie tylko w stosunku do poszczególnych osób w ZSRR, lecz również w stosunku do całych partii i krajów.

Obecnie wnikliwie zbadaliśmy sprawę Jugosławii i znaleźliśmy właściwe rozwiązanie, które aprobują narody Związku Radzieckiego i Jugosławii, jak i masy pracujące wszystkich krajów demokracji ludowej, cała postępowa ludzkość. Likwidacja nienormalnych stosunków z Jugosławią dokonana została w interesie całego obozu socjalizmu, w interesie umocnienia pokoju na całym świecie.

Należy również przypomnieć „sprawę lekarzy–szkodników''. W istocie rzeczy żadnej „sprawy'' nie było, poza oświadczeniem lekarki Timaszuk, która być może pod czyimś wpływem lub z czyjegoś polecenia (wszak była ona nieoficjalnym współpracownikiem organów bezpieczeństwa państwowego), napisała list do Stalina, w którym oświadczyła, iż lekarze stosują rzekomo niewłaściwe metody leczenia.

Wystarczył taki list, aby Stalin od razu wyciągnął wniosek, że w Związku Radzieckim są lekarze–szkodnicy i wydał polecenie aresztowania grupy wybitnych specjalistów medycyny radzieckiej. Osobiście udzielał wskazówek, jak należy prowadzić śledztwo, jak przesłuchiwać aresztowanych. Powiedział: akademika Winogradowa zakuć w kajdany, a takiego to bić. Obecny jest tu jako delegat na zjazd były minister bezpieczeństwa państwowego, tow. Ignatiew. Stalin powiedział mu wręcz:

– Jeśli nie uzyskacie przyznania się lekarzy, to skrócimy was o głowę.

Stalin osobiście wzywał sędziego śledczego, udzielał mu instrukcji, wskazywał metody śledztwa, a metody te były jedne – bić, bić i jeszcze raz bić.

W pewien czas po aresztowaniu lekarzy, my, członkowie Biura Politycznego, otrzymaliśmy protokoły z przyznaniem się lekarzy do winy. Po rozesłaniu tych protokołów Stalin mówił do nas:

– Ślepi jesteście jak kocięta, cóż będzie beze mnie? Zginie kraj, gdyż nie potraficie rozpoznawać wrogów.

Sprawa została postawiona w ten sposób, iż nikt nie miał możności sprawdzenia faktów, na podstawie których prowadzono śledztwo. Nie było możności sprawdzenia faktów przez kontaktowanie się z ludźmi, którzy przyznawali się do winy.

Czuliśmy jednak, że sprawa aresztowania lekarzy jest nieczysta. Wielu z tych ludzi znaliśmy dobrze, leczyli nas. I gdy po śmierci Stalina zbadaliśmy, jak „sprawę'' tę tworzono, to zobaczyliśmy, że jest ona od początku do końca sfabrykowana.

Ta haniebna „sprawa'' została zmontowana przez Stalina, ale nie zdążył on doprowadzić jej do końca (w swoim zrozumieniu) i dlatego lekarze pozostali przy życiu. Obecnie wszyscy zostali zrehabilitowani, pracują na tych samych stanowiskach co poprzednio, leczą czołowych działaczy, nie wyłączając również członków rządu, darzymy ich pełnym zaufaniem, a oni rzetelnie, tak jak poprzednio, pełnią swe obowiązki.

W organizowaniu rozmaitych brudnych i haniebnych spraw nikczemną rolę odegrał zajadły wróg naszej partii, agent obcego wywiadu – Beria, który wkradł się w zaufanie Stalina. W jaki sposób ten prowokator mógł zdobyć w partii i w państwie takie stanowisko, że stał się pierwszym zastępcą przewodniczącego Rady Ministrów Związku Radzieckiego i członkiem Biura Politycznego KC? Obecnie zostało stwierdzone, że ten nikczemnik wspinał się wzwyż drabiny państwowej po stosach trupów.(...)

Beria został zdemaskowany przez Komitet Centralny partii wkrótce po śmierci Stalina. W wyniku szczegółowego przewodu sądowego ustalone zostały potworne zbrodnie Berii i Beria został rozstrzelany.

Nasuwa się pytanie, dlaczego Beria, który likwidował dziesiątki tysięcy działaczy partyjnych i radzieckich, nie został zdemaskowany za życia Stalina? Nie został zdemaskowany wcześniej, ponieważ umiejętnie wykorzystywał słabe strony Stalina, podsycając w nim podejrzliwość, we wszystkim dogadzał Stalinowi, działał przy jego poparciu.

Towarzysze!

Kult jednostki przybrał tak potworne rozmiary głównie dlatego, że sam Stalin wszelkimi sposobami popierał gloryfikację swej osoby. Świadczą o tym liczne fakty. Jednym z najbardziej charakterystycznych przykładów wychwalania samego siebie i braku elementarnej skromności u Stalina jest wydanie jego „Krótkiego życiorysu'', który ukazał się w 1948 roku.

Książka ta jest wyrazem najbardziej wyuzdanego pochlebstwa, wzorem czynienia z człowieka bóstwa, przekształcania go w nieomylnego mędrca, „największego wodza'', „nieprześcignionego stratega wszystkich czasów i narodów''. Nie znajdowano już innych słów, aby jeszcze bardziej wynosić pod niebiosa Stalina.

Nie ma potrzeby cytować tutaj obrzydliwych pochlebstw, od których roi się ta książka. Trzeba tylko podkreślić, że wszystkie one były aprobowane i redagowane osobiście przez Stalina, a niektóre z nich własnoręcznie dopisane przez niego do makiety książki. (...)

Towarzysze!

XX Zjazd Komunistycznej Partii Związku Radzieckiego zamanifestował z nową siłą niewzruszoną jedność naszej partii, jej zespolenie wokół Komitetu Centralnego, jej zdecydowaną wolę wykonania wielkich zadań budownictwa komunistycznego. I fakt, że obecnie stawiamy w całej rozciągłości zasadnicze problemy przezwyciężania obcego marksizmowi-leninizmowi kultu jednostki i zlikwidowania jego ciężkich następstw, świadczy o wielkiej sile moralnej i politycznej naszej partii.

Jesteśmy całkowicie przekonani, że nasza partia uzbrojona w historyczne uchwały XX zjazdu poprowadzi naród radziecki drogą leninowską do nowych sukcesów, do nowych zwycięstw.

Niech żyje zwycięski sztandar naszej partii – leninizm!

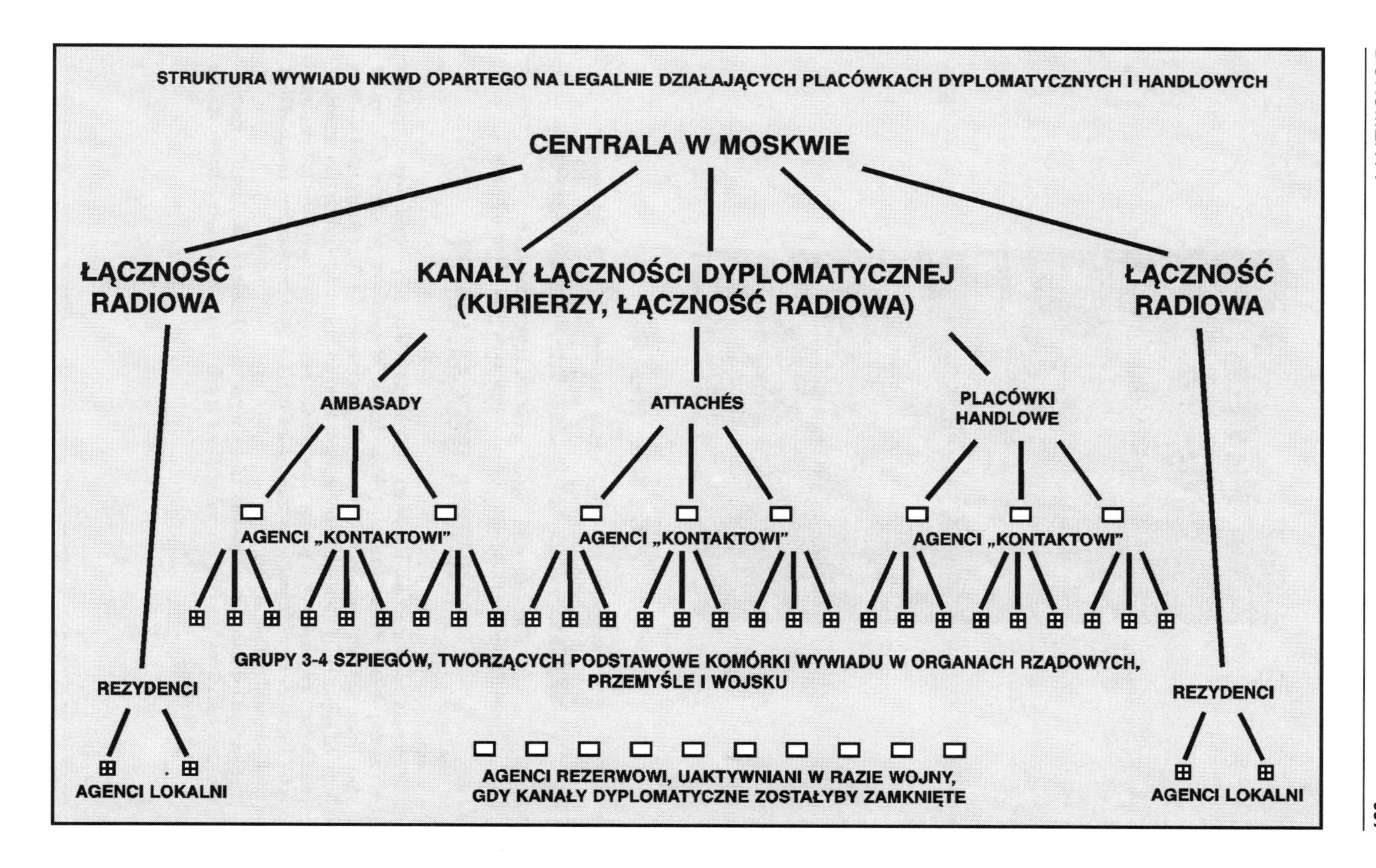
STRUKTURA WYWIADU NKWD OPARTEGO NA LEGALNIE DZIAŁAJĄCYCH PLACÓWKACH DYPLOMATYCZNYCH I HANDLOWYCH
CENTRALA W MOSKWIE
ŁĄCZNOŚĆ RADIOWA
KANAŁY ŁĄCZNOŚCI DYPLOMATYCZNEJ (KURIERZY, ŁĄCZNOŚĆ RADIOWA)
ŁĄCZNOŚĆ RADIOWA
AMBASADY
ATTACHÉS
PLACÓWKI HANDLOWE
AGENCI „KONTAKTOWI"
AGENCI „KONTAKTOWI"
AGENCI „KONTAKTOWI"
GRUPY 3-4 SZPIEGÓW, TWORZĄCYCH PODSTAWOWE KOMÓRKI WYWIADU W ORGANACH RZĄDOWYCH, PRZEMYŚLE I WOJSKU
REZYDENCI
AGENCI LOKALNI
AGENCI REZERWOWI, UAKTYWNIANI W RAZIE WOJNY, GDY KANAŁY DYPLOMATYCZNE ZOSTAŁYBY ZAMKNIĘTE
REZYDENCI
AGENCI LOKALNI